Hans Günter Brauch

Die Raketen kommen!

Vom Nato-Doppelbeschluß bis zur Stationierung

SS 20

US

ARMY

bund

Hans Günter Brauch
Die Raketen kommen!
Vom NATO-Doppelbeschluß bis zur Stationierung

Hans Günter Brauch

Die Raketen kommen!

Vom NATO-Doppelbeschluß bis zur Stationierung

Bund-Verlag

All jenen gewidmet, die im Herbst 1983 durch ihren gewaltfreien und friedfertigen Protest die Stationierung der neuen Atomraketen auf dem Gebiet der Bundesrepublik Deutschland verhindern wollten.

CIP-Kurztitelaufnahme der Deutschen Bibliothek

Brauch, Hans Günter:
Die Raketen kommen! : Vom Nato-Doppelbeschluß bis zur
Stationierung / Hans Günter Brauch. – Köln :
Bund-Verlag, 1983.
ISBN 3-7663-0829-7

Lektorat: Gunther Heyder
Herstellung: Heinz Biermann
Umschlagentwurf: Typographik & Design R. Herbst, Köln
Druck: Georg Wagner, Nördlingen
ISBN 3-7663-0829-7
Printed in Germany 1983

Inhalt

Anhang

Teil I

Auf dem Weg zum NATO-Doppelbeschluß

1. KAPITEL

Unter dem Sonnendach von Guadeloupe

»Wir trafen uns am Strand, unter einem Sonnendach, in der frischen Luft, und die nächsten Menschen waren Hunderte von Metern entfernt. Niemand konnte zuhören. Es war eine sehr schöne Umgebung, sehr ungewöhnlich für eine so ernste Angelegenheit«, mit diesen Worten schilderte Altbundeskanzler Helmut Schmidt die Kulisse für eine Diskussion zwischen den großen Vier der westlichen Welt. Die Tagungsstätte, an der sich am 5. und 6. Januar 1979 auf Einladung des französischen Staatspräsidenten Giscard d'Estaing, der amerikanische Präsident Jimmy Carter, der britische Premierminister James Callaghan und der deutsche Bundeskanzler Helmut Schmidt trafen, war ebenso ungewöhnlich, wie der Ablauf dieser streng geheimen Sitzung, über die kein Protokoll angefertigt wurde. Die Hütte im Cabana-Stil war mit Stroh gedeckt. Zwei Seiten waren durch ein Palmengeflecht geschützt. Die beiden offenen Seiten ließen den Blick auf den Sandstrand und auf einen üppigen tropischen Garten mit Palmen, purpurnen Bougainevillea und auf rote und orangefarbene Hibiskus schweifen. In der Mitte stand ein runder Gartentisch mit vier einfachen hölzernen Campingsesseln. Der Tagungsort war das Hotel Hamak am östlichen Zipfel der Insel Grand-Terre auf Guadeloupe, der größten der kleinen Antillen in der Karibik.
Die vier Gesprächspartner erörterten im Freizeitlook, in kurzen Hemden ohne Krawatte das neue strategische Gleichgewicht in der Welt, die neue Rolle Chinas in der Weltpolitik nach der Aufnahme diplomatischer Beziehungen mit den USA, Fragen der Energiepolitik und der Nord-Süd-Beziehungen.
Bereits vor dem Abflug Präsident Carters aus Washington ließ das Weiße Haus erkennen, worum es schwerpunktmäßig gehen sollte: »Der militärpolitische Teil der Gespräche wird sich wahrscheinlich um die strategischen Rüstungskontrollgespräche (SALT) zwischen Washington und Moskau drehen und die Vorbereitungen über die SALT-III-Verhandlungen. Sogenannte ›Grauzonen‹ – d. h. die Stationierung von taktischen Nuklearwaffen – in der Rüstungskontrolle werden vom Gesichtspunkt der euro-

päischen Sicherheit und aus der Sicht der Einrichtung eines Prozesses zur Kontrolle der Waffen diskutiert werden.«
Das Kernproblem, weswegen Präsident Carter im November 1978 den Virergipfel angeregt hatte, blieb in den abschließenden Bemerkungen der vier einflußreichsten Staatschefs des Westens unerwähnt: die Vorentscheidung und die Abstimmung über das weitere Vorgehen bei der Aufstellung neuer Atomraketen der Vereinigten Staaten in Westeuropa. Helmut Schmidts Intimus, der spätere Regierungssprecher Kurt Becker, berichtete am 12. Januar über die »Vier im Dickicht«.
In Guadeloupe hatte Carter offenbar dem strategischen Dialog mit der Sowjetunion weiterhin Priorität eingeräumt und war damit von den Vorstellungen seines Sicherheitsberaters abgerückt. Um den Sowjets keine Vorwände für ein Scheitern der SALT-II-Gespräche zu geben, hatten Callaghan, Giscard d'Estaing und Schmidt für die Ratifizierung von SALT II im US-Senat plädiert.
»Aber die Form des Zusammenspiels mit Carter stieß an eine Grenze, als die Diskussion auf die dritte SALT-Runde kam«, ließ Schmidt die deutsche Öffentlichkeit über seinen Intimus vernehmen. »Der Bundeskanzler forderte seit einem Jahr die Erweiterung der Nuklearverhandlungen auf die Kernwaffenträger mittlerer Reichweite, bei denen die Sowjetunion – vor allem mit ihren SS-20-Raketen und den Backfire-Bombern – dem Westen weit überlegen ist. In Guadeloupe hat Schmidt dafür grundsätzlich Zustimmung gefunden. Aber die Interessen der Vier klafften dennoch weit auseinander. Giscard weigerte sich, die französischen Kernwaffen in einen Verhandlungstopf einzubringen; er widersetzt sich jeder Erosion der nuklearen Unabhängigkeit Frankreichs und jeder Verflechtung mit NATO-Projekten. Callaghan beläßt es, wenn es um die britischen Nuklearwaffen geht, bei unverbindlichen Erklärungen. Und die Führungsmacht Amerika hat an diesem Problem kein vorrangiges Interesse.« Offenbar zweifelte Bundeskanzler Schmidt an Carters Zusage, »einen Verhandlungsplan für diese bei SALT nicht mitgezählten Waffen auszuarbeiten, angesichts der französischen und der britischen Abstinenz. . . . Die Alternative liefe darauf hinaus, bei der Modernisierung der amerikanischen Kernwaffen in Europa neue Waffen einzuführen, die sowjetisches Gebiet erreichen können, um das verlorengegangene Kräftegleichgewicht wieder herzustellen. Carter will jedoch – wie im vergangenen Jahr schon bei der Neutronenwaffe – diese Modernisierung nur betreiben, wenn die Europäer ihn dazu ausdrücklich auffordern.«
Dort am Strand unter einem mit Stroh gedeckten Sonnendach brachte Carter im Januar 1979 die Analyse vor, so zumindest erinnerte sich Helmut Schmidt im Juli 1982, »daß man diese Vermehrung russischer SS-20 nicht

immer weiter gehen lassen könne. Nicht ich habe das gesagt. Aber in gewisser Weise befriedigte es mich, daß sie es mittlerweile eingesehen hatten. Nun, was also sollten wir tun? Jimmy Carter schlug vor, daß wir anfangen sollten, amerikanische Waffen in Europa zu stationieren, um dieser Bedrohung zu begegnen. Und weil ich die Debatte öffentlich angeführt hatte, wollte er zuerst eine Antwort von mir. Und weil ich mich noch sehr gut daran erinnerte, daß sein Notetaker Brzezinski mir zweimal erklärt hatte, daß mich das nichts angehe, sagte ich, gut, ich vertrete in diesem Kleeblatt das einzige nicht über Atomwaffen verfügende Land, und ich möchte daher zuerst hören, was die beiden Atomländer zu sagen haben, und dann meine Haltung festlegen und als letzter sprechen. Und das tat ich auch.
Zuerst sprach James Callaghan. Er sagt, gut, vielleicht müssen wir es letztendlich tun, aber warum laden wir die Russen nicht zuerst zu Verhandlungen über die Sache ein. Als dritter sprach Valery Giscard. Er sagte, gut, Jim hat vielleicht recht, aber es genügt nicht, sie zu Gesprächen einzuladen, sie glauben vielleicht nicht, daß wir es ernst meinen. Wir sollten ihnen deshalb gleichzeitig sagen, daß wir nach einiger Zeit zusätzliche amerikanische Waffen aufstellen werden, falls die Gespräche keine Ergebnisse zeigen. Carter schloß sich unserem Rezept an, auch Callaghan und ich. Es waren die Europäer«, ließ Schmidt seine amerikanischen Gesprächspartner wissen und er widersprach damit Gerüchten, er habe als erster neue Raketen gefordert, »die gesagt haben: zuerst verhandeln und dann stationieren, falls Verhandlungen scheitern, die aber auch gesagt haben: macht den Russen klar, daß auf jeden Fall stationiert wird, falls die Verhandlungen scheitern, damit es ja keine Mißverständnisse gibt. Das ist die wahre Geschichte. Es war im Januar auf Guadeloupe, einer französischen Insel in der Karibik.«

Damit war die politisch-strategische Denkfigur geboren, mit der Sowjetunion zu verhandeln und gleichzeitig die eigenen Rüstungsanstrengungen voranzutreiben, die elf Monate später in einem einstimmigen Beschluß der Außen- und Verteidigungsminister der NATO am 12. Dezember 1979 während einer Sondersitzung in Brüssel gefaßt wurde: der NATO-Doppelbeschluß.

Wie war es zu diesem Beschluß gekommen? Haben europäische Regierungschefs, insbesondere Bundeskanzler Helmut Schmidt, mehrere aufeinanderfolgende US-Regierungen gedrängt, diese Raketen auf ihr Verlangen hin bereitzustellen, wie es amerikanische Politiker offen behaupten oder haben die Amerikaner den Europäern diese neuen Raketen quasi aufgezwungen, um damit das Risiko eines begrenzten Nuklearkrieges auf Europa verlagern zu können, wie einige Sprecher der europäischen Frie-

densbewegung und einige in politische Bedrängnis gekommene Politiker behaupteten? War Helmut Schmidt oder Jimmy Carter oder gar Manfred Wörner, der jetzige Verteidigungsminister, derjenige, der zuerst amerikanische Raketen verlangte?
Im Juli 1982 bemerkte Helmut Schmidt hierzu in einem Interview: »Es entspricht nicht den Tatsachen, daß wir zuerst amerikanische Raketen verlangt hätten.« Um der öffentlichen Legendenbildung entgegenzutreten, erzählte Helmut Schmidt erstmals die lange Vorgeschichte bis zu jenem Treffen im Januar 1979 auf Guadeloupe.
»Als diese Mittelstreckenraketen oder eurostrategischen Raketen, wie ich sie nannte, zum erstenmal ins Gespräch kamen, mißfiel mir die amerikanische Terminologie, in der diese Waffen als Theater Nuclear Weapons (Kriegsschauplatzwaffen) bezeichnet wurden, zutiefst. Nach dieser Terminologie lebte ich mit einem Volk von 60 Millionen Menschen auf einem Gefechtsfeld, einfach nur einem Gefechtsfeld, wo man irgend etwas machen kann und das nicht als strategisch bezeichnet wird, allenfalls als taktisch, und wo das Schicksal einer Nation mit 60 Millionen Menschen als etwas Taktisches bezeichnet wird. All das mißfiel mir zutiefst – über diese eurostrategischen Raketen wurde zwischen meiner Regierung und der Regierung der Vereinigten Staaten erstmals gesprochen, kurz nachdem Ford die Regierung übernommen hatte. Es war nach dem Treffen zwischen Jerry Ford und Generalsekretär Breschnew Ende 1974 in Wladiwostok. Er kam in Begleitung von Henry Kissinger nach Deutschland. Wir sprachen darüber. Und sie hatten SALT II in Wladiwostok mehr oder weniger Gestalt gegeben – mehr oder weniger – mit der einen Ausnahme, daß Ford mir damals erzählte, es sei noch zu keiner Verständigung über die Zukunft der eurostrategischen Waffen gekommen.
Also deshalb und aus anderen Gründen wurde SALT II während der Regierung Ford nicht zum Abschluß gebracht. Es konnte nicht in eine Form gebracht werden, in der man es dem Senat zur Ratifizierung hätte vorlegen können. Dann kam der Wechsel im Weißen Haus im Januar 1977. Und im Verlauf des Jahres 1977 wurde ich erstmals bei der neuen Regierung, hauptsächlich bei Zbig Brezezinski, aber auch bei Cy Vance, wegen der bereits damals sichtlich wachsenen Gefahr durch die sowjetischen SS-20 vorstellig. Die vom Backfire-Bomber ausgehende Gefahr hat mich niemals so sehr beeindruckt. Es gibt immer Mittel und Wege einen Backfire abzuschießen. Aber wie will man SS-20-Raketen abschießen? Es geht nicht. Ich war immer äußerst verärgert«, erinnerte sich Helmut Schmidt, »über diese ständige Vermehrung der SS-20-Raketen, die hauptsächlich auf Ziele auf deutschem Boden gerichtet sind, jedoch stets auf andere europäische Länder, den Mittelmeerraum, möglicherweise auch den

Vierrunde im Januar 1979 in Guadeloupe mit Bundeskanzler Helmut Schmidt (Rücken zur Kamera), Präsident Valery Giscard d'Estaing (links), Premierminister James Callaghan (hinten) und Präsident Jimmy Carter (rechts).
Foto: dpa/Wieseler

Nahen Osten und Südostasien, umdirigiert werden können. Ich brachte das gegenüber der Regierung Carter zur Sprache, die gerade begonnen hatte, SALT II von Grund auf neu zu verhandeln, aus einem, wie ich glaubte, völlig anderen Blickwinkel. Im März 1977 wurde dann Außenminister Cyrus Vance mit einem völlig unmöglichen Auftrag nach Moskau geschickt, um SALT II völlig neu zu verhandeln. Es kam wie wir vorausgesagt hatten. Die Russen würden sich betrogen und irregeleitet fühlen und uns die Sache nicht abkaufen. Und genau so war es dann auch.
Und während diese Neuverhandlungen über SALT II liefen, bat ich die amerikanische Regierung: Bitte, bezieht die eurostrategischen Waffen in SALT II ein, weil ich mich bedroht fühle.« Helmut Schmidt hielt inne, nahm eine neue Prise Schnupftabak und setzte dann seine Erzählung über seine Spannungen mit der Carter-Administration fort. »Und dann erklärte mir Brzezinski namens des Präsidenten zweimal, daß mich das als Vertreter eines nicht über Atomwaffen verfügenden Landes nichts angehe, daß es ihre Angelegenheit sei und nicht unsere. Zu guter Letzt wurde ich so wütend, daß ich öffentlich kritisierte, daß die Regierung Carter der Bedrohung Europas keine Aufmerksamkeit schenkte. Das war im November 1977 in einer Rede in London. In dieser Rede forderte ich immer noch, die eurostrategischen Waffen in SALT II einzubeziehen, sie in die beiderseitigen Begrenzungen der strategischen Waffen einzubeziehen. Ich verlangte keine amerikanische Waffen als Gegendrohung.
Eurostrategische Raketen auf europäischem Boden standen in diesem Stadium überhaupt nicht zur Diskussion. Niemand verlangte es, niemand bot es an. Zur Diskussion stand, welchen Bereich SALT II umfassen sollte, ob SALT II eurostrategische Waffen einschließen sollte oder nicht.«
»Als Sie von den eurostrategischen Raketen sprachen, Herr Bundeskanzler« unterbrach ihn der Korrespondent der »Los Angeles Times«, »woran dachten Sie da, an was?«
»Sie in die Berechnung der strategischen Fähigkeiten der Russen insgesamt einzubeziehen«, erwiderte der Bundeskanzler dem kleinen Kreis ausgewählter kalifornischer Journalisten, »und davon abzusehen, sie zu zählen, da es sich um rein taktische Waffen handelte. In SALT II mußten, wie Sie wissen, die Potentiale jeder Seite berechnet werden, und sie mußten ungefähr gleich stark sein.«
»Herr Bundeskanzler, waren Sie der Ansicht, daß es ein exaktes Gegengewicht zu diesen Waffen geben sollte? Sie hatten demnach lediglich vorgeschlagen, sie in die Berechnung einzubeziehen?« fragte ihn ein Vertreter der Fernsehanstalt CBS.
»Ja«, entgegnete Helmut Schmidt, nachdem er erneut eine Prise Schnupftabak zu sich genommen hatte, »und wenn sich die Sowjets entschlossen,

Gruppenfoto der vier Regierungschefs mit ihren Ehefrauen. Von links: Helmut Schmidt, Jimmy Carter, Valery Giscard d'Estaing, James Callaghan.

Foto: dpa/Wieseler

so viele Raketen mittlerer Reichweite 4000 oder 5000 Kilometer, gegen uns zu richten, dann sollten sie gezwungen werden, eine geringere Zahl gegen Amerika zu richten, damit das amerikanische Gegengewicht, damals in Gestalt strategischer Interkontinentalraketen, auch die europäischen Raketen auf russischer Seite ausgleichen würde.«

»Zu jener Zeit haben Sie also keine bestimmten Waffen als Gegengewicht vorgeschlagen?« fragte der Korrespondent der »Washington Post« etwas ungläubig.

»Nein. Es ist einfach falsch, was da heutzutage aus Washington zu hören ist«, antwortete Helmut Schmidt etwas oberlehrerhaft, »daß ich nämlich um diese Raketen gebeten hätte. Es hat überhaupt niemand um diese Raketen gebeten. Aber nach der Rede wurden in Washington alle ärgerlich. Und dann fingen sie an, wirklich darüber nachzudenken und sie stellten fest, daß ich im Grunde recht hatte, daß man nicht zulassen konnte, daß die Russen eine Raketenflotte von 40 oder 50 zusätzlichen Raketen pro Jahr aufstellten, die Europa strategisch bedrohten, ohne irgend etwas zu tun. Diese Bewertung vollzog sich in Washington im Laufe des Jahres 1978. Und gegen Ende 1978 lud Präsident Carter drei Leute ein, mit ihm in Amerika strategische Fragen zu erörtern . . . So trafen wir uns alle in Guadeloupe: vier Staats- und Regierungschefs, keine Delegationen, keine Außenminister, keine Verteidigungsminister.«

Welche Entwicklungen hatten zu dieser häufig mißverstandenen Rede von Helmut Schmidt geführt? Was hat der ehemalige Bundeskanzler 1977 wirklich gefordert? Welche Konsequenzen hatte die Rede des Bonner Kanzlers auf die militärpolitischen Auseinandersetzungen innerhalb der Carter-Administration?

Auf der Expertenebene hatte sich die Nukleare Planungsgruppe der NATO seit 1974 regelmäßig mit der Modernisierung der Theater Nuclear Forces, d. h. mit den speziell für den europäischen Kriegsschauplatz bestimmten Kernwaffensystemen befaßt. Seit Beginn der siebziger Jahre hatte der kleine Kreis der Nuklearexperten auf beiden Seiten des Atlantik erkannt, wie der ZDF-Korrespondent und heutige Staatssekretär auf der Bonner Hardthöhe Lothar Ruehl Anfang 1980 schrieb, daß »ein Zwang zu solcher Modernisierung als Ergänzung einer Stärkung der konventionellen Kampfkraft der alliierten Streitkräfte in Europa« bestand. »Schon seit 1976 war deutlich geworden, daß im Mittelpunkt des Interesses die Rüstungsoptionen mit ›LRCM‹ (Langstreckenmarschflugkörpern) und die Option Pershing 2 mit verlängerter Reichweite stehen würden.«

Im September 1976 machte der ehemalige Direktor der amerikanischen Rüstungskontroll- und Abrüstungsbehörde Fred Charles Iklé, der unter Reagan zu Weinbergers Stellvertreter im Pentagon avancierte, erstmals

öffentlich in einer vom Außenministerium nicht freigegebenen Rede auf die Gefahr der SS-20 aufmerksam: »Das Gespenst dieser Waffen erhebt sich wie eine drohende dunkle Wolke über Europa und Asien. Warum führen sie neue Waffen in ihr Arsenal ein? Was ist der mögliche politische Zweck, müssen wir uns mit Nachdruck fragen.«
Nachdem die Nukleare Planungsgruppe der NATO sich im Januar 1976 in Hamburg erstmals mit der SS-20 beschäftigte, nahmen die NATO-Verteidigungsminister im Dezember 1976 zur bevorstehenden Aufstellung der neuen sowjetischen Mittelstreckenraketen SS-20 Stellung, die es der Sowjetunion erlaube, »Ziele in ganz Europa und darüber hinaus« zu erreichen. »Der Präsidentenwechsel in Washington im Januar 1977 und der Schwebezustand der SALT II-Verhandlungen seit 1975 verzögerten die seit 1974 langsam, aber stetig vorbereiteten, fälligen Rüstungsentscheidungen,« kommentierte Lothar Ruehl im Februar 1980 die Vorgeschichte der Schmidt-Rede.
Während Helmut Schmidt Anfang 1977 einerseits versuchte, wegen der Einsturzgefahr in den amerikanisch-sowjetischen Beziehungen der europäischen Entspannung eine gewisse Eigenständigkeit zu geben, sprach er andererseits im Mai 1977 vor dem Nordatlantik-Rat von der wechselseitigen »Paralysierung« der strategischen Nuklearwaffen und von der Gefahr einer Abkopplung. Als diese erste Andeutung in Washington noch keinerlei Reaktion auslöste – ab Juni war die amerikanische Öffentlichkeit über das Bekanntwerden der geplanten Einführung der Neutronenwaffe schokkiert –, wurde Helmut Schmidt am 28. Oktober 1977 in seiner Gedenkrede für Alastair Buchan, den ersten Direktor des Londoner Instituts für Strategische Studien, deutlicher. In dieser überwiegend der erweiterten Sicherheitspolitik, Fragen der Weltwirtschaft, der Rohstoffe, der Dritten Welt und der sozialen Sicherheit gewidmeten Ansprache ging der Kanzler auch ausführlich auf die Frage der Nuklearrüstung und der Rüstungsbegrenzung ein. »Es ist nur ein schmaler Grat, der Friedenshoffnung und Kriegsgefahr trennt«, rüttelte der Strategieexperte Schmidt sein kompetentes Publikum auf und fuhr fort: »Die veränderten strategischen Bedingungen stellen uns vor neue Probleme. SALT schreibt das nuklearstrategische Gleichgewicht zwischen der Sowjetunion und den USA vertraglich fest. Man kann es auch anders ausdrücken: Durch SALT neutralisieren sich die strategischen Nuklearpotentiale der USA und der Sowjetunion. Damit wächst in Europa die Bedeutung der Disparitäten auf nukleartaktischem und konventionellem Gebiet zwischen Ost und West.« Helmut Schmidt hatte damit die sowjetische Überlegenheit bei den Mittelstrekkensystemen angesprochen. Seinen Ausführungen lag die Befürchtung zugrunde, daß durch eine Festschreibung des Gleichgewichts bei den nukle-

arstrategischen Waffen, d. h. bei jenen Trägersystemen mit einer Reichweite von über 5500 Kilometern: Langstreckenbombern, Interkontinentalraketen (ICBM) und seegestützte »ballistische« Raketen (SLBM) durch die strategischen Rüstungsbegrenzungsgespräche (SALT) deren Schutzfunktion für Europa entwertet werde. »Das Prinzip der Parität . . . muß jedoch Zielvorstellung *aller* Rüstungsbegrenzungs- und Rüstungskontrollverhandlungen sein und für *alle* Waffenarten gelten. Einseitige Einbußen an Sicherheit sind für keine Seite annehmbar.« Zwischen den Zeilen kritisierte der Bundeskanzler damit den amerikanischen SALT-Ansatz, der jene nuklearen Systeme unberücksichtigt ließ, die amerikanisches Territorium nicht erreichen konnten: die sogenannten nuklearen Mittelstreckensysteme mit einer Reichweite von 1000 bis 5500 Kilometern.
»Wir alle haben ein vitales Interesse daran, daß die Gespräche der beiden Großmächte über die Begrenzung und den Abbau nuklearstrategischer Waffen weitergehen und zu einem verläßlichen Abkommen führen. Die Nuklearmächte«, betonte der Kanzler mit erhobenem Zeigefinger, »tragen hier eine besondere, eine überragende Verantwortung. Auf der anderen Seite müssen gerade wir Eruopäer ein besonderes Interesse daran haben, daß auf diesem Gebiet nicht isoliert von den Faktoren verhandelt wird, die die Abschreckungsstrategie der NATO zur Kriegsverhinderung ausmachen.
Wir alle stehen vor dem Dilemma, dem moralischen und politischen Anspruch auf Rüstungsbegrenzung genügen und gleichzeitig die Abschrekkung zur Verhinderung eines Krieges voll aufrechterhalten zu müssen. Wir verkennen nicht, daß sowohl den USA als auch der Sowjetunion zu gleichen Teilen daran gelegen sein muß, die gegenseitige strategische Bedrohung aufzuheben. Eine auf die Weltmächte USA und Sowjetunion begrenzte strategische Rüstungsbegrenzung muß das Sicherheitsbedürfnis der westeuropäischen Bündnispartner gegenüber der in Europa militärisch überlegenen Sowjetunion beeinträchtigen«, warnte der Kanzler die beiden Supermächte, »wenn es nicht gelingt, die in Europa bestehenden Disparitäten parallel zu den SALT-Verhandlungen abzubauen.«
Während diese Zeilen von den Befürwortern einer Aufstellung neuer amerikanischer Mittelstreckenraketen in Europa meist übergangen wurden, kamen ihnen jedoch die folgenden Ausführungen besonders gelegen. »Solange dies nicht geschehen ist, müssen wir an der Ausgewogenheit aller Komponenten der Abschreckungsstrategie festhalten. Das bedeutet«, schlußfolgerte der Bundeskanzler: »Die Allianz muß bereit sein, für die gültige Strategie ausreichende Mittel bereitzustellen und allen Entwicklungen vorzubeugen, die unserer unverändert richtigen Strategie die Grundlage entziehen könnten.«

Eine Zeichnung der SS-20 , die vom amerikanischen Verteidigungsministerium angefertigt wurde. Die Fotos der SS-20 sind noch immer geheim. Quelle: US-Department of Defense

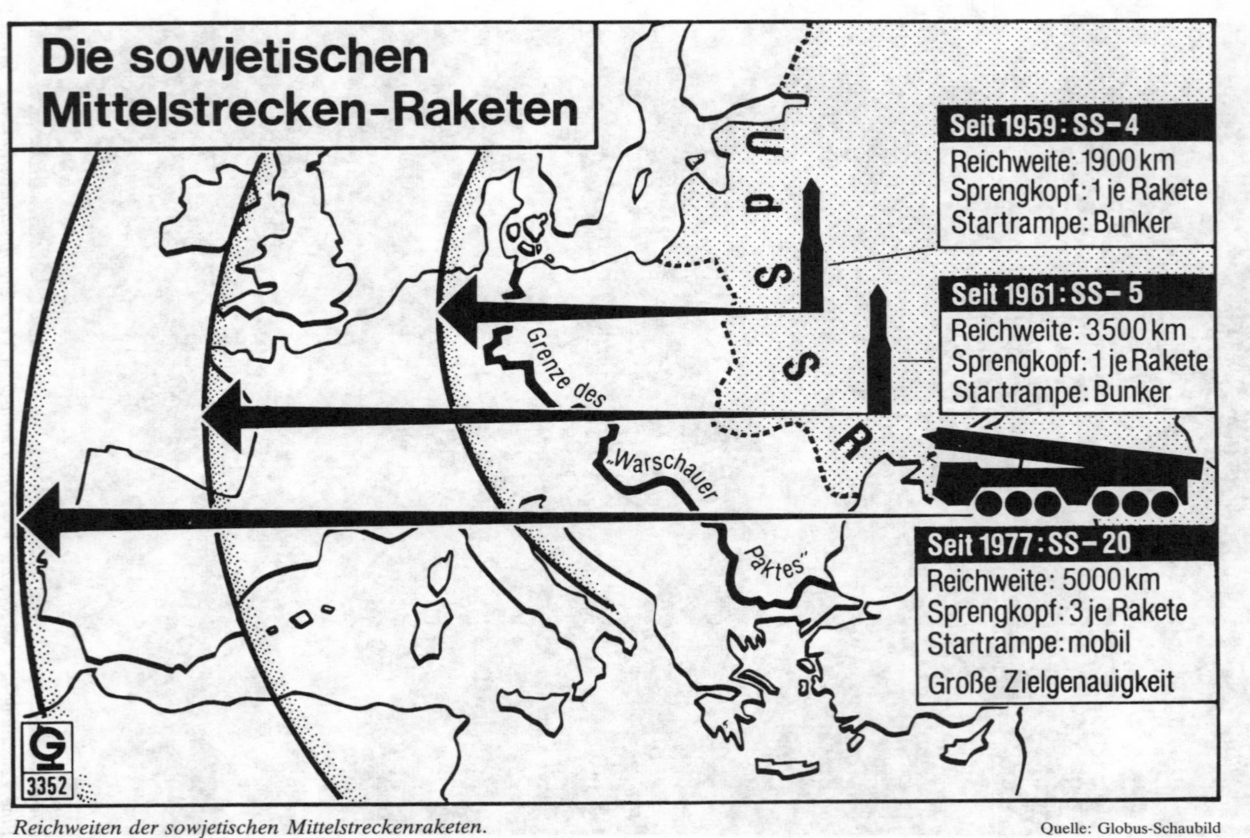

Reichweiten der sowjetischen Mittelstreckenraketen.

Quelle: Globus-Schaubild

Schmidts Warnungen entbehren nicht der Deutlichkeit. Die Carter-Administration hatte Anfang 1977 zum Mißfallen der transatlantischen »Cruise Missile-Lobby« ihre Absicht bekundet, im Rahmen eines dreijährigen Protokolls zum SALT II-Vertrag die Reichweiten für die see- und landgestützten Marschflugkörper zunächst auf drei Jahre auf 600 Kilometer und möglicherweise sogar dauerhaft zu begrenzen. Verteidigungsminister Brown, Außenminister Vance und der Direktor der Abrüstungsbehörde, Paul C. Warnke, hielten die Besorgnisse der Europäer, die Helmut Schmidt im Mai zunächst vorsichtig und später im Oktober unüberhörbar artikuliert hatte, für unbegründet. Außenminister Vance erklärte noch im Herbst 1977, daß angesichts der britischen seegestützten ballistischen Raketen vom Typ Polaris und der gegenwärtig vorne stationierten westlichen Kernwaffen keine weiteren land- und seegestützten Waffen notwendig seien. Am 3. November 1977 bezeichnete Vance in einer nicht-öffentlichen Sitzung des amerikanischen Senats die Verlagerung zusätzlicher Mittelstreckenbomber vom Typ F-111 aus den USA nach Europa und die Zuordnung weiterer seegestützter Poseidon-Raketen an den Allierten Oberbefehlshaber der NATO in Europa für ausreichend. Die Tauben innerhalb der Carter-Regierung argumentierten, es sei unrealistisch, das regionale nukleare Gleichgewicht aus dem gesamtstrategischen Zusammenhang herauszulösen.
Die Londoner Rede Helmut Schmidts vom Oktober 1977 fiel mittenhinein in eine grundsätzlichere Auseinandersetzung innerhalb der Carter-Administration über das Verhältnis zur Sowjetunion zwischen den Tauben und den Falken in der Regierung, wobei letztere durch die Kritik des »Komitees über die gegenwärtige Gefahr« zunehmend publizistischen Rückenwind erhielten. Den amerikanischen Falken und der »Cruise-Missile Lobby« im Pentagon und im Kongreß lieferte die viel weitergehende Forderung des damaligen Verteidigungsministers Georg Leber vom Dezember 1977, die mit der Marschflugkörper-Technologie verbundenen Optionen dürften durch ein SALT-Abkommen nicht unmöglich gemacht werden, zusätzliche Argumente. Georg Leber hatte sich in Brüssel öffentlich »für einen Ausgleich der sowjetischen Überlegenheit im Bereich der ›kontinentalen‹ Kernwaffensysteme durch eine angemessene kompensatorische Gegenrüstung in Europa« ausgesprochen und die kontinentalen Kernwaffen als vierte tragende Komponente der westlichen Abschreckung bezeichnet.
Lebers Forderungen vom Dezember stimmten mit den Wünschen der Cruise-Missile-Enthusiasten im Pentagon überein. Im Januar 1977 hatte der Direktor für Verteidigungsforschung, Malcolm C. Currie, in einem Bericht die Entwicklung der Langstrecken-Marschflugkörper mit hoher

Zielgenauigkeit als die »vielleicht bedeutendste Waffenentwicklung des Jahrzehnts« gepriesen. Die Marschflugkörper böten zu relativ niedrigen Kosten bei Ausnutzung der vorhandenen Abschußplattformen zahlreiche politisch verwertbare Vorteile, »während sie gleichzeitig die Russen dazu zwingen, Mittel in ein kostspieliges Luftverteidigungssystem zu stecken«. Demgegenüber hatte der neue SALT II-Chefunterhändler und der Direktor der Abrüstungsbehörde, Paul C. Warnke, bei der Vorbereitung der neuen SALT-Vorschläge der Carter-Administration vom März 1977 darauf gedrängt, daß das amerikanische Verhandlungspaket zumindest ein Element enthalten sollte, das der Kreml begrüßen und das Pentagon ablehnen würde: die Reichweitenbegrenzung für Marschflugkörper.
Im April 1977 hatte dann Außenminister Vance nach dem Fehlschlag bei den Moskauer SALT II-Gesprächen den damaligen Direktor des Büros für politisch-militärische Angelegenheiten im Außenministerium, Leslie Gelb, beauftragt, ein Positionspapier zu schreiben, das die hochgesteckten Erwartungen der Europäer in die Marschflugkörpertechnologie dämpfen würde.
Das Bonner Auswärtige Amt und die Hardthöhe und um noch einiges deutlicher der Verteidigungsexperte der CDU/CSU-Opposition, Manfred Wörner, erblickten dagegen in den Marschflugkörpern die ideale Waffe der achtziger Jahre. Ein kleiner hochkarätiger Kreis transatlantischer Strategieexperten hatte eine stille aber wirkungsvolle Bildungsarbeit betrieben, die 1976/77 auch in Bonn erste Früchte trug. Dieser nur wenigen Eingeweihten bekannte »European-American Workshop« wurde von Albert Wohlstetter präsidiert, der vor allem an Langstreckenmarschflugkörpern mit konventionellen Sprengköpfen interessiert war, die die Gefahr einer nuklearen Eskalation senken sollten. Dagegen waren die anderen Mitglieder dieses exklusiven Strategieclubs: Uwe Nerlich, von der Stiftung Wissenschaft und Politik, die die Bundesregierung unter Auswertung von Verschlußsachen in außen- und militärpolitischen Fragen berät, Johan Holst vom norwegischen Institut für Internationale Politik, Laurence Martin, der ehemalige Direktor der Abteilung für Kriegsstudien am Londoner Kings College, und Richard Burt, der ehemalige stellvertretende Direktor des Londoner Instituts für Strategische Studien, der in der Reagan-Administration zum Staatssekretär für Europäische Fragen im Außenministerium aufstieg, auch an nuklearen Marschflugkörpern interessiert.
Diese Gruppe griff Iklés nicht autorisierte Warnung über die SS-20 vom September 1976 auf und setzte sich nachdrücklich in Büchern, in vielen Beiträgen in den strategischen Journalen und bei informellen Zusammenkünften und Hintergrundgesprächen für die Erhaltung der Option der Marschflugkörper ein. Im Vorwort eines Bandes »Jenseits der nuklearen

Abschreckung« hoben Johan Holst und Uwe Nerlich im Januar 1976 hervor, daß die Beiträge »Teil einer systematischen und dauerhaften Anstrengung darstellen, gemeinsam neue Probleme zu bewerten, bevor sich die Positionen von Regierungen herauskristallisieren und verhärten. Sie stellen eine einmalige Möglichkeit dar, auf Forschungsarbeiten auf beiden Seiten des Atlantik aufzubauen, die sich hoffentlich sowohl für weitere wissenschaftliche Bemühungen als auch für zukünftige politische Entscheidungen vorteilhaft erweisen.« Diese langfristige Investition trug Früchte. Helmut Schmidt war mit den Ergebnissen und Empfehlungen dieses Kreises vertraut. Als er sein Signal aus London ins Weiße Haus schickte, gab es in den USA einen kleinen einflußreichen Kreis, der Schmidts Überlegungen, insbesondere deren letzten Teil aufgriff.
In einem privaten Gespräch am Rande der Sitzung der Nuklearen Planungsgruppe der NATO im Juni 1977 in Ottawa hatte US-Verteidigungsminister Brown bei seinem britischen Kollegen Fred Mulley vorgefühlt, ob alle NATO-Mittelstreckensysteme der NATO seegestützt sein könnten, bzw. ob die der NATO zugeordneten 400 bis 480 Poseidon-Sprengköpfe ausreichten. Im August 1977 ließ Mulley seinen amerikanischen Kollegen in einem langen »streng geheimen« Schreiben wissen, daß für die Glaubwürdigkeit der Abschreckung ein sichtbares landgestütztes nukleares Mittelstreckenpotential auch in Zukunft unverzichtbar sei. Als Nachfolgesystem für die in Großbritannien stationierten amerikanischen Mittelstrekkenbomber vom Typ F-111 empfahl der Labour-Verteidigungsminister die landgestützten Marschflugkörper. Michael Quinlan, der stellvertretende Verteidigungsminister für nukleare Fragen in der Labour-Regierung von Callaghan, hatte damit bereits zwei Monate vor Schmidts Londoner Rede die intellektuellen Grundlagen für den NATO-Doppelbeschluß gelegt. Zwei Wochen vor der Rede des Bundeskanzlers hatten die NATO-Verteidigungsminister auf der Sitzung der Nuklearen Planungsgruppe in Bari bereits beschlossen, eine besondere hochrangige Gruppe (High Level Group: HLG) einzusetzen, die sich mit der Frage der Modernisierung der nuklearen Mittelstreckensysteme der USA in Europa befassen sollte.
Ende 1977 traf sich im Lagebesprechungsraum (Situation Room) im Westflügel des Weißen Hauses nach Berichten der »New York Times« eine interministerielle Arbeitsgruppe, der unter dem Vorsitz von Brzezinskis Stellvertreter im Nationalen Sicherheitsrat David Aaron, Leslie Gelb für das Außenministerium, David Mc Giffert für das Pentagon, General W. Y. Smith für den Generalstab (den Joint Chiefs of Staff) und Spurgeon Keeny für die Abrüstungsbehörde angehörten.
Bei den ersten Sitzungen trug Aaron, nach Recherchen von Fred Kaplan, jene Argumente vor, mit denen später der Doppelbeschluß offiziell be-

gründet wurde. Durch die SS-20 sei eine Lücke im Eskalationsspektrum geschaffen worden, die durch nukleare Marschflugkörper geschlossen werden sollte. Könnten die USA es sich wirklich noch leisten, wegen Berlin Boston zu opfern?
Leslie Gelb, der im Sommer 1978 auf eigenen Wunsch seine Position als Chef des Büros für politisch-militärische Fragen im Außenministerium aufgab, blieb skeptisch. Er äußerte die Vermutung, daß einige Europäer die Einführung von Mittelstreckensystemen so interpetieren könnten, daß die USA ihre eigene Verteidigung von der der europäischen NATO-Länder abkoppeln wolle.
Bei der nächsten Sitzung der Nuklearen Planungsgruppe im April 1978 in Friedrichshafen am Bodensee empfahl die High Level Group, die NATO mit neuen nuklearen Mittelstreckensystemen auszustatten. Die NATO-Verteidigungsminister nahmen diese Empfehlung billigend zur Kenntnis und beauftragten die High Level Group, die von dem Staatssekretär im Pentagon, David McGiffert, geleitet wurde, bis zur nächsten Sitzung detaillierte Stationierungsoptionen auszuarbeiten.
Im Laufe des Jahres 1978 forderten die Vertreter der Joint Chiefs of Staff 1500 Sprengköpfe für eine ausgewogene, in Europa stationierte amerikanische Nuklearstreitmacht. Nach Lothar Ruehl hatten amerikanische Planer in Studien für die Nukleare Planungsgruppe der NATO sogar 1500 bis 2000 nukleare Gefechtsköpfe für die neuen Mittelstreckensysteme vorgeschlagen. »Die Begründung«, schrieb Ruehl im Februar 1980 im Europa-Archiv, »lag in einem umfassenden Zielplan, der die Basen und Depots der 60 sowjetischen Divisionen in Mittel- und Osteuropa einschließlich der drei westlichen Militärbezirke der Sowjetunion sowie die dort befindlichen SS-4/SS-5-Stellungen, Flugplätze, Radar-Großanlagen, bestimmte U-Boot-Bunker, Hafenanlagen und Verkehrsziele abdecken sollte.« Ruehl führt drei Gründe für die Ablehnung dieser weitgehenden Vorschläge in Washington und bei der NATO in Brüssel an: »(1) 1500 bis 2000 Gefechtsköpfe für Raketen mit Reichweiten zwischen 1800 km (Pershing 2) und 2500 km (landgestützte Marschflugkörper) würden in Europa eine »eurostrategische« Nuklearkriegsstruktur schaffen, weil sie eine besondere ›europäische‹ NATO-Kontinentalstreitmacht bilden würden; damit könnten sie eine Tendenz zur Abkopplung von den zentralen strategischen Streitkräften und Einsatzplanungen der Vereinigten Staaten bewirken. (2) Ein solches Angriffspotential der NATO könnte die Basis der ›flexiblen Erwiderung‹ de facto aufheben und die Sowjetunion mit der Drohung eines massiven nuklearen Initialschlags der NATO konfrontieren, also destabilisierend wirken. (3) Die NATO-Verteidigung würde damit von Kernwaffen noch abhängiger werden.«

In dem »Mini-S. C. C.«, wie David Aarons Strategiekreis in Washingtoner Expertenkreisen spöttisch bezeichnet wurde – ihre Chefs waren Mitglieder des Koordinationskomitees für Sicherheitsfragen (Security Coordinating Committee), das Zbig Brzezinski leitete –, hatten sich die Vertreter der Joint Chiefs inzwischen für eine Mischung aus Marschflugkörpern und einer Pershing-II-Rakete mit verlängerter Reichweite eingesetzt. Am liebsten wären ihnen nur Pershing-II-Raketen gewesen. Da jedoch die Pershing-II-Raketen als einzige »strategische Waffe« der US Army unterstand und die Marschflugkörper ein Projekt der US Air Force waren, einigte man sich auf eine Kombination beider Waffensysteme, nicht zuletzt auch deswegen, um einen öffentlichen Wettkampf der beiden Teilstreitkräfte zu vermeiden.
Nach wochenlangen kontroversen Debatten im abhörsicheren Situation Room im Weißen Haus über die strategischen und politischen Implikationen neuer nuklearer Mittelstreckenraketen in Europa wurde die Frage der TNF-Modernisierung – nach Präsident Carters Neutronenwaffenfiasko Anfang April 1978 – zu einer zentralen politischen Frage hochstilisiert, um die amerikanische Führung in der NATO und die Geschlossenheit des westlichen Bündnisses zu demonstrieren. Im August 1978 wurde in dem Memorandum Präsident Carters mit der No. 38 (PRM-38) eine Vorentscheidung zugunsten neuer nuklearer Mittelstreckenraketen getroffen, wurden mehrere Waffenoptionen und die Möglichkeit einer rüstungskontrollpolitischen Lösung genannt. Nach den Richtlinien von PRM-38 sollte kein eurostrategisches Gleichgewicht aufgebaut und höchstens 1000 Sprengköpfe aufgestellt werden. Mit dieser Streitmacht sollte die NATO einen begrenzten nuklearen Schlag führen und Aufgaben zur Unterbrechung der 2. Angriffswelle übernehmen und so die nukleare Rolle der zweifachverwendungsfähigen Flugzeuge reduzieren.
Helmut Schmidts Londoner Rede vom Oktober 1977 und Präsident Carters Neutronenwaffenfiasko leiteten im Laufe des Jahres 1978 einen schrittweisen Kurswechsel in der Carter-Administration ein. Die harte Auseinandersetzung zwischen Entspannungsbefürwortern und den Verfechtern eines härteren Kurses gegenüber der Sowjetunion, personifiziert in dem Ringen zwischen Cyrus Vance und Zbig Brzezinski, wurden in der Presse genüßlich ausgebreitet. Eine nicht unwesentliche Rolle spielte dabei ein junger, äußerst kompetenter und ehrgeiziger Journalist, der 1977 seine Stellung als stellvertretender Direktor des Internationalen Instituts für Strategische Studien in London aufgab und als sicherheitspolitischer Korrespondent Leslie Gelb in der New York Times ablöste: Richard Burt. Der damals gerade Dreißigjährige war als langjähriger Teilnehmer an Wohlstetters European-American Workshop ein voller Befürworter der

Modernisierung der Nuklearwaffen in Europa. Burt hatte im April 1978 als erster Carters Kehrtwendung in der Neutronenwaffenfrage enthüllt und damit das deutsch-amerikanische Zerwürfnis öffentlich gemacht.
Die Hintergründe für die inneramerikanische Kontroverse über die Rolle von Härte und Entspannung in den amerikanisch-sowjetischen Beziehungen und bei der Bewertung des sowjetischen Militärpotentials, die Richard Burt als Pentagon-Berichterstatter seit 1977 zutage förderte, lagen jedoch tiefer. Die amerikanische Entspannungskritik reicht bis zum Höhepunkt des amerikanisch-sowjetischen Bilateralismus während der Regierung Nixons (1969-1974) zurück.
Im vorpolitischen Raum bildeten sich zwischen 1974 und 1976 zwei Interessenallianzen heraus, deren jeweiliger politischer Einfluß den sicherheitspolitischen Handlungsspielraum der Regierungen Ford und Carter absteckte.
Die politische Rechte, von den Anhängern der erzkonservativen Republikaner um Goldwater und Reagan bis hin zu den ehemaligen Managern des Kalten Krieges, den einstigen »cold war liberals« um Senator Jackson und den Ideologen um Paul Nitze, beklagte den amerikanischen Machtverlust nach der Niederlage in Vietnam. An die Spitze der Entspannungskritiker stellten sich das »Commitee on the Present Danger«, das Komitee zur gegenwärtigen Gefahr, das Ende 1976 nach der Wahl Präsident Carters gegründet worden war, und der American Security Council, eine Forschungs- und Erziehungsorganisation, die die Interessen des amerikanischen militärisch-industriellen Komplexes offensiv vertraten. Argumentative Unterstützung erhielten diese beiden finanziell reichlich ausgestatteten Propagandaorganisationen zu Beginn der Carter-Administration durch zahlreiche private und öffentliche Denkfabriken des eher konservativ-nationalistischen außenpolitischen Gegenestablishments.
Zu den Gründern des Komitees zählten hohe Regierungsvertreter während des Kalten Krieges, Professoren, Vertreter der US-Wirtschaft und des stramm antikommunistischen Gewerkschaftsdachverbandes AFL/CIO.
Als eine der Grundlagen der Entspannungskritik nannte der Professor für Volkswirtschaft an der Harvard-Universität und der ehemalige Botschafter der Regierung Kennedy in Indien, John Kenneth Galbraith, »das wirtschaftliche Interesse«: »Spannungen mit den Sowjets unterhalten unsere größte öffentliche Bürokratie und insgesamt eine unserer größten Industrien . . . Daß es ein ökonomisches Interesse am Rüstungswettlauf gibt«, behauptet Galbraith, »das leugnet keiner in einer Unterhaltung. Niemand möchte für so naiv gehalten werden. Dies aber öffentlich zugeben, wird für inopportun gehalten. Zu sagen, daß der Rüstungswettlauf gut ist, weil er

Einkommen und Beschäftigung schafft, zur Innovation und zum Bruttosozialprodukt beiträgt, reicht an das Obszöne heran. Wir alle wissen«, argumentiert der Harvard-Ökonom Galbraith, »daß zur Zeit der Haushaltsberatungen die sowjetische Macht und Tücke einen starken saisonalen Anstieg erfährt. Niemand wird bezweifeln, daß die Spannung für die Kriegsindustrie hilfreich ist . . . Die wirtschaftlichen Interessen werden von zwei großen Befürchtungen unterstützt, die in der Vergangenheit unser politisches Leben bestimmt haben. Vielleicht waren sie ebenso wichtig, wie das ökonomische Interesse oder gar noch wichtiger: die eine ist die Angst vor dem Kommunismus und die zweite ist die Furcht, als kommunistenfreundlich zu gelten. Diese Furcht ist in der konservativen Seele zutiefst verwurzelt.«

Das Komitee instrumentalisierte die Angst vor den Welteroberungsplänen der Moskauer Kommunisten zur Rechtfertigung neuer amerikanischer Rüstungsanstrengungen und zur Kritik an den SALT II-Verhandlungen der Regierung Carter. Bei der Neueinschätzung der sowjetischen Bedrohung konnten einige Gründungsmitglieder des Komitees auf die Neubewertung der sowjetischen Militärausgaben durch das sogenannte B-Team zurückgreifen, eine Gruppe von Falken, die der ehemalige Direktor des amerikanischen Geheimdienstes CIA und spätere Vizepräsident George Bush während seiner Zeit im CIA in den Jahren 1975/76 mit dem Auftrag berufen hatte, um die Einschätzung der Geheimdienst-Profis über die sowjetische Rüstung zu bewerten, die von einem strategischen Gleichgewicht zwischen den USA und der Sowjetunion ausgegangen waren. Diesem B-Team gehörten unter dem Vorsitz des Historikers und Rußlandspezialisten Richard Pipes prominente Falken wie Paul Nitze, der spätere Chefunterhändler bei den nuklearen Mittelstreckengesprächen in Genf, Generalleutnant Daniel Graham, der bis 1975 Direktor der Defense Intelligence Agency war, und zahlreiche weitere Falken an. Das Ergebnis dieser Überprüfung der Bewertung der Geheimdienst-Profis im CIA durch die Nachrichtenamateure führte zu einer Kapitulation der Profis und zu einer Verdopplung der offiziellen Schätzungen über den Anteil der sowjetischen Militärausgaben am Bruttosozialprodukt von 6 bis 8 Prozent (Profis im A-Team) auf 11 bis 13 Prozent (Amateure des B-Teams).

Ein Geheimdienstbeamter des CIA schilderte gegenüber der New York Times die »›absolut blutrünstigen Diskussionen‹, in deren Verlauf der CIA von den Außenseitern beschuldigt wurde, er hantiere mit fehlerhaften Annahmen, fehlerhaften Analysen, fehlerhaften Analysemethoden und fehlerhaften Methoden der Auswertung bereits verfügbarer Erkenntnisse. ›Es war ein absolutes Desaster für den CIA‹, fügte dieser Beamte hinzu.«

Als sich George Bush die Schlußfolgerungen der Geheimdienstamateure des B-Teams Ende 1976 zueigen machte, begründete er die Neubewertung der sowjetischen Militärausgaben nach oben mit »neuen Beweisen und der nochmaligen Interpretation älterer Informationen, die zu einer Neueinschätzung der sowjetischen Absichten beitrugen«. Arthur Macy Cox, ein ehemaliger CIA-Nachrichtenauswerter, schrieb im November 1980 in der liberalen Zeitschrift New York Review of Books, »der amtliche CIA-Bericht vom Oktober 1976 über die sowjetischen Verteidigungsausgaben hatte den Schlußfolgerungen des B-Teams widersprochen«. Die Verdopplung des geschätzten Anteils der sowjetischen Militäraufwendungen am Bruttosozialprodukt habe nicht bedeutet, »daß die Einwirkung der Verteidigungsprogramme auf die sowjetische Wirtschaft angestiegen ist, sondern nur, daß unsere Einschätzung von dieser Einwirkung sich geändert hat. Dies impliziert auch, daß die sowjetische Rüstungsindustrie weit weniger effektiv arbeitet als früher angenommen.« Cox faßte seine Recherchen in dem Satz zusammen: »Was Grund zum Jubeln hätte sein können, wurde Anlaß zu einem Fehlalarm.« Auf diesen »Fehlalarm« des B-Teams griff das Komitee zur gegenwärtigen Gefahr in seinen Propagandaschriften zurück und benützte sie, unterstützt von ihm wohlgesinnten Journalisten, erfolgreich gegen die Liberalen in der Carter-Administration.
Richard Pipes, der Vorsitzende des B-Teams und ein Mitglied des Exekutivrates des Committee on the Present Danger, der in der Reagan-Administration zwei Jahre die Rolle eines Chefideologen im Weißen Haus spielte, veröffentlichte im Juli 1977 in der Zeitschrift »Commentary« einen Beitrag mit dem Titel: »Warum die Sowjetunion glaubt, daß sie einen Nuklearkrieg führen und gewinnen kann«, in dem er die These aufstellte, die Sowjets könnten einen Nuklearkrieg deshalb vom Zaume brechen, weil sie in der Lage seien, durch ihr Zivilschutzprogramm die Zahl ihrer Opfer – mit etwa 20 Millionen Toten – »akzeptabel« halten könnten. Der selbsternannte Stratege Richard Pipes, der zusammen mit Paul Nitze zu einem ideologischen Vordenker der amerikanischen Falken während der Regierungszeit Carters aufstieg, lieferte zugleich eine ideologische Rechtfertigung für jene Strategieexperten, die wie Colin Gray 1980 die militärische Fähigkeit für die USA forderten, einen Nuklearkrieg führen und gewinnen zu können, bzw. wie ein Bericht der Reagan-Administration 1982 forderte, die USA müsse die Fähigkeit besitzen, einen Langzeit-Nuklearkrieg durchstehen und gewinnen zu können.
Als der Verantwortliche für Politische Studien spielte Paul Nitze und als Vorsitzender des Exekutivausschusses des Komitees zur gegenwärtigen Gefahr spielte Eugene V. Rostow, der von 1981 bis zu seiner Entlassung

im Januar 1983 die amerikanische Rüstungskontroll- und Abrüstungsbehörde leitete, jeweils eine zentrale Rolle.
Nitze konnte 1976 auf eine dreißigjährige Karriere als Kalter Krieger innerhalb und außerhalb verschiedener US-Regierungen zurückschauen. In den drei Phasen der amerikanisch-sowjetischen Beziehungen, in denen die »sowjetische Bedrohung« einen Aufrüstungsschub in den USA auslöste, in der Phase des beginnenden Kalten Krieges (1949 bis 1952), in der Phase der amerikanischen Globalstrategie im Zeichen des Sputnikschocks (1957 bis 1963) und in der inneramerikanischen Entspannungskontroverse der siebziger Jahre betätigte sich Nitze stets erfolgreich als Vordenker der Falken, der einleuchtende Begründungen für eine dramatische Anhebung der amerikanischen Militärausgaben lieferte und geschickt gegenüber den Medien vertrat.
Repräsentativ für die Bedrohungsanalyse der Entspannungsgegner der späten siebziger Jahre, die nach der Wahl Ronald Reagans die außen- und sicherheitspolitischen Schaltstellen übernahmen, sind die Publikationen des von Pipes, Nitze und Rostow geführten Komitees, die in den amerikanischen und einigen konservativen europäischen Medien wiedergegeben und kommentiert wurden. »Es gibt keinen Zweifel«, erzählte der Außenminister der Carter-Regierung Cyrus Vance im März 1982 der »Los Angeles Times« »daß der ›Ausschuß gegen die vorhandene Gefahr‹ eine Menge damit zu tun hat, daß SALT unterminiert wurde.«
»Die wichtigste Bedrohung für unsere Nation«, heißt es in einer Schrift des Komitees mit dem Titel »Gesunder Menschenverstand und die gegenwärtige Gefahr«, »ist das sowjetische Dominanzstreben. Die Sowjetunion hat ihr langfristiges Ziel einer Welt, die von einem einzigen Zentrum, Moskau, dominiert werde, nicht aufgegeben. . . . Über ein Jahrzehnt lang hat die Sowjetunion ihre strategischen und konventionellen Streitkräfte rascher verstärkt und verbessert als die USA und ihre Verbündeten.« Aus dieser ideologisch gefärbten und mit den zweifelhaften Ergebnissen des B-Teams begründeten Analyse leitete das Komitee die Forderung ab: »Wenn die USA frei, sicher und einflußreich sein wollen, dann sind höhere Aufwendungen für unsere einsatzbereiten Land-, See- und Luftstreitkräfte und strategische Abschreckung und vor allem die ständige Modernisierung dieser Streitkräfte durch Forschung und Entwicklung erforderlich. Wir müssen auch erwarten, daß unsere Verbündeten ihren angemessenen Anteil an den Verteidigungslasten tragen.«
In einem weiteren Dokument mit dem Titel: »Was hat die Sowjetunion vor?« wurde die neue Bedrohungsanalyse, die mit den Pamphleten aus der Zeit der ideologischen Kriegführung im Kalten Krieg übereinstimmt, dem amerikanischen Publikum 1977 unterbreitet. Die ideologische Streit-

schrift nennt vier mittelfristige Ziele sowjetischer Politik: 1. die Stärkung der sowjetischen Wirtschaft als Voraussetzung einer Erhöhung ihrer militärischen Schlagkraft, 2. eine Erweiterung der Bindungen Westeuropas an die Sowjetunion und eine gleichzeitige Isolierung der USA, 3. eine Beeinträchtigung der wirtschaftlichen Beziehungen der USA zur Dritten Welt und 4. eine Eindämmung und Isolierung Chinas.
Die sowjetische militärische Aufrüstung, als Rückgrat der sowjetischen Strategie, erinnere an die Wiederaufrüstung Hitlers. Wenn die USA weiterhin an der Entwicklung jener Technologien, z. B. der Marschflugkörper, gehindert werde, bei denen sie über einen Vorsprung verfügen, dann werde die Sowjetunion eine strategische Überlegenheit erlangen und damit die USA zu einem völligen Rückzug aus ihrer weltpolitischen Führungsrolle zwingen und von den anderen Demokratien isolieren.
Mit diesem hier kurz zusammengefaßten Glaubensbekenntnis der Entspannungskritiker versuchten die Publikationen des Komitees die hinlänglich bekannten Argumentationsmuster des Kalten Krieges in neuen Kleidern zu präsentieren und mit den modernen Mitteln der Massenwerbung zu propagieren, um eine Bereitschaft für höhere Verteidigungsausgaben der USA, für neue militärische Beschaffungen und für Forschung und Entwicklung zu erzeugen.
George Kennan, der geistige Vater der Konzeption der sowjetischen Eindämmung, kommentierte im Januar 1980 nach der sowjetischen Intervention in Afghanistan in der »ZEIT« die »Woge des unkritischen Antisowjetismus« in den USA folgendermaßen: »Es hat den Anschein, als verfolgten die Scharfmacher in erster Linie innenpolitische Ziele: die politische Ausbeutung chauvinistischer Tendenzen; die Befriedigung der Sehnsüchte gewisser ethnischer Minderheiten; den Machthunger mancher bürokratischer Gebilde.« Nach Kennans Einschätzung brach nach dem Abgang Präsident Nixons und nach dem Ende des Vietnamdebakels im amerikanischen außenpolitischen Establishment »die Rhetorik des Kalten Krieges hervor, . . . begleitet von wilden Übertreibungen der militärischen Stärke der Sowjets und ihrer politischen Erfolge in anderen Teilen der Welt. Die Hysterie, die damals aufkam, hält bis zum heutigen Tage an und nimmt sogar an Intensität zu. . . . Und sie wird zudem begleitet von einer wahrhaften Orgie scharfmacherischer Reden – von Rufen nach mehr ›Entschlossenheit‹, nach militärischen Gesten, nach verstärkten Aufrüstungsbemühungen, nach einem Bündnis mit China gegen die Sowjetunion von einer Welle der Emotionalität, welche offensichtlich auf die Macht der Waffen baut, um den Traum einer universalen pax americana zu neuem Leben zu erwecken und zu verwirklichen.«
Durch die Veröffentlichungen des Komitees zur gegenwärtigen Gefahr

und durch zahlreiche davon beeinflußte Stellungnahmen der Falken innerhalb der Regierung Carter zieht sich wie ein roter Faden die Behauptung, die Sowjetunion könne in den achtziger Jahren ihre nuklearstrategische bzw. ihre eurostrategische Überlegenheit dazu benutzen, um politische Kompromisse von den Staaten Westeuropas und der Dritten Welt zu erpressen, was zu dem Ergebnis führen könne, daß die USA – ihrer Verbündeten, Rohstoffzufuhr und Märkte beraubt – sich auf den nordamerikanischen Kontinent zurückziehen müsse. Durch die Politik der Entspannung und die Vernachlässigung der westlichen Verteidigungsanstrengungen sei ein Prozeß eingeleitet worden, der zur Finnlandisierung Westeuropas bzw. zu dessen Selbstfinnlandisierung beitragen könne, wenn sich die westeuropäische Öffentlichkeit von der sowjetischen Friedensrhetorik beeinflussen lasse. Wenn die USA die eigene Sicherheit weiter vernachlässige, warnte das Komitee in einer Stellungnahme vom 4. April 1977, könnte die bestehende konventionelle und strategische Überlegenheit die Sowjets in die Lage versetzen, »in Konfliktsituationen entscheidenden Druck auszuüben. Die UdSSR könnte dann die USA zum Rückzug zwingen, genauso wie die UdSSR 1962 in der Kubakrise zum Rückzug gezwungen wurde.« In einem weiteren Dokument: »Wird Amerika die Nummer 2 – gegenwärtige Trends im amerikanisch-sowjetischen Gleichgewicht« vom 5. Oktober 1978 wird diese These weiter konkretisiert: »Die Sowjetunion, die sowohl von tief verwurzelten russischen imperialen Impulsen als auch von der kommunistischen Ideologie angetrieben wird, besteht darauf, einen expansionistischen Kurs zu verfolgen. . . . Das sowjetische Ziel in dem Streben nach dem, was ihre Sprecher ›eine sichtbare Überlegenheit der militärischen Macht‹ nennen, ist es, nicht einen Nuklearkrieg zu führen, sondern die politische Vorherrschaft ohne Krieg zu erzielen.« Um zu vermeiden, daß die amerikanische nukleare Zweitschlagfähigkeit durch eine deutlich überlegene sowjetische Drittschlagfähigkeit in ihrer Glaubwürdigkeit beeinträchtigt werde, wird die militärische Forderung abgeleitet, die Breite der militärischen Optionen für die sowjetische Führung zu erweitern.
Während das Komitee zur gegenwärtigen Gefahr forderte, die USA sollte wieder zur Nummer 1 in der Weltpolitik werden, wollte die Regierung Carter auf der Grundlage der strategischen Parität eine Politik betreiben, die frei sein sollte von jener »übermäßigen Furcht vor dem Kommunismus, die uns einst dazu gebracht hat«, so sah es zumindest Präsident Carter am 22. Mai 1977 in seiner Rede vor der Notre-Dame Universität, »jeden Diktator zu umarmen, der mit uns diese Furcht teilte.« Die Regierung Carter war mit einem liberalen außenpolitischen Programm 1977 angetreten mit dem Ziel, die egalitäre, humanitäre und populistische Tra-

dition in der amerikanischen Außenpolitik neu zu beleben und damit das lädierte Ansehen der USA wieder aufzupolieren. Der Vereinbarung eines neuen SALT II-Abkommens und zahlreicher weiterer Rüstungsbegrenzungsprogramme wurde neben einer offensiven Menschenrechtspolitik, die innenpolitisch gleichermaßen die Linken und die Rechten einbinden sollte, höchste Priorität beigemessen.

Seit dem Frühjahr 1978 wandelte sich die Politik Carters gegenüber der Sowjetunion. Am 17. März kündigte Carter in einer Rede in der Wake Forest-Universität die Bereitschaft an, »amerikanische Interessen in der ganzen Welt« zu verteidigen und »zusammen mit unseren Alliierten und Freunden, jeder drohenden Macht durch eine Verbindung militärischer Streitkräfte, politischer Bemühungen und wirtschaftlicher Programme entgegenzutreten«. Am 8. Juni 1978 warf Präsident Carter, zwei Monate nach dem Neutronenwaffenfiasko, in einer Ansprache vor den Kadetten der Marine-Akademie in Annapolis der Sowjetunion vor, »einen aggressiven Kampf für politische Vorteile« zu führen und stellte er sie vor die Alternative, sich zwischen »Konfrontation oder Kooperation« zu entscheiden. Mit der Wiederaufnahme der alten Politik der Verknüpfung und der Hinwendung zur Geopolitik schlug der Pendel innerhalb der Carter-Administration immer stärker zugunsten der Falken; die Befürworter einer Politik der Zurückhaltung und weitreichender Rüstungsbegrenzungsversuche räumten schrittweise die politische Bühne: Leslie Gelb im Sommer 1978, Paul C. Warnke folgte im Herbst 1978 und Cyrus Vance im April 1980.

Nach dem Umschwung fanden zwar Helmut Schmidts militärische Besorgnisse über die sowjetische Mittelstreckenrüstung in Washington im Sommer und Herbst 1978 zunehmend Gehör, gleichzeitig wurden jedoch seine Hoffnungen auf ein baldiges SALT II-Abkommen dadurch getrübt, daß Brzezinski die China-Karte gegen die UdSSR ausspielte.

Die inneramerikanische Debatte zwischen den Entspannungsgegnern und den Befürwortern besserer Beziehungen zur Sowjetunion, die Kontroverse innerhalb der Carter-Administration zwischen den Falken und den Tauben und die Verunsicherung in Westeuropa über die mangelnde Berechenbarkeit der amerikanischen Außenpolitik bildeten den politischen Rahmen, in dem sich der NATO-Doppelbeschluß entwickelte. Mit dem Memorandum No. 38 war in der Carter-Administration eine Vorentscheidung für neue Atomraketen der NATO gefallen. Unter der Leitung von David Mc Giffert, der zusammen mit David Aaron und General Smith auf der Expertenebene innerhalb der amerikanischen Regierung den Kurswechsel vorbereitet hatte, erzielten die Mitglieder der High Level Group der NATO – bestehend aus Vertretern aus den USA, Großbritannien, der

Bundesrepublik Deutschland, den Niederlanden, Norwegen, Kanada, Belgien, Dänemark, Griechenland und der Türkei – Übereinstimmung, daß auf dem europäischen Territorium nukleare Mittelstreckensysteme aufgestellt werden sollten. Als mögliche Optionen wurden untersucht: die Aufstellung von Pershing II mit einer verlängerten Reichweite von 800 auf ca. 1800 km gegenüber den Pershing IA-Raketen, land- oder seegestützte Marschflugkörper und eine neue Mittelstreckenrakete (MRBM).
Mc Giffert und seine Mitarbeiter, die die meisten technischen Studien für die High Level Group erstellten, wurden bei ihrem Werben um die eher skeptischen Europäer durch Johan Jørgen Holst, einem Mitglied in Wohlstetters Strategieclub, der inzwischen zum Staatssekretär in der norwegischen Regierung aufgestiegen war, durch den Briten Michael Quinlan und durch die Vertreter der Bundesrepublik unterstützt. Diese internen Diskussionen in der NATO waren fast ohne jegliche Beachtung durch die Massenmedien in Westeuropa und ohne parlamentarische Debatten abgelaufen, bis wenige Tage nach dem Gipfeltreffen die deutsche Innenpolitik für Aufmerksamkeit sorgte.

2. KAPITEL

Onkel Herberts Theaterdonner sorgt für Unruhe im abhörsicheren Aquarius

»Es entspricht nicht der realen Lage der Bundesrepublik, mit der vorgeblichen Notwendigkeit zusätzlicher Waffensysteme zu argumentieren und dabei die Gefahr heraufzubeschwören, daß die Bundesrepublik zum Träger solcher Waffen gemacht würde, statt die Kräfte des Bündnisses in die Waagschale von Rüstungsbegrenzung und Rüstungsabbau zu bringen.«

Mit diesen Feststellungen löste Herbert Wehner zehn Tage nach dem Ende des Vierergipfels von Guadeloupe eine Diskussion aus, die der Regierung Zahnschmerzen bereitete und die Opposition veranlaßte, zu großem Kaliber zu greifen. »Wenn sich Wehner durchsetzt, kann der Westen abdanken«, konterte Manfred Wörner zwei Wochen später in der »Frankfurter Allgemeinen Zeitung«. »Beiderseitige Abrüstung, wirkliche Entspannung und dauerhaften Frieden wird es dann allerdings nicht mehr geben.« Herbert Wehner beließ es jedoch nicht bei den Feststellungen, sondern machte einige Tage später, »ein wenig Dampf«, und er brachte damit eine Diskussion öffentlich zum Brodeln, die in der SPD-Fraktion und in der SPD-Spitze schon länger schwelte. Am selben Tag als Wehners Beitrag für die »Neue Gesellschaft« vorab veröffentlicht wurde, gab »Onkel Herbert« vor der SPD-Fraktion den Ton für eine neue Diskussion an: »Die relative politische Entspannung wird nicht von Bestand sein können, wenn sie nicht durch wirksame Vereinbarungen im militärischen Bereich abgesichert und ergänzt wird«, zitierte Wehner den SPD-Vorsitzenden. Als Anlaß für seinen Paukenschlag hatte Herbert Wehner eine dpa-Meldung genommen, nach der Manfred Wörner am 12. Januar 1979, d. h. nur wenige Tage nach dem Vierergipfel auf Guadeloupe, in Washington davor gewarnt hatte, »zu früh mit der Sowjetunion über die sogenannten Grauzonenwaffen zu verhandeln«. Erst müsse die NATO »genügend Mittelstrecken-Raketen zur Verfügung haben, was noch nicht der Fall« sei. Wehner schlug auf Manfred Wörner ein, aber meinte er mit seiner Kritik nicht den Kanzler selbst? Ende Januar erklärte Wehner der Neuen Ruhr-Zeitung: »Ich will vermeiden, daß das Verhältnis der UdSSR zu den west-

europäischen Ländern und vor allem zur Bundesrepublik wieder unter den Nullpunkt sinkt.«
Die Teilnahme an der Kabinettssitzung im Aquarius, dem abhörsicheren Konferenzraum auf der Bonner Hardthöhe, Anfang Februar 1979 sagte Wehner demonstrativ ab. Seine Warnung, in Europa nicht zu hastig neue Waffensysteme einzuführen, hatte nicht nur das Kabinett, sondern auch die Öffentlichkeit aufhorchen lassen. Im Kommuniqué dieser Kabinettssitzung wurde jeglicher Hinweis auf das im Juni 1978 im Rahmen der NATO-Gipfelkonferenz in Washington verabschiedete langfristige Verteidigungsprogramm vermieden, das eine Modernisierung des atomaren Waffenarsenals vorsah, und statt dessen auf einen baldigen Abschluß der SALT II-Verhandlungen gedrängt, sowie der Abbau der sowjetischen Überlegenheit bei den Mittelstrecken-Raketen als Ergebnis der SALT III-Verhandlungen gefordert. »Der eigentliche Streitpunkt zwischen Schmidt, Apel und Außenminister Hans-Dietrich Genscher auf der einen«, kommentierte der Spiegel am 5. Februar 1979 die Auseinandersetzung hinter den Kulissen, »und SPD-Entspannungspolitikern Wehner, Egon Bahr und Willy Brandt auf der anderen Seite bleibt vorerst ausgeklammert.«
Am 31. Januar wurde Wehner gegenüber der Bonner Journalistin Hilde Purwin konkreter: »Die Möglichkeit der Abrüstungsverhandlungen muß bis an die äußerste Grenze ausgeschöpft werden«, diktierte er ihr ins Stenogramm, »und das ist bei den Wiener MBFR-Verhandlungen noch nicht geschehen. Die bisherigen Vorschläge des Westens halte ich für unzureichend.«
Zwei Tage nach der Geheimsitzung im Aquarius auf der Bonner Hardthöhe sprach Wehner dem Rundfunkjournalisten Jürgen Kellermeier ins Mikrofon: »Was ich will, ist, daß man ernst macht mit dem, was wir zum Beispiel in der Bundesrepublik Deutschland seit zehn Jahren . . . uns bemüht haben, in vertraglichen Regelungen zu den Mächten auf der östlichen Seite zustandezubringen, daß man das doch nicht kaputtgehen lassen, zerstören lassen kann.« Und nachdem er einen tiefen Zug an seiner Pfeife gemacht hatte, fügte der 72jährige Zuchtmeister der SPD knurrend hinzu: »Es gibt zwar eine Philosophie . . . als ob von der Sowjetunion her etwas drohe, und ich bestreite das. Das was sie hat, über das muß man sehr streiten, muß man mit ihr rechten und rechnen, aber das ist defensiv und nicht Aggression.« Als der Kanzler im »Aquarius« das Kabinett über die neuen Raketen aufklärte, empfing der vielbeschäftigte Wehner den holländischen Journalisten Ben Knapen vom »NRC-Handelsblad« zu einem zweistündigen Hintergrundgespräch über Abrüstungsfragen und Probleme der Außenpolitik.

»In den letzten Monaten haben Mitglieder anderer Delegationen bei den Wiener Verhandlungen mehr als zuvor gesagt«, bemerkte Wehner knurrig, paffte an seiner Pfeife und holte zu einem rhetorischen Fußtritt aus, der an den Nerv der sozialliberalen Koalition ging: »Die Bundesrepublik ist der bremsende Faktor. Ich weiß, wo die schwache Stelle der außenpolitischen Darstellung liegt«, schrie der sichtlich erregte Zuchtmeister der SPD seinen Gesprächspartner an: »Ich kenne die Methode von Außenminister Genscher und ich bin damit nicht einverstanden.« Wehner machte seiner Befürchtung Luft, daß »die politische Entspannung erstickt werden könnte durch militärische Aufrüstung«.

Einen Tag nachdem der »Spiegel« über die strenggeheime »Aquarius«-Sitzung berichtet hatte, nahm Helmut Schmidt am 6. Februar 1979 vor der SPD-Bundestagsfraktion zu den Ergebnissen des Vierergipfels und vor allem zu den geheimen Beratungen unter dem Sonnendach am Strand von Guadeloupe Stellung.

Der Kanzler begann seine Ausführungen mit einer Einschätzung der weltpolitischen Großwetterlage nach der Aufnahme diplomatischer Beziehungen der USA zur Volksrepublik China und nach dem spektakulären Besuch Den Xiapengs in Washington.

Der Kanzler wandte sich dann dem Problemkreis zu, der durch Herbert Wehners Interviews die SPD-Fraktion und die sozialliberale Regierung in Aufregung versetzt hatte, den drei eng miteinander verzahnten Problembereichen der Modernisierung der amerikanischen Atomraketen, der nuklearen und der konventionellen Rüstungskontrollgespräche, bzw. den SALT- und MBFR-Gesprächen. Nachdem er bereits das Kabinett im »Aquarius« mit der Terminologie der Nuklearstrategen vertraut gemacht hatte, begann der Stratege Schmidt seinen strategischen Nachhilfeunterricht vor der Fraktion zunächst mit definitorischen Fragen. »TNF heißt theater nuclear forces«, dozierte der Kanzler, »gemeint sind damit jene westlichen Nuklearwaffen, die in Europa stehen, sei es in Frankreich, sei es in England, sei es in Deutschland, sei es in anderen verbündeten Ländern, oder die in europäischen Gewässern schwimmen.«

Für die Nichtfachleute in der Fraktion erläuterte der Kanzler außerordentlich vereinfacht die Hintergründe der bevorstehenden Debatte:

»Auf dem Felde der Mittelstreckenwaffen von zerstörerischer nuklearer Wirkung entwickelt sich deutlich ein zunehmendes Übergewicht auf sowjetischer Seite. Wenn ich von Mittelstrecken rede, dann rede ich von Waffen, die etwa von tausend bis zu viertausend Kilometer weit reichen. Es handelt sich im wesentlichen um zwei verschiedene Systeme: einerseits um sowjetische Raketen, die hin- und herfahren können; die sind nicht immer in derselben Stellung, wo sie als Ziele ausgemessen und vielleicht

getroffen werden könnten. Sie sind ausgestattet mit nuklearen Mehrfachsprengköpfen – mit ›MIRVs auf amerikanisch –, das heißt: mehrere Sprengköpfe können jeder ein anderes Ziel unabhängig voneinander treffen, nachdem sie mit einer und derselben Rakete bis in die Nähe des Zielraumes transportiert worden sind. Sehr gefährliche Systeme, die Japan genauso bedrohen wie Peking, genauso Südostasien, den Nahen und den Mittleren Osten, Europa und das Mittelmeer, nicht aber Amerika; dafür reicht die Reichweite bis zu viertausend Kilometern nicht aus. Auf westlicher Seite gibt es gegenüber diesen zerstörerischen Mittelstreckenwaffen der sowjetischen Seite theoretisch – auf dem Reißbrett – Gegendrohungen. Ähnlich wie die SS-20 kann der Backfire-Bomber«, die andere Mittelstreckenwaffe der Sowjets, die ihm Sorge mache, »europäische und asiatische Ziele, nicht aber den amerikanischen Kontinent erreichen. Die Amerikaner haben auf dem Reißbrett auch eine neue Rakete, die Arbeiten daran sind aber einstweilen verlangsamt worden.« Ohne jedoch näher auf die amerikanischen Marschflugkörper und auf die Pershing 2 einzugehen, arbeitete der Strategieexperte Schmidt zunächst die Bedrohung deutlich heraus:
»Wenn die sowjetische Seite jedes Jahr 30 bis 50 neue SS-20-Raketen in Dienst stellt, jede mit drei Sprengköpfen mindestens, und jedes Jahr 30 bis 50 neue Backfire-Bomber in Dienst stellt, kann man absehen, daß hier im Laufe der achtziger Jahre – ich spreche nicht von 1979, 1980, 81 und 82 – Gewichtsverschiebungen eintreten können, die spätere Führungen der Sowjetunion theoretisch in die Lage setzen, diese potentiellen militärischen Drohungen politisch zu verwenden.«
Während des Breschnew-Besuchs in Bonn habe er am 6. Mai 1978 mit dem sowjetischen Parteichef hierüber gesprochen. »Die sowjetische Seite«, setzte der Kanzler seine politisch-strategische Vorlesung vor der fast völlig versammelten SPD-Bundestagsfraktion fort, »stellt das zum Teil so dar, daß es ja eigentlich nur ein Ersatz für ihre früheren Mittelstreckenraketen sei, die nun inzwischen obsolet sind, und sagen, es sei eine Art von Modernisierung. Die alten Mittelstreckenraketen«, hob der Kanzler mit erhobenem Zeigefinger hervor, »konnten allerdings nicht drei- und viertausend Kilometer weit schießen, sondern nur etwa 1500 Kilometer. Sie hatten auch keine Mehrfachsprengköpfe.«
Der Kanzler ging dann auf die Folgen des sich abzeichnenden Ungleichgewichts ein: »Wie können diese Systeme eingeführt werden in die SALT III-Verhandlungen? Sollen sie eingeführt werden? Darüber gibt es im Westen keine Einigkeit.« Von Manfred Wörner, der sich in der beginnenden Bonner Strategiedebatte zum Sprecher der Cruise-Missile-Lobby und zum Sprachrohr der amerikanischen Falken gemacht hatte, werde daraus »ein

Kurzschluß gezogen, der sagt, der Westen müsse erst auch solche Raketen anschaffen, dann könne man anschließend ja sehen, ob man sich vielleicht gemeinsam über Abrüstung verständigen könne. Ich halte das nicht für einen vernünftigen Weg.
Die Modernisierung der in Europa stehenden Waffen ist etwas völlig Normales, auf östlicher Seite wie auf westlicher.« Und nachdem er kurz die Einführung neuer konventioneller Waffen in Ost und West gestreift hatte, erklärte der Kanzler weiter: »Infolgedessen ist die Modernisierung auch der TNF, der Theatre Nuclear Forces, etwas Normales. Sie ist ganz normal eingeflossen in Verabredungen«, suchte der Kanzler vor allem die Linken in der Fraktion zu beruhigen, die durch den »SPIEGEL« aufgeschreckt worden waren, »die noch Georg Leber vorbereitet hat, und die dann später zu Hans Apels Zeit durch die Regierungschefs aller Mitgliedstaaten des Nordatlantischen Bündnisses im Mai vorigen Jahres in Washington beschlossen worden sind.«
In Anknüpfung an seine Londoner Rede vom Oktober 1977 sprach er dann ein Problem an, das ihm seit einiger Zeit Kopfzerbrechen machte: »Es wird die Frage auftreten, ob die bei den strategischen Nuklearwaffen erreichte Parität nicht erstens zu einer Lücke im Abschreckungskontinuum, nämlich im Mittelstreckenbereich, führt, die durch eine Erhöhung der Reichweiten unserer TNF, die bisher nur Reichweiten von 10 bis unter 1000 km haben, geschlossen werden müßte.«
Vorsichtig sprach der Kanzler dann die Frage an, derentwegen er später zweimal mit seinem Rücktritt drohte, »ob nicht die erreichte strategische Parität es auch notwendig macht, ein gewisses Gegengewicht gegen die sowjetische Überlegenheit im Mittelstreckenbereich zu schaffen. Diese Fragen bringen dann erstmalig politische, psychologische und strategische Probleme mit sich, wenn das gewollt werden sollte. Ich will das hier nicht vertiefen. Das ist eine der Fragen, über die noch stärker nachgedacht werden muß. Wieweit kann man das sich abzeichnende, zukünftig zunehmende Ungleichgewicht bei den Mittelstreckenwaffen bei SALT III durch Rüstungskontrolle einzufangen versuchen? Ich sagte schon, die Wörnersche Idee – er steht damit nicht allein – kann ich nicht für vernünftig halten: Erstmal aufrüsten und dann vielleicht hoffen, daß nachher abgerüstet wird.
Es gibt noch eine andere, gefährliche Alternative in diesem Feld«, sagte der Kanzler an die Linken in der Fraktion gerichtet, »die man auch vermeiden muß: Man kann auch nicht sagen, wir tun gar nichts und verhandeln erstmal sieben Jahre – solange dauert ja SALT schon, SALT III würde auch lange dauern, und dann ist nach sieben Jahren immer noch Zeit, wenn Verhandlungen nicht zu einer Limitierung geführt haben, die

sieben Jahre wieder einzuholen, die die anderen dann Vorsprung haben bei ihren alljährlichen Vermehrungen ihrer Waffen. Das wäre auch kein gutes Rezept. Das würde vorhersehbar in dem Augenblick, wo das geschähe, eine ganz große Gefährdung auslösen können.

Zwischen diesen beiden Extremen liegen die wirklichen Möglichkeiten der Politik.« Der Kanzler brach hier seine Lageanalyse ab und beschränkte sich angesichts der innenpolitischen Brisanz der bevorstehenden Entscheidung auf sparsame Andeutungen.

»Ich möchte nämlich vermeiden, daß Fragen der nuklearen Bewaffnung und Rüstung, Fragen der nuklearen Strategie, die von den Nuklearmächten zu entscheiden sind, in eine Umgebung, in einen psychologischen Zusammenhang gebracht werden, als ob sie in der deutschen Innenpolitik entschieden würden.«

Er wolle vermeiden, »daß der nichtnukleare Staat Bundesrepublik Deutschland sich in eine Rolle begibt, die in der Welt den Anschein erwecken muß, als ob er am liebsten die Entscheidung für andere treffen möchte, die andere aber zu treffen haben auf diesem Gebiet. Ich möchte zweitens vermeiden, daß die Opposition uns oder das ganze Land in eine Lage bringt, wo Dritte oder politische Kräfte innerhalb des eigenen Landes es so darstellen könnten, als ob Bonn sich zu entscheiden habe, ob es mehr auf die Interessen Moskaus oder mehr auf die Interessen der NATO Rücksicht nehmen müsse. Mit anderen Worten: Ich möchte erstens vermeiden, daß die Welt den Eindruck bekommt, als ob der Nicht-Nuklearwaffen-Staat Bundesrepublik Deutschland de facto die politischen Entscheidungen, die auf dem nuklearen Felde zu treffen sind, präjudiziert, am liebsten sie selber treffen möchte.

Ich möchte zweitens vermeiden«, fuhr der Kanzler nachdenklich fort, »daß wir in eine Situation gebracht werden, wo es aussieht, als ob wir daran dächten, uns zwischen den Interessen unseres eigenen Bündnisses und anderen Interessen zu entscheiden. Ich füge drittens hinzu: Wir müssen dergleichen auch aus innenpolitischen Gründen vermeiden. Nichts wäre weniger sinnvoll bei dem gegenwärtigen Zustand der Opposition, als wenn wir jetzt denen zu Hilfe kämen und würden uns verhaken über Fragen, die nicht wir zu entscheiden haben, die vielmehr die Nuklearmächte zu entscheiden haben.«

Entschieden widersprach der Kanzler dann einem Beitrag von Jan Reifenberg in der »Frankfurter Allgemeinen Zeitung«, »die Bundesrepublik Deutschland, assistiert von Frankreich und England, hätte in Guadeloupe verlangt, daß die auf deutschem Boden stehenden Pershing-Raketen modernisiert und in der Reichweite ausgedehnt werden sollten, zweitens hätten wir Cruise Missiles zur See und zu Lande verlangt, dann ist das nicht

nur falsch: Dergleichen ist von uns weder zu a) noch zu b) verlangt worden. . . .
Man sitzt dann auf Kohlen«, umschrieb Helmut Schmidt seine schwierige Lage, »ob man dergleichen dementieren oder korrigieren soll.«
Auch aus außenpolitischen Gründen müsse sich die Bundesrepublik Selbstbeschränkung auferlegen. Die Bundesregierung dürfe für emotionale Vorwürfe keine Angriffsfläche bieten, z. B. für sowjetische Vorwürfe, »wir seien die treibende Kraft im westlichen Bündnis für Modernisierung von Waffen, was die Sowjetunion natürlich nicht gerne sieht. Oder z. B., wir seien eine treibende Kraft bei amerikanischen Entschlüssen für den Aufbau ihrer Cruise Missiles, das wäre ja eine der denkbaren Alternativen im Mittelstreckenbereich, sog. ›Marschflugkörper‹, das sind eine Art fliegender Bomben, die niedrig fliegen, unbemannte Flugzeuge kann man sie auch nennen.«
Die Deutschen könnten es sich nicht leisten, den Eindruck zu erwecken, sie »seien die treibende Kraft bei anderen Waffenmodernisierungen, oder wir Deutschen verhinderten die tatsächlich doch weit voran getriebene Abrüstungsdiplomatie zwischen Moskau und Washington. Genauso sind umgekehrt Vorwürfe aus dem westlichen Lager denkbar: Wir hätten zu gute Beziehungen zu Moskau. Oder umgekehrt: Wir spielten militärisch eine zu große Rolle und jetzt würden wir auch nicht entscheiden wollen, wie die nukleare Bewaffnung des Westens auszusehen habe. Oder wieder umgekehrt: Um unserer Entspannungspolitik willen verhinderten wir eine gemeinsame militärische Politik des Westens.«
»Ich halte es nicht für einen Zufall«, gab der Kanzler der SPD-Fraktion zu bedenken, »daß in den späten siebziger Jahren die Erinnerungen an Auschwitz und Treblinka und Oradour und Lidice in einer Generation draußen im Ausland wieder aufstehen, die erst nach dem Kriege geboren ist. Wir Deutschen haben Grund, vorsichtig zu sein, und wir müssen nicht unbedingt mit logischem Verhalten der öffentlichen Meinungen in anderen uns verbündeten Staaten und anderen uns im Osten als Nachbarn verbundenen Staaten rechnen.«
In seinen Schlußbemerkungen hob der Kanzler nochmals hervor, daß »die Bundesrepublik Deutschland und ihr Territorium nicht in eine Lage gebracht werden darf, die sich unterscheide von der Lage anderer westlicher Bündnispartner. Wir sind überzeugt, daß die Bundesrepublik Deutschland nicht in nuklearstrategischen Fragen in irgendeiner Form in eine Vorreiterrolle gebracht werden darf. Den Grundsatz, daß wir uns nicht in eine singulare Lage bringen lassen, weder was die Stationierung von Waffen angeht, noch was die Reichweiten angeht von bereits stationierten Waffen, noch was besondere Pflichten und Mechanismen angeht, den ken-

Ein luftgestützter Marschflugkörper nach einem Start von einem B-52-Bomber am 10. August 1982. Insgesamt sollen bis Ende der achtziger Jahre bis über 5 000 nuklearbestückter luftgestützter Marschflugkörper hergestellt werden. Foto: US-Department of Defense

nen unsere Verbündeten und den akzeptieren sie auch.« Helmut Schmidt schloß mit der eindringlichen Warnung, »daß wir uns dessen bewußt sind, daß das Ganze ein außen- und innenpolitisch sehr empfindliches Gebiet ist. Wir könnten hier unseren Entspannungsruf beschädigen und unsere Fähigkeit, an der Entspannung weiter mitzuwirken – sowohl beschädigen durch Reaktionen, die wir im Osten auslösen, als auch beschädigen durch Reaktionen, die wir im Westen auslösen.«
Wehners Sorge um die Zukunft der Entspannung, die Helmut Schmidt zu dieser eingehenden Replik veranlaßte, war genausowenig neu, wie seine heftige Reaktion, mit der er schon früher ohne jegliche Vorwarnung die Kanzler Brandt und Schmidt mit dem großen Knüppel attackierte. So 1973, als er in Moskau das mangelnde ostpolitische Engagement mit den Worten geißelte: »Der Kanzler badet gern lau – so in einem Schaumbad.« 1974 warnte er Schmidt: »Diese Regierung hat bisher nicht den Beweis erbracht, glaubwürdig in der Deutschlandpolitik zu sein.« und 1978 reklamierte er erneut, Genscher und Schmidt mangele es an beharrlicher Bereitschaft, mit dem Ostblock im Dialog zu bleiben.
Die taktischen Atomwaffen bilden »einen mehr als symbolischen Ausdruck der Schicksalsgemeinschaft zwischen den USA und Europa«, diesen Satz schrieb Manfred Wörner in der Dezemberausgabe 1977 der Zeitschrift »Europäische Wehrkunde«. »Sie stellen in den Augen der Europäer eine faktische Garantie dafür, daß sich die USA mit allen Konsequenzen für die Verteidigung Europas engagieren.« Gleichzeitig gebe es jedoch »einen natürlichen Interessenkonflikt zwischen den NATO-Partnern diesseits und jenseits des Atlantik: Während die USA verständlicherweise daran interessiert sind, für den Fall des Versagens der Abschrekkung in Europa den militärischen Konflikt möglichst lange begrenzt zu halten – also nicht eskalieren zu lassen und den Konflikt unter Ausklammerung des eigenen Territoriums zu bewältigen –, liegt es im Interesse der Europäer, das Risiko für den Angreifer dadurch hochzuschrauben, daß verhältnismäßig schnell eskaliert werden kann und der Konflikt damit qualitativ und geographisch eine neue Dimension erhält. Dieser Interessenkonflikt«, stellte der bedeutendste Bündnispartner der amerikanischen Falken in Bonn fest, »ist unauflösbar. Die NATO muß mit ihm leben – und wird ihn zwangsläufig immer in ihrer Militärdoktrin widerspiegeln.«
Um der Gefahr eines auf Europa begrenzten Konflikts aus dem Wege zu gehen, forderte der CDU-Wehrexperte: »Das Territorium der UdSSR darf auch in der taktisch-nuklearen Phase eines Konflikts weder theoretisch noch faktisch zum Sanktuarium werden. Es darf für die UdSSR keine Chance geben, einen ausschließlich auf Westeuropa oder gar Deutschland begrenzten Krieg zu führen. Sie muß jederzeit mit dem vollen Eskalations-

Herbert Wehner, Helmut Schmidt.

Foto: Bundesbildstelle Bonn

risiko konfrontiert werden.« Aus dieser strategischen Analyse leitete der Oppositionspolitiker eine Reihe von Forderungen ab: »Die taktischen Nuklearwaffen der NATO müssen so ausgelegt sein, daß sie einsetzbar sind.« Angesichts der bei den in Europa gelagerten Atomwaffen bestehenden Selbstabschreckung bedeute das, »daß das gegenwärtig vorhandene Potential dringend der Modernisierung bedarf. Zwar sollten großkalibrige und stationäre taktische Nuklearwaffen nicht ganz aus dem Vorrat verschwinden, der Anteil kleinerer und beweglicher Waffen jedoch wesentlich erhöht werden. Außerdem sollten mittelfristig«, forderte Manfred Wörner Ende 1977, »die bemannten Trägermittel, insbesondere soweit sie für nukleare Interdiktions- und Strike-Einsätze vorgesehen sind, von geeigneten unbemannten Systemen – z. B. cruise missiles – abgelöst werden.« Eine drastische Reduzierung der in Europa stationierten taktischen Atomwaffen, wie sie Anfang der siebziger Jahre von vielen amerikanischen Experten gefordert wurde, lehnte der Reserveoffizier Wörner entschieden ab.

»Es ist die physische Präsenz nuklearer Waffen auf europäischem Boden, die die Bündnispartner diesseits und jenseits des Atlantik in der Perzeption der Europäer zu einer Sicherheitsgemeinschaft verschmilzt. Die taktischen Nuklearwaffen«, unterstrich Dr. Wörner, »sind als Bindeglied zum strategischen Potential der USA der politisch-psychologische Kitt der Atlantischen Allianz.«

Als Gegengewicht zur sowjetischen Panzerüberlegenheit forderte der CDU-Wehrexperte Wörner: »Der Westen braucht die Neutronenwaffe. Es gibt kein gewichtigeres Argument, das dieser Wertung entgegenstünde.«

Wenige Wochen später, bei der Wehrkundetagung Ende Januar 1978, machte sich Wörner in seinem Vortrag: »Strategie im Wandel« weitgehend die Lageanalyse der amerikanischen Falken zur sowjetischen Bedrohung zu eigen. »Die Möglichkeiten für die USA, Bilateralismus [d. h. ihr Verhältnis zur Sowjetunion] und Bündnistreue in einem schlüssigen Konzept zu bewältigen«, kritisierte der Vorsitzende des Verteidigungsausschusses die Regierung Carter, »haben sich vermindert. Westeuropa aber sieht sich einem vergrößerten Sicherheitsdefizit konfrontiert.«

Wörner griff dann einen Gedanken auf, den Helmut Schmidt im Oktober 1977 in London entwickelt hatte: »Das strategisch-nukleare Potential der USA wird weitgehend zur Balancierung des interkontinentalen Potentials der Sowjetunion benötigt und damit tendenziell neutralisiert. Die nicht zentralen nuklearen Systeme der USA stellen – bestehend überwiegend aus Flugzeugen – . . . kein angemessenes Gegengewicht gegen ballistische Raketen vom Typ SS-20 dar. Und das englische und französische Mittel-

Manfred Wörner Foto: Bundesbildstelle Bonn

und Langstreckenpotential ist angesichts seiner beschränkten Zahl, seiner Reichweite, seiner Zielgenauigkeit nur ein relativ bescheidener zusätzlicher Risikofaktor im Kalkül des potentiellen Gegners.« Als Folge der sowjetischen Aufrüstung – auch im Mittelstreckenbereich – entstehe »zunächst und vor allem eine unmittelbare militärische, politische und psychologische Gefährdung Westeuropas, zum ersten Mal aber sind die USA aufgrund einer Bündnisverpflichtung *erpreßbar*, eine Schwäche im übrigen, die die andere Supermacht nicht zeigt«.
Durch die Aufstellung neuer sowjetischer Mittelstreckensysteme baue die Sowjetunion unterhalb der strategisch-nuklearen Parität die konventionellen und nuklearen regionalen Ungleichgewichte aus.
»Wenn ihr das gelingt«, warnte der CDU-Wehrexperte die anwesenden Vertreter der Carter-Administration, »garantiert ihr dies nicht nur langfristig die Dominanz über den gesamten eurasischen Raum, sondern verschafft ihr über die konventionelle und vor allem nukleare Geiselrolle Europas Pressionsmöglichkeiten gegenüber den USA.« Aus diesem »strategischen Umbruch« leitete Wörner folgende Forderungen ab: eine Aufstockung der konventionellen und der kontinentalstrategischen Rüstung und eine Beseitigung der Grauzonen zwischen den beiden Rüstungsbegrenzungsgesprächen über nukleare Waffen in Genf (SALT) und über Truppen und konventionelle Waffen in Wien (MBFR). Für völlig unverständlich hielt Wörner die Entscheidung der Carter-Regierung, »zwar die cruise missiles in die SALT-Verhandlungen einzubeziehen, die sowjetischen SS-20 aber nicht«. Der CDU-Wehrexperte zog jedoch daraus eine Schlußfolgerung, die der Regierung Schmidt/Genscher diametral widersprach: »Wenn und solange die kontinentalstrategischen Waffen der Sowjetunion nicht in die laufenden Rüstungskontrollverhandlungen einbezogen werden, braucht Westeuropa ein Gegengewicht. Hierfür bieten sich nach Lage der Dinge die cruise missiles an. Westeuropa muß daher«, betonte Wörner im Gegensatz zu Schmidt, »von den USA die Stationierung von cruise missiles auf westeuropäischem Boden fordern. Nicht nur Kurzstreckenträger allerdings. Dann und nur dann, wenn wenigstens bei den Reichweiten der Mittelstreckensysteme eine Symmetrie sichtbar hergestellt wird, kann ein militärisches, politisches und psychologisches Gleichgewicht als Voraussetzung aggressions- und pressionsfreier Existenz für Westeuropa geschaffen werden. Westeuropa braucht also die cruise missiles. Nicht allerdings nur um das kontinentalstrategische Potential der Sowjetunion auszugleichen. Auch um das konventionelle Ungleichgewicht in Westeuropa etwas günstiger zu gestalten und durch die Absicherung dieses Ungleichgewichts durch taktische Nuklearwaffen glaubwürdig zu halten. Konkret bedeutet dies: Auch um konventionelle

und taktisch-nukleare counter-air- und interdiction-Einsätze durchführen zu können, braucht die NATO neue, mobile, unverwundbare und kosteneffektive Trägersysteme – cruise missiles.«
Mit den Vorträgen von Helmut Schmidt und seines Herausforderers Manfred Wörner waren die Ausgangspositionen einer sicherheitspolitischen Grundsatzdiskussion markiert, die seit Ende 1980 mit zweijähriger Verzögerung eine zunehmend aufgerüttelte Bevölkerung bewegte.
Einige Tage zuvor hatte Manfred Wörner am 9. Januar 1978 auf einer Pressekonferenz in einer Vorschau auf ein sicherheitspolitisches Forum der CDU in Kiel die SALT-Position der Carter-Administration attakiert und u. a. gefordert:
»3. Solange die kontinentalstrategischen Waffen der UdSSR nicht in das Abrüstungsspektrum einbezogen sind, braucht Westeuropa ein Gegengewicht in Gestalt der cruise missiles.
4. Ein Verbot der Weitergabe von Technologien in den SALT-Verhandlungen wäre eine unerträgliche Diskriminierung der Verbündeten der USA. Wir geben der Stationierung amerikanischer cruise missiles in Europa Vorrang. Notfalls allerdings muß Europa seine eigenen cruise missiles bauen.
5. Wir brauchen allerdings auch weiterhin taktisch-nukleare Waffen der USA in Europa. Sie müssen modernisiert, dürfen aber in ihrer Substanz nicht angetastet werden.«
Diese Forderungen Manfred Wörners, die den Akzent deutlich auf den rüstungspolitischen Teil setzen, ziehen sich wie ein roter Faden durch die späteren Stellungnahmen des CDU-Wehrexperten im Jahr 1978.
Im Oktober desselben Jahres vor der Aufnahme diplomatischer Beziehungen zwischen Washington und Peking erklärte Manfred Wörner in Rastatt auf einem verteidigungspolitischen Kongreß der Konrad-Adenauer-Stiftung in Anspielung auf die Sowjetunion, solange China und der Westen vom selben Staat bedroht würden, ergäben sich daraus gemeinsame strategische Interessen. Die deutsche Politik sollte »alles dransetzen, den Chinesen auf ihrem Weg zur Modernisierung behilflich zu sein«. Franz Josef Strauß hatte bereits im April 1978 festgestellt, daß die Lieferung defensiver Waffensysteme aus deutsch-französischer Koproduktion »wesentlich anders zu beurteilen sei als der Export in wirkliche Spannungsgebiete der Welt«. Und sein Fraktionskollege Friedrich Zimmermann hatte die Rivalität zwischen Moskau und Peking gar als »einen gleichgewichts- und damit friedensstabilisierenden Faktor von hohen Graden« bezeichnet.
Manfred Wörners Bemerkungen in Washington am 12. Januar 1979 wenige Tage nach dem Vierergipfel in Guadeloupe hatten Herbert Wehner zum Gegenangriff provoziert. In einer anderen Rede, die Wörner am

4. Januar 1979 in Santa Barbara in Kalifornien gehalten hatte, wurde Wehner über folgende Thesen stutzig, »daß ›die Armeen des Ostens Instrumente der Politik‹ seien, ›gerichtet auch auf die Einschränkung der politischen Handlungsfreiheit der Staaten des Westens, auf ihre Finnlandisierung‹. Äußere Sicherheit für den Westen bedeutet damit nicht länger nur die Verhinderung der Okkupation, sondern bereits schon die Abwehr äußeren Drucks auf die eigene Innen- und Gesellschaftspolitk. Unsere militärischen Anstrengungen«, hatte Wörner seinem konservativen amerikanischen Publikum verkündet, »sind damit nicht länger nur zur Sicherung der territorialen Integrität unabdingbar, sondern auch zur Sicherung der fortgesetzten inneren Selbstbestimmung unseres Volkes.« Wehner war noch ein anderer Satz in Wörners Rede aufgefallen, welcher die Folgen für die Bundesrepublik recht treffend skizziert: »Was aber nützen uns funktionierende Streitkräfte« – so Wörner an einer anderen Stelle seines Vortrags –, »wenn sich der Staat von innen her auflöst? . . . Eine Regierung allerdings, die mit einer Million Arbeitsloser ohne erkennbare Skrupel lebt, wird die Identifikation von Bürger und Staat schwerlich schaffen. Eine Regierung insbesondere, die die Zukunftschancen der jungen Generation nicht zu sichern versteht, wird nicht erwarten können, daß diese junge Generation diesem Staat freiwillig und verantwortungsbewußt dient. Mit dem Verlust der wirtschaftlichen Stabilität hätten wir mehr verloren als ein bißchen Wohlstand.« Wehner wunderte sich, wie sich solche Lamentation und Denunziation mit Wörners Schlußapotheose vereinbaren lasse: »Noch sind wir stärker – wirtschaftlich, technologisch, sozial – und können es bleiben. Was uns fehlt und was es wiederzuerwecken gilt, ist der Zukunftsglaube.«
Den Verdacht, die Entspannungspolitik der Bonner Regierung könne zu einer Selbstfinnlandisierung beitragen, hatte Manfred Wörner im April 1978 in einer vertraulichen Runde am Washingtoner Dupont Circle im achten Stock eines Hochauses vor einem ausgewählten Kreis amerikanischer Sicherheitsexperten aus der Carter-Administration, dem Kongreß und den Medien genährt. Wörner richtete dabei, wenige Tage nachdem seine Hoffnung auf die Einführung der Neutronenwaffe in der Bundesrepublik an Präsident Carters »Gewissensbissen« gescheitert war, heftige Angriffe gegen die Regierungspartei des Kanzlers und den Bundesgeschäftsführer der SPD, Egon Bahr, der mit seiner These, die Neutronenwaffe sei einer Perversion des Denkens, innenpolitisch Wörners Hoffnungen auf die »Wunderwaffe« unterminiert hatte.
Die Wirkung derartiger Finnlandisierungsvorwürfe und Verdächtigungen auf amerikanischem Boden ließen nicht lange auf sich warten. Zbig Brezezinski wiederholte wenig später gegenüber einem anderen deutschen

Besucher den Verdacht, daß sich die Bundesregierung in einem Prozeß der Selbstfinnlandisierung, d. h. einer allmählichen Loslösung von den USA und einer Annäherung an die Sowjetunion befinde.
Einige Tage nach dem Besuch von Leonid Breschnew in Bonn Anfang Mai 1978 und vor einer Amerikareise Helmut Schmidts, bei der er vor den Vereinten Nationen seine Philosophie der Sicherheitspartnerschaft während der ersten Sondergeneralversammlung für Abrüstung vortragen wollte und sich vom anschließenden NATO-Gipfel in Washington ein erneutes Bekenntnis des westlichen Bündnisses zu Entspannung und Verteidigungsbereitschaft, jenen beiden Pfeilern des Harmel-Berichts über die zukünftigen Aufgaben der NATO vom Dezember 1967, erhoffte, wurde durch eine Indiskretion über ein Interview Schmidts mit dem US-Nachrichtenmagazin »Newsweek«, beeinträchtigt. In der »International Herald Tribune« bemühte sich Schmidts Interviewpartner Arnaud de Borchgrave, unter Hinweis auf Passagen des Gesprächs, die vom Kanzler eigenhändig vor der Veröffentlichung wieder gestrichen wurden, um den Beweis der These, die Bundesrepublik steuere auf eine selbstgewollte »Finnlandisierung« zu.
Der Politikwissenschaftler Woyke definierte »Finnlandisierung« als »die eingeschränkte außenpolitische Handlungsfähigkeit des Landes, das an einer Nahtstelle der Systemauseinandersetzung zwischen Ost und West seit dreißig Jahren erfolgreich sein politisches und gesellschaftliches System auf der Basis demokratischer Grundrechte aufrechterhalten hat. Der Preis dafür war und ist«, nach Woyke, »eine Außenpolitik, von den führenden finnischen Politikern als ›aktive Neutralitätspolitik‹ verstanden, die in den Grundzügen sowjetischen Vorstellungen nicht entgegenlaufen darf.«
Während in Washington die Auseinandersetzung über den zukünftigen Kurs der amerikanisch-sowjetischen Beziehungen zwischen Entspannungsbefürwortern und antikommunistischen Falken außerhalb und innerhalb der Regierung Carter im Sommer 1978 intensiviert wurde und Carter zunehmend eine härtere Gangart gegenüber der Sowjetunion einschlug, nahmen gleichzeitig auch die Spekulationen über die unabhängigere außenpolitische Haltung Bonns zu. Ende Juni 1978 spekulierte William Pfaff in der »International Herald Tribune« über eine außenpolitische Loslösung Bonns von Washington und über eine engere Zusammenarbeit zwischen der Bundesrepublik Deutschland und Frankreich. Kaum eine Woche später setzten die beiden konservativen Kolumnisten Evans und Novak am 4. Juli 1978 in derselben Zeitung die Vermutungen und Verdächtigungen über eine Annäherung Bonns an Moskau fort. Helmut Schmidt habe, durch die aufmüpfigen Linken in seiner Partei geschwächt,

es nicht gewagt, Breschnew wegen der sowjetischen Abenteuer in Afrika, Afghanistan, im Südjemen Vorhaltungen zu machen. Dieser Kurswechsel sei durch die Einschätzung ausgelöst worden, daß Carters Washington das Spiel nicht verstehe oder zu müde sei, um es zu spielen. Ähnliche Spekulationen wurden Anfang Juli 1978 vom Chefredakteur der »Neuen Zürcher Zeitung«, Fred Luchsinger, und am 31. Juli 1978 im konservativen »Daily Telegraph« von Robert Moss vorgetragen. Moss, der schon zuvor in einer Publikation der CSU-nahen Seidel-Stiftung als Verteidiger der chilenischen Militärdiktatur auftrat, wiederholte den Vorwurf, Helmut Schmidt könne von den Linken in seiner Partei und den Russen bedrängt, eine Politik der Annäherung an Moskau verfolgen, die vor allem von Egon Bahr, Willy Brandt und Herbert Wehner befürwortet werde. Zwei Wochen später spannen die beiden konservativen Journalisten Evans und Novak in der »International Herald Tribune« weiter an dem politischen Seemannsgarn. Carters unberechenbare Außenpolitik habe die Kontakte zwischen den Linken in der SPD und Moskau intensiviert. Im Mittelpunkt der Spekulationen standen wieder Egon Bahr und dessen Gespräche mit Breschnew vor und nach dessen Besuch in Bonn und die Furcht vor einem neuen Geist von Rapallo. Die konservativen politischen Sterndeuter waren durch Bahrs Kritik an Brzezinskis Versuch, die Chinakarte gegenüber Moskau auszuspielen, irritiert. Bahr habe, nach dem Drehbuch der Verdächtigungen der amerikanischen Falken und ihrer deutschen Gesprächspartner, mit den Sowjets eine antiamerikanische Propagandaoperation vereinbart über die Gefahren der amerikanischen Außenpolitik und Carters außenpolitische Unerfahrenheit. Bahr und die Linken in der SPD hätten Carters Neutronenwaffenfiasko benutzt, um Schmidt auf ihre Seite zu ziehen.
Einige Wochen vor der Hessenwahl erklärte der CDU-Vorsitzende Helmut Kohl am 1. September 1978, man wolle den sogenannten Bahr-Plan, den der konservative amerikanische Stratege Walter Hahn 1973 »enthüllt« hatte, zum Gegenstand einer außenpolitischen Debatte machen. Kohl gab vor, einen Zusammenhang zwischen den Zweifeln am atlantischen Bündnis bei Teilen der SPD sowie der Haltung des Bundeskanzlers in der Frage der Neutronenwaffe zu sehen. Anfang September wurden Verdächtigungen eines rumänischen Geheimagenten Pacepa in der »Welt« publiziert, Bahrs Referent habe mit dem rumänischen Geheimdienst zusammengearbeitet.
»Der angebliche Spionagefall in Bonn« schrieb Kurt Becker am 8. September in der »ZEIT« über die »Bonner Schattengefechte«, »samt allen darauf aufgebauten finsteren Verdächtigungen, hat uns ein ebenso erschreckendes wie abschreckendes Schauspiel politischer Hemdsärmelig-

keit beschert. Erst der Rufmord-Skandal . . . sodann in Bonn die Eskalation der wechselseitigen Vorwürfe: Komplott mit der CIA, Denunziationskampagne, Diffamierung. Aber die Affäre hat inzwischen ihr außenpolitisches Eigengewicht erhalten. Jetzt steht Egon Bahr, der einstige Unterhändler der Ostverträge, im Mittelpunkt.«

Die internationale Inszenierung von Verschwörungstheorien sollte zum einen die SPD in der kritischen Hessenwahl als außenpolitisch unzuverlässig und zum anderen die Carter-Regierung als außenpolitisch unzurechnungsfähig erscheinen lassen. Die Mitspieler auf beiden Seiten des Atlantik verband zweierlei, ein tiefes Mißtrauen gegenüber der Sowjetunion und den Befürwortern der Entspannungspolitik und der gemeinsame Wille zur Macht, die Regierung Schmidt in Bonn zu Fall und die Regierung Carter innenpolitisch in Mißkredit zu bringen. Neben den grundsätzlichen Fragen der Ost-West-Beziehungen – dem Verhältnis zur Sowjetunion und China – war den Mitspielern auf beiden Seiten des Atlantik eines gemein: der Wille zu einer Ankurbelung der Verteidigungsanstrengungen in den USA und in Westeuropa. In diesem breiteren Rahmen spielte die Frage neuer amerikanischer Atomraketen für Europa aus der globalpolitischen Perspektive der Carter-Administration zunächst noch eine untergeordnete Rolle. Nach dem Neutronenwaffenfiasko und dem transatlantischen Verdächtigungskarussell gewann die Frage des eurostrategischen Ungleichgewichts eine neue Qualität: Sie wurde zu einer politischen Frage der amerikanischen Führungskunst und zu einer existentiellen Frage der NATO hochstilisiert.

Als Epilog dieses transatlantischen Schmierentheaters mögen folgende Zitate der »Welt«-Korrespondenten Thomas Kielinger mit der Überschrift: »US-Kolumnist: Mir sagte die CDU nichts über Bahr« dienen: »Es handelt sich«, schreibt Kielinger nach einer erneuten Lektüre von Evans und Novaks Rapallo-Inspirationen am 18. September 1978, »weniger um einen deutschlandkritischen Artikel als vielmehr um einen Frontalangriff gegen Jimmy Carters Moskau-Politik. Die genüßlich ausgebreiteten Geschichten über die latenten Neigungen auf der deutschen Linken gelten nur als Unterstützung der Kernthese: Jimmy Carter sei ein so unentschiedener und unentschlossener Mann in wichtigen Fragen der westlichen Sicherheit und Verteidigung, daß es gar kein Wunder sei, wenn Ideen wie die von Bahr in Deutschland Fuß faßten.

Evans und Novak gehören zu den am meisten geachteten und gleichzeitig am meisten angefeindeten Kolumnisten in den USA. Ihre Enthüllungen haben häufig politisch gelenkten Charakter. Sie dienen Kreisen des Pentagon, des Kongresses und des NATO-Hauptquartiers in Brüssel«, gab der »Welt«-Korrespondent offenherzig zu, »häufig als willkommener Anlaß für neue Angriffe auf die angeblich schwache Haltung der Regierung Carter gegenüber Moskau. Umgekehrt beziehen Evans/Novak auch von diesen ›Klienten‹ sehr viele, wenn nicht die meisten Informationen für ihre Aufsätze. Die Bezüge zu Carters Sicherheitsberater Brzezinski«, gemeint war damit dessen Vorwurf der Selbstfinnlandisierung Bonns, »scheinen ebenfalls konstruiert zu sein. Nachforschungen bei verschiedenen Quellen stießen immer auf die gleiche Beurteilung: absurd. Novak und Evans beziehen ihre regierungsinternen Informationen meistens aus oppositionellen Nestern innerhalb der Carter-Administration.« Nachdem die Verdächtigungskampagne gegen die Bonner Architekten der Ostpolitik wie ein Kartenhaus zusammengefallen war, folgte die Ehrenrettung: Die CDU-Politiker waren einer inneramerikanischen Intrige und Desinformationskampagne zum Opfer gefallen.

Weit gewichtiger als dieser politische Schabernack waren die transatlantischen Seminare der Falken aus Bonn und Washington, bei denen die sowjetische Bedrohung und die Forderung nach Abhilfe – die Produktion und Aufstellung neuer amerikanischer Atomraketen – eine bedeutende Rolle spielten.

Bei der Anbahnung persönlicher Kontakte zwischen den amerikanischen und deutschen Entspannungsgegnern und den Kritikern der SALT II-Verhandlungen spielten der stellvertretende CDU-Fraktionsvorsitzende Manfred Wörner, der Direktor des Sozialwissenschaftlichen Forschungsinstituts der Konrad-Adenauer-Stiftung, Dr. Hans Rühle, der seit Oktober 1982 nach dem Regierungswechsel Verteidigungsminister Dr. Wörner als Chef des Planungsstabes zur Seite steht, und Dr. Manfred von Nordheim, der die Forschungsstelle der Stiftung in Washington leitete, eine zentrale Rolle. Zusammen mit dem erzkonservativen Institute for Foreign Policy Research (IFPA) führte die Konrad-Adenauer-Stiftung im November 1977, im Juni 1978 und im Oktober 1979 vor Verabschiedung des NATO-Doppelbeschlusses drei streng vertrauliche deutsch-amerikanische Strategiekonferenzen in Washington durch, bei denen die neuen amerikanischen Atomraketen im Mittelpunkt standen.

Vor diesem Kreis trugen die deutschen Entspannungskritiker mit Unterstützung der amerikanischen Falken Mitte November 1977 ihre scharfe Kritik an den amerikanischen Verhandlungszielen für SALT II, vor allem an dem 3-Jahres-Protokoll vor, das die Reichweite für die Marschflugkörper auf 600 Kilometer begrenzen wollte. Mit Bitterkeit sei die Frage gestellt worden, berichtet das vertrauliche Protokoll: »Warum haben die Vereinigten Staaten die Marschflugkörper in die SALT-Verhandlungen einbezogen und nicht die vergleichbaren sowjetischen Systeme SS-20?« Deutsche Teilnehmer warfen der Regierung Carter Unmoral und Unzuverlässigkeit vor. Sollte die US-Regierung auf die Marschflugkörper im Rahmen von SALT verzichten, brauche man nicht länger über Konsultationen in der NATO zu sprechen. »Wenn die Vereinigten Staaten Beschränkungen bei den Marschflugkörpern akzeptieren«, warf ein weiterer deutscher Teilnehmer den anwesenden Beamten der Carter-Administration vor, »dann riskieren sie die Zukunft der in Europa stationierten amerikanischen Forward Based Systems. Bemannte Flugzeuge werden für Interdiktion-Aufgaben äußerst verwundbar. Marschflugkörper bieten eine attraktive Option für solche Missionen gegen die zweite Welle des Angreifers.« »Wenn die USA am Verhandlungstisch hierauf verzichten«, warnte ein weiterer deutscher Teilnehmer, »dann werden wir selbst Marschflugkörper bauen.«

Die Diskussionen vom 14. bis 16. November 1977 in Washington zeigten eine Übereinstimmung hinsichtlich der Notwendigkeit, die amerikanischen Nuklearsysteme in Europa zu modernisieren und ihre Verwundbarkeit zu senken. »Sprengköpfe mit geringerer Sprengkraft und Trägersysteme mit höherer Zielgenauigkeit wurden für eine glaubwürdige Kriegführungsfähigkeit der NATO für wesentlich gehalten. Von deutschen Teilnehmern wurde fortwährend die Notwendigkeit betont, Nuklearsysteme einzuführen, die Ziele in der Sowjetunion erreichen könnten.«

Einige Wochen bevor in der amerikanischen Presse der Finnlandisierungsvorwurf gegen die Bonner Regierung erhoben wurde, fand vom 14. bis 16. Juni 1978 das zweite Strategentreffen der deutsch-amerikanischen Falken in Washington statt. »Politiker wie Manfred Wörner«, schrieb Thomas Kielinger in der »Welt«, »mahnten eindringlich ihre amerikanischen Gegenüber – Vertreter aus dem Kongreß, dem Pentagon, schließlich den Stellvertreter von Sicherheitsberater Brzezinski, David Aaron –, das 3-Jahres-Protokoll von SALT II, in dem der Test und die Indienststellung von Cruise Missiles auf vielfache Weise beschränkt werden, auf keinen Fall zu verlängern.«

In jenen kritischen Wochen, zwei Monate nach dem Neutronenwaffenfiasko, kam in Washington den Befürwortern der Aufstellung neuer Atomraketen diese Kritik nicht ungelegen. »Den überkritischen Europäern« – Kielinger setzt hier die deutschen Falken und Aufrüstungsbefürworter mit den »Europäern« gleich – »antwortet die amerikanische Seite: Wäret ihr bereit, verbesserte Versionen etwa der Pershing-Rakete oder gar gänzlich neue ballistische Mittelstreckensysteme auf eurem Boden zu lagern? Die Frage verrät, welch ungute Erinnerungen die Genese der Neutronenwaffen-Entscheidung auf amerikanischer Seite hinterlassen hat. Dabei besäße heute auf Allianzseite jeder den Neutronengefechtskopf nur zu gerne, weil man jedes vorhandene Pfand vis-a-vis dem sowjetischen Arsenal dringend

benötigt. Besonders auffallend«, kommentierte Kielinger die vertrauliche Diskussion der Falkenrunde, »war die Abneigung bei den meisten Teilnehmern, die Waffen der grauen Zone in toto in zukünftige Verhandlungen einzubringen«.
»Die Kritik an der amerikanischen Rüstungskontrollpolitik«, vermerkt hierzu das Protokoll der Washingtoner Strategiediskussion, »die vor allem von den deutschen Teilnehmern geäußert, aber von mehreren Amerikanern unterstützt wurde, richtete sich auf die unzureichende Definition der militärischen Erfordernisse durch die NATO und die Neigung der USA von der einen Verhandlung in die nächste hineinzustolpern.« Angesichts des gegenwärtigen Trends bei den Rüstungskontrollverhandlungen bestand nach Ansicht eines deutschen Teilnehmers die Gefahr, daß die Allianz einen vierfachen Preis für die sowjetischen SS-20-Raketen und Backfire-Bomber bezahle: »(1) durch die Nichteinführung der Neutronenwaffe, (2) durch die Nichtstationierung der Marschflugkörper, (3) durch den Abzug der amerikanischen Forward Based Systems und (4) durch Beschränkungen der Stationierung amerikanischer strategischer U-Boote in europäischen Gewässern.«
Beide Seiten der deutsch-amerikanischen Strategenrunde waren sich einig, daß Verhandlungen nur dann Erfolg hätten, wenn nennenswerte militärische Fähigkeiten zur Unterstützung dieser Strategie aufgebaut würden. Im Rahmen der Nuklearstrategie setzten sich die deutschen Teilnehmer für eine größere »Harmonisierung zwischen amerikanischen Szenarios für einen strategischen Nuklearkrieg und für einen Konflikt in Europa ein. Die Vereinigten Staaten sollten«, nach den Vorstellungen der CDU/CSU und der ihr nahestehenden Experten, »ihre strategischen Streitkräfte direkter mit ihren Angriffsoptionen für europäische Kriegspläne integrieren. In diesem Zusammenhang wurde Bezug auf die Strategie der ›begrenzten counterforce-Optionen‹«, bzw. der direkten chirurgischen Schläge gegen sowjetisches Gebiet, »genommen, die Dr. James Schlesinger als Verteidigungsminister verkündete und die«, wie das Protokoll für die amerikanischen Leser besonders hervorhebt, »Mitte der 1970er Jahre von den europäischen NATO-Partnern äußerst günstig aufgenommen worden war.«
»Die deutschen Teilnehmer argumentierten, die USA müsse alles in ihrer Macht stehende unternehmen – sowohl im Hinblick auf die militärischen Fähigkeiten als auch die Doktrin –, um die glaubwürdige Option, zuerst in einem europäischen Krieg Kernwaffen einzusetzen, am Leben zu erhalten. Sollte es der Sowjetunion gelingen, diese Option zu durchkreuzen«, warnten die CDU-Politiker, »könnte dies das Ende der Allianz sein.« Als Antwort auf das sowjetische Mittelstreckenpotential empfahlen die Bon-

ner Oppositionspolitiker, »neue Waffen mit entsprechender Reichweite aufzubauen. Einige befürworteten eine neue Generation amerikanischer Mittelstreckenraketen in Europa.«
Als amerikanische Gesprächsteilnehmer die Überlegung einführten, einen Teil der Mittelstreckensysteme in europäischen Gewässern zu stationieren, betonten gerade die deutschen Teilnehmer »den politischen und psychologischen Wert gerade von sichtbaren landstationierten Systemen in Europa. Sie betonten auch das Abschreckungsparadox, daß bis zu einem gewissen Punkt gerade die Verwundbarkeit der Waffen den Willen stärkt, schon früh in einen militärischen Konflikt auf Kernwaffen zurückzugreifen.«
Bei der dritten Strategierunde Mitte Oktober 1979 in Washington unterstrich der konservative demokratische Senator Sam Nunn die Notwendigkeit, die von der NATO geplanten Mittelstreckensysteme in Europa aufzustellen. »Die Fähigkeit, die Streitkräfte der zweiten und der dritten Angriffswelle des Warschauer Pakts in Osteuropa und in Westrußland zu neutralisieren, ist der Kern jeder glaubwürdigen taktisch nuklearen Abschreckung. Das Problem der NATO besteht heute darin, daß sie die sowjetischen Streitkräfte in den westlichen militärischen Distrikten Rußlands nicht glaubwürdig bedrohen kann. Diese Fähigkeit beruht fast ausschließlich auf Flugzeugen und den alternden Pershing I-Raketen. Beide sind für Präventivangriffe durch nukleare und konventionelle Angriffe äußerst verwundbar. Langstreckensysteme wie die Pershing II und die landgestützten Systeme, die die Streitkräfte des Warschauer Paktes bedrohen, bevor diese das Gebiet der NATO erreichen, würden die Abhängigkeit von den nuklearen Kurzstreckensystemen reduzieren. Ihre Stationierung würde den Weg für eine Reduzierung der in Europa stationierten Kernsprengköpfe liefern. Das vorgeschlagene Modernisierungsprogramm«, belehrte Senator Nunn seine aufmerksam lauschenden Zuhörer, »stellt einen ersten starken Schritt zur Verbesserung der gegenwärtigen Lage dar.«
Während der anschließenden Diskussion wurde von den Falken aus Bonn und Washington übereinstimmend festgestellt, daß die im NATO-Doppelbeschluß vorgesehenen NATO-Raketen eine Art »minimale Abschreckung« im Bereich der nuklearen Schauplatzwaffen darstellen.
Die Diskussion der Entspannungskritiker beschränkte sich jedoch nicht auf die Forderung nach neuen amerikanischen Atomraketen. In der innerdeutschen Debatte über die Zukunft der Ost-West-Beziehungen machten sich die außen- und sicherheitspolitischen Sprecher der CDU/CSU zunehmend die entspannungskritischen Thesen ihrer amerikanischen Verbündeten im »Komitee zur gegenwärtigen Gefahr« und im konservativen Gegenestablishment zu eigen. Im April 1979 übernahm die CDU/CSU-Frak-

tion die Einschätzung der Geheimdienstamateure vom B-Team, wonach die Sowjetunion jährlich 11 bis 13 Prozent ihres Bruttosozialprodukts für militärische Zwecke ausgebe, und in einer Publikation vom Januar 1980 wurde diese Schätzung von den deutschen Falken noch übertroffen. 1979 habe die Sowjetunion »14 bis 16 Prozent ihres Bruttosozialprodukts für militärische Zwecke ausgegeben«. Aus der alarmierenden Lagebeurteilung zog Manfred Wörner vier Wochen nach Annahme des NATO-Doppelbeschlusses die Schlußfolgerung: »Eine Politik energischer Freiheitssicherung hat ihren Preis. Die Verteidigung muß mindestens um die zugesagten 3 Prozent real jährlich steigen. Es muß Schluß gemacht werden mit einer Politik, die mehr die Begehrlichkeit als die Opferbereitschaft unserer Bürger anspricht.«
Auf dem sicherheitspolitischen Kongreß der CDU am 11. und 12. Januar 1980 übernahm Alfred Dregger weitgehend die These der amerikanischen Falken, die Sowjetunion verfolge weiterhin das Ziel eines weltweiten Sieges des Kommunismus. »Die Sowjetunion ist auf der Welt nach wie vor der größte Friedensstörer«, begann der spätere CDU-Fraktionsvorsitzende seine Analyse der ideologischen, ökonomischen und militärischen Bedrohung durch die Sowjetunion. Manfred Wörner unterstrich die These der ideologischen Bedrohung durch die UdSSR: Solange die UdSSR an ihrer machtbesessenen Ideologie, ihrer menschenfeindlichen Praxis und ihrer weltweiten Expansion festhalte, könne es kein dauerhaftes friedliches Zusammenleben geben. Daraus leiteten die westdeutschen Entspannungskritiker in Übereinstimmung mit ihren Freunden in den USA die Forderung nach einer offensiven Vertretung der Werte des Abendlandes im »geistigen Kampf« mit dem Kommunismus ab.
Als Teil dieser geistigen Auseinandersetzung mit dem Kommunismus in der Bundesrepublik und in der Dritten Welt forderte Manfred Wörner die erneute Vermittlung »klarer soldatischer Erziehungsziele und Leitbilder«, einen »spürbaren und demonstrativen Willen zur Verteidigung« und die Abschaffung einer Erziehung »zu kritischer Distanz zum Staat und zu einer ausgesprochenen Anspruchshaltung dem Staat und der Gesellschaft gegenüber«.
Eine weitere These der amerikanischen Entspannungskritiker taucht seit 1978 verstärkt in den Reden führender Christdemokraten auf: Die Sowjetunion möchte das Ziel einer politischen Vorherrschaft ohne Nuklearkrieg durch politische Pressionen gestützt auf eine militärische Überlegenheit erreichen.
Auch die vierte zentrale These der Mitglieder des Komitees zur gegenwärtigen Gefahr, die sowjetische Aufrüstung in den letzten 25 Jahren erinnere an die Wiederaufrüstung des Dritten Reiches in den dreißiger Jahren,

wurde von führenden Oppositionspolitikern übernommen. Das »München-Syndrom« und die Gefahr einer westlichen Appeasementpolitik galt den CDU/CSU-Politikern als wichtigster Kriegsgrund. Helmut Schmidt sah nach der sowjetischen Intervention in Afghanistan im Frühjahr 1980, vier Monate nach dem Raketenbeschluß, die Hauptgefährdung für den Weltfrieden eher in einem »Sarajewoeffekt«.
»Anders als in der Konfliktsituation des Sommers 1914«, erklärte der Bundeskanzler auf einer SPD-Großveranstaltung in der Essener Grugahalle am 12. April 1980, »die zum Ersten Weltkrieg führte, obwohl keine der beteiligten Mächte es wirklich wollte, spielt zwar heute das Militär keine ausschlaggebende Rolle mehr, aber das militärische Denken hat immer noch eine zu große Bedeutung; das gilt insbesondere für die Sowjetunion. Beide Weltmächte wollen keinen Krieg. Auf beiden Seiten aber gibt es keine ausreichende Kriegsvermeidungsstrategie; und beide reden nicht offen genug über ihre grundlegenden Ziele und Interessen. Kriegsvermeidung und Konfliktlösung«, betonte der Kanzler vor mehreren tausend Zuhörern, »machen es nötig, sich jeweils in die Rolle der Mit- und Gegenspieler zu versetzen. Danach muß handeln, wer nicht will, daß alles im Chaos endet.«
Die unterschiedlichen Einschätzungen der Sowjetunion, der Politik der Entspannung mit Osteuropa und die kontroversen Einschätzungen über mögliche Konflikt- und Kriegsursachen bildeten den Hintergrund für eine sicherheitspolitische Debatte in der Bundesrepublik, die im Januar 1979 durch Herbert Wehners ungewöhnlich scharfe Angriffe ausgelöst wurde.
In die erste Bonner Raketenkontroverse mischte sich Anfang Februar auch die NATO-Spitze ein: Während Brzezinskis Stellvertreter David Aaron seinen deutschen Gesprächspartnern versicherte, die Entscheidung über die Einführung und Stationierung neuer Atomraketen eile keineswegs, schockierte der NATO-Oberbefehlshaber die Bonner Diskutanten mit der Schreckensmeldung, alle sowjetischen SS-20-Raketen seien nur gegen die Bundesrepublik gerichtet.
Wehner sah durch die bevorstehende Raketenentscheidung der NATO vor allem die deutsch-deutschen Beziehungen bedroht. »Jene SED-Kreise«, deutete der »SPIEGEL« Wehners Besorgnisse, »die ohnehin gegen eine weitere Entspannung zwischen Bonn und Ost-Berlin seien, warteten nur darauf, daß eine Aufrüstung der Bundesrepublik ihnen einen Vorwand liefere, in Moskau ein Ende der Détente durchzusetzen.« Klarer als viele andere Politiker sah Wehner die Konsequenzen voraus, wenn die Raketen kommen: »Heute würden in der Abrüstungspolitik Weichen gestellt und ein Kurs eingeschlagen«, deutete der »SPIEGEL« Wehners Kopfzerbre-

chen und polterndes Aufbegehren, »der dann auf lange Zeit nicht mehr zu revidieren sei.« Wehners Botschaft hatte den Kanzler, den Außenminister, die Oppositionspolitiker und die NATO erreicht.
Das polemische Feuerwerk, das auf Wehner in den kommenden Wochen abgefeuert wurde – er sei ein Sicherheitsrisiko, so der CSU-MdB Zimmermann; er gehe an den Nerv der deutschen Verteidigungspolitik und signalisiere einen Rücksturz der SPD »in das negative, der militärischen Wirklichkeit widersprechende Verhalten der fünfziger Jahre«, so Helmut Kohl –, vernebelte jedoch die zentrale Frage, um die es Wehner ging, die Zukunft unseres Überlebens und des Fortbestehens der Entspannung.
Um Herbert Wehner nicht ins Messer zu laufen, gab sich der Vertreter der deutschen Cruise-Missile-Lobby Manfred Wörner zunächst eher zurückhaltend und machte in seinen öffentlichen Äußerungen mehrere Rückzieher.
»Die NATO braucht in Europa eigene Waffen im Mittelstreckenbereich. Ihre Produktion und Stationierung muß in Angriff genommen sein, sobald oder besser noch ehe die NATO mit der Sowjetunion über die Grauzonenwaffen verhandelt. Darin sehe ich«, erklärte Wörner am 31. Januar der »FAZ«, »die wichtigste Voraussetzung für den Erfolg kommender Abrüstungsverhandlungen überhaupt.« Neben den Cruise Missiles sah Wörner die Pershing II und möglicherweise eine neue Mittelstreckenrakete als Teil des Waffenmix, das in Europa als Gegengewicht zu den sowjetischen Grauzonenwaffen aufgebaut werden müsse. »Ausdrücklich bejahte er die Frage«, schreibt die »FAZ« über das Gespräch mit dem verteidigungspolitischen Sprecher der CDU/CSU, »ob sich die Europäer an den politischen Risiken und den finanziellen Lasten der neuen Waffensysteme beteiligen sollten.«
»Dies ist eine so hochgradig politische Debatte«, konterte Verteidigungsminister Hans Apel während einer von der CDU durchgesetzten Aktuellen Stunde zu Wehners Äußerungen am 16. Februar im Bundestag, »daß ich persönlich diese aufgeregte Debatte gut finde. Dies ist doch keine Debatte für Experten. Dies ist doch keine Debatte für Militärs, sondern eine Debatte für Politiker. Müssen wir uns nicht bei Herbert Wehner bedanken, daß diese Debatte endlich ins Bewußtsein gehoben wird?«
Manfred Wörner hatte die Debatte mit dem Vorwurf eingeleitet, der Bundesregierung fehle der Mut und die Kraft, »den gefährlichen sicherheitspolitischen Vorstellungen Herbert Wehners entgegenzutreten«. Wehner habe der Sowjetunion das Alibi für jede neue Aufrüstung des Ostens gegeben und damit die Verteidigung des Westens geschwächt.
»Nie war das militärische Potential des Warschauer Pakts stärker als heute

– als Ergebnis von zehn Jahren angeblicher Entspannungspolitik«, bemerkte der CSU-Abgeordnete Richard Jaeger unter dem großen Beifall seiner Fraktion. An der Präsenz der Roten Flotte auf allen Weltmeeren könne man sehen, »daß die Motivation der sowjetischen Rüstung eine aggressive ist und daß die Waffen, wenn schon nicht im Krieg, dann zur politischen Erpressung rund um den Erdball benutzt werden«.
»Er zerbricht sich den Kopf wegen des Friedens«, versuchte der ehemalige »Spiegel«-Chefredakteur Conrad Ahlers Herbert Wehners Bewußtsein dafür zu schärfen, daß auch die Gegenseite aus Sorgen und Ängsten heraus weiterrüsten könnte, daß auch sie eine Bedrohung für sich sehen könnte und daß sie darauf mit militärischen Vorkehrungen reagiert, die aus Moskauer Sicht defensiv sind. »Solche Erwägungen sind nicht nur legitim, sie sind notwendig, um überhaupt erfolgversprechende Abrüstungsverhandlungen zu führen.«
»Herr Wehner«, ging Alois Mertes erneut zum Angriff über, »Sie wollen dieses Land spalten: in Friedensfreunde und in kalte Krieger, in Aufrüster und Abrüster. . . . Sie wollen unser Land spalten. Sie erheben sich zum Schiedsrichter darüber, wer in diesem Lande den Frieden will, wer die Entspannung will, wer wirkliche Aufrüstung will. . . . Herr Kollege Wehner, dies ist eine ganz schofle Taktik«, gab der ehemalige Diplomat und spätere Staatsminister im Auswärtigen Amt gekränkt zu verstehen und erinnerte an Wehners frühere Angriffe gegen die »Korinthenkacker« im Auswärtigen Amt. Nach diesen polemischen Wortgefechten, die den eigentlichen Anlaß, die bevorstehende Entscheidung über neue amerikanische Atomraketen ausklammerte, kehrte Bundeskanzler Schmidt zum Kernthema zurück und betonte nach einer Analyse der Veränderungen des nuklearen Gleichgewichts, »daß eine Beseitigung von Disparitäten durch Rüstungsverringerung, durch Rüstungsabbau allen anderen Möglichkeiten vorzuziehen ist«. Schmidt stellte jedoch gleichzeitig klar, »daß unser Land sich auf keinen Fall in eine Lage drängen lassen wird, die . . . die strategischen Positionen unseres Landes in eine von allen übrigen Staaten des westlichen Bündnisses kategorisch unterschiedliche Lage bringen wird«. Nach einer längeren Belehrung über seine Gleichgewichtstheorie und über die Rüstungskontrollstrategie seiner Regierung wandte sich der Kanzler an den CDU-Wehrexperten Wörner: »Ich weiß nicht, ob Herr Kollege Wörner die Absicht hatte oder es ihm bewußt war, daß bei seinem Vortrag in Kalifornien für einige – und ich sage Ihnen offen: auch bei mir – der Eindruck entstanden ist, als ob deutsche Politiker mit öffentlich erhobenen Forderungen an die Adresse der nuklearen Bündnismacht USA die Rüstungs- und Abrüstungspolitik der Nuklearmächte in einer Weise beeinflussen wollten, die nicht mehr ganz deutlich die Trennlinie erkennen

ließ, die ich ganz erkennbar bleiben lassen möchte. Ich wiederhole: Wir wollen kein nuklearer Staat werden. Wir wollen auch nicht durch die Hintertür die nuklearstrategischen Entscheidungen der Nuklearwaffenstaaten von uns aus mitbestimmen oder bestimmen.«
Einen ersten Höhepunkt der innenpolitischen Kontroverse über die bevorstehende NATO-Entscheidung bot die Bundestagsdebatte über zwei große Anfragen zur Abrüstungspolitik am 8. und 9. März 1979.
»Unterlassen Sie es, die Beistandsverpflichtung der Vereinigten Staaten in Zweifel zu ziehen!« mit dieser Warnung stieß der abrüstungspolitische Sprecher der SPD-Fraktion, Alfons Pawelczyk, zu Beginn der zweitägigen Debatte zur umstrittenen Mittelstreckenfrage vor. »Es muß das Bemühen beider Seiten sein, in diesen Rüstungswettlauf einzugreifen. Wir müssen uns darum bemühen, daß der Automatismus – militärische Forderung, Entwicklung, Erprobung, Produktion, Einführung in die Streitkräfte – auf beiden Seiten durchbrochen werden kann. Wir müssen dahin kommen«, erläuterte Pawelczyk die Abrüstungsphilosophie der SPD-Fraktion, »daß über Waffensysteme nicht erst verhandelt wird, wenn sie eingeführt sind. Wir müssen einen Weg finden, zu verhandeln, bevor Waffensysteme eingeführt werden. . . . Für diese Politik ist es erforderlich, daß das subjektive Sicherheitsbedürfnis jeder Seite voll mit in Rechnung gezogen wird.« Pawelczyk, der einen generellen Verzicht auf Waffenmodernisierungen ablehnte, warnte jedoch die Bundesregierung: »Hüten wir uns vor vorschnellen Rüstungsentscheidungen!« und an die Opposition gewandt fügte er hinzu: »Wenn ich mir die Mittelstreckenwaffendiskussion der Opposition ansehe, so fallen mir drei Stichworte ein: erstens Übertreibung, zweitens Rationalisierung, drittens Rüstung vor Rüstungskontrolle. Damit sind wir nicht einverstanden. . . . Es ist keine seriöse Politik, die Aufrüstungsentscheidung zu treffen, bevor überhaupt versucht worden ist, ob wir nicht auf einem anderen Wege Sicherheitspolitik schaffen können.«
Friedrich Zimmermann vermied es in seiner Replik, die Aufstellung neuer Raketen konkret zu fordern und konzentrierte sich statt dessen auf einen Frontalangriff auf die Entspannungspolitik und auf eine Interpretation der sowjetischen Bedrohung. Zimmermann zog daraus die Schlußfolgerung, daß die Entscheidung über neue Atomraketen nicht allein den USA überlassen werden dürfe. »Sollten auch mangels deutscher Beratung, deutscher Erklärungen, deutscher Entscheidungen«, malte der konservative Politiker die Gefahr an die Wand, »die Entscheidungen des amerikanischen Präsidenten ausbleiben, so wäre der Tag abzusehen, an dem die Glaubwürdigkeit der Abschreckungsstrategie der Vergangenheit angehört. Die NATO würde dann zwangsläufig einem Erosionsprozeß ausge-

iefert werden, der die Chancen für die Sowjetunion erheblich vergrößern würde, die Hegemonie in Europa zu gewinnen. Die globale Rechnung der Sowjetunion könnte dann aufgehen.« Die Wiederherstellung der NATO-Triade bestehend aus konventionellen, taktisch-nuklearen und strategisch-nuklearen Waffen, »ist das Gebot der Stunde. Langfristig müssen die NATO-Staaten mehr tun, als im nordatlantischen Raum eine funktionierende Abschreckung sicherzustellen.« Was meinte Zimmermann damit: eine Ausweitung des NATO-Operationsbereichs, eine erneute nukleare Überlegenheit der NATO?

Der CDU-Fraktionsvorsitzende Helmut Kohl konkretisierte Zimmermanns düstere Einschätzung der sowjetischen Aufrüstung: »Die Sowjetunion kann künftig, wenn sich die jetzige Verschiebung des Kräfteverhältnisses fortsetzt, in Zentraleuropa gewissermaßen aus dem Stand angreifen, ohne Gefahr zu laufen, daß ihr Angriff strategisches Ausmaß erreicht und damit auch das eigene Territorium einbezieht. Die Gefahr, daß Westeuropa vom atomaren Schutz der USA abgekoppelt wird, besteht doch vor allem dann, wenn das nukleare Potential der NATO auf dem europäischen Kontinent in einseitiger Weise quantitativ und qualitativ beschränkt anstatt zur Erzielung eines besseren Gleichgewichts ausgebaut wird. Moskau kann seine weltweite Interventionspolitik«, warnte der spätere Kanzler Kohl, »mit Hilfe seines maritimen und luftstrategischen Instrumentariums verstärken. Sie könnte unmittelbare Auswirkungen auf die Bundesrepublik Deutschland haben, wie gerade auch das Beispiel des Persischen Golfs deutlich macht. ... Die Sicherheitslücke zwischen Ost und West wird wachsen, wenn wir keine angemessenen Gegenmaßnahmen treffen.«

Nach weitschweifigen Ausführungen sprach Kohl kurz die Kernfrage an: »Eine Entscheidung der amerikanischen Regierung für den Bau bestimmter nuklearer Waffen darf doch nicht im Anschluß daran an der Frage ihrer Dislozierung scheitern. ... Wir entlassen die Vereinigten Staaten nicht aus ihrer Verantwortung für den atomaren Schutz Europas. Wir müssen dann aber, wenn dies stimmt, bereit sein, getroffene Entscheidungen mitzutragen und auch auf dem Territorium der Bundesrepublik Deutschland auszuführen.«

In der zweitägigen Verteidigungsdebatte behandelte nur Horst Ehmke, der stellvertretende SPD-Fraktionsvorsitzende, die Tragweite der bevorstehenden innenpolitischen Kontroverse über die neuen amerikanischen Atomraketen. In Übereinstimmung mit dem Kanzler betonte der stellvertretende SPD-Fraktionsvorsitzende, daß die westliche Überlegenheit bei den taktischen Nuklearwaffen durch das sowjetische Aufholen gefährdet werde. Unbestritten sei jedoch die sowjetische Überlegenheit im Bereich

des Mittelstreckenpotentials, die es jedoch immer gegeben habe. »Die eigentliche Problematik . . . kommt aus den SALT-Verhandlungen.« Ehmke drang dann zu dem Kernproblem der Abschreckungsstrategie und der nicht identischen Interessenlage von Europäern und Amerikanern hinsichtlich des Abkoppelungseffekts vor: »Die Frage, die wir beantworten müssen, lautet: Würden denn verglichen mit einem Gegenschlag von Atom-U-Booten aus, Mittelstreckenraketen in Europa dazu führen, daß die Sowjets einen amerikanischen Angriff auf sowjetisches Territorium nicht mit einem Angriff sowjetischer Waffen auf amerikanisches Territorium beantworten? Ich halte dies für höchst unwahrscheinlich. Wenn das aber so wäre«, hob der ehemalige Hochschullehrer hervor, »dann sollten wir eher Grund zur Sorge haben, weil dann tatsächlich ein Abkoppelungseffekt in dem Sinne eintreten könnte, daß man in Europa sagt: Laßt uns das in Europa mit Mittelstreckenraketen ausschießen. Meine Meinung ist die: Dies ist eine politische, keine militärtechnische Frage, was unser verteidigungspolitisches Verhältnis zu den Vereinigten Staaten ist. Wir dürfen dieses politische Grundproblem nicht mit militärtechnischen Zahlen und Entwicklungen zu umgehen suchen.« Und in Anlehnung an Carl Friedrich von Weizsäcker schlußfolgerte Ehmke: »Mehr Stabilität in der Welt kann nur durch politische, nicht durch militärtechnische Mittel erreicht werden. Das heißt, die Notwendigkeit des Gleichgewichts . . . führt noch keineswegs automatisch zur Bejahung der Aufstellung von Mittelstreckenraketen in Europa. . . . Ganz sicher sind wir uns einig«, wandte sich Ehmke an die Opposition, »daß wir mit noch so vielen Mittelstrekkenraketen in Westeuropa die politische Grundsatzfrage nicht beantworten können, ob die Amerikaner bereit sind, bei einem sowjetischen Angriff auf ihre Truppen in Berlin und in Westeuropa, bei einem Angriff auf ihre westlichen Verbündeten ihre eigene Existenz in die Waagschale zu werfen. Das kann man nicht mit einer Anzahl von Raketen beantworten, sondern man muß davon ausgehen, daß die amerikanische Führung weiß, daß für sie die Sicherheit Amerikas insofern untrennbar mit der Sicherheit Europas verbunden ist.«
Als einziger Abgeordneter sprach Ehmke dann die Unterschiede einer Land- oder Seestationierung von Mittelstreckenraketen an: »Ich habe aber schon gesagt, daß es meines Erachtens sehr die Frage ist, ob Mittelstreckenraketen insofern viel mehr bringen als atomare U-Boote. Der Vorteil von Mittelstreckenraketen, die landgestützt sind, ist ja der, daß sie zielgenauer sind als Raketen, die auf U-Booten stationiert sind. Auf der anderen Seite muß man wissen: die SS-20, die mobil ist, trifft man sowieso nicht, so oder so. Und andererseits: die Verwundbarkeit von Mittelstrekkenraketen gegenüber einem ersten Schlag ist sehr viel größer als die

von U-Booten. Sie sind vermutlich verwundbarer und bringen nicht mehr.«
Ehmke warnte vor lautstarken Forderungen nach neuen Mittelstreckenraketen und er verwies auf die politischen Implikationen: »Die Amerikaner würden mit Mittelstreckenraketen auf deutschem Boden zum erstenmal in der Nachkriegsgeschichte auf dem Boden der Bundesrepublik Waffensysteme hinstellen, mit denen man sowjetisches Territorium erreichen kann. . . . Sollte man sich militärischtechnisch für Cruise Missiles entscheiden, so ist politisch zu überlegen, daß sie uns bei den Abrüstungsdebatten in ungeheure Schwierigkeiten führen werden. Denn bei den Flugmarschkörpern ist weder die Reichweite noch die Art des Trägerkopfs – atomar oder konventionell – verifizierbar. Nicht verifizierbare Waffen einzuführen, könnte aber heißen, der Abrüstungsdiskussion überhaupt ein Ende zu bereiten.«
Manfred Wörner antwortete auf Ehmkes Frage nach der Notwendigkeit westlicher Mittelstreckenraketen in Europa, nachdem er mit einem Kompliment für seinen Vorredner begonnen hatte: »Wir brauchen sie, weil genau die Stationierung solcher Mittelstreckenwaffen des Westens in Europa der Sowjetunion eben diese Fähigkeit eines nuklearen Entwaffnungsschlages nähme.« Zur Frage des Stationierungsmodus: land- oder seegestützt, antwortete der CDU-Wehrexperte: »Der entscheidende Unterschied zwischen seegestützten und landgestützten Waffen ist eben der der Glaubwürdigkeit und der der Abschreckungskraft dieser Waffen. Denn wenn die Sowjetunion weiß«, erläuterte der CDU-Stratege sein Abschreckungsverständnis, »daß sie bei einem Angriff auf Europa über solche Waffen laufen müßte, ist es eben wahrscheinlicher – und das heißt: glaubwürdiger –, daß sie eingesetzt werden, und das bedeutet: ihr Abschreckungswert ist höher.« Wörner führte dann weiter zur Begründung seiner strategischen Position den Begriff der Krisenstabilität ein: »Das entscheidende ist die Krisenstabilität. Wenn wir keine Gegenmaßnahmen ergreifen, und zwar rechtzeitig, dann haben die Staatsmänner des Westens . . . in einer Krisenlage keine Standfestigkeit mehr.« Wörner schloß seinen Debattenbeitrag mit der dringlichen Warnung: »Nachgiebigkeit, Schwäche und Anpassung besiegeln das Schicksal der freien Welt und einer friedlichen internationalen Ordnung.«
Helmut Schmidt antwortete zu Beginn des zweiten Tages der Bundestagsdebatte grundsätzlich auf die Angriffe der Oppositionspolitiker, wobei er sich bei der Frage der Mittelstreckenrüstung äußerste Zurückhaltung auferlegte. Der Kanzler widersprach der Behauptung, daß es einen Entscheidungsdruck gebe, und erwähnte kurz den Stand der Beratungen in der sogenannten High Level Group. Wegen des rüstungskontrollpolitischen

Bezugs habe die Bundesregierung in der NATO darum gebeten, »daß neben diese militärische Gruppe nun auch eine Gruppe von Diplomaten tritt, die den abrüstungspolitischen Aspekt der Sache untersuchen. Das fängt erst an. Wenn die beide zu Ende sind, dann fängt erst die Beratung im Nordatlantischen Rat an.« Der Kanzler wiederholte dann nochmals seine Position, daß sich die Bundesrepublik als nichtatomarer Staat Zurückhaltung auferlegen müsse: »Wir haben nicht die Absicht, auf Feldern Initiativen zu ergreifen, die in der Verantwortung der Nuklearstaaten liegen.«

Sieht man von dem skeptischen Debattenbeitrag von Horst Ehmke ab, so war während der zweitägigen Abrüstungsdebatte eine Chance vertan worden, die politischen Folgeprobleme sowohl für die deutsche Innenpolitik als auch für die Ost-West-Beziehungen zu behandeln, die Herbert Wehner im Januar zu seiner Attacke motiviert hatten. Die in der wissenschaftlichen Literatur vor allem in den USA vorgebrachten Bedenken waren den Debattenrednern unbekannt geblieben.

3. KAPITEL

Von den Sümpfen Südfloridas zum Finale

Nachdem im August 1978 mit der Annahme des Memorandums No. 38 (PRM-38) Präsident Carters im Nationalen Sicherheitsrat der USA eine Vorentscheidung zugunsten neuer Atomraketen gefallen war und im Herbst 1978 das Pentagon einen Vorschlag des damaligen NATO-Oberbefehlshabers General Alexander Haig aufgegriffen hatte, die Reichweite der Pershing II von den ursprünglich geplanten 800 Kilometern durch eine zweite Stufe auf 1800 Kilometer zu erweitern, wurde die Frage der Einführung neuer Atomraketen auf mehreren Ebenen innerhalb der NATO intensiv diskutiert: auf der Expertenebene im Rahmen der hochrangigen Gruppe (HLG), auf der Ebene der Verteidigungsminister in der nuklearen Planungsgruppe und bei den halbjährlichen Treffen der politischen NATO-Gremien sowie auf der Ebene der Regierungschefs auf Guadeloupe.

Im Oktober 1978 führte Carters Sicherheitsberater Brzezinski in den europäischen Hauptstädten eingehende Gespräche mit Helmut Schmidt, James Callaghan und Giscard d'Estaing über die Frage der Grauzonenwaffen. Dabei habe der deutsche Kanzler bedauert, erinnert sich Brzezinski in seinen Memoiren, daß es nie auf höchster Ebene informelle Gespräche über politisch-strategische Themen in der NATO gegeben habe. Drei Monate später kam es am 5. und 6. Januar 1979 auf Einladung des französischen Staatspräsidenten zum ersten informellen Vierergipfel auf Guadeloupe.

»Als ich die Frage der Selbstverteidigung der Allianz ansprach«, schildert Jimmy Carter in seinen Memoiren die Begegnung unter dem Sonnendach am Strand von Guadeloupe, »begann ein schwieriges Gespräch. Ich wies darauf hin, daß wir der sowjetischen Bedrohung bei den Mittelstreckenraketen begegnen müssen und daß die SS-20-Raketen, die von den Sowjets mit großem Tempo aufgestellt werden, ungeheure Waffen sind, daß aber auch kein europäischer Staatsmann die Bereitschaft zeigte, auf dem Boden seines Landes die Neutronenwaffen, die landgestützten Marschflugkörper oder die Pershing-II-Raketen zu akzeptieren.

Giscard stimmte zu, daß die Westmächte in der Lage sein müßten, sich selbst zu verteidigen und Waffen zu entwickeln, die den SS-20 ebenbürtig sind. Helmut war sehr zwiespältig, indem er darauf beharrte, daß er der Stationierung zusätzlicher Raketen auf seinem Boden nur zustimmen würde, wenn andere europäischen Staaten einem ähnlichen Arrangement zustimmen würden. Ich erwiderte, daß Helmut die ganze Debatte über ein europäisches nukleares Ungleichgewicht ausgelöst habe und daß wir eine deutsche Bereitschaft benötigen, diese Raketen aufzustellen, um hierüber ernsthaft mit den Sowjets verhandeln zu können. Callaghan sagte, es wäre notwendig, die europäischen Mittelstreckensysteme im Rahmen von SALT III einzubeziehen. Ich sagte ihm, daß dies von Breschnew und mir ebenso gesehen wird.
Das Gespräch war offensichtlich ergebnislos, aber es war typisch für die Probleme, denen sich die USA seit langer Zeit bei dem Bemühen konfrontiert sah, eine Antwort auf sowjetische Bedrohungen gegenüber Europa zu finden. Ich war bereit, mit Breschnew über eine Reduzierung bei diesen Waffen zu sprechen; aber bis zu einem solchen Abkommen mußte Europa bereit sein, die Stärke unserer gemeinsamen Verteidigung beizubehalten, damit diese der sowjetischen zumindest ebenbürtig sein konnte. Die europäischen Staatsmänner wollten gerne, daß die USA neue Waffen entwirft, entwickelt und produziert, aber keiner von ihnen wollte im vorhinein einer Stationierung zustimmen.«
Präsident Carters Notetaker, Zbigniew Brzezinski, erinnerte sich in seinen Memoiren an die Diskussion am Nachmittag des 5. Januar 1979 unter dem Strohdach am Strand von Guadeloupe: »Ich war von der Diskussion ziemlich beeindruckt. Es war eine äußerst stimulierende und umfassende Erörterung der sicherheitspolitischen Lage, wobei Carter eindeutig die Führung übernahm und die anderen aufforderte, ihre Antwort auf die Bedrohung aus dem Osten zu definieren. . . . Giscard war ziemlich klar und hilfreich, Callaghan zeigte ein gutes politisches Gespür, war ziemlich energisch und sprach sehr vernünftig! Über Helmut Schmidt war ich jedoch sehr enttäuscht. Nachdem er uns eine ziemlich elementare Lektion über Nuklearstrategie erteilt hatte, hielt ich in meinem Notizbuch fest, daß er am meisten über die sowjetische nukleare Bedrohung in Europa besorgt war und am wenigsten zu einer festen Antwort bereit war. Er sagte immer wieder, daß er aus politischen Gründen keine Verpflichtungen eingehen könne. Ich war ziemlich erstaunt, wie stark die anderen drei ihn bedrängten. Aus den Diskussionen konnte ich spüren, daß eine gemeinsame und konkrete westliche Position notwendig war.«
Nach dem Vierergipfel auf Guadeloupe standen im Frühjahr 1979 bei den Beratungen der hochrangigen Gruppe (HLG) drei militärische Optionen

zur Diskussion: die Pershing-II-Rakete mit verlängerter Reichweite, die landgestützte Version der modernen Marschflugkörper und eine seegestützte Version, die über dieselbe Reichweite von ca. 2500 Kilometer verfügte. Während Helmut Schmidt bis zum Sommer 1979 die seegestützten Marschflugkörper bevorzugte, erhoben neben Norwegen vor allem die amerikanischen Vertreter aus technischen, finanziellen und strategischen Gründen Einwände gegen die Seestützung. Auf Drängen der Bundesrepublik und der Niederlande wurde von der NATO am 6. April 1979 ein Sonderausschuß (Special Group) eingesetzt, die sich vor allem mit den rüstungskontrollpolitischen Aspekten des Mittelstreckenproblems und damit befassen sollte, wie die Öffentlichkeit über das Modernisierungsprogramm informiert werden sollte. Den Vorsitz im Sonderausschuß übernahm Reginald Bartholomew, der damalige Direktor für politisch-militärische Fragen im amerikanischen Außenministerium. Wenige Tage später wurden weitere politische Weichen für den NATO-Doppelbeschluß gestellt.

An zwei verregneten Apriltagen trafen sich die NATO-Verteidigungsminister auf dem US-Air-Force-Stützpunkt Homestead, einem von Palmen umgebenen trockengelegten Stück Land am Rand der Everglades-Sümpfe in Südflorida zu einer streng geheimen Sitzung der Nuklearen Planungsgruppe der Nato. Nach dem Scheitern des Konzepts einer multilateralen Streitkraft war die Nukleare Planungsgruppe 1967 als ein Forum geschaffen worden, das den europäischen Verbündeten eine Mitwirkung an der Entwicklung der Nuklearpolitik der NATO ermöglichte. Seit 1979 gehören der Nuklearen Planungsgruppe (NPG) alle NATO-Mitglieder des Verteidigungsplanungsausschusses mit Ausnahme von Frankreich und Island an. Während sich dieses Gremium ursprünglich vor allem mit Fragen der Doktrin der taktischen Atomwaffen und mit politischen Richtlinien für deren Einsatz befaßte, wurde der Themenbereich Mitte der siebziger Jahre auf den Bereich der Modernisierung der Nuklearwaffen erweitert.

Während der Frühjahrstagung der Nuklearen Planungsgruppe der NATO in Homestead einigten sich die Verteidigungsminister darauf, daß zwischen 200 bis 600 nukleare Mittelstreckensysteme eingeführt werden sollten. Nach Information des »SPIEGEL« soll der niederländische Verteidigungsminister Willem Scholten innenpolitische Bedenken angemeldet haben. »Der Verteidigungsminister der britischen Regierung, Fred Mulley, wies auf ähnliche Probleme in seiner Partei hin. Doch auch dem deutschen Vertreter«, schildert Bittorf den Verlauf der streng geheimen Sitzung, »Verteidigungsminister Hans Apel, schienen Bedenken zu kommen. Vorsichtig warf Apel in Homestead die Frage auf, ob den Stationierungsländern nicht eine Einspruchsmöglichkeit eingeräumt werden müsse, eine Art Vetorecht gegen den Einsatz dieser neuen amerikanischen Atomwaffen vom eigenen Territorium aus. Denn ganz ohne Zweifel (so Apel) nehme gerade die Bundesrepublik Deutschland mit diesen Waffen große zusätzliche Risiken auf sich.«

Damit begründete der deutsche Verteidigungsminister mit der Unterstützung seines italienischen Kollegen, Attilo Ruffini, in einer Sache, »bei der es möglicherweise um Sein oder Nichtsein des deutschen Volkes geht«, den Wunsch nach deutscher Mitentscheidung.

US-Verteidigungsminister Harold Brown erwiderte, an ein Vetorecht sei nur zu denken, wenn die Verbündeten mindestens die Hälfte der Kosten der neuen Waffensysteme übernähmen – eine Antwort, die, nach den Worten eines britischen Informanten, »Ruffini sichtlich bleich werden ließ«.

In dem kargen Kommuniqué bekräftigten die NATO-Verteidigungsminister, daß es »in Anbetracht der Bedürfnisse der NATO . . . erforderlich sein wird, die Nuklearwaffen des Kriegsschauplatzes (TNF) beizubehalten und zu modernisieren«. Angesichts der Gefahr, daß die Sowjetunion bei gleichbleibenden Rüstungsanstrengungen 1984, spätestens jedoch 1989 ein klares militärisches Übergewicht gegenüber dem Westen haben werde, erklärte US-Verteidigungsminister Brown, die NATO werde bis Ende 1979 eine Entscheidung über die Modernisierung ihrer eurostrategischen Waffen fällen. Mitte Mai 1979 unterstrich auch der Verteidigungsplanungsausschuß der NATO (DPC) diese Notwendigkeit, wobei die real vorhandenen militärischen Fähigkeiten der anderen Seite die eigenen Verteidigungsanstrengungen bestimmen müßten. Während die Public Relations-Anstrengungen und die öffentliche Begründung der bevorstehenden NATO-Entscheidung immer auf die sowjetischen Mittelstreckenbedrohung verwiesen, war in der internen Sitzung der Hochrangigen Gruppe der NATO dies nur einer von mehreren Gesichtspunkten. Der endgültige Bericht dieses Gremiums, der im September 1979 den NATO-Regierungen zugeleitet wurde, sah die Stationierung von 572 nuklearen Mittelstrekkensystemen in fünf Ländern vor, und zwar:

- 108 Pershing-II-Raketen, die die Pershing-I-Einheiten der US-Streitkräfte in der Bundesrepublik Deutschland ablösen sollten;
- 96 landgestützte Marschflugkörper (GLCM) (24 Startsysteme) in der Bundesrepublik;
- 160 Marschflugkörper (40 Startsysteme) in Großbritannien;
- 112 Marschflugkörper (28 Startsysteme) in Italien;
- 48 Marschflugkörper (12 Startsysteme) in Belgien;
- 48 Marschflugkörper (12 Startsysteme) in den Niederlanden.

Die Kosten für die Entwicklung und Produktion dieser Systeme sollten von den USA getragen werden (ca. 12 bis 15 Mrd. DM), während die anderen NATO-Staaten im Rahmen des Infrastrukturprogrammes die Kosten für die Aufstellung und Unterhaltung beisteuern würden.
Der zweite Sonderausschuß der NATO legte ebenfalls im September seine Vorschläge für eine rüstungskontrollpolitische Initiative vor. Von den Mitarbeitern der HLG wurden drei politische Gründe für die Forderung nach neuen Mittelstreckensystemen genannt: a) die sich abzeichnende strategische Parität auch bei den Nuklearsprengköpfen; b) die zunehmende Obsoleszenz (Veraltung) der amerikanischen Nuklearwaffen in Europa und c) die Modernisierung des sowjetischen Mittelstreckenpotentials. Als ein Ergebnis dieser drei Faktoren hielten die NATO-Beamten die Glaubwürdigkeit der NATO-Strategie der flexiblen Erwiderung für gefährdet.
Während für die Rechtfertigung der NATO-Modernisierungsforderung vor allem militärische Gründe genannt wurden, war die Entwicklung dieses Vorschlags sehr stark von politischen Gesichtspunkten geprägt, z. B. davon, daß die Systeme auf dem Land stationiert werden und sichtbar sein sollten, um die Verkopplung zwischen den USA und Europa sicherzustellen; daß die Zahl hoch genug sein sollte, um die Glaubwürdigkeit der Strategie wiederherzustellen, aber keineswegs so hoch, daß sie eine eigenständige Nuklearkomponente sein konnte und daß der NATO-Beschluß ein konkretes Rüstungskontrollangebot enthalten sollte. Von der Bundesregierung wurden in den Diskussionen der HLG der NATO vier zusätzliche Bedingungen durchgesetzt: 1. Die NATO sollte nur einstimmig ohne Enthaltungen und Neinstimmen entscheiden. 2. Die nuklearen Systeme sollten außer in der Bundesrepublik in einem weiteren kontinentaleuropäischen Land aufgestellt werden. 3. Die USA sollten als Atommacht die politische Führung in allen nuklearen Fragen übernehmen. 4. Die Systeme, die von deutschem Gebiet aus sowjetisches Territorium erreichen können, sollten der ausschließlichen Kontrolle der USA unterstehen.
Nach dem Vierergipfel unter dem Sonnendach auf Guadeloupe gingen die Planer beider Ad-hoc-Gruppen von der politischen Prämisse aus, daß sich beide Bemühungen im Bereich der Produktion und der Rüstungskontrolle wechselseitig ergänzen sollten. Die unterschiedlichen Gründe, die für den Rüstungsteil angeführt wurden, erklären auch das unterschiedliche Interesse am Rüstungskontrollteil. Während die Regierung Schmidt vor allem die sowjetische Mittelstreckenrüstung betonte und große Hoffnung auf Ergebnisse des Rüstungskontrollteils setzte, hoben die britischen Regierungsbeamten die Notwendigkeit einer Modernisierung hervor, um die Defizite der NATO-Strategie zu überwinden. Amerikanische Experten forderten die neuen Atomraketen deshalb, um die neue Nukleardoktrin

realisieren zu können. Die Amerikaner betrachteten die neuen amerikanischen Atomraketen als notwendig für eine eventuelle Kriegführung; sie würden auch unabhängig vom Ausgang der Rüstungskontrollgespräche benötigt.
Während die deutschen Teilnehmer die Zahl von 572 nuklearen Mittelstreckensystemen als ein Maximum im Falle eines Scheiterns der Gespräche ansahen, wollten einige amerikanische Experten darin allenfalls einen Ausgangspunkt für möglicherweise weitere Stationierungen sehen.
Die zweite Ad-hoc-Gruppe führte in ihrem Bericht von September 1979 unter anderem folgende Prinzipien auf, welche die USA bei späteren Rüstungskontrollverhandlungen berücksichtigen sollten: Beide Ansätze – die Einführung neuer Systeme und die Rüstungskontrollbemühungen – sollten komplementär sein. Die Rüstungskontrolle dürfe jedoch die Modernisierung nicht ersetzen. Die Rüstungskontrollbemühungen könnten zu einer Anpassung nach unten beitragen. Die Verhandlungen sollten im Rahmen von SALT III erfolgen und enge Konsultationen der NATO-Verbündeten voraussetzen. Die Reduzierungen oder Begrenzungen der Mittelstreckenpotentiale beider Seiten müßten überprüfbar sein. Die Verhandlungen sollten in Stufen durchgeführt werden und sich zunächst auf die Begrenzung der ernstesten Bedrohung – die SS-20 – konzentrieren, wobei die Zahl der Sprengköpfe als Zählkriterium dienen sollte. Die Begrenzungen sollten weltweit gelten und zunächst die schwierigen Fragen der Flugzeuge ausklammern.
Die Vorschläge der beiden NATO-Gremien, der High Level Group und der Special Group, wurden acht Wochen später auf der Herbstsitzung der Verteidigungsminister der Nuklearen Planungsgruppe Mitte November 1979 in Brüssel gebilligt, die sie an die Außenminister der NATO-Staaten zu einer gemeinsamen Beschlußfassung im Dezember weiterleiteten.

Die sowjetische Reaktion

Die sowjetische Reaktion auf die Planungen und die politische Diskussion in den einzelnen NATO-Staaten ließ nicht lange auf sich warten. Mit Rüstungskontrollvorschlägen, einer einseitigen Abrüstungsmaßnahme, aber auch mit ernsten Ermahnungen und verbalen Drohungen versuchte die sowjetische Führung, eine Beschlußfassung der NATO über die Einführung neuer Atomraketen zu verhindern. Welche Position hatte die Sowjetunion in der Frage der nuklearen Mittelstreckenraketen früher eingenommen?
Seit Beginn der Gespräche über eine Begrenzung der strategischen Rüstung (SALT) hatte die Sowjetunion die Position vertreten, daß die in

Europa stationierten Systeme, die das Gebiet der UdSSR erreichen können, die sogenannten Forward Based Systems und die Nuklearstreitkräfte dritter Staaten (Frankreich, Großbritannien und China) als strategische Waffen bei SALT berücksichtigt werden sollten. Bis zur Übereinkunft von Wladiwostok vom Dezember 1974, die einige Grundprinzipien für ein SALT-II-Abkommen enthielt, war die Sowjetunion davon ausgegangen, daß sie als Ausgleich über eine größere Zahl an zentralstrategischen Trägersystemen verfügen dürfe.

Von den NATO-Staaten wurde weder zu Beginn der SALT I-Verhandlungen noch vor Wladiwostok die Forderung erhoben, die sowjetischen Mittelstreckenraketen (SS-4 und SS-5) in die SALT-Verhandlungen einzubeziehen. Erst nach dem Treffen zwischen Präsident Ford und dem sowjetischen Parteichef Breschnew »wurde über diese eurostrategischen Raketen«, erinnerte sich Kanzler Helmut Schmidt im Juli 1982 in einem Hintergrundgespräch mit kalifornischen Journalisten, »zwischen meiner Regierung und der Regierung der Vereinigten Staaten gesprochen. Präsident Ford kam in Begleitung von Henry Kissinger nach Deutschland. Wir sprachen darüber. Und sie hatten SALT II in Wladiwostok mehr oder weniger Gestalt gegeben – mehr oder weniger –, mit der Ausnahme, daß Ford mir damals erzählte, es sei noch zu keiner Verständigung über die Zukunft der eurostrategischen Waffen gekommen.«

Nach Wladiwostok beharrte die Sowjetunion auf ihrer Position, daß die amerikanischen FBS bei SALT II oder spätestens bei SALT III einbezogen werden müßten, gleichzeitig lehnte sie es jedoch ab, den Backfire-Bomber mit einer kontinentalstrategischen Reichweite im Rahmen von SALT II berücksichtigen zu lassen.

Während seines Bonn-Besuchs im Mai 1978 zeigte der Generalsekretär der KPdSU Breschnew Interesse, die sogenannten »Grauzonenwaffen«, die weder bei SALT noch bei den Wiener Truppenabbaugesprächen berücksichtigt wurden, einzubeziehen.

Im Oktober 1978 unterstützte der sowjetische Außenminister Gromyko während eines Besuchs in Paris die Überlegung, daß alle Nuklearmächte an den SALT-Verhandlungen teilnehmen sollten. Während eines Gipfeltreffens der Parteiführer der Staaten der Warschauer Vertragsorganisation wurde Ende November 1978 der Vorschlag lanciert, alle fünf Nuklearmächte sollten Gespräche über die Eliminierung der nuklearen Arsenale beginnen.

Am 1. Februar 1979 warnte das Parteiorgan »Prawda« die NATO-Staaten und insbesondere die Bundesrepublik davor, »das eigene Raketen- und Kernwaffenpotential erst einmal zu vergrößern und dann mit der Sowjetunion über Rüstungsbegrenzungen verhandeln zu wollen«. Die neuen

amerikanischen Atomraketen würden das »militärische Spannungsverhältnis in Europa verschärfen, anstatt es zu vermindern«.
Eine Woche vor der ersten »Raketendiskussion« im Bundestag schlug der sowjetische Parteichef Breschnew am 2. März 1979 einen Nichtangriffspakt zwischen den beiden Militärbündnissen, die Ausweitung der vertrauensbildenden Maßnahmen vor und erinnerte an frühere Vorschläge bei den Wiener Truppenabbaugesprächen.
Am 18. Juni 1979 unterzeichneten der amerikanische Präsident Jimmy Carter und der sowjetische Parteichef Breschnew in der Wiener Hofburg nach siebenjährigen zähen Verhandlungen in 300 Sitzungen das SALT II-Abkommen.
Das aus drei Teilen bestehende, 70 Seiten umfassende Vertragswerk sah vor, daß die Zahl der nuklearstrategischen Trägersysteme auf 2250 – 150 weniger als 1974 in Wladiwostok vereinbart – beschränkt werden sollten, wovon höchstens 1320 Träger mehr als einen Sprengkopf (MIRV) tragen durften, und zwar höchstens 820 ICBM, bzw. höchstens 1200 ICBM und SLBM. Höchstens 120 Bomber dürften mit maximal je 28 luftgestützten Marschflugkörpern ausgestattet werden. Ein bis Ende 1981 befristetes Protokoll verbot die Aufstellung von mobilen Fernraketen und die Weitergabe von strategischen Waffensystemen an Drittstaaten. Das Protokoll begrenzte auch die Reichweite für land- und seegestützte Marschflugkörper auf 600 Kilometer. Gegen diese Passage war Manfred Wörner seit Jahren auch in den USA Sturm gelaufen. In den USA wurde der Vertrag von 166 Organisationen bekämpft. »Ihr prominentester Sprecher«, kommentierte der »SPIEGEL« im Juni 1979 in einem Beitrag: »SALT II – die große Lüge« diese Diskussion , »ist der frühere stellvertretende Verteidigungsminister Paul H. Nitze, für den es als ausgemacht gilt, daß SALT II ›der Sowjetunion zu einem gefährlichen nuklearen Übergewicht‹ verhelfen würde.«
Eine Festveranstaltung zum 30. Jahrestag der DDR am 6. Oktober 1979 nahm der sowjetische Parteichef Breschnew zum Anlaß, durch eine einseitige Abrüstungsmaßnahme die NATO-Staaten und vor allem die Bundesrepublik noch von einer Zustimmung zu der geplanten NATO-Entscheidung abzubringen. »Innerhalb der nächsten zwölf Monate«, kündigte Breschnew seine Friedensoffensive an, »werden wir bis zu 20 000 sowjetische Militärangehörige, 1000 Panzer sowie eine bestimmte Anzahl anderer Militärtechnik vom Territorium der DDR abziehen.« Zuvor hatte der gesundheitlich angeschlagene Parteichef die »Verfechter des Wettrüstens« davor gewarnt, »amerikanische Raketen-Kernwaffen neuer Typen zu stationieren. Wir sagen offen: Die Ausführung dieser Absichten würde die strategische Lage auf dem Kontinent grundlegend verändern. Ihr Zweck

besteht darin, das in Europa entstandene Kräftegleichgewicht zu stören und zu versuchen, dem NATO-Block ein militärisches Übergewicht zu verschaffen . . . Die Ausführung der NATO-Pläne würde die Situation in Europa unweigerlich verschärfen und die internationale Atmosphäre als Ganzes weitgehend vergiften.« Die Regierung der Bundesrepublik, drohte Breschnew, werde entscheiden müssen, »was für die BRD besser ist: zur Festigung des Friedens in Europa und zur Entwicklung einer auf gegenseitigem Vorteil beruhenden friedlichen Zusammenarbeit der europäischen Staaten im Geiste guter Nachbarschaft und wachsenden gegenseitigen Vertrauens beizutragen oder aber eine Verschärfung der Situation in Europa und in der Welt zu begünstigen, indem sie auf ihren Boden amerikanische Raketen- und Kernwaffen stationierten, die auf die UdSSR und ihre Verbündeten zielen«.

Die Bonner Reaktion auf Breschnews politisch und psychologisch brilanten Schachzug war geteilt: Bundeskanzler Helmut Schmidt bezeichnete die sowjetische Abrüstungsmaßnahme als ein positives Signal für zukünftige Fortschritte. Es bleibe jedoch unbefriedigend, wenn Moskau nur Bereitschaft zeige, sein Mittelstreckenpotential nicht zu vermehren, ohne sich von den bisher eingeführten SS-20-Raketen abbringen zu lassen. Außenminister Genscher begrüßte die sowjetischen Abrüstungsvorschläge, er betonte jedoch gleichzeitig die Dringlichkeit und die Notwendigkeit einer Modernisierung der Nuklearwaffen.

Das offizielle Washington, das über ein angebliches Manöver einer sowjetischen Brigade auf Kuba seit Ende August beunruhigt war und über die Ratifizierung des SALT II-Abkommens im Senat kämpfte, reagierte auf Breschnews Mischung von Zuckerbrot und Peitsche irritiert. Am 7. Oktober verurteilte Brzezinski die sowjetischen Versuche, den bevorstehenden Bündnisbeschluß zu unterlaufen. Am 9. Oktober richtete Präsident Carter während einer Pressekonferenz heftige Angriffe gegen die Sowjetunion: »Die Sowjets sind eine totalitäre Nation. Wir treten für Frieden und Freiheit und Demokratie ein. Die Sowjets unterwerfen die Rechte des Individuums dem Recht des Staates. Wir tun das entgegengesetzte.« Diese Worte Carters lassen bereits die Akzentverschiebung in den amerikanisch-sowjetischen Beziehungen erkennen, die in den vorangegangenen zwölf Monaten in seiner Regierung schrittweise erfolgt war. »Ich glaube«, kommentierte Carter die Breschnew-Offerte, sie »stellt einen Versuch dar, den Willen und die Bereitschaft unserer Alliierten, sich angemessen zu verteidigen, zu schwächen. Nach meiner Meinung sollte die Entscheidung getroffen werden, die westliche Stärke zu modernisieren und anschließend mit vollem Einsatz und mit Entschlossenheit über wechselseitig niedrigere Rüstungsniveaus auf beiden Seiten zu verhandeln.« Am 12. Oktober kommentierte Richard Burt, daß amerikanische Beamte wegen ihres Interesses an einer Stationierung von 572 nuklearen Mittelstreckensystemen Breschnews Vorschläge als taktische Schachzüge abgelehnt hätten. Nach Ansichten eines Mitarbeiters des Weißen Hauses sei der Raketen-Plan der NATO wichtig geworden für die amerikanische Fähigkeit zu führen und für die Bereitschaft der Verbündeten zu folgen.

Am 14. Oktober griff die »Prawda« in einem Leitartikel die NATO-Pläne heftig an, in Westeuropa strategische Waffen aufzustellen, die auf wichtige Gebiete der UdSSR gerichtet seien. Falin interpretierte die NATO-Raketenpläne als einen Versuch, die restriktiven Bedingungen des SALT-Abkommens zu umgehen. Weil der Westen die als taktisch deklarierten Mittelstreckenraketen so nahe an die Blockgrenzen heranführen könnte, argumentierte der ehemalige sowjetische Botschafter in Bonn, betrachte Moskau diese Raketen als strategisch und demnach den SALT-Vereinbarungen unterliegend. Was würde Washington tun, fragte Falin, in Anspielung auf die Kubakrise von 1962, wenn sowjetische Mittelstreckenraketen so plaziert würden, daß sie amerikanisches Gebiet treffen könnten?

Ende Oktober 1979 schaltete sich auch der sowjetische Verteidigungsminister und Politbüromitglied Ustinow in einem Beitrag für die »Prawda« mit einer scharfen Attacke gegen Washington in die Debatte ein. Ustinow warnte davor, die amerikanischen Führer schafften eine Atmosphäre der Furcht, peitschten den Rüstungswettlauf an und betrieben offen militärische Vorbereitungen. Im Geist aggressiver Bestrebungen und im Einklang mit der Doktrin des Präventivkrieges bauten die USA ihre Streitkräfte auf. Die eurostrategischen Vorhaben werden nach Auffassung des sowjetischen Verteidigungsministers von NATO-Kreisen als Modernisierungsmaßnahmen verharmlost.

Was jedoch in Tat und Wahrheit modernisiert werde, sei die Strategie Washingtons, warnte der sowjetische Verteidigungsminister, die nach den Worten Breschnews einer Bombe gleiche, die unter das Gebäude des Friedens in Europa gelegt werde. Bonn und London drückten sich um eine klare Antwort auf den sowjetischen Abrüstungsvorschlag. Die Sowjetunion sei sowohl zu einer »quantitativen Verminderung der sowjetischen Nuklearwaffen wie einer Reduktion in der Leistung der nuklearen Sprengladungen« bereit.

Einen vorläufigen Höhepunkt der Bemühungen der sowjetischen Regierung, die sozialliberale Regierung in Bonn umzustimmen, stellte der Besuch des sowjetischen Außenministers Gromyko in Bonn Ende November 1979 dar. Die Bundesregierung war zuvor durch Geheimdienstberichte aufgeschreckt worden, der sowjetische Außenminister wolle ein Moratorium für die SS-20 anbieten und damit den NATO-Beschluß aushöhlen.

Der sowjetische Außenminister Andrej A. Gromyko November 1979 im Gespräch mit Bundeskanzler Helmut Schmidt.

Foto: Bundesbildstelle Bonn

Während eines Festessens in der Godesberger Redoute ließ der dienstälteste Außenminister der Welt zwischen Rauchfleisch, Aalsuppe, Rehmedaillons und Dukatenbuchteln seinen Gastgeber wissen: »Andauerndes Wetteifern auf dem Gebiet der nuklearen Raketenrüstungen« könne »die Situation in Europa und in der Welt nur verschärfen«, und »es unterminiert die Chancen für eine Verständigung in den Abrüstungsverhandlungen«. Der Hoffnung der Bonner diplomatischen Kreise, die Sowjetunion habe sich mit dem Doppelbeschluß abgefunden, machte Gromyko auf der Pressekonferenz zum Abschluß seines dreitägigen Besuchs zunichte. Auf die Frage des Bonner Korrespondenten der »Westfälischen Rundschau«, Erich Heuer, ob die Sowjetunion nach dem NATO-Beschluß weiter verhandeln wolle, reagierte Gromyko eiskalt: »Ich habe gesagt, daß die jetzige NATO-Position aber auch die Position der Bundesregierung die Grundlage für Verhandlungen zerstört. Wir haben dies der Bundesregierung entsprechend erklärt.« Als Hans Gerlach vom »Kölner Stadt-Anzeiger« die Frage wiederholte, replizierte Gromyko ungerührt: »Sollte es zu dem Beschluß kommen, sollte unser Vorschlag, unverzüglich mit Verhandlungen zu beginnen, abgelehnt werden, so wird die Position der westlichen Seite die Grundlage für Verhandlungen zerstören. Es kann dann nicht zu Verhandlungen kommen, wenn einige Länder versuchen würden, ihr Glück im Wege eines neuen Wettrüstens zu suchen.«
Gromykos Bonner Paukenschlag, so trösteten sich die überraschten Sozialliberalen, habe zumindest das amerikanische Mißtrauen über deutsch-sowjetische Techtelmechtel, das Gespenst einer »Selbstfinnlandisierung« und das Trauma von Rapallo – die Angst vor einem neuen deutsch-sowjetischen Sonderbund – endgültig den Boden entzogen. Bonns Außenminister Genscher vermutete, daß sein Gast mit seinem dramatischen Paukenschlag an die 436 Delegierten des bevorstehenden SPD-Parteitages dachte.
Vierzehn Tage später wurde Gromykos Bonner Paukenschlag im Schlußkommuniqué eines Außenministertreffens der Staaten der Warschauer Vertragsorganisation in Ost-Berlin leicht abgeschwächt, indem jetzt die Verwirklichung des NATO-Doppelbeschlusses als zweites, gleichrangiges Element für die Zerstörung der Verhandlungsgrundlagen genannt wurde.
Als die Außenminister der Staaten der Warschauer Vertragsorganisation am 5. und 6. Dezember in Ost-Berlin neue Entspannungsinitiativen und das gemeinsame weitere Vorgehen gegen den NATO-Doppelbeschluß berieten und in Wittenberg die ersten sowjetischen Soldaten und Panzer abgezogen wurden, war nur wenige Kilometer entfernt im West-Berliner Internationalen Congress-Centrum eine wichtige Hürde eine Woche vor

der geplanten Beschlußfassung der NATO über neue nukleare Mittelstreckensysteme genommen worden.
Am zweiten Tag des Berliner SPD-Parteitages hatte sich Bundeskanzler Helmut Schmidt in einer dramatischen Rede für eine Fortsetzung der Politik der Entspannung zu einer Sicherheitspartnerschaft eingesetzt und zugleich die Richtung für die Mittelstreckendiskussion vorgegeben: »Das Bündnis wird in der nächsten Woche ein konkretes Verhandlungsangebot an die sowjetische Führung richten . . . Es wird ein Doppelbeschluß sein«, nahm Helmut Schmidt das Ergebnis des NATO-Treffens vorweg, »denn zugleich wird sich das westliche Bündnis zur Modernisierung seiner eigenen sogenannten Theater Nuclear Forces entschließen . . . Es wäre ideal«, appellierte der Kanzler, der in internen Sitzungen für den Fall einer Ablehnung des von der Parteiführung vorgelegten Kompromißantrages mit seinem Rücktritt gedroht hatte, an die über 400 Delegierten, »wenn vorher die Verhandlungen zu einem Ergebnis führen, das eine Stationierung dieser modernen Theater Nuclear Forces, eine Einführung von eurostrategischen Waffen, in europäischen Staaten entbehrlich machte. Allerdings«, schränkte der Kanzler ein, »würde dieser Idealfall erfordern, daß auch die Sowjetunion nicht nur die weitere Einführung von SS-20-Raketen einstellte, sondern auch das, was sie schon eingeführt hat, wieder abrüstete.« Nach dem lebhaften Beifall machte der Kanzler eine zweite Einschränkung: »Aber selbst ein nicht ganz so umfassendes, ideales Ergebnis könnte ein wesentlicher Beitrag zur Stabilisierung des Gleichgewichts sein und damit zusätzliche Chancen zur Ausweitung der Politik der Zusammenarbeit zwischen Ost und West eröffnen.«
Helmut Schmidts Rede setzte einen vorläufigen Schlußstrich unter eine Debatte, die der SPD-Fraktionsvorsitzende Herbert Wehner im Januar 1979 nur wenige Tage nach dem Vierergipfel auf Guadeloupe eingeleitet hatte. Dem Berliner Parteitagskompromiß, für den der stellvertretende SPD-Vorsitzende um Zustimmung warb, war eine intensive Diskussion in den SPD-Führungsgremien vorausgegangen.
In dem Leitantrag des Parteivorstandes zur Friedens- und Sicherheitspolitik, über dessen Formulierung in der SPD-Führung in den Sommermonaten gerungen wurde, bekräftigte der Parteivorstand die Verknüpfung von Verteidigungsfähigkeit und Entspannungspolitik als Grundlage deutscher Sicherheitspolitik. In der am 10. September 1979 beschlossenen Fassung wurde die zentrale Passage zum bevorstehenden NATO-Doppelbeschluß folgendermaßen gefaßt:
»Den Disparitäten bei den nuklearen Mittelstreckenpotentialen muß durch eine Kombination von verteidigungspolitischen und rüstungssteuerungspolitischen Maßnahmen begegnet werden. Dies bedeutet,

- rüstungskontrollpolitischen Regelungen den politischen Vorrang zu geben, um Instabilitäten auf diesem Wege abzubauen;
- gleichzeitig die notwendigen verteidigungspolitischen Optionen festzulegen, damit diese im Falle eines Scheiterns rüstungskontrollpolitischer Bemühungen wirksam werden können.«

Im Oktoberheft der »Neuen Gesellschaft« empfahl Herbert Wehner als schwierige Aufgabe der achtziger Jahre: »Aufeinander zugehen statt aneinander vorbeirüsten.« Eine Woche vor der Sitzung der Antragskommission, in der über die Marschrichtung auf dem Parteitag beraten wurde, berichtete der »SPIEGEL« über die Furcht »einer starken Riege in der Fraktion« vor einem neuen Rüstungswettlauf.

»Im Erich-Ollenhauer-Haus kursieren zudem Papiere,« schrieb der »SPIEGEL« am 8. Oktober 1979, »in denen die Zahlen bezweifelt werden, mit denen das neue Verteidigungs-Weißbuch der Regierung die sowjetische Überlegenheit im Mittelstreckenbereich belegt.

So weist zum Beispiel der Heidelberger Friedensforscher Hans Günter Brauch nach eingehenden Analysen in einer Studie für die ›Neue Gesellschaft‹ darauf hin, es gebe im Westen . . . kein einziges Bild, das die SS-20 oder eine ihrer Startrampen zeige.

Auch die Zahlenangaben über diese Waffensysteme schwanken nach Angaben Brauchs so sehr, daß kein objektives Urteil über das militärische Kräfteverhältnis möglich ist. . . .

Kein Wunder«, fährt der »SPIEGEL« in seinem Hintergrundbericht fort, »daß viele Sozialdemokraten den Argumenten der Militärs ebenso skeptisch gegenüberstehen wie Brauch. Sollten sie sich auf dem Berliner Parteitag durchsetzen, kämen Regierungschef Helmut Schmidt und sein Verteidigungsminister Hans Apel in arge Bedrängnis.«

Nach intensiven Debatten hatte die SPD-Antragskommission am 13. Oktober die zentrale Passage des Leitantrages um folgenden Zusatz ergänzt:

»Eine ausschließliche Stationierung nuklearer Mittelstreckenwaffen auf deutschem Boden kommt nicht in Frage. Die nächsten Jahre werden auch darüber entscheiden, ob der nukleare Rüstungswettlauf gebremst werden kann, oder die Gefährdungen für die Welt weiter steigen werden. Deshalb darf es *keine Automatismen* geben. Der Gang der Verhandlungen und die erwarteten Ergebnisse müssen es den Politikern der NATO jederzeit möglich machen, Beschlüsse zu überprüfen und wenn nötig zu revidieren.« Die Antragskommission fügte dann folgenden Satz hinzu, über dessen Interpretation sich 1981 und 1982 auf Hunderten von SPD-Veranstaltungen die Befürworter und Gegner des Doppelbeschlusses in die Haare gerieten:

»Aus diesen Gründen soll die Bundesregierung der Stationierung der von den USA in eigener Verantwortung zu entwickelnden Mittelstreckenwaffen in Europa (die frühestens 1983 möglich ist) nur unter der auflösenden Bedingung zustimmen, daß auf deren Einführung verzichtet wird, wenn Rüstungskontrollverhandlungen zu befriedigenden Ergebnissen führen.«

Dann folgte der Satz, den Helmut Schmidt in seiner Parteitagsrede aufgriff und der Gegenstand einer heftigen innenpolitischen Debatte seit 1980 wurde:

»Ziel der Verhandlungen ist es, durch eine Verringerung der sowjetischen und eine für Ost und West in Europa insgesamt vereinbarte gemeinsame Begrenzung der Mittelstreckenwaffen die Einführung zusätzlicher Mittelstreckenwaffen in Westeuropa überflüssig zu machen.«

Am Nachmittag des 4. Dezember rangen die Delegierten des Berliner SPD-Parteitages nach einer Einführung durch Hans Apel und Karsten Voigt über die »Festigung des Friedens« mit oder ohne NATO-Doppelbeschluß. Wie schwierig das Thema und wie teilweise überfordert die meisten Delegierten von dieser Debatte waren, deutete die Bemerkung des »einfachen Delegierten« Heinz Eickelbeck, Oberbürgermeister von Bochum, an: *»Ihr redet hier in Formulierungen und mit Worten, die man nicht mehr begreifen kann.«* Nur wenige Delegierte stießen zu jenen zentralen Fragen vor, auf die sich die Parteidiskussionen ab Herbst 1980 konzentrierten. Der Berliner Norbert Meisner sprach das Dilemma der Sowjetunion bei einer Einführung der Erstschlagwaffe Pershing II an: »Wenn es praktisch keine Vorwarnzeit gibt, dann wird der potentielle Gegner im Krisenfall natürlich versuchen, diese Waffe auszuschalten, und das heißt eben, den Erstschlag von der anderen Seite zu provozieren.« Meisner zog daraus die Konsequenz: »Die Bundesrepublik darf nicht dadurch in eine einzigartige Rolle kommen, daß eine bestimmte Waffe mit einer bestimmten Qualität, nämlich die angeführte Erstschlagkapazität, ausschließlich auf dem Gebiet der Bundesrepublik stationiert wird. . . . Zunächst sollte SALT II ratifiziert sein, und erst dann sollte der Beschluß des NATO-Rates fallen.« Alfons Pawelczyk, der den Leitantrag maßgeblich entworfen hatte, erläuterte in seiner Replik das Ziel der Null-Lösung: »Wir haben nicht die Souveränität, darüber zu entscheiden, ob diese Waffen produziert werden. Wir haben aber die Souveränität, darüber zu entscheiden, ob sie auf dem Boden der Bundesrepublik stationiert werden. Diese Souveränität haben wir, und wir werden die Zustimmung nicht dazu geben, wenn nicht in Verhandlungen der Versuch sauber gefahren wurde.«

Wenig glaubwürdig war der Versuch von Hans Apel auf die Forderung der Kritiker, erst nach der SALT II-Ratifizierung über die Mittelstreckensy-

steme zu entscheiden. »Wenn sich Europa verweigert, wird SALT II fallen.« Trotz des Doppelbeschlusses wurde allerdings SALT II in den USA nie ratifiziert. Georg Leber umschrieb die Ziele, welche die NATO mit dem Doppelbeschluß verband, am offensten: »Wenn diese Lücke nicht geschlossen wird, wird das ganze Konzept der NATO unglaubwürdig und der konventionelle Krieg ist wieder denkbar, bis an die Schwelle mit Nuklearwaffen; der wird abgekoppelt.« Und er fügte hinzu: »Die Null-Möglichkeit gibt es meiner Auffassung nach nicht, weil wir nicht verschweigen dürfen, daß es in Westeuropa Mittelstreckenwaffen gibt. Die haben die Franzosen und die Engländer.«
»Ist es nicht so«, fragte Dieter Schinzel, »daß durch eine eventuelle Stationierung dieser Mittelstreckenraketen auf europäischem Boden die begrenzte atomare Auseinandersetzung wieder denkbarer wird als bisher, und ist das nicht eine Bedrohung des Friedens, macht das nicht den Frieden unsicherer?«
»Ich habe das Gefühl«, begann Georg Leber am 5. Dezember im Parteitagsplenum seinen Beitrag, »wir haben noch nie so gründlich und ernst über eine ernste Frage miteinander gerungen wie um diese.« »Wenn SALT II nicht über die Bühne gebracht, nicht ratifiziert worden ist, läßt sich über derartige neue Rüstungsbeschlüsse nicht entscheiden«, begann Henning Scherf seine Kritik am Doppelbeschluß und Gerhard Schröder assistierte: »Wo ist denn der Ansatz für die Beeinflussung nicht nur der Marschrichtung, sondern auch des Tempos dieser Verhandlungen? Mein Fazit also: Mit der Stationierung der Mittelstreckenraketen hier geben wir ein Stückchen dieser relativen Selbständigkeit auf.«
»Es wäre wirklichkeitsfremd«, begann der Parteivorsitzende Willy Brandt sein Plädoyer für den Leitantrag des Parteivorstandes, »zu meinen, wir könnten am 5. Dezember 1979 in Berlin den Verhandlungsmechanismus des Bündnisses ändern. . . . Wir erwarten, daß in diesen sechs Monaten, die andere für Vertagung haben wollen, SALT II in den Vereinigten Staaten von Amerika ratifiziert wird und daß in diesen sechs Monaten die Voraussetzungen für Verhandlungen geschaffen werden . . . Was im übrigen den Verhandlungsrahmen angeht: Es werden noch zwei Parteitage stattfinden, bevor der Zeitpunkt da ist, der für die Stationierung genannt worden ist. Die Partei wird diesen Vorgang begleiten, wachsam begleiten, wie ich sicher bin. Ich jedenfalls werde zu denen gehören, die das wachsam und kritisch begleiten.« Und auf gut Deutsch ließ Brandt seine skeptische Haltung durchschimmern: »Die Mitbegründer der Politik der Entspannung, dessen was man Ostpolitik nennt, werden nicht zu den Zerstörern werden, sondern alles Menschenmögliche tun, um die Politik neu in Gang zu bringen und weiterzuführen.«

Und Brandts engster ostpolitischer Berater, Egon Bahr, fügte hinzu: »Wir haben Entspannungspolitik gemacht, indem wir Realitäten anerkannt haben, auch wenn sie uns nicht gefallen haben. Und für mich ist das heute eine Situation, in der wir Realitäten anzuerkennen haben, auch wenn sie uns vielleicht nicht gefallen. Wenn wir allein nach dem Herzen gingen«, gestand der Chefarchitekt der Ostpolitik seine politischen Bauchschmerzen, »dann wäre unsere Entscheidung ja wohl nicht so schwer und fraglich.

Und da gibt es für mich zwei Realitäten. Die erste ist: Wenn dieser Antrag eine überwiegende Mehrheit gegen sich bekäme, wäre dies meiner Auffassung nach der Anfang vom Ende unserer Regierungsfähigkeit. Und die zweite Realität ist nach meiner Auffassung: Ich will zu Verhandlungen über Rüstungsbegrenzungen kommen . . . Im Falle einer Ablehnung dieses Vertrages gibt es keinen Weg, die Vereinigten Staaten zu Verhandlungen zu bekommen.«

Nachdem der Antrag der Minderheit, die gefordert hatte, die für die Entwicklung und Produktion der neuen Raketen notwendige Zeit bis 1983 solle für Abrüstungsverhandlungen genutzt, das Verhandlungsergebnis überprüft und erst dann endgültig entschieden werden, ob diese neuen Atomraketen eingeführt werden dürfen, mit 40 Prozent abgelehnt wurde, erhielt der Leitantrag des Parteivorstandes mit dem Zusatz der Antragskommission eine eindeutige Mehrheit.

Erhard Eppler, der als einziges Mitglied des Parteivorstandes gegen den Mehrheitsantrag stimmte, bemerkte deprimiert und weitsichtig: »Die Amerikaner werden den Teufel tun, die Raketen nicht in Europa zu stationieren, wenn sie erst einmal den NATO-Beschluß erreicht haben. Die werden mit den Russen nur pro forma Abrüstung verhandeln.«

Nachdem Kanzler Helmut Schmidt die Hürde des SPD-Parteitags erfolgreich genommen hatte, war dennoch der von der deutschen Bundesregierung geforderte einstimmige NATO-Beschluß bis zuletzt ungewiß. In den Niederlanden hatte die Diskussion über die Aufstellung von 48 Marschflugkörpern seit Mitte Oktober das Fortbestehen der Koalitionsregierung ernsthaft gefährdet und am 21. November 1979 hatte die dänische Regierung mit ihrer Forderung, den Beschluß über neue amerikanische Mittelstreckensysteme um sechs Monate zu verschieben, den politischen Zeitplan in Frage gestellt.

Am 7. November wurde das westliche Verhandlungsangebot als Antwort auf die spektakuläre Rede Breschnews in Ost-Berlin im Ständigen NATO-Rat unter Beisein von Abrüstungsexperten konkretisiert, in das neben Abrüstungsvorschlägen für den Mittelstreckenbereich auch neue MBFR-Vorschläge, die Forderung nach vertrauensbildenden Maßnahmen und

nach Einberufung einer Europäischen Abrüstungskonferenz einbezogen wurden.
Am 12. und 13. November trat die Nukleare Planungsgruppe der NATO unter Vorsitz des NATO-Generalsekretärs Luns in Den Haag zusammen, um die letzten Vorentscheidungen für den NATO-Doppelbeschluß zu treffen. Als einziger Verteidigungsminister meldete der Niederländer aus innenpolitischen Gründen Änderungsvorschläge an, u. a. schlug er vor, von der Produktionsentscheidung die Stationierungsentscheidung um zwei Jahre zu trennen, um während dieser Zeit die Abrüstungsmöglichkeiten mit den Staaten der Warschauer Vertragsorganisation auszuloten und die Zahl von 572 Systemen deutlich zu reduzieren.
Nur wenige Journalisten äußerten sich so skeptisch zur »Doppelstrategie mit Raketen« wie Christian Potyka am 16. November 1979 in der »Süddeutschen Zeitung«: »Für die Amerikaner wird der Handlungsspielraum sicher größer. Sie gehen durch die Einführung der neuen Systeme zu Europa auf Distanz. Aus europäischer Sicht wird die Abschreckung keineswegs stärker, die Verknüpfung mit dem strategischen Potential der USA nicht fester, sondern lockerer. ›Abkoppelung‹ wird aktuell.«
Potyka ging dann kurz auf eine Analyse von Carl Friedrich von Weizsäkker vom 15. November in der »ZEIT« ein, nach der die neuen amerikanischen Atomwaffen einen sowjetischen Präventivschlag regelrecht auf sich ziehen würden. Weizsäckers Vorschlag, die 572 Systeme vom Lande auf die See zu verlagern, hätte nach Potykas Bewertung »bündnis- und entspannungspolitische Vorteile. Doch widerspricht er amerikanischen Interessen. Washington möchte nicht in die Situation kommen«, betont Potyka den springenden Punkt, »daß die Sowjets ein solches ›Europa‹-U-Boot mit ›taktischen‹ Waffen für ein strategisches der USA halten und auf Grund einer ›Fehlerperzeption‹ den Atomkrieg zwischen den Supermächten auslösen. Soll Europa (unter Umständen) ausgerechnet in einer Phase Atomwaffen auf dem Land erhalten, da das dünner besiedelte Amerika daran denkt, seine Vergeltungsstreitmacht stärker auf die See zu verlegen. Deutlicher«, schließt Potyka seinen Kommentar, »lassen sich atomare Klassenunterschiede nicht demonstrieren.«
Die dreitägige Konferenzserie der NATO-Staaten vom 10. bis 12. Dezember 1979 begann am 10. mit dem Treffen der Verteidigungsminister aus den EG-Mitgliedstaaten, der sogenannten EUROGROUP. Am Abend des 11. arbeitete der Vorsitzende des Militärausschusses der NATO, der norwegische General Gundersen, das wachsende militärische Ungleichgewicht zugunsten des Warschauer Paktes im konventionellen und nuklearen Bereich heraus.
Das Finale des ersten Aktes des Raketendramas begann am Mittwoch,

dem 12. Dezember, um 15 Uhr im Großen Sitzungssaal des NATO-Hauptquartiers außerhalb von Brüssel. An der Stirnwand des Saales präsidierte der sechsfache Ehrendoktor und ehemalige holländische Außenminister Joseph Luns eine außergewöhnliche Sondersitzung der Außen- und Verteidigungsminister aus 14 NATO-Staaten außer Frankreich. Zu dieser wichtigsten NATO-Sitzung seit 1957, als die Entscheidung über die Einführung amerikanischer Atomwaffen in Europa gefällt wurde, war die Bundesrepublik durch Außenminister Hans Dietrich Genscher und durch Verteidigungsminister Hans Apel vertreten.
Zu Beginn der »Cosmic – top secret« eingestuften Sondersitzung der NATO legten US-Außenminister Vance und US-Verteidigungsminister Brown »nicht um Stimmen buhlend, sondern eher befehlend« ihren Kollegen dar, daß die europäischen NATO-Mitglieder nicht in letzter Minute vom NATO-Doppelbeschluß abspringen könnten, weil sonst in Washington der Vorrang der NATO-Verteidigung in Frage gestellt werden könne.
Davon unbeeindruckt meldeten die Vertreter Dänemarks und der Niederlande Bedenken an, die weitgehend durch die innenpolitische Diskussion und die prekäre politische Stabilität ihrer Koalitionsregierungen verursacht waren. Die Dänen schlugen vor, den Beschluß um sechs Monate zu vertagen. Die Belgier wollten zwar dem dänischem Moratoriumsvorschlag nicht zustimmen, sie forderten jedoch das Recht, nach sechs Monaten die Konsequenzen für den Stationierungsteil des Beschlusses überprüfen zu können. Die Vertreter der Niederlande, der christdemokratische Verteidigungsminister Willem Scholten und der rechtsliberale Außenminister Chris van der Klauw, kündigten an, die Niederlande wollten erst nach zwei Jahren erklären, ob sie bereit seien, die 48 Marschflugkörper auf ihrem Gebiet zu stationieren. Der deutsche Außenminister Genscher meldete sich als erster nach US-Verteidigungsminister Vance zu Wort: »feurig und beschwörend als einer, der ganz sicher ist, für Amerika die Kastanien aus dem Feuer zu holen«, wie Hans Ulrich Kempski den Auftritt in der »Süddeutschen Zeitung« schilderte. »Während Genscher vehement für die amerikanischen Pläne warb, blieb sein neben ihm sitzender Kollege, den der NATO-Beschluß am meisten anging, meist stumm. Nach außen hin«, kommentiert der »SPIEGEL« Apels Verhalten, »vertritt auch der Chef der westdeutschen Verteidigung die offizielle Linie, die Nachrüstung sei notwendig, um den sowjetischen Vorsprung bei den SS-20-Raketen und ›Backfire‹-Bombern zu verringern und Verhandlungen über eine Rüstungskontrolle in Europa erst möglich zu machen. Insgeheim freilich wird der skeptische Apel den Verdacht nicht los, die Amerikaner könnten mit dem Nato-Beschluß in Wirklichkeit vielleicht ganz andere Absichten ver-

folgen. Apel argwöhnt, Washington wolle die Westeuropäer künftig noch mehr als bisher an dem nuklearen Risiko der Supermächte beteiligen. Der erste Schritt dazu sei mit der Zustimmung der Europäer zur Stationierung der Pershing-Raketen und Cruise Missiles bereits getan.«
Die Dänen und die Belgier gaben nach einigem Drängen der NATO-Partner nach, doch die Holländer ließen sich nicht umstimmen. Die Tagung wurde unterbrochen, um informell das weitere Vorgehen zu beraten. »Von einem bleibenden Flurschaden«, sprachen wenige Minuten später Beamte der Hardthöhe zu den aus Bonn angereisten Journalisten. Der Kernsatz des Dokuments des holländischen Widerstands, der in der Pause an alle Journalisten verteilt wurde, lautete: »Die Niederlande werden eine Entscheidung im Dezember 1981 treffen in Konsultation mit ihren Alliierten, basierend auf dem Kriterium, ob oder ob nicht Rüstungskontrollverhandlungen bis dahin in Form konkreter Ergebnisse erfolgreich waren.«
War damit die in Guadeloupe beschlossene und von Helmut Schmidt später mit Fußangeln versehene Strategie am Widerstand der kleinen europäischen Staaten gescheitert?
Nachdem die selbstbewußten Holländer einem Parlamentsbeschluß folgend die Harmonie gestört und für Krisenstimmung gesorgt hatten, lenkten sie jedoch nach Wiederaufnahme der Gespräche ein im inzwischen vom Zigarettenqualm eingenebelten Großen Sitzungssaal, an dessen Stirnwand in großen Lettern das Motto steht: »Animus in consulendo liber« – »Mit freiem Geist beraten«. Sie stimmten dem Produktionsbeginn der neuen Raketen zu und ermöglichten damit einen einstimmigen Beschluß. Der Dissens der Holländer und Belgier tauchte lediglich in einem geheimen Zusatzprotokoll auf. Damit war das Platzen der Sonderkonferenz vermieden.
Doch zum Feiern war nach den sechsstündigen Beratungen den versammelten Außen- und Verteidigungsministern aus den 14 NATO-Staaten und ihren Beratern dennoch nicht zumute. »Zufriedene Gesichter waren danach kaum zu sehen«, beschreibt Heinz Stadlmann in der »Frankfurter Allgemeinen Zeitung« seine Beobachtungen nach dem Ende der Geheimsitzung. »Die letzten Stunden hatten wieder deutlich gemacht, wie schwer es den europäischen Bündnispartnern der Vereinigten Staaten fällt, Solidarität zu zeigen . . . Viele sprachen schon am späten Mittwoch abend, nachdem die Entscheidung bekanntgegeben war, vom Anfang des Endes der NATO. Breschnew habe es geschafft, die NATO zu spalten. Es gebe jetzt Bündnispartner erster und zweiter Klasse.«
Was hatten die Minister im einzelnen beschlossen? Das Kommuniqué der Sondersitzung der Außen- und Verteidigungsminister bekräftigt den Dop-

pelcharakter des Beschlusses bestehend aus einem Rüstungs- und einem Rüstungskontrollteil. Um die Glaubwürdigkeit der NATO-Strategie der flexiblen Reaktion glaubwürdig zu erhalten, hatten die Minister beschlossen, das nukleare Mittelstreckenpotential »der NATO durch die Aufstellung von amerikanischen bodengestützten Systemen in Europa zu modernisieren. Diese Systeme umfassen 108 Abschußvorrichtungen für Pershing II, welche die derzeitigen amerikanischen Pershing I a ersetzen werden, und 464 bodengestützte Marschflugkörper. Sämtliche Systeme sind jeweils nur mit einem Gefechtskopf ausgestattet.« Ferner beschlossen die Minister so bald wie möglich 1000 amerikanische nukleare Gefechtsköpfe aus Europa abzuziehen und die 572 Gefechtsköpfe innerhalb des verminderten Bestands unterzubringen.

Der Bundestag, in dem im März noch erbittert über die neuen amerikanischen Atomraketen und die Zukunft der Entspannungspolitik gerungen wurde, stellte sich am 14. Dezember einmütig hinter den NATO-Doppelbeschluß und appellierte an die Sowjetunion, so bald wie möglich mit den USA in Rüstungskontrollgespräche über nukleare Mittelstreckensysteme einzutreten.

Kurt Becker kommentierte das NATO-Rezept: »Rüsten, Reden, Abrüsten« am 14. Dezember 1979 – elf Monate nach dem Vierertreffen unter dem Sonnendach von Guadeloupe – in der »ZEIT«, es sei vor allem dem Kanzler Helmut Schmidt zuzuschreiben, »daß die amerikanische Forderung nach einer westlichen ›Nachrüstung‹ bei den europäischen Regierungen überhaupt eine breite Zustimmung gefunden hat. Denn er war es, der sich Anfang dieses Jahres auf dem Vierergipfel in Guadeloupe dafür einsetzte, es nicht einfach dabei bewenden zu lassen, ein westliches Gegengewicht zur sowjetischen Überlegenheit bei Mittelstreckenwaffen zu schaffen. Der Kanzler fädelte in die angestrebte Rüstungsentscheidung zugleich das Vorhaben ein, eine annähernde Ausgewogenheit dieser Waffen in Europa durch Verhandlungen mit Moskau herbeizuführen. Die Amerikaner fanden zunächst wenig Geschmack daran, aber sie haben das Konzept später voll gebilligt, wohl wissend, daß es anders nicht durchzusetzen ist. So ist die Idee des Doppelbeschlusses entstanden – rüsten und zugleich verhandeln.«

Um die Weihnachtstage des Jahres 1979 fragten sich viele Bürgerinnen und Bürger in beiden deutschen Staaten: Wird die Doppelstrategie des Kanzlers, das nukleare Ungleichgewicht in Europa abzubauen und gleichzeitig die Entspannung nicht zu gefährden, Erfolg haben? Werden die Vereinigten Staaten bis März 1980 SALT II im Senat ratifizieren und dann unverzüglich mit SALT III-Verhandlungen beginnen? Wird die Sowjet-

union die Drohung Gromykos, nach dem Raketenbeschluß sei die Verhandlungsgrundlage zerstört, wahr machen?
Zwei Tage nach dem vorläufigen Finale kündigte der SED-Generalsekretär Erich Honecker verstärkte Rüstungsanstrengungen als Antwort auf die NATO-Entscheidung vor der 11. Tagung des SED-Zentralkomitees an. Gleichzeitig bleibe die DDR jedoch zur Zusammenarbeit »mit jedem bereit, dem daran liegt, die mühevoll errichteten Grundlagen für ein Gebäude der europäischen Sicherheit zu bewahren und darauf weiter aufzubauen«. Honeckers Ankündigung wurde noch vor Weihnachten 1979 vollzogen: Die Volkskammer der DDR erhöhte für 1980 den Verteidigungshaushalt um 8,4 Prozent. War der NATO-Doppelbeschluß nur Vorwand oder Anlaß für eine neue Stufe des innerdeutschen Nervenkrieges und für eine neue Spirale des Rüstungswettlaufes zwischen den beiden deutschen Staaten?

Teil II

Strategische und technologische Hintergründe für den NATO-Doppelbeschluß

4. KAPITEL

Möglicher Sieg auf dem Schießplatz der Supermächte?

Am Freitag, dem 10. November 1979, wurde morgens um 10.50 Uhr im Innern des Cheyenne Mountain in der Nähe des Kurorts Colorado Springs etwa 700 Meter unter dem Gipfel ein Computerband gewechselt. Wenige Minuten später starteten zehn amerikanische und kanadische Abfangjäger vom Typ F-101 und F-106 von Kingsley Field, im US-Staat Oregon, von dem Luftwaffenstützpunkt Sawyer in Missouri und von dem kanadischen Luftwaffenstützpunkt Comox in Britisch Kolumbien. Sechs Minuten lang nach dem Wechseln des Computerbandes befanden sich die Vereinigten Staaten und damit die Welt am Rand eines Atomkrieges. Weder der Präsident der Vereinigten Staaten, der allein über den Einsatz von Atomwaffen entscheiden darf, noch der US-Verteidigungsminister wurden in diesen sechs Minuten vom nordamerikanischen Luftverteidigungskommando (NORAD) informiert, daß der Computer des zentralen Luftverteidigungssystems den Anflug sowjetischer Raketen auf den amerikanischen Luftraum gemeldet und damit einen automatischen Alarm ausgelöst hatte.

Am 2. Juni 1980, kurz nach 22.00 Uhr, fuhren die fünf Männer des Delta-Teams 15 Meter tief unter die Erde in den bombensicheren Kommandoraum – eines von fünf Alarmteams im Hauptquartier des Strategischen Bomberkommandos (SAC) der US-Luftwaffe in Omaha, im US-Staat Nebraska –, um mit der Nachtschicht zu beginnen. Knapp zwei Stunden später, kurz nach Mitternacht, erschien auf einem der beiden Bildschirme am Computer-Terminal des Kontrolloffiziers für Warnsysteme die Schrekkensmeldung: Eine große Anzahl sowjetischer Interkontinental- und U-Boot-Raketen mit Atomsprengköpfen sei im Anflug auf die USA.

Nachdem vom Kommandopult ein durchdringender Warnton ertönte, drückte ein Luftwaffenoberst auf einen roten Knopf: Atomalarm.

»Der Ton einer Sirene jaulte durch den 50 Meter langen, zwölf Meter breiten Kommandobunker«, beschrieb der »SPIEGEL« im Juni 1980 den zweiten nuklearen Fehlalarm innerhalb von sieben Monaten. »Ein flakkerndes Alarmlicht, wie auf den Streifenwagen der amerikanischen Polizei, blitzte rote Lichtbalken durch den halbdunklen Raum. Der Oberst griff zum roten Telefon und sprach das Kodewort: ›Skybird‹ – ›an alle Raketen- und Flugzeugeinheiten des Strategischen Bomberkommandos.

Sekunden später wurde Richard Ellis, Kommandierender General des Strategischen Bomberkommandos, informiert. Dann rollte, buchstäblich auf Knopfdruck, die Alarmwelle:

– Ein Drittel der amerikanischen Atombomber-Flotte, rund 100 achtstrahlige Boeing B-52, wird startklar gemacht. Die in Bereitschaft stehenden Besatzungen rennen zu ihren Maschinen und werfen die Triebwerke an.
– Alle 153 Raketenbesatzungen – sie gebieten über insgesamt 1054 ›Minutemane-‹ und ›Titan‹-Raketen – werden in höchste Alarmbereitschaft versetzt; niemand darf die Befehlskonsolen verlassen.
– Zwei Dutzend Atom-U-Boote, die ihre Fernraketen mit Wasserstoffbombenköpfen durch die Meere tragen, werden über den erhöhten Alarmzustand unterrichtet.
– Eine viermotorige Maschine, fliegender Befehlsstand des Strategischen Bomberkommandos, hebt in Hawaii von der Startbahn ab.
– Präsident Carters ›fliegender Feldherrenhügel‹, ein Jumbo-Jet, wird auf Andrews Air Force Base bei Washington startklar gemacht.«

Drei Minuten und 12 Sekunden später befand NORAD: Fehlalarm. Auch dieses Mal wurde der Präsident nicht geweckt. Drei Tage später kam es zu einem weiteren atomaren Fehlalarm, der nach knapp drei Minuten als solcher erkannt wurde. Ein Mikroschaltkreis in einem NORAD-Computer im Wert von einer Mark hatte verrückt gespielt, enthüllte das Pentagon am 9. Juni 1980. Atomkrieg durch Fehlalarm – ein Alptraum der Atomstrategen in Ost und West!

Alle drei Fehlalarme konnten vor der kritischen Warnzeit von 15 bis 20 Minuten für die sowjetischen seegestützten ballistischen Raketen und der 30 Minuten für die Interkontinentalraketen aufgeklärt werden.

Wird sich die Sowjetunion nach der Aufstellung der ersten Pershing-II-Raketen im Dezember, die eine Flugzeit von fünf bis fünfzehn Minuten haben, bei einem Computer-Fehler ihres Luftverteidigungssystems jene drei bis sechs Minuten leisten können oder wird sie schon beim ersten Warnsignal ihre atomare Bomberflotte aus der DDR zum Angriff auf die Bundesrepublik aufsteigen lassen oder ihre SS-20 bzw. ihre Kurzstreckenraketen aus der DDR gegen die bekannten Standorte der Pershing-II-Raketen in Heilbronn/Neckarsulm, Schwäbisch-Gmünd und in Neu-Ulm abschießen?

Atomkrieg als Folge eines Fehlalarms – nur ein Hirngespinst von Wissen-

Zielabdeckung der sowjetischen SS-20 und Zielabdeckung der Pershing II sowie der landgestützten Marschflugkörper der NATO

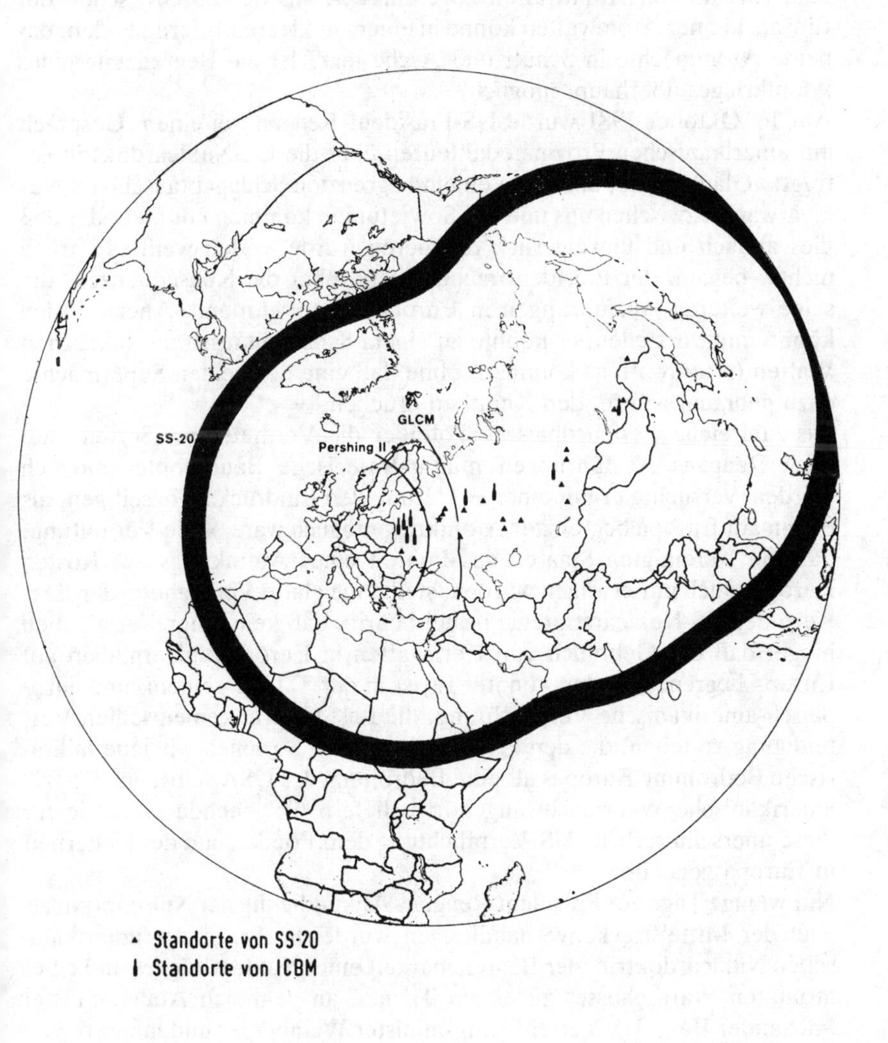

Quelle: Kräftevergleich NATO und Warschauer Pakt, Hrsg: Der Bundesminister der Verteidigung, Bonn, April 1982, S. 55.

schaftlern oder eine reale Gefahr? Wurden nicht beide Seiten bisher vor dem Einsatz von Atomwaffen abgeschreckt, aus der Furcht, schon der Einsatz kleiner Atomwaffen könne in einem nuklearen Inferno enden, das beide Atommächte in Schutt und Asche legt? Ist die Begrenzung eines Atomkrieges überhaupt möglich?
Am 16. Oktober 1981 wurde US-Präsident Reagan bei einem Gespräch mit amerikanischen Provinzredakteuren über die US-Nukleardoktrin gefragt: »Glauben Sie, daß es zu einem begrenzten Schlagabtausch von Nuklearwaffen zwischen uns und der Sowjetunion kommen könnte, oder daß dies einfach und unweigerlich eskalieren würde?« »Ich weiß es ehrlich nicht«, begann der Präsident nichtsahnend über die Konsequenzen, die seine weiteren Ausführungen in Europa haben würden: »Aber . . . ich könnte mir vorstellen, es könnte zu einem Schlagabtausch mit taktischen Waffen (Atomwaffen) kommen, ohne daß eine der beiden Supermächte dazu gebracht würde, den Knopf zu drücken.«
Als zahlreiche westeuropäische Politiker die Vermutung äußerten, daß nach Reagans Ausführungen militärstrategische Bauernopfer möglich wurden, versuchte er mit einer Erklärung den Eindruck zu beseitigen, als ob ein auf Europa begrenzter Atomkrieg möglich wäre. »Die Vermutung, daß die Vereinigten Staaten das Führen eines Atomkriegs auf Kosten Europas auch nur erwägen würden, stellt eine glatte Verdrehung dar. Der Kern der US-Nuklearstrategie besteht darin, daß kein Angreifer glauben möge, daß der Gebrauch von Kernwaffen in Europa einigermaßen auf Europa begrenzt werden könnte. Es ist in der Tat die gemeinsame europäisch-amerikanische Verpflichtung, die Last unserer gemeinsamen Verteidigung zu teilen, die den Frieden garantiert. So sehen wir jede militärische Bedrohung Europas als eine Bedrohung der USA selbst an. 375 000 amerikanische Wehrmachtsangehörige liefern die lebende Garantie für diese unerschütterliche US-Verpflichtung dem Frieden und der Sicherheit in Europa gegenüber.«
Nur wenige Tage vor Präsident Reagans Ankündigung der Null-Option als Ziel der Mittelstreckenverhandlungen wurde die Frage der amerikanischen Nukleardoktrin, der Begrenzbarkeit eines Nuklearkrieges und eines atomaren Warnschusses zu einem Thema, an dem sich Außenminister Alexander Haig, US-Verteidigungsminister Weinberger und mehrere Generäle je nachdem an welches Publikum sie sich wandten, mit widersprüchlichen Äußerungen beteiligten. Am 4. November forderte Caspar Weinberger, die USA benötigten wieder nukleare Fähigkeiten, um einen Atomkrieg gewinnen zu können. Am 8. November widersprach der NATO-Oberbefehlshaber General Bernard Rogers seinem Präsidenten: »Der Einsatz von Gefechtsfeldwaffen würde die unverzügliche Eskalie-

durch den politischen
u trennen und so die poli
er *Erpreßbarkeit* bzw. in
ng).
ellung sichtbarer und dam
ne die Risikogemeinschaft
päischen Sicherheit an die de
en (*Ankoppelungsthese*).
1977 eine weitere Begründun
systeme der NATO seien notwe
TO-Strategie wieder glaubwürdi
stehender militärischer Defizite E
nd eines neuen Verteidigungskonze
chirurgische Schläge gegen die zwe
ners diesen bei einem Angriff auf e
chwächen und zugleich durch die Einf
elbstabschreckung zu überwinden.
r wissenschaftlichen Diskussion zum N
as Kräfteverhältnis in Europa, b) die A
auf das Kräfteverhältnis, c) die Diskussio
Systeme auf die NATO-Strategie und d
die Möglichkeiten und Grenzen der Rüstu
diesem Bereich.
g des »Nachrüstungsbedarfs« aus dem nuklea
opa, die im September 1979 mit dem Verte
eitet wurde, das eine dreieinhalbfache sowjetisc
te, blieb methodisch widersprüchlich und politis
rauf die emsigen Friedensforscher sogleich verwi
egierung z. B. 1981 in einer Broschüre feststellte
er Pakt etwa eine 4:1-Überlegenheit bei nukleare
nen besitzt«, verwiesen die Kritiker auf den jüngste
t des Vorsitzenden des amerikanischen Generalsta
l C. Jones, vom Januar 1981, nach dem 1979 bei den
reckensystemen bei der Fähigkeit, gehärtete Ziele zu
rget kill potential), ein Gleichgewicht bestanden habe,
mit der zunehmenden Stationierung sowjetischer SS-20
kfire-Bomber jedoch zugunsten der UdSSR veränderte.
r Datenvergleich scheint die Grundfrage zu sein, ob ein
ostrategischer Datenvergleich überhaupt militärisch und
ll ist.
er amerikanische Rüstungsexperte Kevin N. Lewis von der

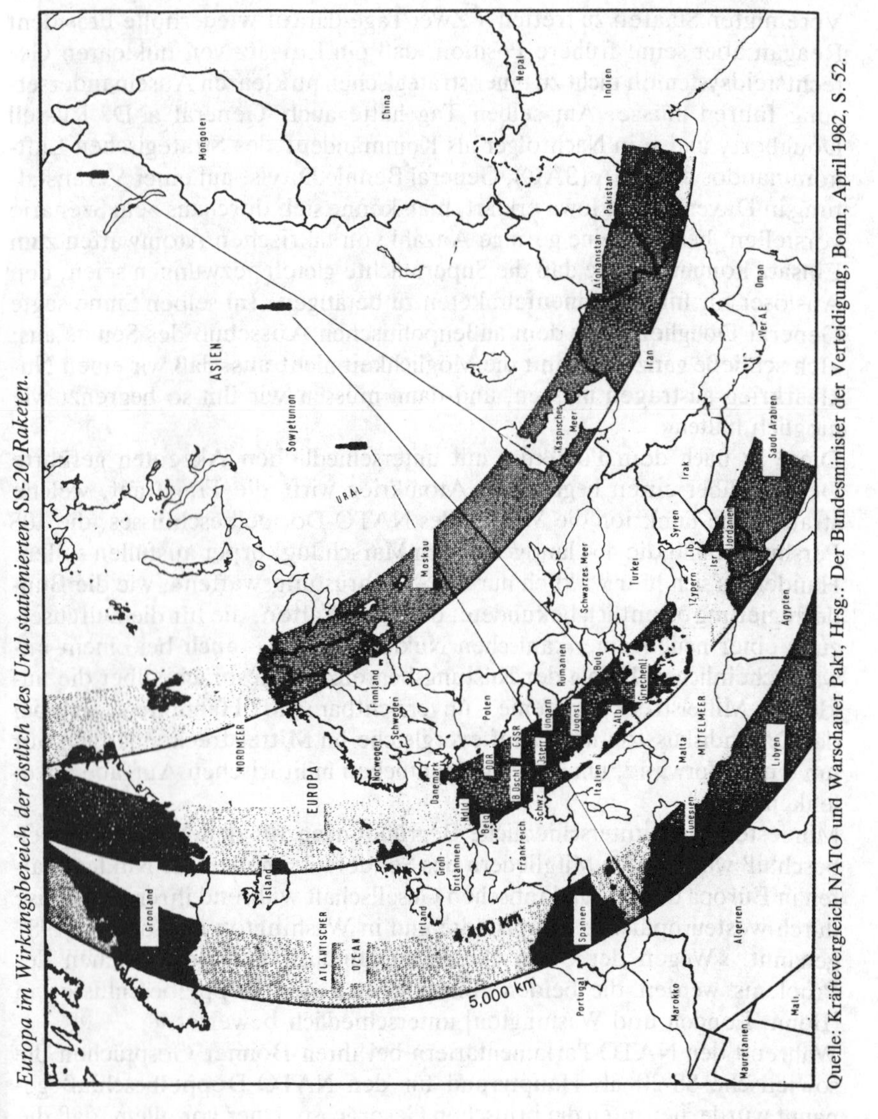

Europa im Wirkungsbereich der östlich des Ural stationierten SS-20-Raketen.

Quelle: Kräftevergleich NATO und Warschauer Pakt, Hrsg.: Der Bundesminister der Verteidigung, Bonn, April 1982, S. 52.

rung zur strategischen Kernwaffenebene provozieren. Wir glauben daß die Sowjetführer es hinnehmen könnten, daß ihr Land getroffen ohne mit strategischen Kernwaffen zu antworten, die in der Lage sin Vereinigten Staaten zu treffen.« Zwei Tage darauf wiederholte Präsi Reagan aber seine frühere Position, daß ein Einsatz von nuklearen fechtsfeldsystemen nicht zu einer strategischen nuklearen Auseinande zung führen müsse. Am selben Tag hatte auch General a. D. Ru Dougherty und sein Nachfolger als Kommandeur des Strategischen L kommandos der USA (SAC), General Bennie Davis, auf einer Verans tung in Davenport in Iowa erklärt, man könne sich durchaus »ein Szen vorstellen, bei dem eine geringe Anzahl von taktischen Atomwaffen z Einsatz kommt«, ohne daß die Supermächte gleich gezwungen seien, Auslöser für Interkontinentalraketen zu betätigen. Im selben Sinne sa General Dougherty vor dem außenpolitischen Ausschuß des Senats a »Ich schließe ganz bestimmt die Möglichkeit nicht aus, daß wir einen N klearkrieg austragen müssen, und dann müssen wir ihn so begrenzt w möglich halten«.

Diese je nach dem Publikum mit unterschiedlichen Akzenten geführ Debatte über einen begrenzten Atomkrieg wirft die Frage auf, welc strategische Funktion die Waffen des NATO-Doppelbeschlusses, die 10 Pershing II und die 464 landgestützten Marschflugkörper ausfüllen solle Handelt es sich hier wirklich nur um »Nachrüstungswaffen«, wie die Bu desregierung öffentlich bekundete, oder um Waffen, die für die Durchset zung einer neuen amerikanischen Nukleardoktrin – auch bei einem un wahrscheinlichen Erfolg der Rüstungsbegrenzungsgespräche über die nuklearen Mittelstreckensysteme – unverzichtbar sind? Handelte es sich bei der Datendiskussion über Kräftevergleiche im Mittelstreckenbereich nur um einen Vorwand, um von der eigentlichen militärischen Aufgabe abzulenken?

Mindestens drei unterschiedliche Begründungen für den NATO-Doppelbeschluß wurden den Mitgliedern des Sonderausschusses für Nuklearwaffen in Europa der Nordatlantischen Gesellschaft während ihrer Rundreise durch westeuropäische Hauptstädte und in Washington im Sommer 1981 genannt. »Wegen der Unterschiede im Hinblick auf die Ursachen des Problems werden die beiden Komponenten des Doppelbeschlusses in [Bonn, London und Washington] unterschiedlich bewertet.«

Während den NATO-Parlamentariern bei ihren Bonner Gesprächen die sowjetische SS-20 als Hauptgrund für den NATO-Doppelbeschluß genannt wurde, betonten die britischen Gesprächspartner vor allem, daß die Mittelstreckensysteme der NATO zunehmend veralten, weswegen unabhängig von der SS-20 eine Modernisierung vonnöten sei. Die Bonner Re-

RAND-Cooporation Zweifel am militärischen Nutzen der Pershing II und der landgestützten Marschflugkörper geübt. »Im Spektrum der Wissenschaft« schrieb Lewis im Februar 1981:
»Auch hat niemand bisher den Versuch unternommen, die Stationierung im Rahmen des gesamten amerikanischen Verteidigungsprogramms zu beurteilen und ihre Vor- und Nachteile im Vergleich abzuwägen.«
Für Lewis könnte die Pershing II keine taktische Mission erfüllen, für die nicht existierende amerikanische Nuklearwaffen geeignet wären.
»Der einzige denkbare Vorteil, der sich aus der Stationierung der Pershing II in Europa ergäbe, wäre strategischer Natur: Die Waffe könnte Ziele in der Sowjetunion so schnell und so genau treffen, daß sie im Falle eines strategischen Atomkrieges eine wertvolle Ergänzung der in Nordamerika stationierten strategischen Waffen bilden würde.«
Lewis bezweifelte die von den Befürwortern hervorgehobene Unverwundbarkeit der neuen amerikanischen Mittelstreckensysteme. Er widerlegte auch das Argument, daß gerade eine Landstationierung in Europa für die Kontrolle und das Kommando notwendig sei, mit dem Hinweis, daß bei einem Krieg in Europa auf die dortigen Führungseinrichtungen weniger Verlaß wäre.
»Einige der amerikanischen strategischen Waffen lassen sich im Prinzip rasch auf neue Ziele umprogrammieren. Sie wären dank ihrer hochentwikkelten Technik und wegen ihres Standorts in den USA während eines Krieges wesentlich besser für einen flexibel auf die Informationen der Aufklärung abgestimmten Einsatz geeignet als in Europa stationierte Mittelstreckensysteme.«
Das von europäischen Militärs und Politikern benutzte Argument, die amerikanischen Systeme seien nur dann glaubwürdig, wenn die amerikanischen Systeme auf europäischem Boden stationiert seien (visibility-Argument), überzeugt noch weniger. Carl Friedrich von Weizsäcker hat hierzu im November 1979 treffend bemerkt:
»Die Postierung von Mittelstreckenraketen, welche die Sowjetunion erreichen können, auf dem Boden west- und mitteleuropäischer Länder bedeutet die Androhung eines auf europäisches Land begrenzten Nuklearkrieges. Sie wären das Ziel eines ersten verwüstenden Schlags. Das Bedürfnis, solche Krisen zu vermeiden, würde Europa von Erpressung abhängiger machen. Der Plan ist mit dem Kriterium des Abbaus selbstmörderischer Drohungen unvereinbar.«
Von den wissenschaftlichen und politischen Kritikern des NATO-Doppelbeschlusses wurde vor allem auf die negative Bedeutung der neuen amerikanischen Atomraketen für die NATO-Strategie und für die europäische Sicherheit verwiesen. »Landgestützte Raketen gehören nach Alaska, La-

brador, Grönland oder in die Wüsten Libyens oder Vorderasiens«, zitierte der ehemalige stellvertretende Juso-Vorsitzende Hermann Scheer aus Helmut Schmidts Buch »Verteidigung oder Vergeltung« von 1961, »keineswegs aber in dichtbesiedelte Gebiete; sie sind Anziehungspunkte für die nuklearen Raketen des Gegners. Alles was Feuer auf sich zieht, ist für Staaten mit hoher Bevölkerungsdichte oder kleiner Fläche unerwünscht.« Der SPD-Abrüstungsexperte Scheer knüpfte damit an die kritischen Einwände von Carl Friedrich von Weizsäcker an.

»Es wäre bedrohlicher für das Bündnis«, warnte von Weizsäcker Amerikaner und Europäer gleichermaßen, »wenn die europäischen Führungen heute die landgestützten Raketen akzeptierten und die unvermeidliche Reaktion der Bevölkerungen käme, sobald diese die Konsequenzen zu verstehen begännen.« Um die schweren innenpolitischen Erschütterungen und transatlantischen Belastungen zu vermeiden, die sich seit 1980 mit dem Entstehen der Friedensbewegung abzeichneten, schlug von Weizsäker als mögliche, wenn auch nicht ideale Alternative seegestützte Mittelstreckenraketen großer Reichweite vor, die den großen Vorteil hätten, »nicht im Krisenfall den ersten Schlag des Gegners auf das bewohnte Land zu ziehen. Sie wären vorerst noch unverwundbar, und wenn sie geortet würden, ginge der Schlag gegen sie ins Wasser.«

»Selbst wenn landgestützte Waffensysteme einige militärische Kosten- und Abschreckungsvorteile hätten«, schloß Scheer am 29. Mai 1981, dem Vorabend des FDP-Parteitages in der »ZEIT«, bei dem der Außenminister Hans Dietrich Genscher in Köln für den Fall einer Annahme der Seestützung mit seinem Rücktritt drohte, »wären sie zu geringfügig, als daß sie einer politischen Gesamtabwägung standhalten könnten. Der politische Schaden wäre zu groß. Die Stationierung von Pershing II und Cruise Missiles auf westeuropäischem Festland wird zum Anwachsen eines breiten Widerstandes führen, der nach vollzogener Stationierung keineswegs abklingen wird. Sie könnte in weiten Kreisen der Bevölkerung zu einer grundsätzlichen Ablehnung des Verteidigungssystems und der NATO führen. Der sicherheitspolitische Nachteil einer breiten Nichtakzeptanz«, des bestehenden Verteidigungsauftrags, warnte das Mitglied des Verteidigungsausschusses, »könnte durch kein neues Waffensystem aufgewogen werden. Die Abwägung der politischen Folgen sollte ausreichen, um den militärischen Teil des Doppelbeschlusses zu überprüfen. Seegestützte Raketen«, argumentierte der ehemalige Juso-Vordenker, »wären der Sowjetunion im übrigen unangenehmer als die jetzige Situation. Eine Änderung des NATO-Doppelbeschlusses in dieser Richtung würde daher die Verhandlungsposition des Westens stärken und die Erfolgsaussichten von Rüstungskontrollverhandlungen verbessern.«

Gegen diesen Vorschlag, für den sich bis Sommer 1979 Kanzler Helmut Schmidt in der NATO stark gemacht hatte, argumentierte das Presse- und Informationsamt der Bundesregierung im Sommer 1981 in einer von Lothar Ruehl verfaßten Broschüre »Aspekte der Friedenspolitik«, in der er all die alten Einwände wiederholte und bekräftigte: »Bündnissolidarität verlangt deshalb die Bereitschaft aller Bündnispartner, nukleares Risiko, soweit das sicherheitspolitisch erforderlich ist, auch gemeinsam zu tragen. Das bedeutet Stationierung von Nuklearwaffen auf europäischem Gebiet.«
Carl Friedrich von Weizsäcker fügte im Februar 1983 ein zweites Argument hinzu: »Es ist heute zweifelhaft, ob es eine parlamentarische Mehrheit für Landstationierung wird geben können. Selbst wenn sich aber eine solche Mehrheit fände, so wäre der vorhersehbare Widerstand in der Bevölkerung eine schwere Bedrohung sowohl unseres innenpolitischen Friedens wie unserer außenpolitischen Handlungsfähigkeit. Der Versuch, gegen solchen Widerstand die Landstationierung durchzusetzen, wäre in den Konsequenzen eine reale Erhöhung der Kriegsgefahr. . . . Die Verhandlungsposition des Westens wäre durch einen rechtzeitigen Entschluß zur Seestationierung überhaupt nicht geschwächt worden. Heute haben wir drei Jahre verloren und verhandeln deshalb aus einer schwächeren Position heraus. Aber angesichts der vorhersehbaren Gefährdung des Bündnisses bei fortlaufendem Bestehen auf Landstationierung scheint es mir für eine Umorientierung auch heute nicht zu spät.«
Zwei Reden der Sicherheitsberater der Präsidenten John F. Kennedy und Lyndon B. Johnson, Mc George Bundy, und der Präsidenten Richard M. Nixon und Gerald Ford, Henry Kissinger, unterstrichen im September 1979 die unterschiedlichen politischen und strategischen Ausgangspositionen einer neuen Strategiedebatte über die Rolle der neuen amerikanischen Atomraketen. »Wir müssen der Tatsache ins Auge sehen«, begann Kissinger seine Brüsseler Rede vom 1. September 1979 über die »nächsten 30 Jahre NATO«, »daß es absurd ist, die Strategie des Westens auf die Glaubwürdigkeit der Drohung des wechselseitigen Selbstmords aufzubauen.« Deshalb sollten die europäischen Verbündeten, schockierte der ehemalige Außenminister sein erlesenes Publikum, »uns nicht ständig bitten, strategische Zusicherungen immer wieder zu wiederholen, die wir eigentlich nicht so meinen können oder, wenn wir sie so meinen, möglichst nicht einlösen sollten, weil wir, wenn wir sie einlösen, die Zerstörung der Zivilisation riskieren.« Kissinger zog daraus die Konsequenz: »Wenn es auf dem europäischen Kontinent keine kontinentalstrategischen Nuklearkräfte gibt, schreiben wir das Drehbuch für selektive Erpressungen, mit denen unsere Verbündeten bedroht werden und bei denen wir in eine

Entscheidung gezwungen werden, in der wir als Antwort nur eine Strategie zur Verfügung haben, die keinen militärischen Zweck, sondern nur das Ziel der Vernichtung von Bevölkerung hat.«

Kissinger drang dann zu dem Wandel im amerikanischen nuklearstrategischen Denken vor. Es sei notwendig, »entweder die sowjetische nukleare Bedrohung in Form von gegen Europa gerichteten Nuklearstreitkräften zu eliminieren (was ich nicht für möglich halte) oder eine sofortige Anstrengung zu unternehmen, unsere kontinentalstrategischen Nuklearstreitkräfte aufzubauen«. Kissinger sprach dann ganz offen den eigentlichen Zweck der Nachrüstung an. Er halte »es auch für unbedingt notwendig, daß wir endlich versuchen, *einige glaubwürdige militärische Zwecke für die taktischen und kontinentalstrategischen Nuklearstreitkräfte zu entwickeln,* die wir aufbauen«.

Eine Woche später antwortete Kissingers Vorgänger, Mc George Bundy, in einer Ansprache vor der Jahresversammlung des Londoner Instituts für Strategische Studien seinem Nachfolger:

»Viele Jahre lang waren die wichtigsten strategischen Waffen der NATO die ihr zugeordneten amerikanischen Unterseeboote und sie waren wiederum nur so zuverlässig wie die amerikanische Garantie. *Diese Realität kann durch die Stationierung neuer Mittelstreckenwaffen zu Lande nicht verändert werden und es gibt keinen Grund dafür, daß die Amerikaner diese Stationierungsart ihren Alliierten aufzwingen.* Genausowenig kann die grundlegende [amerikanische nukleare] Garantie am besten dadurch gemessen werden, daß die Zahl der von den USA kontrollierten Mittelstreckenwaffen in der NATO allein mit der SS-20 und dem Backfire verglichen wird. Wenn wir uns ins Gedächtnis rufen, daß diese strategische Welt zwangsläufig bipolar ist, dann müssen wir erkennen, daß im Falle einer ernsten Spannung weder Washington noch Moskau überhaupt in der Lage sind, solche Waffen als eine getrennt einsetzbare oder als eine begrenzte Streitmacht zu betrachten. Jede von den Amerikanern kontrollierte Waffe, die die Sowjetunion erreichen kann, wird mit großer Wahrscheinlichkeit für diese keinerlei Unterschied machen. Daraus folgt, daß der strategische Schutz für Europa so stark oder so schwach wie die amerikanische strategische Garantie ist, unabhängig davon, welche amerikanischen Waffen durch die NATO stationiert sind.«

Im gleichen Sinne wie Mc George Bundy argumentierte der ehemalige SALT II-Unterhändler Präsident Carters, Paul C. Warnke: Er glaube, »daß die Einführung von nuklearen Mittelstreckenwaffen weder die sogenannte Atomschwelle senkt noch den Schutz der strategischen Waffen der USA in irgendeiner Weise ausklammert«.

Herbert Scoville, ein ehemaliger stellvertretender Direktor des amerika-

nischen Geheimdienstes CIA, warnte am 16. Oktober 1979 in Kopenhagen vor den Folgen der Aufstellung der Pershing II und der landgestützten nuklearen Mittelstreckensysteme: »Weil sie strategische Ziele in der Sowjetunion direkt bedrohen, sind sie ein Ziel erster Ordnung für einen sowjetischen Angriff in der frühen Phase jedes Konflikts. Die Sowjets können es sich nicht erlauben«, hob der ehemalige Staatssekretär in der amerikanischen Abrüstungsbehörde hervor, »sie unberührt zu lassen, in der Erwartung, sie würden nicht abgeschossen. Sie stellen einen starken Anreiz dar, die Völker Westeuropas zu einem frühen Zeitpunkt in einen Nuklearkrieg hineinzuziehen.« Scoville wies auch nachdrücklich auf die Gefahren von nuklearen Kriegführungskonzepten hin, die Kissinger als strategische Begründung für neue eurostrategische Waffen benutzte.
Die Äußerungen von Kissinger auf der einen Seite und von Mc George Bundy, Scoville und Warnke auf der anderen machten im Herbst 1979 eine breitere europäische Öffentlichkeit erstmals mit einer Strategiedebatte vertraut, die in den USA seit den sechziger Jahren zwischen den Befürwortern einer politischen Abschreckungsrolle der Kernwaffen und den Verfechtern eines konkreten militärischen Auftrags im Rahmen einer Kriegführungsstrategie in Militärzeitschriften und auf Konferenzen ausgetragen wurde.
In den fünfziger Jahren hatte der amerikanische Präsident Dwight D. Eisenhower die Strategie der massiven Vergeltung zur offiziellen Militärstrategie der USA erklärt und damit zur Grundlage der Verteidigungsanstrengungen der NATO gemacht. Eisenhowers fiskalkonservative Verteidigungsminister waren bemüht, die sowjetische konventionelle Überlegenheit in Europa durch den technologischen Vorsprung und die nukleare Überlegenheit der USA auszugleichen. Statt die Anzahl der sowjetischen Divisionen in Osteuropa durch die Aufstellung eines ebenbürtigen konventionellen Gegengewichts zu beantworten, beschloß die NATO erstmals 1954, Kernwaffen in Europa zu stationieren. Im Dezember 1957 forderte der NATO-Rat, dem Alliierten Oberbefehlshaber in Europa (SACEUR) Mittelstreckenwaffen zur Verfügung zu stellen, was dann ab 1959 zur Aufstellung von 60 Thor-Raketen in Großbritannien und 45 Jupiter-Raketen in Italien und der Türkei führte, die nach der Kuba-Krise (1962) wieder abgezogen wurden. Durch die Drohung, selbst bei einem konventionellen Angriff möglicherweise durch den massiven Einsatz nuklearer Waffen mit hoher Vernichtungskraft und begrenzter Zielgenauigkeit, die vor allem gegen städtische Zentren der anderen Seite gerichtet sind, zu antworten, sollte der militärische Gegner davor abgeschreckt werden, ein für ihn untragbares und unkalkulierbares Risiko einzugehen.
Nachdem bereits in den fünfziger Jahren von General Maxwell Taylor und

dem jungen Henry Kissinger Zweifel an der Glaubwürdigkeit des Konzepts der »massiven Vergeltung« geübt wurde, beschleunigte der »Sputnick-Schock« die Suche nach einer neuen Militärstrategie. Die von Kennedy zunächst national eingeführte Strategie der flexiblen Reaktion, die 1967 von der NATO übernommen wurde, sieht einen engen Verbund der konventionellen, der taktisch-nuklearen und der strategisch-nuklearen Streitkräfte der NATO-Staaten vor.
Insbesondere in den siebziger Jahren haben vier Kriterien die amerikanische Nukleardoktrin geprägt: Abschreckung, Kriegführung mit dem Ziel der Schadensbegrenzung sowie Gleichwertigkeit der Kräfte und Flexibilität. Nach Untersuchungen des Frankfurter Friedensforschers Gert Krell sollte das Ziel der *Abschreckung* erreicht werden »durch die Androhung einer gesicherten Zerstörung, durch die Androhung des militärischen Einsatzes von Nuklearwaffen gegen ein breites Spektrum von Zielen, durch die Androhung einer gleichwertigen Gegenreaktion jeder Abstufung und auf jeder Ebene und durch ein insgesamt gleichwertiges Potential«. Sollte die Abschreckung versagen, dann sollte die *Kriegführung* durch den begrenzten Einsatz von Kernwaffen zur Wiederherstellung der Abschrekkung im Kriege beitragen, wobei zunächst besonders wichtige militärische und politische Ziele angegriffen und später ein umfassender Angriff gegen militärische Ziele erfolgen sollte, bis hin zur Zerstörung der physischen Substanz des Gegners durch eine anhaltende nukleare Kriegführung. Nukleare Kriegführungsoptionen sind nach Krell »zu allen Zeiten der entwikkelten Nuklearrüstung Bestandteil der amerikanischen Strategie gewesen, auch wenn auf der Ebene der erklärten Doktrin über weite Strecken die Abschreckung durch die wechselseitige Zerstörung von Industrie- und Bevölkerungszentren im Vordergrund stand. In der militärischen Zielplanung wurden lediglich die Programme erweitert und ›verfeinert‹, insbesondere die Flexibilität erhöht.«
Im Rahmen der NATO-Strategie der flexiblen Erwiderung sollen die taktischen Atomwaffen zusammen mit den konventionellen Streitkräften von einem konventionellen Angriff und vom Ersteinsatz taktischer Atomwaffen abschrecken und zugleich die Verbindung zur gesamtstrategischen Abschreckung herstellen, wobei die NATO weder den Ersteinsatz von Atomwaffen noch die »vorbedachte Eskalation« ausschließt.
Nach den Untersuchungen von Krell »plant die NATO den Einsatz taktischer Nuklearwaffen nach militärischen Kriterien, und zwar aufsteigend vom ›selektiven Einsatz‹ bis zu umfassenden Gegenschlägen, beides sowohl im Bereich des Gefechtsfeldes wie im Aufmarsch- und Nachschubbereich sowie im Hinterland des Gegners . . . Nukleare Optionen für den gesamten regionalen Kriegsschauplatz richten sich gegen Flugplätze und

Raketenstellungen, Verbindungslinien und Truppenkonzentrationen bei den nachfolgenden Staffeln eines gegnerischen Angriffs. Bei allen diesen Einsätzen soll nach Möglichkeit ›selektiv‹ und ›kontrolliert‹ vorgegangen werden, um Sekundärschäden zu begrenzen und die weitere Eskalation so lange wie möglich zu vermeiden.«
Bei der amerikanischen strategischen Nuklearpolitik muß man zwischen der deklaratorischen Politik, d. h. den öffentlichen Erklärungen des Präsidenten und seiner Minister und Berater, und der nuklearen Einsatzpolitik unterscheiden, die die tatsächliche Strategie der Kriegführung umfaßt.
In der deklaratorischen Politik erfolgte seit 1974 schrittweise der Übergang von einer Nukleardoktrin der wechselseitig gesicherten Zerstörung (Mutual assured destruction), auch MAD genannt, zu einer Doktrin, die selektive nukleare Einsätze (»punktzielgenaue chirurgische Schläge«) vorsieht. Zentrale Dokumente hierfür sind u. a. die nukleare Einsatzpolitik, die sogenannte Nuclear Weapons Employment Policy – NUWEP 1, die Verteidigungsminister James Schlesinger am 4. April 1974 unterschrieb, die Präsidentielle Direktive No 59 (PD 59), die Präsident Carter am 25. Juli 1980 unterzeichnete, und die nukleare Einsatzpolitik, NUWEP-82, die von Verteidigungsminister Weinberger im Juli 1982 herausgegeben wurde.
Die wichtigsten Veränderungen in den nuklearen Einsatzplänen waren die dramatische Zunahme der Ziele als Ergebnis des Wachstums der strategischen Nuklearsprengköpfe und der höheren Zielgenauigkeit der Trägersysteme. Waren es Ende der vierziger Jahre noch 70 Ziele, so sah die amerikanische Kriegszielplanung (Single Integrated Operating Plan) 1966 für den Fall eines Nuklearkrieges mit der Sowjetunion 10 000 Kriegsziele vor. Mit der Annahme der Schlesinger-Doktrin erhöhte sich die Zahl auf 24 000 Ziele, um dann bis 1980 im Rahmen der PD 59 auf 40 000 Ziele anzusteigen. Ende der achtziger Jahre sollen 50 000 Kriegsziele in der Sowjetunion mit amerikanischen Kernsprengköpfen verplant sein.
Die Schlesinger-Doktrin von 1974 enthielt drei zentrale Komponenten: die verstärkte Betonung militärischer Ziele (counterforce), die Forderung nach einer Eskalationskontrolle, die einen begrenzten, überlegten und kontrollierten Kernwaffeneinsatz ermöglichen sollte, sowie die Aussparung reiner Bevölkerungszentren.
Mit der Unterzeichnung der Direktive 59 nahm Präsident Jimmy Carter im Juli 1980 wenige Tage vor dem demokratischen Parteitag Abschied von der Nukleardoktrin der wechselseitig gesicherten Zerstörung, welche die Grundlage für die SALT-Verhandlungen bildete. In der nuklearen Einsatzpolitik setzte Carter die evolutionäre Entwicklung fort, die mit der

Schlesinger-Doktrin eingeleitet wurde. Bereits 1978 hatte Verteidigungsminister Brown in seinem Jahresbericht betont, die USA müßten die Fähigkeit haben, auf einen nuklearen Angriff mit kontrollierten Gegenangriffen angemessen und flexibel reagieren zu können. Mit der Direktive 59 werden das politische und militärische Kommunikationssystem des Gegners noch stärker in die Zielplanung einbezogen und zugleich der Ausbau der Schutzmaßnahmen für die eigene politische und militärische Führung gefordert. Als die idealen Waffen für den selektiven punktzielgenauen Einsatz nannte Verteidigungsminister Brown Ende August 1980 die neue Interkontinentalrakete MX und die drei Versionen der Marschflugkörper.
Der 1980 gültige nukleare Kriegszielplan SIOP-5 F unterteilte die 40 000 Ziele für die 9 000 bis 10 000 zielfähigen Waffen in vier Hauptgruppen: die nuklearen Streitkräfte und deren logistische Organisation; konventionelle Streitkräfte und allgemeine militärische Anlagen; politisch-militärische Befehlsorganisationen mit den Kommandozentralen und der politischen Führung in ihren Bunkern; sowie industrielle und Infrastrukturobjekte.
Als die für die amerikanische Nuklearstrategie kritischen Ziele führte Lothar Ruehl Mitte August 1980 in der »ZEIT« auf:
»1. Die 26 Raketensilofelder der knapp 1400 sowjetischen Interkontinentalraketen-Startsysteme. 300 dieser Raketensilos liegen im Schutzbereich der 64 Abfangraketensysteme um Moskau-Gorkij.
2. Die Unterseeboot-Bunker, Kriegshäfen, Depots und Werften der sowjetischen Flotte.
3. Die Flugplätze, Radarstationen, Werkstätten und Depots der sowjetischen Streitkräfte.
4. Die etwa 600 sowjetischen Mittelstrecken-Startanlagen.
5. Die Infrastruktur der Armee in der westlichen Sowjetunion etwa zwischen der Linie Leningrad-Moskau-Odessa mit rund 2000 Hauptzielen; ein Teil dieser Ziele soll in Zukunft von den rund 700 Mittelstreckenwaffen der NATO in Europa (572 Flugkörper und 150 F-150-, F-111-Mittelstreckenbomber) abgedeckt werden.
6. Die politisch-militärische Führung in ihren Befehlsbunkern und deren gesamte technische Leitorganisation.«
Welche Rolle spielten die Waffen der Nachrüstung in der neuen amerikanischen Nuklearstrategie? Waren sie nicht die idealen Waffen für die Verwirklichung dieser Strategie? Wenn ja, könnte dann überhaupt in Rüstungskontrollgesprächen auf die Pershing II verzichtet werden?
»Problematisch ist da schon eher die mögliche Auswirkung der neuen selektiven Zielplanung auf die Nachrüstung«, kommentierte der spätere Regierungssprecher Helmut Schmidts, Kurt Becker, in der »ZEIT« die

Folgen der PD 59. »Eine Begründung für die Stationierung amerikanischer Mittelstreckenwaffen in Westeuropa war die Nichteignung von US-Interkontinentalwaffen für Punktziele in der westlichen Sowjetunion. Washingtons neue Doktrin sieht jedoch nicht nur die Bedrohung solcher Punktziele vor, sondern auch die Entwicklung der hierzu erforderlichen Waffensysteme.«
Und hier setzte Alfred Mechtersheimer mit seiner Kritik an: »Die 572 Pershing-II-Raketen und die Marschflugkörper . . . sind nämlich genau die Waffen dieser neuen amerikanischen Einsatzdoktrin.« Birgt aber eine Nuklearstrategie, die beim Versagen der Abschreckung den selektiven Einsatz von Westeuropa aus gegen sowjetische Ziele ermöglicht, nicht die Gefahr eines begrenzten Atomkrieges auf dem »Schießplatz der Supermächte«? Ist ein Sieg in einem begrenzten Atomkrieg möglich oder würde dieser nicht zwangsläufig zu einem nuklearen Holocaust führen?
Über diese Frage entbrannte in den USA ein heftiger Streit zwischen den Befürwortern einschneidender Rüstungskontrollmaßnahmen, den arms controllers, die an der MAD-Nukleardoktrin festhalten wollten, und den Befürwortern einer massiven nuklearen Aufrüstung, den nuclear warfighters, die erst aus einer Position der Stärke bzw. Überlegenheit mit der Sowjetunion verhandeln wollten.
»Sieg ist möglich«, diese These stellten im Sommer 1980 zwei strategische Vordenker der amerikanischen Falken, Colin S. Gray und Keith Payne, in einem Aufsatz über die »Strategie für einen Nuklearkrieg« auf, in der sie Schlesingers Konzeption der selektiven nuklearen Optionen politisch und militärisch weiterspannen. Die strategische Doktrin der Kriegszielplanung müsse mit einer Theorie verbunden werden, »wie ein Krieg gewonnen werden oder zumindest ein akzeptables Ende des Krieges sichergestellt werden kann . . . Kleine, vorhergeplante Schläge können nur dann sinnvoll sein, wenn die Vereinigten Staaten die strategische Überlegenheit besitzen – die Fähigkeit, einen Atomkrieg auf jeder Stufe der Gewaltanwendung mit einer reellen Aussicht darauf zu führen, daß die Sowjetunion besiegt wird und daß die USA selbst sich soweit erholen können, daß eine zufriedenstellende Nachkriegs-Weltordnung sichergestellt werden kann.« Gray und Payne, zwei ehemalige Mitarbeiter des Hudson Institute, halten zwar an dem Hauptziel der Abschreckung fest, für deren Glaubwürdigkeit sie die militärische Fähigkeit fordern, »die Sowjetunion zu besiegen, und dies zu einem Preis, der eine Erholung der USA erlauben würde. Washington sollte Kriegsziele festlegen, die letztendlich die Zerstörung der politischen Macht der Sowjets und das Entstehen einer Nachkriegs-Weltordnung, die den westlichen Wertvorstellungen entspricht, in Betracht ziehen.« Colin Gray, der 1982 von der Reagan-Administration als Mit-

glied des Beratungsausschusses der amerikanischen Abrüstungsbehörde berufen wurde, fordert vom Pentagon die Fähigkeit, »die Schlüsselfiguren der Führung, ihre Kommunikationsmittel und -wege und einige ihrer innenpolitischen Kontrollinstrumente zu zerstören . . . Die Sowjetunion würde möglicherweise aufhören zu funktionieren, wenn ihr Sicherheitsdienst, der KGB, ernsthaft in Mitleidenschaft gezogen würde. Wenn es gelänge, die Moskauer Bürokratie zu eliminieren, zu beschädigen oder zu isolieren, dann könnte die UdSSR sich in Anarchie auflösen«, erwarteten die beiden Vordenker der Falken, die seit Beginn der Reagan-Regierung das Außenministerium in Abrüstungsfragen beraten. »Ist erst einmal die Zerstörung des Sowjetstaats als Kriegsziel festgelegt, so sollten die Verteidigungsexperten einen optimalen Zielplan zur Erreichung des Erstrebten aufstellen.« Die USA müßten über eine »Abschreckung durch Bestrafung« hinausgehen und bei einem nuklearen Kriegszielplan erste Priorität den sowjetischen Streitkräften geben; »an zweiter Stelle stände die politische, militärische und wirtschaftliche Leitungs- und Kontrollstruktur der UdSSR. Erfolgreiche Schläge gegen Ziele der militärischen und politischen Leitungs- und Kontrollstruktur würden die sowjetischen Fähigkeiten verhindern, militärische Macht nach außen einzusetzen und die poltische Autorität im Inland aufrechtzuerhalten . . . Schon eine nur begrenzte Zerstörung dieser Ziele und eine weitreichende Isolierung eines Großteils der Schlüsselkader, die überleben, könnte für das Land revolutionäre Folgen haben.« Nach Ansicht der beiden Erzfalken würde eine Kombination von offensivem Entwaffnungsschlag, Zivilschutz und einem Abwehrsystem gegen ballistische Raketen die amerikanischen Verluste auf maximal 20 Millionen Menschen begrenzen, »daß ein nationales Überleben und Wiederaufbau möglich sind.«
Der in England gebürtige Colin S. Gray, der dem Direktionsrat des Komitees über die gegenwärtige Gefahr angehört, schließt sein Plädoyer für eine nukleare Kriegführungsstrategie mit der Feststellung:
»Es ist unwahrscheinlich, daß ein Atomschlag ein in sich sinnloses und fatales Ereignis darstellt. Vielmehr wird er wahrscheinlich geführt werden, um die Sowjetunion zur Aufgabe eines gerade erzielten Vorteils zu zwingen. Ein Präsident muß die Möglichkeit haben, einen Krieg nicht nur zu beenden, sondern ihn zu seinem Vorteil zu beenden . . . Damit die Abschreckung während eines Krieges funktionieren kann, muß jede Seite kalkulieren können, ob durch weitere Eskalation ein günstigerer Ausgang zu erreichen ist.«
In der Märzausgabe 1982 des »Air Force Magazine« entwickelte Gray seine nukleare Kriegführungskonzeption in einem Beitrag über das Konzept der strategischen Überlegenheit weiter. Da eine echte Parität

zu einer Lähmung der westlichen Politik führe und »heute keine operative Relevanz« mehr besitze, fordert Gray in Anknüpfung an seinen ehemaligen Londoner Kollegen Richard Burt eine »Eskalationsbeweglichkeit«.

»Die Rüstungskontrolle mag heute im Außenministerium neuerlich in Mode gekommen sein, aus ausgezeichneten politischen Gründen, die mit Europa zusammenhängen, aber«, führt der Abrüstungsberater Präsident Reagans seine Argumentation fort, »es gibt einiges zugunsten von Burts früherer Auffassung zu sagen, daß ›SALT‹, in einer neuen strategischen Ära, in der die nukleare Rivalität zwischen Amerika und der Sowjetunion sich um Fragen der Handhabung nuklearer Macht zu drehen beginnt, irrelevant geworden ist.« Wie wenig der Abrüstungsexperte Gray an den Erfolg der Null-Option Präsident Reagans glaubt und welche anderen Ziele mit der Stationierung von nuklearen Mittelstreckensystemen verfolgt werden, gesteht er im selben Beitrag ein: »Die NATO braucht eine beträchtliche Anzahl dieser 572 Systeme (oder Entsprechendes), *gleichgültig* ob die sowjetische SS-20-Stationierung auf Null reduziert wird oder *nicht.«*

Der vom ehemaligen Bundeskanzler Helmut Schmidt geforderte »strategische Gleichstand« würde, nach Ansicht des Abrüstungsvordenkers der Reagan-Administration, »für die USA, ihre Freunde und Alliierten die Katastrophe bedeuten. Wenn die Vereinigten Staaten nicht fähig wären, einen Eskalationsprozeß zu beherrschen, um der UdSSR ihren Willen aufzuzwingen, wie könnten dann sowjetische Gewinne auf einem regionalen Kriegsschauplatz wieder rückgängig gemacht werden? Wie könnte ein US-Präsident, der verantwortlich handelt, dann einen Eskalationsprozeß überhaupt einleiten? . . .

Deshalb dürfen USA und NATO kein wirklich ausgewogenes Abkommen über Mittelstrecken- und strategische Waffen mit der UdSSR anstreben, das die funktionale Überlegenheit (der USA) ausschlösse. Das wäre der Weg in die Handlungsunfähigkeit, in die lokale Niederlage oder ins allgemeine Desaster.«

Handelt es sich hier um die apokalyptischen Eskapaden eines realitätsblinden Theoretikers, oder sprach Gray nur offen aus, was insgeheim von der Reagan-Administration geplant wurde? Zwei Enthüllungen der »New York Times« und der »Los Angeles Times« förderten es im Mai und August 1982 zutage: Was bisher nur als Strategiespielerei galt, wurde Grundlage einer »neuen« amerikanischen Nukleardoktrin. »Das Pentagon«, schrieb Richard Halloran am 30. Mai in der »New York Times«, »entwickelt erstmals eine Strategie für einen langandauernden Atomkrieg.« Und am 15. August zog Robert Scheer mit der Enthüllung: »Das Pentagon plant spezifische Methoden, um einen lang andauernden Nuklearkrieg zu gewinnen« in der »Los Angeles Times« nach.

»Die zivilen und militärischen Planer«, schrieb die »New York Times«, »die sich für die Auffassung entschieden haben, daß ein länger andauernder Krieg möglich ist, sagen, die amerikanischen Atomstreitkräfte müßten ›die Überlegenheit besitzen und in der Lage sein, die Sowjetunion zu zwingen, die frühestmögliche Beendigung der Feindseligkeiten unter Bedingungen anzustreben, die für die Vereinigten Staaten günstig sind‹.« Als Hauptpunkte in der streng geheimen 125seitigen »Verteidigungsleitlinie« für die Haushaltsjahre 1984 bis 1988 wurden von Halloran zitiert:

»– Grundlage der Atomstrategie wäre die sogenannte Enthauptung (›decapacitation‹), d. h. Schläge gegen die politische und militärische Führung und gegen die Verbindungslinien der Sowjetunion.
– Die Strategie des konventionellen Krieges würde einer Verteidigung des amerikanischen Territoriums die Priorität einräumen, gefolgt von Westeuropa und den Erdölquellen des Persischen Golfs . . .
– Sonderoperationen, womit Untergrundkampf, Sabotage und psychologische Kriegführung gemeint sind, müßten verbessert werden. Der Weltraum müßte für die militärischen Bedürfnisse der USA nutzbar gemacht werden.«

Die neue deklaratorische Politik und die nukleare Einsatzplanung gingen über Präsident Carters Direktive 59 hinaus. »Die neue Strategie fordert«, nach den Enthüllungen der »New York Times«, »von den amerikanischen Streitkräften die Fähigkeit, ›die gesamte sowjetische (und mit der Sowjetunion verbündete) militärische und politische Machtstruktur auszuschalten‹, fordert darüber hinaus jedoch die sichere Vernichtung ›der atomar und konventionell‹ ausgerüsteten Streitkräfte und der Industrien, die für die militärische Macht von entscheidender Bedeutung sind.‹

In der atomaren Strategie wird die Bedeutung der Nachrichtenverbindungen besonders betont, durch die der Präsident und seine höchsten Mitarbeiter in die Lage versetzt werden sollen, einen atomaren Schlagabtausch zu kontrollieren und nicht nur auf einem umfassenden Gegenschlag auf einen sowjetischen Angriff beschränkt zu sein.

Die Nachrichtensysteme müssen es ermöglichen«, zitiert Halloran den Geheimplan Caspar Weinbergers, »›ad-hoc-Pläne zu verwirklichen, auch dann, wenn bereits mehrere Angriffe hintereinander erfolgt sind . . . Insbesondere sollten diese Systeme die Neuformulierung und den Einsatz strategischer Reservestreitkräfte ermöglichen, insbesondere die uneingeschränkte Nachrichtenverbindung zu unseren strategischen Unterseebooten‹.«

Wenn dieses Papier offizielle US-Militärpolitik werde, empörte sich der

Kolumnist der »New York Times« Tom Wicker, »würde das die Nation in einen permanenten Kriegszustand versetzen . . ., ein Garnisonsstaat, der sogar bereit sei, sich selbst zu zerstören, nur um über Schutt die Oberhand zu gewinnen«. Der Nobelpreisträger der Physik Hans Bethe und der Physiker Kurt Gottfried sagten bei einer Verwirklichung der Pentagon-Pläne eine Beschleunigung des Rüstungswettlaufs voraus. Und General David C. Jones, bis Juni 1983 Chef der Vereinigten Generalstäbe, hielt an der bisherigen Auffassung fest, »daß man einen Atomkrieg kaum begrenzen oder in die Länge ziehen kann«.

Mitte August berichtete Robert Scheer in der »Los Angeles Times« über einen streng geheimen strategischen Gesamtplan (›master plan‹) des Pentagon, wonach die USA in die Lage versetzt werden sollen, einen längeren Atomkrieg gegen die Sowjetunion gewinnen zu können. Es handelte sich dabei um eine Beschlußdirektive zur Nationalen Sicherheit mit der No. 13, die von Präsident Reagan im Oktover 1981 unterzeichnet wurde, und um eine nukleare Einsatzpolitik, die als NUWEP-82 von US-Verteidigungsminister Caspar Weinberger im Juli 1982 herausgegeben wurde. Diese Richtlinien über die Führung eines Atomkrieges unterscheiden sich in einem Punkt von Präsident Carters Direktive 59, nämlich dadurch, daß nun erstmals eine Politik für einen in die Länge gezogenen Nuklearkrieg formuliert wird, die eine verstärkte Verbesserung der Überlebensfähigkeit der amerikanischen strategischen Kommando-, Kontroll-, Kommunikations- und Geheimdienstzentralen vorsieht.

Nach Scheers Enthüllungen geht die nukleare Einsatzpolitik von Reagan und Weinberger davon aus, daß die USA in der Lage sein müssen, einen sechs Monate dauernden Nuklearkrieg zu überstehen. Für 18 Milliarden Dollar, die im Pentagonhaushalt bereits vorgesehen sind, müsse das gesamte Kommando-, Kontroll- und Kommunikationssystem, im Fachjargon C3-I genannt, so nachhaltig verbessert werden, daß es nicht nur einem ersten Atomschlag der Sowjets standhalten – was gegenwärtig 15 Minuten lang möglich wäre –, sondern unter den Bedingungen eines Atomkriegs sogar ein halbes Jahr lang funktionieren könne.

»Die amerikanischen Planspielereien berühren die Sicherheitsinteressen Westeuropas – zumal die der Bundesrepublik – in dreifacher Hinsicht«, warnte Theo Sommer am 20. August 1982 in der »ZEIT«. »Erstens muß uns die Vorstellung eines ›lang hingezogenen Krieges‹ schaudern machen, werde er nun konventionell oder atomar geführt . . . Zweitens verbietet sich im dichtbesiedelten Europa der üppige Gebrauch von Atomwaffen . . . Drittens ist es eine selbstmörderische Einbildung, Atomkriege ließen sich gleichsam kontrolliert, dosiert, limitiert führen und am Ende gar gewinnen . . . Das führt nicht nur der europäischen Friedensbewegung . . . frisches

Wasser auf ihre Mühlen. Es wird auch auf Regierungsebene neue Spannungen im Atlantischen Bündnis auslösen. Die Europäer können es sich nicht gefallen lassen«, empört sich das Mitglied des Führungsgremiums des Londoner Instituts für Strategische Studien, »daß ihnen die NATO-Militärdoktrin einfach von Washington oktroyiert wird.«
Zu den Ideologen, die heute US-Verteidigungsminister Weinberger bei Fragen der Nukleardoktrin beraten, zählen zahlreiche führende Mitglieder des Komitees über die gegenwärtige Gefahr: Fred Charles Iklé, der Unterstaatssekretär für Politik im Pentagon; Richard Perle, der Staatssekretär für internationale Sicherheitsfragen sowie Marineminister John F. Lehman. Der gebürtige Schweizer Iklé hatte bereits 1973 als Chef der amerikanischen Abrüstungsbehörde Kritik an der Doktrin der wechselseitig gesicherten Zerstörung (MAD) in Foreign Affairs geübt: »Abschrekkung ist die Drohung, etwas zu tun, was zu tun nicht ratsam wäre, wenn die Abschreckung versagt.« Er ist der Hauptverfasser der »Defense Guidance 1984–1988«, welche die »New York Times« im Mai 1982 enthüllte. Sein engster Mitstreiter in der Equipe der »nuclear warfighters« ist Richard Perle, der auch den Vorsitz in der »High Level Group« der NATO innehat. »Meine Sorge ist nicht«, vertraute er Robert Scheer an, »daß die Sowjets die Vereinigten Staaten mit Kernwaffen angreifen im Vertrauen darauf, daß sie einen solchen Krieg gewinnen können. Meine Sorge ist, daß ein amerikanischer Präsident es sich nicht leisten zu können glaubt, in einer Krise zur Aktion zu schreiten, weil die Nuklearstreitmacht der Sowjets so beschaffen ist, daß sie bei einer Eskalation besser imstande sind als wir, die Eskalationsleiter hinaufzugehen.«
In Übernahme der Thesen des Komitees für die gegenwärtige Gefahr sieht Perle die Hauptgefahr in einem »Appeasement« gegenüber der Sowjetunion und weniger die einer nuklearen Eskalation.
Aus der Intensivierung der amerikanischen Nuklearrhetorik kann man »zwei mögliche Folgen ziehen. Entweder spielt die Regierung Reagan, obwohl sie einen Nuklearkrieg für eine Katastrophe hält, mit den Sowjets Versteck, um deren System zu verändern und ihr Imperium herauszufordern« – mit diesen Worten faßt Scheer seine Eindrücke zusammen – »oder die Vereinigten Staaten haben tatsächlich die Ansicht aufgegeben, daß jeder Nuklearkrieg katastrophal wäre, und sind zu dem Glauben übergegangen, daß man detonierende Nuklearwaffen als Mittel der Politik einsetzen könne.«
Die Militärplanungen der neuen Ideologen und des Clubs der »nuclear warfighters« verkennen jedoch, worauf Kissingers Nachfolger als Sicherheitsberater Präsident Ford, Generalleutnant Brent Scowcroft, vor einem Strategieseminar in Washington hinwies:

»Die begrenzten nuklearen Optionen, auf die wir uns zubewegen, setzen voraus, daß wir Kommunikation mit der Sowjetunion haben. Doch vom militärischen Gesichtspunkt ist eine der wirksamsten Angriffsarten die gegen die Führung und gegen Kommandosysteme. Das ist viel leichter, als die Offensivkräfte des Gegners bis zum letzten Stück auszuschalten. Hier liegt ein Dilemma, mit dem wir nicht ganz zurechtgekommen sind.«
Der international respektierte australische Strategieexperte Desmond Ball, der mit seiner Studie »Kann man einen Nuklearkrieg kontrollieren?« weltweit Aufsehen erregte, bezweifelte die Durchführbarkeit der nuklearen Planspiele der »warfighters«: »Gefährlich ist die Tatsache, daß diese Leute meinen, sie könnten sie realisieren . . . sie hätten die Fähigkeit, einen Nuklearkrieg zu kontrollieren. Und sie haben sie nicht! Sie lügen sich in die Tasche. Sie belügen sich nach strategischen Begriffen, weil sich die Vereinigten Staaten jetzt selbst in eine Position gebracht haben, in der sie hier und dort – zum Beispiel in Europa – auf die Fähigkeit bauen, die Russen durch die Drohung mit einem begrenzten Nuklearangriff abzuschrecken, wenn es zum Schwur kommt.«
Ende 1982 kam Ball in einer Studie »Atomare Zielplanung – wie neu und lebensfähig« bei der Bewertung der Konzeption der »nuclear warfighters« in der Reagan-Administration zu dem Ergebnis, »daß viele dieser Konzepte unlösbare Probleme aufwerfen . . . Angesichts der Neigung vieler Mitglieder der Reagan-Administration, die Möglichkeit eines begrenzten Atomkrieges zu akzeptieren, erscheint diese Entwicklung äußerst gefährlich.« Der NATO-treue Wehrexperte der »Londoner Times«, John Barry, sah durch die Raketendebatte und Reagans harten Kurs die gesamte nukleare Verteidigungskonzeption der NATO in Frage gestellt: »Da die Völker Westeuropas keine Kamikaze-Tradition haben, werden sie es für zu riskant halten, diese Verteidigungskonzeption beizubehalten.«
Welche Rolle spielen die Waffen der Nachrüstung in der Nukleardoktrin der Reagan-Administration? Hatte nicht Henry Kissinger im September 1979 bereits gefordert, die NATO müsse in der Lage sein, »nadelstichgenaue Nuklearangriffe auf die Sowjetunion durchzuführen«? Besitzen nicht die »Waffen der Nachrüstung« eben diese technischen Eigenschaften? Sind die Pershing II nicht die idealen Waffen für chirurgische Schläge vom Gebiet dritter Staaten aus gegen die Sowjetunion? Wenn ein Sieg im Nuklearkrieg möglich sein soll, bedeutet dies dann nicht, daß der Schießplatz der Supermächte atomisiert wird?
Nach einer Untersuchung des Washingtoner Militärexperten William Arkin im Juni-Heft 1983 des »Bulletin of the Atomic Scientists« werden die strategischen Eigenschaften der Pershing II in dem neusten nuklearen Kriegszielplan (SIOP 6) und in Verteidigungsminister Weinbergers Ver-

teidigungsrichtlinie für 1985 bis 1989 voll berücksichtigt. Nach SIOP 6 können die Pershing II und andere Waffen, »die nichtstrategische nukleare Optionen ausführen können, strategische Aufgaben übernehmen«. »Der geplante Einsatz der Pershing II für strategische Zwecke«, schreibt Arkin, »widerspricht direkt der ursprünglichen politischen Rechtfertigung für die NATO-Modernisierung: d. h. die Hinzufügung einer Klasse von Mittelstreckennuklearwaffen, um die amerikanische Nukleargarantie für Europa glaubwürdig zu machen.« Generalmajor Niles J. Fulwyler, der Leiter des Direktorats für nukleare und chemische Fragen im Pentagon, gab offen zu, daß die Pershing II »uns die Fähigkeit gibt, eine Zahl kritischer Ziele in dem westlichen Militärdistrikt der Sowjetunion auszulöschen, die wir früher nicht treffen konnten«. Und der US-Staatssekretär für Atomenergie, Richard Wagner, stellte 1982 vor einem Kongreßausschuß fest, daß die Pershing II »es uns erlaubt, militärisch bedeutsame Schläge auszuführen, welche die sowjetische Führung nicht ignorieren kann«. Gestützt auf Recherchen von Arkin enthüllte der »STERN« im Oktober 1982, daß die Pershing II nachladefähig sei, und die US Army statt 108 insgesamt über 380 Pershing II-Raketen beschaffen wollte.
Waren der Bonner Bundesregierung 1979 die Motive für den Wandel in der amerikanischen Einstellung zu den Mittelstreckenraketen und der bevorstehende Wandel in der nuklearen Zielplanung unbekannt?
Apels Verdacht vom Dezember 1979, Washington könne die Westeuropäer durch den Doppelbeschluß noch mehr als bisher an dem nuklearen Risiko der Supermacht beteiligen, war nicht unbegründet. »Das Mißtrauen der Europäer«, schrieb der »SPIEGEL« Ende Dezember 1979, »haben die Amerikaner kräftig geschürt. Bei den Vorverhandlungen über Art und Umfang der westlichen Nachrüstung blockierten die USA entschieden alle Vorschläge, statt neue Waffensysteme auf dem Gebiet von Allianzmitgliedern aufzustellen, lieber das seegestützte Abschreckungspotential der NATO auszubauen. Damit aber wäre Amerikas Nukleargarantie für das Bündnis eindeutig bekräftigt worden; die Zahl der Atomwaffen auf europäischem Boden – mögliche Ziele für sowjetische Vergeltungsschläge – hätte nicht erhöht werden müssen. Doch die Schutzmacht wollte sich nicht von den Westeuropäern anbinden lassen.«
Die Gründe hierfür sind spätestens 1982 mit Präsident Reagans neuer Nukleardoktrin einsichtig geworden. Seegestützte Systeme hätten einen Nachteil, sie wären für nadelstichgenaue selektive chirurgische nukleare Schläge – eine zentrale Forderung der neuen Strategie – kaum geeignet gewesen. Seegestützte Systeme wären als Waffen der Kriegsverhütung glaubwürdig, aber sie wären nicht als die »idealen« Waffen in einem Konzept der nuklearen Kriegführung geeignet.

Ein Rauchpilz weist den Weg zum Unfallort bei Sechselberg. Foto: Dieter Bahlinger, Herrenberg

Vom Fahrzeug und von der Pershing-Rakete blieb nur ein rauchender Trümmerhaufen übrig. Foto: Dieter Bahlinger, Herrenberg

5. KAPITEL

SS-20, Pershing II und Marschflugkörper – die Waffen des Nachrüstungspokers

Am 24. Februar 1981 um 9.30 Uhr verließ die A-Batterie mit neun Pershing IA-Raketen ihren Standort Mutlangen bei Schwäbisch Gmünd. Gegen 11.20 Uhr näherte sich ein Zug mit 3 Pershing-Raketen dem Ortsteil Sechselberg der Gemeinde Althütte im Rems-Murr-Kreis. Plötzlich hörte der Fahrer eines Pershing-Transporters ein knallendes Geräusch. »Um 11.24«, berichten am kommenden Tag Willi Baireuther und Teja Banzhaf in der »Waiblinger Kreiszeitung«, »Raketentransporter in Flammen«: »Was bis dahin nur Manöverroutine war, wird plötzlich tödlicher Ernst. Auf einer Steigung rund 100 Meter vor dem Ortsrand von Sechselberg bleibt der letzte Wagen eines amerikanischen Militärkonvois liegen. Auf dem tonnenschweren Sattelschlepper glänzt eine Pershing-Rakete. Der Beifahrer springt raus, sichert den Wagen, da schlagen Flammen ins Führerhaus. Erst versucht der Fahrer des Raketentransporters noch, mit dem Feuerlöscher das Feuer niederzuhalten, dann gibt er auf. Die Besatzung bringt sich in Sicherheit. Der Zug geht in Flammen auf, eine rund 45 Meter schwarze Rauchwolke steht über der Stelle. Dann erreichen die Flammen den Feststofftreibsatz der Rakete, der explosionsartig abbrennt. Temperaturen um die 2000 Grad lassen das Metall des Lasters nach Augenzeugenberichten auf die Straße tropfen. Vom Fahrzeug und der Rakete bleiben nur zerschmolzene Reste.«
»Knapp an der Katastrophe vorbei«, unter dieser Schlagzeile schilderte Dieter Bahlinger in der »Backnanger Kreiszeitung« die Folgen des Unfalls. »Über Sirene und Lautsprecher alarmierte die Feuerwehr Althütte die Bevölkerung. Die Anwohner wurden aufgefordert, angesichts der zu erwartenden Explosion die Fenster zu öffnen und ihre Häuser zu verlassen. Nach und nach glich Sechselberg einem Manöverplatz. Die Zufahrt aus Richtung Auenwald wurde gesperrt. Mit Transportern und Hubschraubern trafen US-Soldaten ein. Ein Schaumlöschfahrzeug wurde angefordert. In die Nähe des brennenden Sattelzuges wagte sich niemand. . . . Um 12.34 zerriß es die Rakete. Eine helle Feuersäule schoß gen Himmel.

Soldaten sprangen in den Straßengraben und nahmen volle Deckung. Andere suchten hinter den Autos Schutz. Am Himmel bildete sich ein riesiger Rauchpilz. Fetzen der Rakete wurden mehrere hundert Meter weiter ins Tal geschleudert. Wo sie landeten, entwickelten sich kleine Feuer . . . Überstanden war die heikle Situation endgültig, als die Besatzung des inzwischen eingetroffenen Schaumlöschfahrzeugs daran ging, das unter dickem Rauch lodernde Feuer zu ersticken. Inzwischen ging es auf 14 Uhr zu. Für Ermittlungs- und Bergungsarbeiten blieb die Landesstraße noch bis 16 Uhr gesperrt.«

Bei dem Unfall vor Sechselberg handelte es sich nur um einen von zahlreichen weiteren Unfällen, die seitdem bekannt wurden. Im November 1981 erlitt ein Pershing IA-Transporter auf der B 27 bei Urbach im Rems-Murr-Kreis einen Reifenbrand. Am 15. März 1982 zerschlug eine gebrochene Kardanwelle den Benzintank einer amerikanischen Raketen-Selbstfahrlafette am Ortseingang von Schwäbisch Gmünd. Über weitere Unfälle mit US-Raketenfahrzeugen berichtete die »Stuttgarter Zeitung« am 9. Juli und am 2. August 1982 zwischen Schwäbisch Gmünd und Möglingen.

Am 2. November 1982 wurden allein drei Unfälle mit Pershing IA-Transportern in Baden-Württemberg bekannt. Morgens um 9 Uhr bei der Fahrt von Mutlangen nach Schwäbisch Gmünd versagten bei einem Pershing-Transporter die Bremsen. Erst in einem Obstgarten kam der Wagen zum Stehen. Gegen Mittag durchschlug die Kardanwelle eines Pershing-Transporters bei Heubach (bei Schwäbisch Gmünd) den Tank und 150 Liter Treibstoff liefen aus. Gegen 17.02 Uhr versagten am Ortseingang von Walprechtsweier bei Karlsruhe die Bremsen eines weiteren Pershing-Fahrzeugs. Die Folgen waren dramatisch.

Am Dienstag, dem 2. November, hatte ein Pershing-Zug die Wiley Barracks in Neu-Ulm verlassen. Der Konvoi bestand aus insgesamt zwölf Fahrzeugen mit zusammen drei Pershing IA-Raketen. In der hereinbrechenden Dunkelheit bog ein Sattelschlepper mit einer Pershing IA-Rakete und drei weitere Lastwagen in Freiolzheim vom vorgesehenen Weg ab und fuhr die kurvenreiche Kreisstraße 3549, mit 12 Prozent Gefälle, in Richtung Walprechtsweier bergab. Die beiden 23- und 27jährigen US-Soldaten verloren die Kontrolle über den Sattelschlepper, als die Bremsen durch den Schub heiß geworden waren. »Der Fahrer versucht noch verzweifelt, das Fahrzeug zu stoppen, was ihm aber nicht mehr gelingt. In einer leichten Rechtskurve kommt der Zug nach links von der Fahrbahn ab, rammt die Betonmauer eines Hauses und zertrümmert zwei parkende Autos. Dann sieht der Fahrer einen Personenwagen auf sich zukommen. Der wird von einem 54 Jahren alten Vater dreier Kinder aus Straubenhardt bei Pforzheim gelenkt. Der Militärlaster rast weiter den Abhang

hinab und zermalmt das Personenauto. Für den Fahrer kommt jede Hilfe zu spät. Er stirbt in den Trümmern seines Wagens.
Nach dem Aufprall kommt die Zugmaschine quer zur Fahrbahn zum Stehen, beschädigt dabei noch einen geparkten Wagen. Der zweite US-Transporter kann noch rechtzeitig gestoppt werden. Der dritte zertrümmert ein weiteres abgestelltes Auto. Der vierte prallt gegen einen Baum. Soldaten werden aus den Fahrzeugen herausgeschleudert, andere können sich noch mit eigener Kraft befreien. Sofort eilen hilfsbereite Bürger herbei, einige klettern auf der Zugmaschine herum, versuchen Benzinkanister wegzuschaffen. Noch rechtzeitig kann verhindert werden, daß deutsche Hilfsorganisationen zu bergen beginnen. Ihnen ist zu diesem Zeitpunkt noch nicht klar, mit welch brisantem Stoff sie hantieren.« Mit diesen Worten schilderte der Korrespondent der »Stuttgarter Zeitung« den bisher schwersten bekannt gewordenen Unfall mit einer Pershing IA-Lafette.
Erst eine Stunde später wurde der Feuerwehr bekannt, daß es sich um einen Raketentransport handelt. Amerikanische Soldaten riegelten unterstützt von deutschen Polizisten die Unfallstelle ab und ließen die Häuser zunächst im Umkreis von 200 Metern und bis 20 Uhr auf 300 Meter aus Sicherheitsgründen räumen. Um 1 Uhr morgens trafen amerikanische Raketenspezialisten ein, die eine Evakuierung im Umkreis von 500 Metern forderten. Am Mittwochmorgen begann die deutsche Polizei um 6 Uhr mit der Evakuierung des ganzen Ortsteils Walprechtsweier. Gegen 10.30 begannen die Bergungsarbeiten, die gegen 15 Uhr nach dem Abtransport der Unfallfahrzeuge abgeschlossen wurden. Gegen 16 Uhr durften dann die Bürger der 1200 Einwohner zählenden Gemeinde Walprechtsweier wieder in ihre Wohnungen zurückkehren.
Im Verlauf des 3. November 1982 entdeckten Passanten die restlichen beiden Pershing IA-Fahrzeuge und weitere sechs amerikanische Militärlastwagen, die auf dem Weg von Schluttenbach zum Rimmelspacherhof Stellung bezogen hatten. »Die am Rimmelspacher Hof bis gestern stationierte Rakete«, beschrieb Michael Koch in den »Badischen Neuesten Nachrichten« die deutsch-amerikanischen Verständigungsschwierigkeiten, »hatte am Mittwochabend noch zu Aufregung geführt. Die Zufahrt zu dem Hof mit Gastwirtschaft war von . . . schweren US-Fahrzeugen blokkiert.« Als der herbeigerufene stellvertretende Bürgermeister von Malsch, Hugo Bernhardt, einem deutschsprechenden US-Soldaten sein Anliegen erklärte, wurden ihm und dem Ortsvorsteher zunächst von einem Offizier ihre Ausweise abgenommen und über Funk kontrolliert. Erst nach über zwei Stunden wurde dem Bürgermeister und Ortsvorsteher erklärt, man könne ihnen keine Auskunft geben. »In der Nacht bekam Hugo Bernhardt

noch Besuch von mehreren deutschen Polizisten, die prüften, ob er zu Hause und sein Wagen da sei.
Auch gestern gab es wegen der Einheit Ärger«, schildert das Redaktionsmitglied Koch die Ereignisse am Donnerstag, den 4. November. »Wer sich von Schluttenbach her auf dem Zufahrtsweg dem Rimmelspacher Hof näherte, stand plötzlich vor einer von den Amerikanern aufgebauten Barrikade aus Baumstämmen. Wer nicht unverzüglich abdrehte, wurde von US-Soldaten begrüßt, die ein Maschinengewehr (keine Maschinenpistole) in Stellung brachten.«
Die beiden Unfälle in Sechselberg und Walprechtsweier sind Teil der ständigen Gefährdungen schon in Friedenszeiten. Es bedurfte erst eines Menschenlebens, bis sich die deutschen Behörden »der offenkundig verantwortungslosen Schlamperei« bei der Verkehrssicherheit der amerikanischen Raketentransporter annahmen. Allein sieben Unfälle mit Raketentransportern von 1978 bis 1982 im Raum Schwäbisch Gmünd hatte der württembergische SPD-Wahlkreisabgeordnete Robert Antretter ermittelt.
Die Unfälle mit den Pershing IA-Transportfahrzeugen in Baden-Württemberg in den Jahren 1981 und 1982 brachten die Gefahren an den Tag, die der Bevölkerung im »Pershing-Land Schwaben« seit den späten sechziger Jahren bereits im Frieden durch Unfälle drohen. Vom November 1967 bis 1971, als in Bonn Kurt Georg Kiesinger und Willy Brandt regierten, wurden 108 Pershing IA-Startsysteme und Raketen ohne Bundestagsdebatten und ohne eine öffentliche Diskussion bei drei Bataillonen des amerikanischen Heeres und weitere 72 Pershing IA-Systeme bei zwei Geschwadern der Bundesluftwaffe stationiert. Nach dem NATO-Doppelbeschluß sollen die 108 amerikanischen Pershing IA-Raketen an denselben Standorten vom Dezember 1983 bis zum Dezember 1985 durch Pershing II-Raketen abgelöst werden.
Die alten und die neuen Pershing IA-Raketen unterstehen der 56. Feldartillerie Brigade der amerikanischen Armee in Schwäbisch Gmünd. Die 108 Pershing II-Raketen werden bei den drei amerikanischen Pershing-Bataillonen bei Schwäbisch Gmünd, Neu-Ulm und Heilbronn/Neckarsulm stationiert werden, und zwar gehen 36 Pershing II-Startsysteme und -Raketen in die Bismarck- und die Hardt-Kaserne in Schwäbisch Gmünd. Weitere 36 werden in den Wiley Barracks und den Nelson Barracks bei Neu-Ulm stationiert. 27 Pershing II-Systeme gehen in die Artillerie-Kaserne nach Neckarsulm und 9 in die Badner-Kaserne nach Heilbronn. Ein Teil dieser Raketen untersteht einer ständigen Feuerbereitschaft (QRA = Quick Reaction Alert-Stellungen) in Kleingartach bei Heilbronn, in Mutlangen bei Schwäbisch Gmünd und in Inneringen bei Sigmaringen.

Dieses Foto der US-Army gibt in der Bildunterschrift offen zu, was unseren Abgeordneten und unserer Bevölkerung aus »Geheimhaltungsgründen« verweigert wird: »Eine Pershing-Rakete der 56. Feldartilleriebrigade wird während eines Manövers für einen simulierten Abschuß vorbereitet. Die 56. Feldartilleriebrigade, deren Hauptquartier sich in Schwäbisch Gmünd befindet, ist die einzige Artilleriekampfeinheit mit der stärksten Waffe der Armee, der Pershing-Rakete.«

Foto: US-Army

Die Feuerstellungen für Manöver im Frieden und die festvermessenen Feuerstellungen für den Einsatz im Krieg sind in einem Gebiet zu finden, das vom Allgäu bis in die Pfalz reicht. Mit insgesamt 1158 Mann ist ein Pershing-Bataillon personalmäßig doppelt so stark wie ein mit Geschützen ausgerüstetes Artillerie-Bataillon. Es besteht aus vier Feuerbatterien zu je 215 Mann für neun Raketenstartanlagen. Zur Brigade gehören das 2. Bataillon des Infanterieregiments 4, das 55. Instandsetzungsbataillon, das 266. Chemische Detachment und die Echo-Heeresfliegerkompanie mit Helikoptern des Typs UH-1 und OH-58. »Etwa dreißig Kilometer südöstlich von Ulm steht in einer Waldlichtung von weniger als einem Kilometer Durchmesser die Bravo-Batterie des 1. Bataillons des amerikanischen Artillerieregiments 81 alarmbereit in Gefechtsstellung. Bei dieser von Wachttürmen sowie Maschen- und Stacheldraht hermetisch abgeriegelten Combat Alert Site (CAS) handelt es sich nicht um irgendeine Feldhaubitzenposition«, mit diesen Worten begann am 9. Juli 1982 eine ganzseitige Reportage über »Pershing in Schwaben« in der angesehenen »Neuen Zürcher Zeitung«. »Vielmehr liegen hier auf großen Radanhängern insgesamt neun nukleare Raketen Pershing IA, aufgeteilt in drei Zügen zu je drei etwa zehn Meter langen Missilen . . . Zwei weitere ähnliche Anlagen für ›quick reaction alert‹ (QRA) liegen in Waldheide bei Heilbronn, wo das 3. Bataillon des Armeeregiments 84 stationiert ist, und in Inneringen bei Schwäbisch Gmünd, wo das 1. Bataillon des Artillerieregiments 41 steht.«

Dem Reporter mutete die Pershing-Abschuß-Station an »wie eine Mischung aus Waldsanatorium und Straflager. Die letzten paar hundert Meter Straße sind ohne Angabe von Gründen als privat mit einem Fahrverbot gekennzeichnet. Fußgänger könnten indes legal um die Biegung bis auf kurze Distanz an den Sperrkreisdraht und das Tor kommen, wo Tafeln mit Totenschädeln dann allerdings deutlich vor einem Eindringen warnen, gegen das der Waffengebrauch im scharfen Schuß angedroht wird. Immerhin kann man schon aus dieser Distanz die wie Riesenbleistifte daliegenden Missile erkennen.«

Aus Gesprächen mit den Soldaten in der »Lehmgrube« erfuhr der Schweizer Reporter, daß die Pershing-Brigade im Krisenfall ihre Batterie in 45 separaten Stellungen aufmarschieren lassen könnte, zu denen die drei ungetarnten permanenten CAS-Anlagen nicht gehören.

Wie war es zur Stationierung der ersten amerikanischen Atomraketen und der ersten Atomsprengköpfe gekommen? Wie wurde die »Modernisierung« oder »Nachrüstung« durch 108 Pershing II begründet? Worin bestehen die technischen, die politischen und die strategischen Unterschiede zwischen den alten und den neuen Pershing-Raketen? Welche Auswir-

Quelle: sane, März 1983

Vorgesehene Stationierungsorte der Pershing-II-Rakete.

kung kann die Stationierung von Pershing II-Raketen und von Marschflugkörpern auf die europäische Sicherheit und auf den Frieden in Mitteleuropa haben?
Die Geschichte der nuklearen Mittelstreckensysteme in Europa begann im Sommer 1948 während der Berlin-Blockade durch die Rote Armee. Als Zeichen der amerikanischen Entschlossenheit, dem sowjetischen politisch-militärischen Druck zu widerstehen, verlegte Präsident Truman drei B-29-Bomber-Staffeln nach Europa, von denen dreißig Maschinen in Fürstenfeldbruck, der Rest in England stationiert wurden. Bei einer Reichweite von 5500 Kilometern konnten die B 29 von Europa aus sowjetisches Gebiet erreichen. Aber erst Anfang Juli 1950, nach Beginn des Koreakriegs, stimmte US-Präsident Truman der Einlagerung nichtatomarer Komponenten von Kernwaffen auf »vorgelagerten« Stützpunkten in Großbritannien zu.
Am 9. März 1954 übernahmen die drei Gruppen des »701. Tactical Missile Wing« der US-Luftwaffe in Europa die erste Matador-Rakete, die über eine Reichweite von 800 bis 960 Kilometer einen Atomsprengkopf transportieren konnte. Im Juli 1957 kündigte der amerikanische Außenminister John Foster Dulles erstmals öffentlich den Aufbau eines atomaren Potentials für die NATO in Europa an. Im Dezember 1957 beschloß der NATO-Rat, als unter dem Eindruck des Sputnick-Schocks Zweifel an der Glaubwürdigkeit der amerikanischen Strategie der massiven Vergeltung laut wurden, 105 nukleare Mittelstreckensysteme in Europa zu stationieren, und zwar 60 Thor-Raketen in England und 45 Jupiter-Raketen in Italien und in der Türkei, die seit dem Frühjahr 1959 aufgestellt wurden. Zur selben Zeit sollen auf dem Gebiet der Bundesrepublik bereits zwischen 50 und 100 Matador-Raketen auf Fliegerhorsten in Hahn und Spangdahlem in der Eifel stationiert sein, die ab 1963/64 durch die neuen »Pershing-Raketen« abgelöst wurden. In den Jahren 1959 bis 1962 wurden zwei Prototypen eines Marschflugkörpers, die MACE-A-Rakete mit einer Reichweite von 1200 Kilometern und die MACE-B-Rakete mit einem Einsatzradius von 2400 Kilometern, in drei Mace-Staffeln, d. h. von 100 bis 150 Flugkörpern, ebenfalls in der Eifel in dreizehn Meter tiefen Startkäfigen eingebunkert. Die letzte Mace-Staffel soll erst 1971 durch die Pershing abgelöst worden sein.
In den fünfziger Jahren führte die Sowjetunion mit der recht unzuverlässigen SS-3 Shyster, einer verbesserten Version von Wernher von Brauns V-2-Rakete, die erste Mittelstreckenrakete ein, die ab 1959 von der SS-4 SANDAL abgelöst wurde, die über eine Reichweite von ca. 1700 Kilometern einen Gefechtskopf von einer Megatonne, d. h. der Sprengkraft von 100 Hiroshima-Bomben, transportieren kann. Die SS-4, von der in

Nach Angaben des amerikanischen Wehrexperten William Arkin sind in der Bundesrepublik 78 Lance-Raketen stationiert, für die 450 Sprengköpfe mit einer Sprengkraft von 1 bis 100 Kilotonnen (Kt) TNT bereitstehen. Foto: US-Army

der UdSSR mindestens 600 aufgestellt wurden, ist mit Flüssigkeitsantrieb ausgestattet und besitzt deshalb nur eine begrenzte Feuerbereitschaft. Zwei Jahre später folgte die SS-5, vom Pentagon mit dem Spitznamen Schottendolch (SKEAN) versehen, von der trotz der verdoppelten Reichweite von 3200 bis 3500 Kilometern und der doppelten Zielgenauigkeit von 900 Metern, statt 1800 Metern bei der SS-4, nur 100 aufgestellt wurden.
Als die Sowjetunion im Oktober 1962 versuchte, das amerikanische Vorbild nachzuahmen und SS-4-Raketen auf Kuba zu stationieren, gerieten die beiden Supermächte in den zwölf kritischen Tagen des Oktober 1962 erstmals an den Rand eines Atomkriegs. Die Sowjetunion beugte sich aber dem amerikanischen Druck, ließ die vorbereiteten Startanlagen wieder niederreißen und ihre Raketenfrachter auf hoher See umkehren. 1963 zogen die USA ihre 105 Mittelstreckenraketen vom Typ Thor und Jupiter aus Europa ab. Die Abschreckungswirkung der äußerst verwundbaren Mittelstreckenraketen war durch die neuen amerikanischen Interkontinentalraketen und vor allem durch die unauffindbaren U-Boot-gestützten ballistischen Raketen übernommen worden. Seit Beginn der siebziger Jahre wurden 400 Sprengköpfe der Polaris-U-Boot-Flotte dem NATO-Oberbefehlshaber (SACEUR) zugeordnet.
In der Debatte über die nuklearen Mittelstreckenraketen der ersten Generation kam es im Bundestag zu heftigen Wortgefechten zwischen dem damaligen Verteidigungsminister Franz Josef Strauß und seinem Herausforderer Helmut Schmidt.
»Die Matadore, die Herr Strauß kauft«, attackierte der rhetorisch brillante Hamburger am 22. März 1958 seinen bayrischen Kontrahenten, könnten mit ihren Atomsprengköpfen Königsberg, Warschau, Prag, Berlin und Oberschlesien zerstören. »Weswegen sind Sie denn nicht bereit, über die atomwaffenfreie Zone zu sprechen, damit in Polen, damit in der Tschechoslowakei, damit in der DDR, damit bei uns keine Atomwaffen stationiert werden?«
Am 12. Dezember 1957, genau 22 Jahre vor der Beschlußfassung über den NATO-Doppelbeschluß, lehnte der Bundestag einen Entschließungsantrag der SPD-Bundestagsfraktion ab, in dem die Regierung Adenauer aufgefordert wurde, »die Ausstattung der Bundeswehr mit atomaren Waffen jeder Art abzulehnen« und »das Gebiet der Bundesrepublik nicht für die Stationierung der Mittel- und Langstreckenraketen sowie für den Bau entsprechender Abschußrampen zur Verfügung zu stellen«. Nach der Ablehnung dieses Antrags warnte der SPD-Wehrexperte Fritz Erler, »daß die Verwandlung der Bundesrepublik in eine Abschußrampe für Raketen mit einer Reichweite bis ins Herz der So-

Von den Nike-Hercules-Raketen sind 1983 ca. 180 Raketen stationiert, für die 500 Sprengköpfe mit einer Sprengkraft von 1 bis 20 Kilotonnen TNT (die Hiroshima-Bombe hatte 12 Kt) auf dem Gebiet der Bundesrepublik lagern sollen. Dieses Bild wurde von der US-Army während der jährlichen Tests im Jahre 1976 aufgenommen. Foto: US-Army

wjetunion hinein die Bundesrepublik nicht schützt, sondern furchtbaren neuen Gefahren aussetzt«.
Am 10. März 1958 erschien ein Aufruf unter dem Titel: »Kampf dem Atomtod«, der von Gustav Heinemann und Carlo Schmid mit entworfen und von dem ehemaligen SPD-Vorsitzenden Erich Ollenhauer, dem Ministerpräsidenten von Nordrhein-Westfalen, Fritz Steinhoff, dem Hamburger Oberbürgermeister Max Brauer und von Carlo Schmid mitunterzeichnet war: »Das deutsche Volk diesseits und jenseits der Zonengrenze ist im Falle eines Krieges zwischen Ost und West dem sicheren Atomtod ausgeliefert. Einen Schutz dagegen gibt es nicht. Beteiligung am atomaren Wettrüsten und die Bereitstellung deutschen Gebiets für Abschußbasen von Atomwaffen können diese Bedrohung nur erhöhen . . . Wir fordern Bundestag und Bundesreigerung auf, den Rüstungswettlauf mit atomaren Waffen nicht mitzumachen, sondern als Beitrag zur Entspannung alle Bemühungen um eine atomwaffenfreie Zone in Europa zu unterstützen.«
Zu Beginn der parlamentarischen Konfrontation über die Ausrüstung der Bundeswehr mit atomaren Trägerwaffen vom 20. bis 25. März 1959 hatte die SPD-Bundestagsfraktion die Bundesregierung ersucht, »keinerlei Maßnahmen zu treffen, die die Ausrüstung der Bundeswehr mit Atom- und Wasserstoff-Sprengkörpern, die Stationierung von Atomraketen und den Bau von Basen für diese Raketen zum Ziele haben«. Die Atombewaffnung wurde jedoch auch aus deutschlandpolitischen Gründen abgelehnt, »weil sie eine politische Lösung der deutschen Frage bis zur Hoffnungslosigkeit erschwert. Sie verschärft die Spannungen und ist der Sicherheit des deutschen Volkes abträglich.« In der Begründung dieses Antrags hatte der SPD-Abgeordnete Adolf Arndt davor gewarnt: »Eine atomare Ausrüstung der Bundesrepublik beschwört die Gefahr herauf, daß es in Osteuropa und insbesondere in Mitteldeutschland zu einer noch verstärkten Konzentration sowjetischer Atombewaffnung und zu einem noch härteren Druck der Sowjetunion auf die osteuropäischen Völker und auf die Deutschen in der Zone kommt. Die verhängnisvolle Folge wäre eine gewaltige militärische Aufwertung des zentraleuropäischen Raumes.«
Bei der Auftaktveranstaltung der bundesweiten Kampagne: Kampf dem Atomtod warnte der SPD-Vorsitzende Ollenhauer am 23. März 1959 in Frankfurt: »Wir wollen keine Kernwaffen, wir wollen keine Abschußbasen, wir wollen keine Lagerplätze, und wir wollen Kernwaffen nicht verwenden, in welcher Form auch immer. Wir wollen nichts von alledem, weil es sinnlos ist . . . Unser Entschluß, die Bundesrepublik aus der atomaren Ausrüstung auszuschließen, hat einen Sinn. Er ist der Beitrag für die Wie-

derherstellung der Einheit Deutschlands in Freiheit. Wer die atomare Aufrüstung der Bundesrepublik befürwortet und betreibt, schlägt die Tür zur Wiedervereinigung Deutschlands unwiderruflich zu.«
Am Schluß der turbulenten Atomwaffendiskussion im Bundestag kündigte Ollenhauer einen Gesetzentwurf »zur Volksbefragung wegen der atomaren Ausrüstung der Bundeswehr« an, bei dem die Bundesbürger u. a. gefragt werden sollten, ob sie damit einverstanden seien, »daß deutsche Streitkräfte mit atomaren Sprengkörpern ausgerüstet werden« und »daß in Deutschland Abschußeinrichtungen für atomare Sprengkörper angelegt werden«.
Mit der absoluten CDU/CSU-Mehrheit beschloß der Bundestag statt dessen aber einen Antrag, daß die Streitkräfte der Bundesrepublik mit den modernsten Waffen so ausgerüstet werden müßten, »daß sie den von der Bundesrepublik übernommenen Verpflichtungen im Rahmen der NATO zu genügen vermögen und den notwendigen Beitrag zur Sicherung des Friedens wirksam leisten können«.
Als daraufhin in Hamburg und in Hessen Volksbefragungen eingeleitet wurden, wurden diese jedoch durch eine einstweilige Anordnung des Bundesverfassungsgerichts untersagt. Bei den Unterzeichnern des Aufrufes »Kampf dem Atomtod« fehlten jedoch die sicherheitspolitischen Experten der SPD: Fritz Erler und Helmut Schmidt, aber auch Herbert Wehner und Willy Brandt. Auf dem Stuttgarter SPD-Parteitag wurde die ablehnende Haltung bekräftigt: »Politisch bleibt die Tatsache bestehen, daß eine Einbeziehung der Bundesrepublik in das Atomwaffenwettrüsten die Not in der Zone verschärfte, die Wiedervereinigung vereitelt und ein Verhängnis für den Weltfrieden sein kann.« Auf dem Godesberger Parteitag im November 1959 tauchte die nuklearkritische Haltung bereits abgemildert in dem Godesberger Grundsatzprogramm auf: »Die Bundesrepublik Deutschland darf atomare und andere Massenvernichtungswaffen weder herstellen noch verwenden.«
Nicht weniger kritisch als die SPD hatte sich die FPD gegen die Atombewaffnung gewandt. Auf dem Wahlkongreß der FDP forderten die deutschen Liberalen am 5. Juni 1957 in einem Aktionsprogramm »als deutschen Beitrag zur allgemeinen Abrüstung den Verzicht der Bundesregierung auf die Ausrüstung mit atomaren Waffen«. Im FPD-Pressedienst warnte der spätere Generalsekretär Karl-Hermann Flach am 10. Dezember 1957:
»Die Bundesregierung sollte sich auch davor hüten, auf ihrem Gebiet die Aufstellung von Waffen zuzulassen, die aufgrund ihrer Reichweite und ihrer Aufnahmefähigkeit atomarer Sprengköpfe nicht nur als Verteidigungswaffen, sondern auch als Angriffswaffen angesehen werden könn-

ten.« »Ich habe das Gefühl«, griff der wortgewaltige Thomas Dehler am 23. Januar 1958 nach der Ablehnung des Rapacki-Planes die Regierung Adenauer an, »wir suchen mit einem gewissen Masochismus das Heil in Entwicklungen, die für Deutschland nur schädlich sein können . . . Ich denke daran, was uns der Herr Bundeskanzler als großer Stratege . . . gesagt hat: ›Ach Gott, die weiterentwickelte Artilleriewaffe! Laßt Euch doch nicht verrückt machen durch das Atomgerede‹. Atomare Aufrüstung bei uns heißt, die Bundesrepublik zum Ziel von atomaren Angriffen zu machen. Ich wiederhole: Es ist nicht wahr, daß die Sicherheit des Westens oder die Sicherheit der Bundesrepublik von einer atomaren Aufrüstung der Bundeswehr oder auch nur von der Lagerung atomarer Waffen in der Bundesrepublik abhängig wäre.«
An dieser nuklearkritischen Position hielt die FDP auch noch 1967 fest, als sie auf ihrem 18. Parteitag beschloß: »Ein Einsatz von atomaren Waffen auch zu Verteidigungszwecken in Mitteleuropa ist wegen der verheerenden Folgen auch für die eigene Bevölkerung weder zu erwarten noch zu verantworten.« Am 13. Oktober 1967 lehnte Walter Scheel in der außenpolitischen Bundestagsdebatte das Festhalten an der Atombewaffnung ab, und er bezweifelte den militärischen Wert dieser Waffen für die Verteidigung.
»Ganz offensichtlich ist der Entschluß, in einem begrenzten europäischen Krieg auf jeden Fall nukleare Waffen einzusetzen, durch Politiker und Militärs allzuschnell gefaßt worden . . . Das Festhalten an diesem Beschluß«, schrieb der spätere Verteidigungsminister Helmut Schmidt auch noch in der 3. Auflage seines Buches »Verteidigung oder Vergeltung« im Jahre 1965, »würde bedeuten, daß jeder denkbare Fall eines militärischen Konflikts in Europa automatisch zur Dezimierung der europäischen Völker und vornehmlich des deutschen Volkes führen würde. Es ist unvorstellbar, daß es bei dieser Konzeption bleibt. Solange sie jedoch nicht geändert ist, . . . kann im Falle eines militärischen Konflikts niemand damit rechnen, Europa zu verteidigen. Jeder muß vielmehr damit rechnen, daß Europa vernichtet würde. Dabei bleibt es für die Völker Europas gleichgültig, ob sie von taktischen Nuklearwaffen oder von strategischen thermonuklearen Raketen um das Leben gebracht würden . . . Selbst wenn die Verwendung taktischer Nuklearwaffen nicht bis zum Endpunkt der Spirale, nämlich bis zum totalen, strategisch-nuklear geführten Kriege führen sollte, so würde sie zu weitestgehender Vernichtung der in Europa lebenden Völker führen. Europa ist das Schlachtfeld, auf dem diese Waffen eingesetzt werden.« Helmut Schmidts scharfe Kritik an der Strategie der massiven Vergeltung erstreckte sich auch auf die Landstationierung von nuklearen Mittelstreckensystemen: »Alles was Feuer auf sich

zieht«, schrieb der spätere Bundeskanzler, »ist für Staaten mit hoher Bevölkerungsdichte oder kleiner Fläche unerwünscht. Auch aus diesem Grunde«, schlußfolgerte Schmidt, »kämen zur Zeit nur seegestützte Polaris-Raketen in Betracht.«

In seinem zweiten Buch »Strategie des Gleichgewichts« sah Helmut Schmidt bei der Mittelstreckenrüstung 1970 noch keinen Anlaß zur Sorge. Sieben Jahre später, im Oktober 1977, löste Kanzler Helmut Schmidt mit seiner Kritik an der unzureichenden Berücksichtigung europäischer Sicherheitsinteressen in den Rüstungskontrollüberlegungen der Carter-Administration eine Debatte innerhalb der amerikanischen Regierung aus, bei der jene sich durchsetzten, denen es weniger um ein eurostrategisches Gleichgewicht in Europa, sondern vielmehr darum ging, von Westeuropa aus mit punktzielgenauen Waffen die politisch-militärische Infrastruktur der UdSSR ohne Vorwarnung bedrohen und vernichten zu können.

Den Anstoß für Helmut Schmidts Umdenken hatte eine neue sowjetische Mittelstreckenrakete geliefert, über welche sich der ehemalige Chef der US-Rüstungskontroll- und Abrüstungsbehörde Fred Iklé und sein Stellvertreter, John F. Lehman, im Juli und im August 1976 erstmals öffentlich äußerten. Im Abschlußkommuniqué eines Treffens der NATO-Verteidigungsminister in Brüssel im Dezember 1976 zeigten sich die Politiker und Experten »über die Bereitstellung mobiler Sowjetraketen mit Mehrfachsprengköpfen (SSX-20) beunruhigt, deren Reichweite ganz Westeuropa sowie den Nahen Osten einschließt«. Aber erst ein Jahr später bestätigte der »Philadelphia Inquirer« am 28. Dezember 1977, zwei Monate nach Helmut Schmidts Londoner Rede, daß die Sowjetunion mit der Stationierung dieser neuen Waffe begonnen hatte. Und am 31. Dezember 1978 spekulierte Daniel Holland einige Tage vor dem Vierertreffen unter dem Sonnendach auf Guadeloupe in der »Welt am Sonntag«: »Die Russen sollen bereits 300 bis 400 Raketen dieser Art haben.« Einige Tage nach »Herbert Wehners Theaterdonner« wußte Graf Brockdorff am 7. Februar 1979 in der »Welt« aus amerikanischen Quellen bei der NATO in Brüssel zu berichten: »Sowjetische SS-20-Raketen nur auf Deutschland gerichtet.« Bereits »360 deutsche Ziele« lägen »im Atomfeuer der Russen«. Die Zielgenauigkeit der SS-20, die bisher mit 300 Metern angenommen wurde, liege »nach neuesten westlichen Erkenntnissen jedoch bei weniger als 100 Metern«. NATO-Experten schlössen daraus die alarmierende Schlußfolgerung: »Die Versuchung, diese Waffe einzusetzen, könnte wachsen; die Drohung mit einem begrenzten Atomkrieg gewinnt an Glaubwürdigkeit.« Politisch bedeute die Ausrichtung auf deutsche Ziele, heizte die »Welt« die Raketenhysterie an, »daß Moskau im Falle einer bestimmten Spannungslage versucht sein könnte, die Bundesrepublik unter den Bündnispartnern zu isolieren. Jedenfalls könnte Bonn mit dieser Waffe unter Druck gesetzt werden.« Die erhöhte Zielgenauigkeit, wußte die »Welt« weiter zu berichten, würde es ermöglichen, »deutsche Ziele zu bedrohen, amerikanische und britische aber auszusparen«. Wenn die Sowjetunion die SS-20 als Instrument der politischen Einschüchterung benutzten, müßten die USA »sofort das Risiko des eigenen Untergangs in die Waagschale werfen, weil eine niedrigere Eskalationsstufe nicht zur Verfügung steht«. In den achtziger Jahren, wußte Graf Brockdorff von der Brüsseler Spekulationsbörse zu berichten: »stehen nach westlichen Schätzungen 1000 bis 1200 Abschußrampen zur Verfügung, die 9000 Ziele abdecken werden.« Sollte dem Westen »keine Antwort einfallen«, schockierte Graf »Münchhausen« die verdatterten CDU/CSU-Parlamentarier, »müßten die Völker Europas sich auf Veränderungen von historischen Ausmaßen einstellen«.

Am 20. Mai 1980 hatte Graf Brockdorff in der »Welt« berichtet: »Es gibt jetzt eine SS-20 mit vier unabhängig voneinander ins Ziel steuerbaren Atomgefechtsköpfen. Dies verlautete in Brüssel von alliierter Quelle.« Zugleich dämpfte er jedoch seine früheren Hochrechnungen von 1979: »Die Vereinigten Staaten haben hochgerechnet, daß die Sowjetunion Mitte der achtziger Jahre rund 2300 Atomgefechtsköpfe haben werde«. Und zwei Jahre später mußte der gutgläubige Graf auch diese Hochrechnung wieder zurückschrauben. »Moskau verfügt jetzt über 324 Raketen«, stellte er am 10. September 1982 fest, »mit 972 atomaren SS-20-Sprengköpfen«. Nach diesen sehr »zuverlässigen« Informationen eines »respektierten« Wehrexperten einer »renommierten« Tageszeitung gilt es zunächst, gesicherte öffentliche Erkenntnisse vom Seemannsgarn der psychologischen Vorbereitung der Bevölkerung auf die »Nach«-Rüstung zu trennen. War die Beunruhigung über die neue Rakete, über die Fred Iklé im Frühjahr 1977 Bundeskanzler Helmut Schmidt eingehend informiert haben soll, gerechtfertigt?

Bis 1971 waren 600 SS-4 mit einem Gefechtskopf von einer Megatonne und einer Zielgenauigkeit von 1800 Metern und 100 SS-5-Mittelstreckenraketen mit einem Gefechtskopf von 1 bis 2 Megatonnen bei einer Zielgenauigkeit von 900 Metern gegen Ziele in Westeuropa und Ostasien gerichtet.

Bei der SS-20 handelt es sich um zwei Stufen der dreistufigen sowjetischen Interkontinentalrakete SS-16. Nach den letzten Jahresberichten des Londoner Instituts für Strategische Studien wurden bisher drei Prototypen bekannt, das Modell 1 könne einen Sprengkopf von 1,5 MT über eine Entfernung von 5000 Kilometern tragen, das Modell 2 könne über dieselbe Entfernung drei unabhängig ins Ziel lenkbare Sprengköpfe (MIRV) mit einer Sprengkraft von je 150 KT bei einer Zielgenauigkeit von ca. 400 Metern und das Modell 3 könne einen Sprengkopf von 50 KT über eine Entfernung von 7400 Kilometern ins Ziel transportieren. Die SS-20 verfügt über einen Feststofftreibstoff und ist begrenzt mobil. Aufgrund dieser Mobilität ist die Rakete weniger verwundbar. Die meisten SS-20-Abschußbasen liegen außerhalb der Reichweite der westlichen »Nach«-rüstungswaffen. »Die SS-20, so ist von Wissenschaftlern aus dem Pentagon zu hören«, meldete die »Frankfurter Allgemeine« am 28. Juni 1980, »habe weder die Reichweite noch die Treffgenauigkeit und Wirkung, die ihr zugeschrieben würden.«

»Wenn dem militärischen Potential des Gegners Fähigkeiten zugeschrieben werden, die dieser gar nicht wirklich besitzt, dann kann man sich selbst zum potentiellen Erpressungsopfer machen«, bemerkte hierzu Alfred Mechtersheimer treffend: »Genau das betreiben die Bundesregierung und die sie unterstützenden Parteien mit ihrer SS-20-Hysterie.«

Der Frankfurter Friedensforscher Gert Krell vermutete, daß mindestens fünf Gründe die Sowjetunion zur Einführung der SS-20 in den siebziger Jahren veranlaßt haben. Technisch schien eine Modernisierung der verwundbaren und ineffizienten SS-4 und SS-5 nach zwei Jahrzehnten geboten. Politisch-militärisch mag die Zuspitzung des Konflikts mit China (1969), die Aufstellung von vier britischen Raketen-U-Booten (1968–1971), der Aufbau der französischen Raketenstreitmacht in den siebziger Jahren, die Umstellung der amerikanischen SLBMs auf Mehrfachsprengköpfe ab 1971 und schließlich die SALT-Verhandlungen, bei der die Sowjetunion die Einbeziehung der amerikanischen Forward Based Systems sowie der britischen und französischen Raketensysteme nicht durchsetzen konnte, zur Einführung der SS-20 beigetragen haben. Krell schließt aus seiner sorgfältigen Untersuchung: »Faktum ist, daß entgegen vielen westlichen Meldungen und Kommuniqués die Zahl der sowjetischen Mittelstrecken-Trägerwaffen in Europa im Laufe der siebziger Jahre gesunken ist und vermutlich weiter sinken wird. Gestiegen ist und weiter steigen wird die Zahl der Sprengköpfe. Aber in diesem Punkt ist die NATO im Glashaus, da sie in der Gesamtrechnung die Zahl der Sprengköpfe, mit denen sie die Sowjetunion bedroht, in den siebziger Jahren drastisch gesteigert hat und weiter erhöhen wird.«

Die beiden Waffen im westlichen Nachrüstungspoker: die Pershing II und die landgestützten Marschflugkörper stellen aus sowjetischer Sicht eine technologische und militärische Herausforderung dar. Das amerikanische Rüstungskontrollgutachten für 1981 umschreibt die militärischen Möglichkeiten der neuen amerikanischen Atomraketen ungeschminkt:

»Sollte die Abschreckung versagen, dann hätten die USA und ihre Ver-

bündeten in der NATO wirksame neue Möglichkeiten zur Bekämpfung militärischer Ziele weit hinter dem Gefechtsfeld. Zu diesen Zielen gehören: Anlagen für Mittelstreckenraketen, Marinestützpunkte, Lager für nukleare und chemische Waffen; Flugplätze; Kommando-, Kontroll- und Kommunikationszentralen; Befehls- und Führungskomplexe; Boden-Luft-Raketen; Lagerstätten für Munition und Petroleum sowie Anlagen für deren Transport; Einrichtungen der Bodentruppen; Engstellen; Truppenkonzentrationen und Brücken.«
Nach der offiziellen Quelle der amerikanischen Abrüstungsbehörde verspricht die Stationierung der Pershing II und der landgestützten Marschflugkörper eine Verbesserung der vorhandenen regionalen Nuklearwaffen der NATO in sechsfacher Hinsicht:
»Erstens, sie würden der NATO ein modernisiertes Potential zum Angriff auf sowjetisches Gebiet von Westeuropa aus zur Verfügung stellen . . . Zweitens, beide vorgeschlagene Programme bieten verbesserte Zielgenauigkeit und erlauben die Zielerfassung von bisher nicht erfaßten gehärteten Zielen. Drittens, beide würden es erlauben, Nuklearwaffen mit niedrigeren Sprengwerten einzusetzen und dabei eine militärische Wirkung zu erzielen, die mit der früheren Generation weniger zielgenauer, aber großkalibriger Waffen vergleichbar wäre, und damit die Sekundärschäden verringern. Viertens, die Ergänzung von konventionell und nuklear einsetzbaren Flugzeugen mit Pershing und landgestützten Marschflugkörpern würde eine größere Überlebensfähigkeit der Systeme vor dem Start sicherstellen unter Bedingungen sowohl eines konventionellen wie eines nuklearen Angriffs. Fünftens, Marschflugkörper haben wahrscheinlich eine größere Durchdringfähigkeit als bemannte Flugkörper in dem dichten Luftabwehrumfeld, das in einem europäischen Krieg vorherrschen würde. Sechstens, die Verfügung über wirksamere nukleare Raketenwaffen größerer Reichweite in Alarmbereitschaft zur Abdeckung vorgeplanter fester Ziele würde es erlauben, einige Flugzeuge, die in schneller Reaktionsbereitschaft stehen, aus dieser Alarmbereitschaft zu entlassen, um sie verstärkt für konventionelle Aufträge einzusetzen.«
Die offizielle amerikanische Quelle gibt offen zu: »Die Stationierung von Pershing II und GLCM würde das regionale Nuklearpotential der USA und der NATO zur Bedrohung militärischer Ziele auf sowjetischem Gebiet von Westeuropa aus erheblich verstärken.«
Als Nachfolgesystem für die Matador wurde die erste Generation der amerikanischen Pershing-Raketen seit 1962 in Europa, vor allem auf dem Gebiet der Bundesrepublik, eingeführt. Die ursprüngliche Version war mobil, verfügte über einen Sprengkopf von 60 bis 400 KT und eine Reichweite von 185 bis 740 Kilometer. Eine verbesserte Version, die Pershing

'ergleich der Pershing IA- und der Pershing II-Rakete.

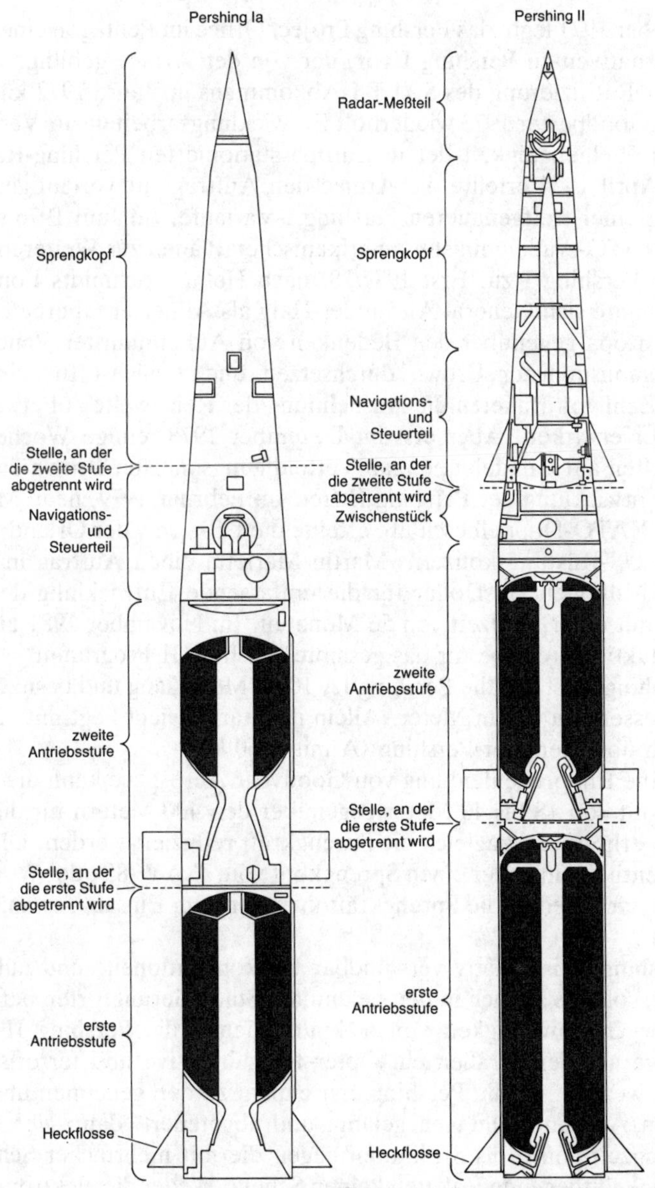

Quelle: Kevin N. Lewis, »Nukleare Mittelstreckenraketen«, in: Spektrum der Wissenschaft, Februar 1981, S. 55.

IA wurde vom November 1967 bis 1971 in der Bundesrepublik stationiert.
Im Oktober 1971 legte das Pershing Project Office im Pentagon einen Plan für Alternativen zu Pershing I vor, der von der Armee gebilligt wurde. Nach der Ratifizierung des SALT-I-Abkommens im Jahre 1972 kündigte General Goodpaster 1973 wiederholt Entwicklungsarbeiten zur Verbesserung der Zielgenauigkeit der in Europa stationierten Pershing-Raketen an. Im April 1974 erteilte die Armee den Auftrag zur vorläufigen Entwicklung einer treffgenaueren Pershing I-Variante. Im Juni 1976 stimmten die NATO-Außenminister amerikanischen Plänen zur Weiterentwicklung der Pershing I zu. Erst 1977/78, nach Helmut Schmidts Londoner Rede, konnte sich General Alexander Haig als Alliierter Oberbefehlshaber in Europa gegenüber den Bedenken von Außenminister Vance und Verteidigungsminister Brown durchsetzen und zunächst für eine begrenzte Zahl von Raketen die Ausdehnung der Reichweite auf etwa 1800 Kilometer erwirken. Aber erst im Dezember 1978, einige Wochen vor dem Treffen auf Guadeloupe, gab Verteidigungsminister Brown die endgültige Entwicklung der Pershing II frei. Im Februar 1979, neun Monate vor dem NATO-Doppelbeschluß, erteilte die US-Army der Orlando Division des US-Rüstungskonzerns Martin Marietta einen Auftrag in Höhe von 360 Millionen US-Dollar für die umfassende Entwicklung der Pershing II mit einer Laufzeit von 56 Monaten. Im November 1981 erfolgte die Produktionsfreigabe für das gesamte Pershing II-Programm.
Die Pershing II ist wie die Pershing IA 10,38 Meter lang und besitzt einen Durchmesser von einem Meter. Allein ihr Startgewicht liegt mit 7200 kg erheblich über dem der Pershing IA mit 4660 kg.
Durch eine Endphasenlenkung von Goodyear Aerospace kann die Treffgenauigkeit von 18 bis 40 Meter gegenüber den 400 Metern für die Pershing IA erhöht und zugleich die Sprengkraft reduziert werden. Die Pershing II enthält entweder einen Sprengkopf vom Typ W-85 oder W-86, bei denen je nach Bedarf die Sprengkraft kurz vor dem Einsatz gewählt werden kann.
Die Pershing II ist relativ verwundbar für konventionelle und nukleare Angriffe, solange sie sich in den bekannten Stationierungsorten befindet. Bei einer Geschwindigkeit von 60 km/h können die Pershing II-Start-Fahrzeuge auf den Straßen ein Opfer für subversive und terroristische Angriffe werden. Ist die Pershing erst einmal zu den geheimen und vermessenen Abschußstellungen gelangt und abgefeuert, dann gibt es bei einer Flugzeit von 6 bis 8 Minuten gegen die mit mehrfacher Schallgeschwindigkeit fliegende Raketen keinen Schutz. Weder die elektronischen Störmaßnahmen noch das um Moskau herum aufgebaute Raketenabwehr-

system Galosh können dann die Pershing noch davon abhalten, punktzielgenau ihr Objekt zu zerstören. Für die Sowjetunion gibt es in Krisenzeiten dann nur eine Alternative, die Raketen vor dem Transport bzw. Start zu zerstören. Als Folge dieser technologisch bedingten »Präemptionsgefahr« sinkt die Krisenstabilität und die Kriegsgefahr steigt bei einem Versagen der Abschreckung.

Bereits 1981 wurde bekannt, daß eine Reichweitenverlängerung von 1800 km bis auf 4000 km möglich sei. Am 28. Juli 1981 berichtete der NATO-Korrespondent der »Welt«, daß die USA waffentechnologische Untersuchungen abgeschlossen haben, die Pershing II mit einem Mehrfachsprengkopf auszurüsten. »Eine Pershing II mit drei MIRV-Sprengköpfen würde der NATO einen Verhandlungsvorteil bringen, ohne daß die Anzahl der vorgesehenen 108 Pershing II-Raketen erhöht werden müßte.« Der Brüsseler Beschluß sieht demgegenüber vor: »Sämtliche Systeme sind jeweils nur mit einem Gefechtskopf ausgestattet.«

Statt der maximal 108 Pershing II-Raketen, die nach dem NATO-Doppelbeschluß bei einem Scheitern der Rüstungskontrolle nur in der Bundesrepublik aufgestellt werden sollen, bestellte die US-Armee im Frühjahr 1982 aber 226 Pershing II-Raketen. Als der Washingtoner Wehrexperte William Arkin, der längere Zeit im Geheimdienst der US-Army in der Bundesrepublik tätig war, im Herbst 1982 die Beschaffungswünsche des Pentagon studierte, entdeckte er, daß die US-Armee sogar 385 Pershing II plante. Mit 108 zählte die US-Army nicht mehr die Raketen, sondern die Fahrzeuge (Launcher). Nach einem Gutachten für das Repräsentantenhaus sollen zu einer kampffähigen Batterie inzwischen »9 Launcher, 13 Pershing II-Raketen und die entsprechende Boden- und Kontrollausrüstung gehören«. Legt man das Verhältnis von 13 Raketen für neun Startsysteme zugrunde, dann würde dies bereits einen Bedarf von 156 Atomgeschossen für die Bundesrepublik bedeuten. Für jedes der drei US-Bataillone sollen zusätzlich zehn Ersatzraketen vorgesehen sein, womit der Bedarf an Pershing II-Raketen auf 186 steigen würde. Vor dem Beschaffungsausschuß des Repräsentantenhauses gab der Pershing-Projektmanager Oberst Fiorentiono zu: »Wenn eine Rakete abgefeuert ist, braucht man nur relativ kurze Zeit, um den Launcher woanders in Stellung zu bringen.« Geht man damit von einer Nachladefähigkeit der Pershing II-Rakete aus, dann würde sich die Zahl der benötigten Raketen auf 216 erhöhen bzw. bei Berücksichtigung der Ersatzraketen würde eine Zahl von 372 Raketen erreicht. Bis 1984 soll das amerikanische Energieministerium nach Informationen des »STERN« die Produktion von allein 200 Pershing II-Sprengköpfen planen.

Verteidigungsminister Wörner versicherte der deutschen Öffentlichkeit

im November 1982 nach seinem Besuch in Washington, es sollten »nicht mehr als 108 einsatzbereite Gefechtsköpfe« aufgestellt werden. Inzwischen zeigte auch das Chemical Corps der US-Army Gefallen an der Pershing II. Mitte 1980 befanden sich die Planungen für eine aus zwei Komponenten bestehende »binäre« Nervenkampfstoffmunition für die Pershing II in der Phase des Vor-Prototyps der Konzeptentwicklung. Als ideale Kandidaten für die Giftgasmodernisierung nannte Major Bambini, der 1981 die Abteilung für nukleare, biologische und chemische Studien der US Army Chemical School in Fort Mc Clellan im US-Staat Alabama leitete, die verbesserte Pershing und die Marschflugkörper. Soll gegebenenfalls ein Teil der für die Bundesrepublik vorgesehenen Pershing II-Raketen mit Nervenkampfstoffmunitionen ausgerüstet werden?
Aber auch die Modernisierung der 72 Pershing IA-Raketen der Bundeswehr, die bei zwei Luftwaffengeschwadern in Landsberg/Lech und in Geilenkirchen-Treveren bei Aachen stationiert sind, soll spätestens 1986/87 beginnen. Schon am 15. April 1980 teilte Dr. Percy A. Pierre, ein Staatssekretär im US-Armeeministerium, einem Unterausschuß des Repräsentantenhauses mit, daß amerikanische Regierungsbeamte davon ausgingen, daß die Bundeswehr 72 Raketen einer einstufigen Pershing II mit verringerter Reichweite (bzw. Pershing IB) kaufe, und daß die Bundesregierung hierfür bereits Mittel bereitgestellt habe. Aus Haushaltsgründen ließ Verteidigungsminister Apel bei der Rüstungsklausur im März 1981 die Beschaffung der Pershing IB auf 1986/87 verschieben. Während das Bonner Verteidigungsministerium im Februar 1982 eine Meldung der »Frankfurter Rundschau«, die Bundesluftwaffe solle ab 1986 Pershing IB-Raketen erhalten, dementieren ließ, wies ein prominentes Mitglied des Verteidigungsausschusses des niederländischen Parlaments darauf hin, daß die US-Regierung für die neue Kurzstreckenrakete, die bei einer Reichweite von 800 Kilometern über eine Zielgenauigkeit von 30 Metern verfügen soll, bereits 216 Millionen Dollar für den Kauf der atomaren Sprengköpfe für die Pershing IB bereitgestellt haben. Der Leiter der nuklearen und chemischen Waffenabteilung im US-Armeeministerium, General Niles Fulwyler, gab auch offen zu, daß im Falle eines Erfolgs der Genfer INF-Gespräche Pershing IB- oder Pershing II-Raketen mit verringerter Reichweite stationiert würden, »wenn es uns nicht erlaubt werden sollte, die Mittelstreckenversion aufzustellen«.
Die von Befürwortern und Kritikern gleichermaßen als Wunderwaffe bezeichnete Pershing II zeigte 1982 zahlreiche politische und technische Probleme. Im März 1982 mußte Armeeminister John O. Marsh dem Kongreß eine Kostenerhöhung bei der Pershing II um 50 Prozent gegenüber dem Vorjahr eingestehen. Wegen zahlreicher technischer Probleme

Am 14. April 1983 führte die US-Army auf Cape Canaveral den 7. Testflug von 18 geplanten Testflügen mit der Pershing II-Rakete durch. Zahlreiche Flugtests scheiterten. Die Zahl der ursprünglich vorgesehenen Testversuche wurde von 28 auf 18 reduziert, um im Dezember 1983 ungeachtet der Testergebnisse mit der Stationierung beginnen zu können. Diese Absicht wurde inzwischen offiziell bestätigt. Foto: US-Air Force

mußte der erste Pershing II-Testflug mehrmals vom April 1982 auf Juli verschoben werden. Beim Jungfernflug, am 23. Juli 1982, auf dem NASA-Testgelände in Cape Canaveral in Florida begann die Rakete schon nach 17 Sekunden zu torkeln. Nach zwei spektakulären Überschlägen brach die Wunderwaffe auseinander und stürzte zu Boden. Rauchende Trümmer regneten auf das menschenleere Vorfeld der Raketenabschußbasis nieder. Die Spitze des Projektils flog noch ein Stück weiter und versank im Atlantik. Die Panne von womöglich »politischer Tragweite« (»Time-Magazine«) soll durch ein Versagen der ersten der beiden Startstufen ausgelöst worden sein. Auch der zweite von 18 vorgesehenen Tests mißlang. Beim dritten Test am 22. November 1982 wurde im Versuchsgelände von White Sands im US-Staat New Mexico die erhoffte Zielgenauigkeit nicht erreicht. Als auch der vierte Testflug nicht die Erwartungen der Militärs erfüllte, wurden am 22. Dezember 1982 alle weiteren Testflüge vorläufig eingestellt.

Der Bewilligungs-Unterausschuß des US-Repräsentantenhauses reagierte auf die »Hiobsbotschaften« mit einer Mittelsperre. »Es ist ein System, das einfach nicht funktioniert. Es hat immer nur Fehlschläge am laufenden Band erbracht«, begründete ein Ausschußmitglied die Entscheidung, zunächst 508 Millionen Dollar für die Produktion zu blockieren und nur 111 Millionen für weitere Forschungs- und Entwicklungsarbeiten zu bewilligen.

Erst Anfang 1983 nach fünf erfolgreichen Testversuchen, bei denen am 9. Februar eine Pershing II für etwa 1500 Kilometer eine Flugzeit von 11 Minuten benötigte, bewilligte ein Unterausschuß des Repräsentantenhauses in einem Nachtragshaushalt für 1983 478,6 Millionen Dollar für die Produktion der Pershing II. Die ursprünglichen Schätzungen über die Zielgenauigkeit der Pershing II mußten nach den ersten Testversuchen nach oben revidiert werden. Das Stockholmer Friedensforschungsinstitut SIPRI nahm 1983 eine 50prozentige Zielgenauigkeit von 40 Metern über eine Entfernung von 1800 Kilometern an. Damit wird die Zielgenauigkeit der Pershing II aber noch immer fünfmal so groß sein, wie sie die modernste amerikanische Interkontinentalrakete MX Ende der achtziger Jahre haben soll. Wegen der extrem kurzen Flugzeit von 6 bis 15 Minuten und der hohen Zielgenauigkeit eignet sich die Pershing II vor allem für punktzielgenaue selektive Schläge, wie sie in der neueren amerikanischen nuklearen Einsatzpolitik gefordert werden. In Krisenzeiten bzw. in einem bewaffneten Konflikt, bei dem amerikanische und sowjetische Truppen außerhalb Europas oder in Europa aufeinandertreffen, gibt es für die Sowjetunion nur eine Alternative, diese Waffe zu zerstören, bevor sie eingesetzt werden kann und für die USA sie einzusetzen, bevor sie durch die

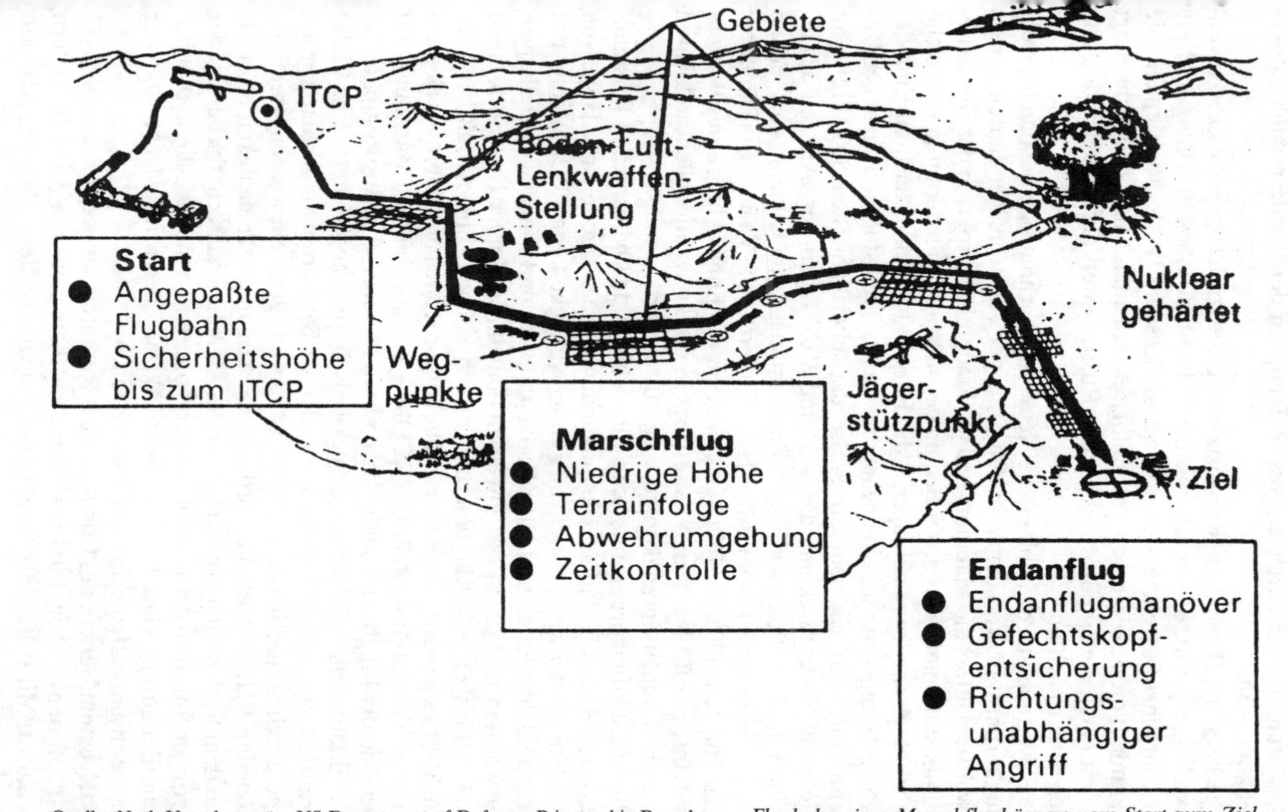

Quelle: Nach Unterlagen des US-Department of Defense, Privatarchiv Brauch

Flugbahn eines Marschflugkörpers vom Start zum Ziel.

Sowjetunion oder durch subversive Trupps in der Bundesrepublik ausgeschaltet wird.
Die Pershing II senkt die Krisenstabilität. Sie fordert gegnerische Präventivschläge geradezu heraus. Sie kann damit die Abschreckung und die Gefahr eines begrenzten Atomkriegs zunächst auf Westeuropa lenken. Sie veranlaßt die Sowjetunion, technologisch aufzuholen und sie beschleunigt damit einen neuen eurostrategischen Rüstungswettlauf zwischen den beiden Supermächten.
Die zweite militärtechnologische Neuerung zeichnet sich bei den Marschflugkörpern ab, von denen in den fünfziger und sechziger Jahren bereits zwei Vorläufer, die Matador- und die Mace-Flugkörper, in der Bundesrepublik stationiert waren. Zu Beginn der siebziger Jahre sorgten zahlreiche technologische Entwicklungen – die Entwicklung eines leichten Endphasensteuerungssystems, ein hochenergetischer Treibstoff und ein neuer Düsenmotor – für ein neues Interesse der amerikanischen Streitkräfte an dieser Weiterentwicklung der V-1- und V-2-Flugkörper. Als Teil des innenpolitischen Preises für die Zustimmung des Pentagon zum ersten SALT-Abkommen vom Mai 1972 forderte US-Verteidigungsminister Laird im Juni 1982 20 Millionen Dollar für die Entwicklung eines Waffensystems, das für Kurz- und Langstrecken mit konventionellen, nuklearen und chemischen Sprengköpfen ausgerüstet werden soll.
Die Marschflugkörper unterscheiden sich von den ballistischen Pershing-Raketen dadurch, daß sie wie unbemannte Flugzeuge in einer Höhe von 50 Metern oder weniger mit einer Geschwindigkeit von 885 Kilometer pro Stunde dahingleiten und allen Radarstationen und Flugabwehrstellungen ausweichen und damit fast unverwundbar ihr Ziel über eine Entfernung von 450 bis zu 8000 Kilometern erreichen können. Ihre Attraktivität für die Militärs gewannen die Marschflugkörper jedoch erst durch ihr elektronisches Navigationssystem (TERCOM – Terrain Contour Matching), mit dem sie die Flugbahn ständig korrigieren können. »Im Bordcomputer ist die Bodenwelligkeit der Flugstrecke als Impuls gespeichert. Ein Radar ermittelt die realen Daten, die mit den gespeicherten verglichen werden und durch Steuersignale in Übereinstimmung gebracht werden. Bei Flughöhen in Baumwipfelhöhe wird so eine extreme Zielgenauigkeit erreicht, die dem System in Verbindung mit der kleinen Radarechofläche und der geringen Infrarot-Abstrahlung eine revolutionäre militärische und politische Bedeutung verleiht«, mit diesen Worten beschrieb Mechtersheimer die zentrale waffentechnische Innovation.
Nach einem Bericht des Congressional Research Service vom Januar 1982 wird in den achtziger Jahren eine Zielgenauigkeit von 3 bis 10 Metern erwartet. Mit Hilfe eines Satelliten-Navigationssystems (NAVSTAR) sol-

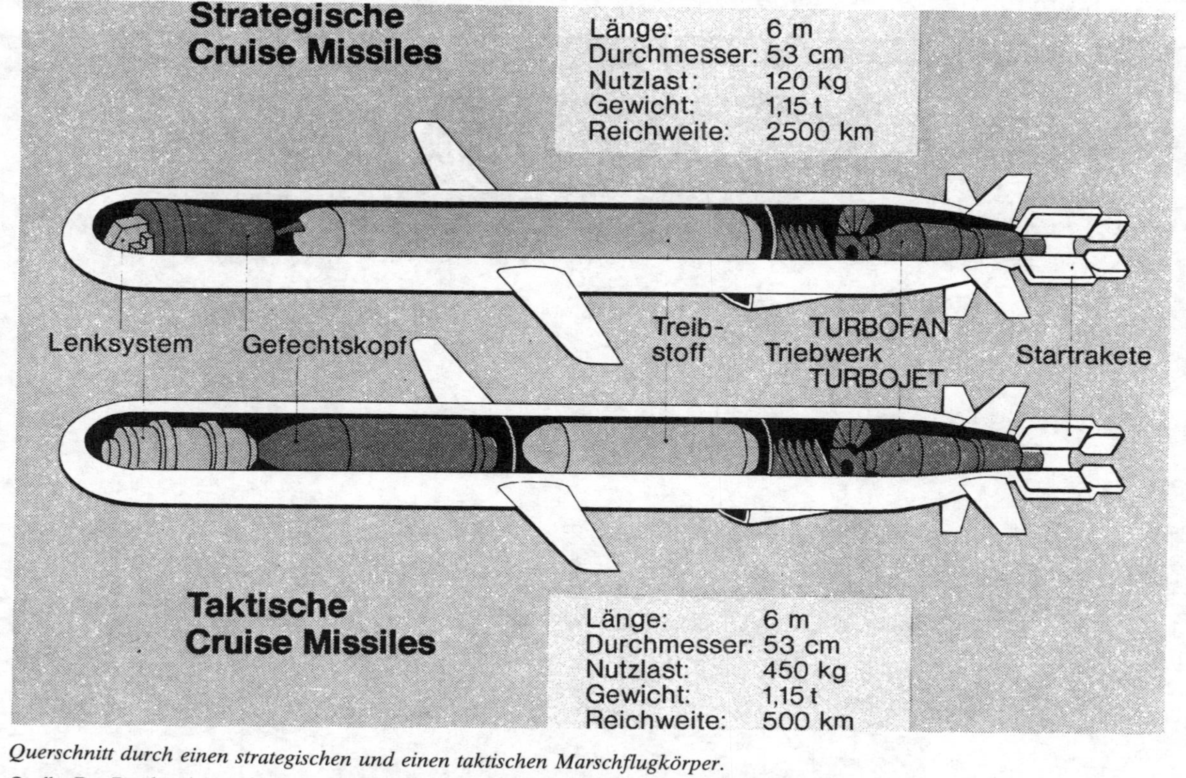

Querschnitt durch einen strategischen und einen taktischen Marschflugkörper.

Quelle: Der Bundesminister der Verteidigung (Hrsg.): Weißbuch 1979, Zur Sicherheit der Bundesrepublik Deutschland und zur Entwicklung der Bundeswehr, Bonn 1979, S. 103.

Ein landgestützter Marschflugkörper bei einem Testversuch am 18. Mai 1982.

Foto: US-Department of Defense

len die Marschflugkörper in einigen Jahren auch punktgenau gegen bewegliche Ziele eingesetzt werden können.
Die moderne amerikanische Marschflugkörperfamilie zählte 1983 bereits acht Mitglieder, von denen bis Ende der achtziger Jahre etwa 10 000 als land- (Ground Launched Cruise Missiles – GLCM), see- (Sea Launched Cruise Missiles – SLCM) und luftgestützte (Air Launched Cruise Missiles – ALCM) eingeführt werden sollen. Nach Schätzungen aus dem Jahre 1983 werden diese 10 000 Systeme ca. 75 Milliarden DM kosten. Nach einem Bericht der Arms Control Association, der angesehenen Rüstungskontrollgesellschaft in Washington, vom Mai 1983 gehen einige amerikanische Schätzungen davon aus, daß die USA insgesamt bis zu 30 000 Marschflugkörper zu Beschaffungskosten in Höhe von 60 Milliarden US-Dollar oder 150 Milliarden DM herstellen könnten.
Zwei amerikanische Rüstungskonzerne teilen sich gegenwärtig den Markt als wichtigste Auftragnehmer des Pentagon: *General Dynamics* ist für die Entwicklung der Tomahawk-Familie verantwortlich, von denen drei von der US-Marine und eines von der amerikanischen Luftwaffe in Dienst gestellt werden sollen; und *Boeing* produziert gegenwärtig monatlich 40 luftgestützte Marschflugkörper für die Luftwaffe, die seit dem 16. Dezember 1982 eingeführt werden.
Bis zum Jahre 1985 sollen 105 B-52-G-Interkontinentalbomber mit je 12 ALCM und bis 1990 96 B-52-H-Bomber mit maximal je 20 ALCM ausgerüstet werden. Nach den Bestimmungen des SALT-Vertrages dürfte ein Nachfolge-Bomber sogar jeweils bis zu 28 Marschflugkörper mit je einem Sprengkopf tragen.
Bei der amerikanischen Marine stehen ab September 1983 drei Tomahawk-Prototypen zur Einführung an, die nach Länge, Spannweite, Durchmesser, Gewicht, Geschwindigkeit und Antrieb identisch und damit für einen Gegner nicht mehr unterscheidbar sind: ein Marschflugkörper, der vor allem gegen Schiffe einen konventionellen Sprengkopf tragen soll (BGM-109B) und zwei, die vor allem gegen Landziele einen konventionellen Sprengkopf (BGM-109C) ca. 1500 Kilometer und einen nuklearen Sprengkopf (BGM-109A) ca. 2500 Kilometer tragen sollen. Von diesen drei Versionen beabsichtigt das Pentagon in den achtziger Jahren 4068 SLCMs einzuführen.
Im NATO-Doppelbeschluß wird die Einführung von bis zu 464 landgestützten Marschflugkörpern (BGM-109G), von denen bereits 565 in Auftrag gegeben wurden, im Falle des voraussichtlichen Scheiterns der Genfer nuklearen Mittelstreckensysteme vorgesehen. Es handelt sich dabei um eine modifizierte Tomahawk-Rakete, die neben denselben Systemkriterien auch dieselbe Reichweite wie die seegestützte Version (BGM-109A)

besitzt. In den achtziger Jahren soll die Reichweite der GLCM sogar auf bis zu 3200 oder gar 3700 Kilometer ausgedehnt werden.
Eine Cruise-Missile-Batterie verfügt über vier geländegängige sechsachsige Fahrzeuge, von denen jedes vier Marschflugkörper transportiert, und über zwei Feuerleitfahrzeuge. Das 35 Tonnen schwere Fahrzeug kann auch von amerikanischen Transportflugzeugen vom Typ C-130 Hercules, C-141B-Starlifter und C-5 Galaxy über weite Strecken transportiert werden. Wegen der relativ langen Flugzeit der landgestützten Marschflugkörper von zwei bis drei Stunden sollen vor allem nicht bewegliche Ziele: Stützpunkte, Marinebasen und Luftabwehrstellungen mit dem Sprengkopf W-84, der über eine variable Sprengkraft von bis zu 200 KT besitzen soll, angeflogen werden.
Die ersten landgestützten Marschflugkörper werden im Dezember 1983 in Großbritannien und Anfang 1984 in Italien eingeführt. Bis zum Ende des Haushaltsjahres 1985 sollen 160 Marschflugkörper und bis Ende 1988 alle 464 Marschflugkörper in Europa stationiert sein, davon allein 96 in der Bundesrepublik Deutschland.
Sind die beiden Waffensysteme des NATO-Doppelbeschlusses eine direkte Antwort auf die sowjetische SS-20 oder sind sie das Ergebnis einer eigenständigen waffentechnologischen Entwicklung und einer neuen daraus abgeleiteten amerikanischen Nuklearzielplanung? Machen die Waffen der Nachrüstung den Frieden in Europa sicherer?
»Im Laufe der Jahre hat der Warschauer Pakt ein großes und ständig weiterwachsendes Potential von Nuklearsystemen entwickelt«, mit diesen Worten begründet der NATO-Doppelbeschluß vom 12. Dezember 1983 die NATO-»Nachrüstung«, »das Westeuropa unmittelbar bedroht und eine strategische Bedeutung für das Bündnis in Europa hat. Die Lage hat sich innerhalb der letzten Jahre in besonderem Maße durch die sowjetischen Entscheidungen verschärft, Programme zur substantiellen Modernisierung und Verstärkung ihrer weitreichenden Nuklearsysteme durchzuführen. Insbesondere hat die Sowjetunion die SS-20-Rakete disloziert, die durch größere Treffgenauigkeit, Beweglichkeit und Reichweite sowie durch die Ausrüstung mit Mehrfachsprengköpfen eine bedeutende Verbesserung gegenüber früheren Systemen darstellt, und sie hat den ›Backfire-Bomber‹ eingeführt, der wesentlich leistungsfähiger ist als andere sowjetische Flugzeuge, die bisher für kontinentalstrategische Aufgaben vorgesehen waren.«
Diese offizielle Begründung der Bundesregierung und der NATO wurde aber von führenden amerikanischen Experten, wie z. B. dem ehemaligen SALT-II-Unterhändler, Paul C. Warnke, bezweifelt:
»Die Pershing II wird von den Sowjets naturgemäß als eine Bedrohung

Abschuß eines luftgestützten Marschflugkörpers (ALCM) von einer B-52 über dem Wasser mit dem Ziel, das Versuchs- und Ausbildungsgelände im Staate Utah zu erreichen. Ein F 4E Phantom-Verfolgungsflugzeug im Vordergrund. 7. Januar 1982. Foto: US-Department of Defense

ihrer Befehls- und Kontrollstrukturen betrachtet. Das Problem ist«, erzählte der ehemalige Staatssekretär im Pentagon dem Pacifica Radio, »daß alles, was die Fähigkeit der anderen Seite, über eine überlebensfähige nukleare Vergeltungsstreitmacht zu verfügen, bedroht, zugleich die Sicherheit derjenigen gefährdet, die die entsprechenden Waffen zur Bedrohung dieser Überlebensfähigkeit anhäufen. Das Problem mit der Pershing II ist, daß sie eine sehr kurze Flugzeit hat, ungefähr 6 Minuten vom Startpunkt in Westdeutschland bis zur Zerstörung sowjetischer Ziele. Das wird von den Sowjets naturgemäß als eine Bedrohung betrachtet, die sich hauptsächlich gegen ihre Befehls- und Kontrollstruktur richtet. Deshalb werden die landgestützten Cruise Missiles und die Pershing II Westeuropa meiner Meinung nach nicht sicherer machen. Ich denke«, faßte der ehemalige SALT-II-Chefunterhändler Präsident Carters seine skeptische Bewertung zusammen, »daß sie es weniger sicher machen werden.«
John Steinbruner, der Direktor des Foreign Studies Program der Brookings Institution, der sich eingehend mit Fragen der Verwundbarkeit der amerikanischen Befehls- und Kontrollstruktur befaßte, erläuterte die Probleme, welche die Pershing II für die sowjetischen Befehlszentralen aufwerfen:
»Von Stationierungsorten in Westeuropa aus hat die Pershing II eine sehr kurze Flugzeit in die Sowjetunion, verglichen mit den Interkontinentalraketen. Die Angaben sind nicht einheitlich, aber nach dem Flugprofil der Pershing II würde die Sowjetunion wahrscheinlich nur 6 bis 8 Minuten Warnzeit erhalten, und dies ist nicht genug Zeit, um noch viel damit anfangen zu können. Und wenn Sie sich vorstellen, daß die Pershing II eine größere Reichweite erhält, als für die gegenwärtige Version geplant ist, dann könnte sie große Teile des zentralen Befehlssystems der Sowjetunion angreifen. Diese Grundtatsachen bedeuten, daß die Pershing II die Sowjets eben allein aufgrund der Beschaffenheit dieser Rakete einer Bedrohung aussetzt, die nach Einschätzung der Sowjets ihre zentralen Befehlssysteme präemptiv ausschalten könnte. Und diese sind der verletzlichste Punkt. In diesem Sinne vermittelt die Pershing II den Eindruck, daß sie als Speerspitze eines präemptiven Angriffs eingesetzt werden oder vorgesehen sein könnte. Sie ist deshalb vom sowjetischen Gesichtspunkt aus eine ganz besonders bedrohliche Waffe. Die Pershing II wirkt nicht nur in der von mir beschriebenen Weise provokativ«, setzte Steinbruner seine kritischen Anmerkungen fort, »sie ist auch in hohem Grade verwundbar, bevor sie abgeschossen wird. Und wenn in der strategischen Theorie irgend etwas gewiß ist, dann die Erkenntnis, daß ein Waffensystem, das bei seinem Einsatz sehr zerstörerisch und einem Präemptivschlag gegenüber sehr verwundbar ist, destabilisierend wirkt. Die Pershing

II ist unter unseren derzeitigen Waffensystemen wahrscheinlich das schlimmste Einzelbeispiel einer Waffe, die diese Prinzipien verletzt.«
»Wenn ich in der Sowjetunion wäre«, versuchte sich der ehemalige stellvertretende US-Luftwaffenminister Townsend Hoopes in einem Gespräch mit Konrad Ege in die sowjetische Lage zu versetzen, »würde ich zweifellos empfinden, daß die Stationierung der Pershing II in Westeuropa eine zusätzliche Bedrohung der territorialen Integrität meines Landes darstellt. Ich wäre beunruhigt.«
Während die Pershing II im Rahmen der neuen amerikanischen Nukleardoktrin eine punktzielgenaue Ersteinsatzwaffe darstellt, sollen die Marschflugkörper bei einem Versagen der Abschreckung verstärkt für konventionelle Aufgaben verfügbar werden. »Bei einer nuklearen Eskalation in der zweiten Phase der Auseinandersetzung«, so urteilt die dem Bonner Verteidigungsministerium nahestehende Militärzeitschrift »Soldat und Technik«, »könnte eine Vielzahl dieser kostengünstigen Flugkörper abgefeuert werden und den sowjetischen Luftverteidigungsgürtel durchdringen.«
Die landgestützten Marschflugkörper haben vor allem eine politisch-psychologische Funktion. Ihre rein militärischen Aufgaben könnten ebensogut durch die seegestützten Marschflugkörper wahrgenommen werden. Anfang 1981 hatten die Vereinigten Stabschefs die seegestützten Marschflugkörper den landgestützten vergleichbar bezeichnet. Donald Cotter, der von 1973 bis 1978 als Staatssekretär für Fragen der Atomenergie im Pentagon tätig war, schlug im Frühjahr 1981 in der konservativen Militärzeitschrift Strategic Review vor, den weit höheren Bedarf an nuklearen Mittelstreckensystemen in Europa durch die einseitige Einführung von seegestützten Marschflugkörpern zu decken, die auf Jagd-U-Booten und Überwasserschiffen in den europäischen Gewässern stationiert werden sollten.
Der Frankfurter Friedensforscher Gert Krell wies in seiner Studie über den Rüstungswettlauf in Europa darauf hin, daß die »Nachrüstungs-Waffen der NATO im Bereich der regionalen Nuklearstreitkräfte« nicht die einzigen Projekte sind.
»Die NATO modernisiert ihre nuklearfähige Artillerie und ihre Kurzstrekkenraketen (Lance) und entwickelt neue Sprengköpfe (u. a. die Neutronenwaffe). Sie hat in der zweiten Hälfte der siebziger Jahre annähernd 100 neue schwere Jagdbomber F-111 nach Großbritannien verlegt und weitere Poseidon-Sprengköpfe SACEUR zugeordnet. Außerdem werden die meisten neuen Kampfflugzeuge so ausgerüstet, daß sie nuklearfähig sind. Die NATO wird in den achtziger Jahren u. a. den Starfighter (F-104) und die Phantom (F-4) durch den Tornado und die F-16 ablösen, auf den Flug-

zeugträgern die F-18 einführen. Damit werden verschiedene Leistungsparameter ›verbessert‹.«
Aus sowjetischer Sicht stelle außerdem die Modernisierung der Nuklearwaffen der Volksrepublik China, Frankreichs und Großbritanniens, die in den siebziger Jahren im SALT-Prozeß nicht berücksichtigt wurden, eine Herausforderung dar. Gert Krell kommentiert diese Entwicklung so: »Im Mai 1980 hat China eine neue ICBM (Reichweite über 13 000 km, doppelt so weit wie ihr Vorläufer) getestet, die bald darauf einsetzbar sein sollte. Frankreich hat im Dezember 1980 seine erste SLBM mit Mehrfachsprengköpfen getestet. Großbritannien hat im Juli 1980 angekündigt, es wolle amerikanische Trident-SLBMs mit Mehrfachsprengköpfen erwerben, um seine Polaris-Raketen zu ersetzen. Frankreich hat 1980 sein fünftes U-Boot in Dienst gestellt, das sechste wird für Mitte der achtziger Jahre erwartet. Die Ausstattung der U-Boot-Flotte mit vermirvten Raketen (nach neueren Erkenntnissen vorerst nur mit MRV) mit größerer Reichweite soll zwischen 1982 und 1989 erfolgen. Damit wird die Zahl der französischen Nuklearsprengköpfe auf den U-Booten eine Gesamtzahl zwischen 600 und 700 erreichen. Frankreich wird Anfang der achtziger Jahre die Reichweite und die Sprengkraftwerte seiner landgestützten IRBMs erhöhen. Auch die landgestützte nukleare Komponente wird modernisiert.«
Dieses Gesamtspektrum der nuklearen Modernisierungsprogramme und die amerikanischen Entscheidungen, 5515 luftgestützte und 4068 seegestützte Marschflugkörper bis Ende der achtziger Jahre zu produzieren, muß in eine Gesamtbewertung einbezogen werden. Im Juli 1978 zitierte Adalbert Bärwolf in der »Welt« den Staatssekretär für militärische Forschung im Pentagon, William Perry, daß die Sowjets als Antwort auf die damals geplanten 3000 bis 4000 ALCM, 500 bis 1000 Raketenabwehrstellungen aufbauen müßten. »Diese Stellungen müßten mit 5000 bis 10 000 der neuen sowjetischen Boden-Luft-Waffen SA-10 bestückt werden. Dieses Projekt allein, das Moskau Mitte der achtziger Jahre verwirklichen könnte, würde umgerechnet wenigstens 40 bis 60 Milliarden Mark verschlingen.« Außerdem müßten die Sowjets 100 Frühwarn- und Jagdflugzeuge bauen, was weitere 20 Milliarden Mark kosten würde. »Kostenmäßig hat die Offensive mit den Cruise Missiles«, beschloß Bärwolf seinen Korrespondentenbericht aus Los Angeles, »einen gewaltigen Vorteil gegenüber der Defensive.«
Diese kostengünstige Offensivwaffe hat jedoch zahlreiche Nachteile, sie macht die westeuropäischen Stationierungsländer, aber vornehmlich die Bundesrepublik Deutschland zu einem idealen Zielgebiet für sowjetische Präventivschläge. Die für das Überleben beider Nachrüstungswaffen er-

forderliche Beweglichkeit auf den Landstraßen macht sie zu einem idealen Zielobjekt für subversive Operationen. Die Nichteinbeziehung der nuklearen Systeme der Drittstaaten und der über 10 000 geplanten luft- und seegestützten Marschflugkörper in das amerikanisch-sowjetische Raketenpoker läßt bei einer Fortschreibung der Verhandlungsposition der amerikanischen Bundesregierung an den beiden Genfer Verhandlungstischen für Mittelstreckensysteme (INF) und strategische Waffen (START) keinen Durchbruch erwarten. Wird Europa, vor allem wird sich die Bundesrepublik Ende dieses Jahrzehnts sicherer fühlen können, wenn die Sowjetunion ihre eigenen »nadelstichgenauen« Marschflugkörper und ballistischen Kurz- und Mittelstreckensysteme einführt? Macht die destabilisierende Rüstungsentwicklung in West und Ost Europa nicht zum idealen »Schießplatz der Supermächte« für einen Sieg in einem begrenzten Atomkrieg?

Teil III

Die politische Gnadenfrist vor der Stationierung: Eine vertane Chance der Rüstungskontrolle

6. KAPITEL

Die Formierung des Widerstandes: Friedensbewegung in beiden deutschen Staaten

»Gemeinsam sprechen sie heute im Bewußtsein ihrer gemeinsamen Betroffenheit und Schuld. An der Nahtstelle zweier Weltsysteme bekennen sie sich gemeinsam zu ihrer besonderen Verantwortung für den Frieden.« Mit diesen Worten begann das »Wort zum Frieden«, das erstmals nach der institutionellen Kirchentrennung im Jahre 1969 der Bund der Evangelischen Kirchen in der DDR und die Evangelische Kirche in Deutschland (EKD) am 1. September 1979, zum 40. Jahrestag des Beginns des Zweiten Weltkriegs, gemeinsam herausgaben und das von den Kanzeln in beiden deutschen Staaten verlesen wurde. Unter Bezugnahme auf das Stuttgarter Schuldbekenntnis wendet sich dann das Kirchenwort der Nachkriegszeit zu: »1945 haben Unzählige geschworen: Nie wieder Krieg. Heute muß dieser Ruf bekräftigt werden, nicht nur mit leidenschaftlichem Herzen, auch mit besonnenem Verstand. Die Arbeit für eine Friedensordnung, die Vertrauen wachsen läßt und den Völkern Sicherheit gewährt, in der Konflikte zwischen den Staaten ohne militärische Drohung und ohne Anwendung von Gewalt ausgetragen werden, erfordert Nüchternheit, Geduld und Mut. Den Christen und Kirchen in den beiden deutschen Staaten ist es besonders aufgetragen, an der Vertiefung der Entspannungspolitik mitzuarbeiten, für die die Schlußakte von Helsinki ein Zeichen der Hoffnung ist.«

»In diesem einen wenigstens sind sich die beiden deutschen Staaten einig«, begann Bischof Albrecht Schönherr, einer der Initiatoren der ersten gesamtdeutschen Stellungnahme in einem Jahrzehnt, seinen Festvortrag im badischen Rastatt, zu dem die Gustav-Heinemann-Initiative zum Verfassungstag im Mai 1982 eingeladen hatte, um über »Frieden – Aufgabe der Deutschen« zu diskutieren. »Dies eine wenigstens sprechen ihre Repräsentanten gemeinsam aus: Kein Krieg mehr von deutschem Boden! So Helmut Schmidt und Erich Honecker zuletzt nach dem Gespräch am Werbellinsee in der Mark Brandenburg im letzten Dezember . . . ›Kein Krieg von deutschem Boden‹ – das legt fest: Es gibt nichts zwischen den beiden deutschen Staaten, das Vorrang hätte vor der Verpflichtung, den Frieden

zu halten und zu festigen. Das ist eine Erkenntnis, die erst mit dem Aufkommen der Atomwaffen gewonnen wurde ... Über allem, was uns gemeinsam betrifft, ist die Aufgabe, den Frieden zu erhalten und zu befestigen, die wichtigste ... Was den Frieden destabilisiert, darf nicht geschehen. Dies können die anderen Völker nach den Opfern von 50 Millionen Menschen, das wir Deutschen verursacht haben, von uns erwarten.«
Der ehemalige Vorsitzende der Konferenz der Evangelischen Kirchenleitungen in der DDR beschrieb dann in ethischen Kategorien »die Gemeinschaft der Deutschen in den beiden deutschen Staaten als Haftungsgemeinschaft, als Verantwortungsgemeinschaft und als Hoffnungsgemeinschaft«.
Die Verantwortungsgemeinschaft der beiden deutschen Staaten an der »Nahtstelle zwischen den beiden Militärblöcken« verlange von beiden, »beharrlich nach Feldern des Einvernehmens zu suchen und diese Inseln im Meer der Mißverständnisse und Spannungen mit Phantasie und Geduld beständig zu vergrößern ... Gerade die Verhandlungen über die Mittelstreckenraketen verfolgen wir mit größter Sorge«, mit diesen Worten sprach Altbischof Schönherr ein Thema an, das seit dem NATO-Doppelbeschluß die Friedensdiskussion in den Kirchengemeinden bestimmte, »weil die immer kürzer werdenden Flugzeiten vernünftige menschliche Reaktionen immer unmöglicher machen und die Entscheidungen dem Computer überlassen. Hingegen scheint in der Diskussion um atomwaffenfreie Zonen ein guter Ansatz zu liegen: Wird der Gedanke von einigen Staaten ernsthaft aufgegriffen und führt er zu Resultaten, könnte das Sogwirkung in Richtung auf ein atomwaffenfreies Mitteleuropa und später auf ganz Europa haben.«
Nach eingehenden Ausführungen zum deutsch-deutschen Sonderverhältnis kehrte Bischof Schönherr zur gemeinsamen Verantwortung für einen stabilen Frieden zurück: »Ich halte es für zwingend, daß Sicherheit heute im Atomzeitalter nur als *gemeinsame* Sicherheit bewahrt werden kann. Entweder wir denken miteinander und sind auch um die Sicherheit des anderen besorgt, oder wir kommen nicht mehr zum Denken, weil wir gemeinsam sterben.«
Die Tatsache, daß die Menschen in beiden Lagern »sensibler für die Fragen des Friedens und der Umwelt geworden sind, ist ein solches Zeichen der Hoffnung. Wir Christen müssen das Unsrige tun, daß diese Hoffnung nicht wieder in Resignation verkommt oder sich auf die Abwege der Illusion begibt oder gar zum Opfer von Verführern wird.«
Die Sorge um den Frieden und das deutsch-deutsche Verhältnis bei einer weiteren Spirale des Wettrüstens veranlaßte nicht nur die Kirchen in beiden deutschen Staaten zu eindringlichen Appellen an die Politiker, son-

dern auch die Physiker, die mit ihrer Arbeit die Grundlagen des Atomzeitalters legten.
Innerhalb von drei Wochen meldeten sich im Spätherbst 1979 vor dem Brüsseler Raketenbeschluß zwei führende Physiker und Philosophen aus beiden deutschen Staaten zu Wort: Carl Friedrich von Weizsäcker, der ehemalige Assistent Werner Heisenbergs, Mitverfasser der Göttinger Erklärung der 18 Atomwissenschaftler vom 12. April 1957 und einer der Autoren der eingangs zitierten Heidelberger Thesen und Robert Havemann, der 1943 von Hitlers Volksgerichtshof zum Tode verurteilt wurde und im Zuchthaus Brandenburg zusammen mit Erich Honecker das Ende des Zweiten Weltkriegs überlebte und 1964 wegen seiner systemkritischen Vorlesungen seinen Lehrstuhl für physikalische Chemie an der Ost-Berliner Humboldt-Universität verlor.
»Taktische Atomwaffen haben die zerstörerische Wirkung normaler Atomwaffen . . . Für die Entwicklungsmöglichkeit der lebensausrottenden Wirkung der strategischen Atomwaffen ist keine natürliche Grenze bekannt«, mit dieser Feststellung hatten die 18 deutschen Atomwissenschaftler ihre Sorge über die atomare Bewaffnung der Bundeswehr 1957 zum Ausdruck gebracht und davor gewarnt, den Frieden und die Freiheit durch die Angst vor der Wasserstoffbombe zu sichern. »Wir halten aber diese Art, den Frieden und die Freiheit zu sichern, auf die Dauer für unzuverlässig, und wir halten die Gefahr im Falle des Versagens für tödlich . . . Für unser kleines Land«, empfahlen u. a. M. Born, W. Heisenberg, Max v. Laue, Heinz Maier-Leibnitz, Fritz Strassmann und C. F. v. Weizsäcker, wäre es am besten, »wenn es ausdrücklich und freiwillig auf den Besitz von Atomwaffen jeder Art verzichtet. Jedenfalls wäre keiner der Unterzeichner bereit, sich an der Herstellung, der Erprobung oder dem Einsatz von Atomwaffen in irgendeiner Weise zu beteiligen.«
Zweiundzwanzig Jahre nach der Göttinger Erklärung und nach dem ersten NATO-Beschluß, nukleare Mittelstreckensysteme in Europa einzuführen, schrieb der Starnberger Friedensforscher von Weizsäcker am 16. November 1979 in der »ZEIT« über die »europäische Rüstungsgefahr der achtziger Jahre«:
Die Strategie der Abschreckung, die vom Gebrauch der Atomwaffen abzuschrecken versuche, sei an zwei aneinanderstoßende Grenzen geraten: eine moralische und eine technische: »Die moralische Grenze: Die Strategie gegenseitiger Abschreckung verkehrt die mühsam errungene klassische Kriegsethik in ihr Gegenteil. Sie bedroht in erster Linie nicht die gegnerischen Kombattanten, sondern sie nimmt die gegnerische Bevölkerung als Geisel. Unter dem Schutz dieser Drohung leben wir heute noch . . . Die technische Grenze: Das erreichte und in SALT II festge-

schriebene Gleichgewicht der strategischen Kernwaffen bedeutet faktisch
daß diese Waffen sich gegenseitig nur vor ihrem eigenen Einsatz abschrek
ken.« Angesichts der Gefahren der Abschreckung in den achtziger Jahren
schlug Carl Friedrich von Weizsäcker einen Rüstungskontrollvertrag vor
der »in Europa vom Atlantik bis zum Ural ein echtes Gleichgewicht von
Waffensystemen« unter Berücksichtigung zweier Kriterien schaffen
müsse: »kein Anreiz zu erneutem Wettrüsten und keine gegenseitige
Selbstmorddrohung«. Dieser Vertrag sollte drei Komponenten enthalten
»hinreichende freie Inspektion, drastische Einschränkung der nuklearen
Waffen und ein Gleichgewicht der konventionellen Waffen«. Für den Fall
daß die Rüstungskontrollbemühungen scheiterten, sollte der Westen gleich
zeitig eigene Rüstungsschritte vorbereiten, die denselben Kriterien folgen
sollten: »möglichst wenig Anreiz zum Wettrüsten, keine selbstmörderi
sche Drohung«. Keine ideale, aber eine mögliche Antwort sah der ehe
malige Direktor des Max-Planck-Instituts zur Erforschung der Lebensbe
dingungen der wissenschaftlich-technischen Welt in Starnberg, bei »seege
stützten Mittelstreckenraketen großer Reichweite«. Die Aufstellung land
gestützter Mittelstreckensysteme, »welche die Sowjetunion erreichen können, auf dem Boden west- und mitteleuropäischer Länder bedeutet die
Androhung eines auf europäisches Land begrenzten Nuklearkriegs. Im
Krisenfall wären diese Waffen«, versuchte von Weizsäcker die Bonner
Politiker vergeblich umzustimmen, »das natürliche Ziel eines ersten, verwüstenden russischen Schlags. Das Bedürfnis, solche Krisen zu vermeiden, würde Europa von Erpressung abhängiger machen. Der Plan ist mit
dem Kriterium des Abbaus selbstmörderischer Drohungen unvereinbar.
Ihn zu beschließen, wäre ein schwerer Fehler.«
Drei Wochen später fragte Robert Havemann am 7. Dezember 1979 in der
»ZEIT«: »Hineinschlittern in den Untergang? Deutschlandfrage und
Atomrüstung«. Das bestehende strategische Patt zwischen den USA und
der Sowjetunion werde nicht länger bestehen, wenn die NATO mit den
neuen amerikanischen Mittelstreckenraketen in Europa ausgerüstet sein
wird. »Wenn es etwa wirklich nicht gelingen sollte, durch Verhandlungen
und Verträge die Installation dieser neuen Waffen zu verhindern«, warnte
der Ost-Berliner Dissident, »kann als letzte Möglichkeit für die Sowjetunion nur noch der vorherige nukleare Vernichtungsschlag übrigbleiben
. . . Wenn die US-Mittelstreckenraketen Pershing II und die Cruise Missiles in die Bundesrepublik gebracht werden, kann kein ernsthafter und
vernünftiger Politiker in der Sowjetunion die Hände in den Schoß legen
und darauf hoffen, daß nichts passiert. Mit dieser verantwortungslosen
Leichtgläubigkeit haben die Russen eine sehr schlechte Erfahrung gemacht, als sich Stalin auf die Vertragstreue Hitlers verließ. Es kostete

0 Millionen Tote. Auch die USA«, hob der aus der SED ausgeschlossene Havemann hervor, »haben den Beteuerungen des Biedermanns Chruchtschow keinen Glauben geschenkt, als er daran ging, sowjetische Raketen in Kuba zu stationieren.«

Als Folge des Zweiten Weltkriegs seien die beiden deutschen Staaten heute »die größten Militärbasen der beiden großen Rivalen USA und SU. Diese trotz aller Entspannungspolitik sich immer mehr verschärfende Konfrontation der militärischen Potentiale der beiden Großmächte hat zu der gegenwärtigen äußerst gefährlichen Zuspitzung geführt. Zum erstenmal kündigt sich das Ende des dreißigjährigen Friedens an und das Gespenst des atomaren Infernos erscheint auf der Bühne.«

Robert Havemann sah in der Stationierung der Pershing-II-Raketen und der Marschflugkörper »einen Weg in diese Katastrophe«. Und anknüpfend an Breschnews Ankündigung, 20 000 sowjetische Soldaten und 1000 Panzer aus der DDR abzuziehen, kam Havemann zu seiner deutschlandpolitischen Zukunftsvision: »Ich meine, dieser Vorschlag könnte radikal erweitert werden, indem der Abzug *aller* sowjetischen Truppen, *aller* Panzer und *allen* Kriegsmaterials, das unter sowjetischer Kontrolle steht, aus dem Gebiet der DDR vorgeschlagen wird, wenn gleichzeitig die USA bereit sind, auch ihrerseits alle ihre Truppen, Panzer, Flugzeuge und sonstiges Kriegsmaterial aus der BRD abzuziehen. Das Ergebnis wäre«, so hoffte der Ost-Berliner Systemkritiker, »das Ende der nuklearen Konfrontation der beiden Großmächte in Europa, eine enorme Verminderung der allgemeinen Kriegsgefahr, die Freisetzung großer Industriepotentiale, die jetzt in der Rüstung verschwendet werden, für friedliche Zwecke und schließlich und endlich das Ende der unglückseligen Nachkriegspolitik, die mit der Teilung und Spaltung Deutschlands begann und uns heute dicht an die atomare Vernichtung ganz Europas herangeführt hat. Deutschland würde wieder den Deutschen gehören.«

Die Kritik an dem NATO-Doppelbeschluß blieb jedoch nicht auf die Kirchen und die Atomphysiker beschränkt. Ein Kreis ehemaliger Bundeswehroffiziere, die von Weizsäckers Mitarbeiter Horst Afheldt in den siebziger Jahren gelegentlich zu Seminaren in Starnberg versammelte, teilte die Kritik, daß die Bundesrepublik mit Kernwaffen nicht verteidigt werden könne, allenfalls das Territorium vernichtet würde. Ende 1979 veröffentlichte Alfred Mechtersheimer, ein ehemaliger Oberstleutnant der Luftwaffe und seit Anfang 1979 Afheldts Mitstreiter, ein Thesenpapier »Modernisierung gegen Sicherheit – Zur Stationierung amerikanischer Mittelstreckensysteme in der Bundesrepublik Deutschland«, in dem er die westliche Übertreibung gegenüber der sowjetischen SS-20 offenlegte und die militärische Funktion der Nachrüstungswaffen diskutierte. »Im Falle

eines atomaren Überraschungsschlages durch die Sowjetunion«, warnte das ehemalige CSU-Mitglied Mechtersheimer, »werden die Pershing-II-Raketen und Cruise Missiles die wichtigsten Ziele der sowjetischen Angriffskapazitäten in Europa sein . . . Die ›Europäisierung‹ eines Ost-West-Krieges könnte wegen der militärischen und geographischen Chancenungleichheit zwischen Westeuropa und dem sowjetischen Bereich für die UdSSR bei einer Notlage in die Nähe des kalkulierbaren Risikos rücken. Dieser Krieg aber wäre für Westeuropa und vor allem für die Bundesrepublik«, stellte der Starnberger Stratege in Übereinstimmung mit dem Ost-Berliner Systemkritiker Havemann fest, »der Holocaust . . . Das auffällige amerikanische Interesse an der Stationierung der amerikanischen Atomwaffen gerade in der Bundesrepublik hat auch außenpolitische Gründe . . . Die atomare Einbindung der Bundesrepublik hat sich in der Vergangenheit stets als Garantie für den USA-Einfluß auf das Bündnis erwiesen. Der Stationierungsbeschluß soll also auch eine Maßnahme zur Verbesserung der angeschlagenen weltpolitischen Position der USA sein, wobei gleichzeitig eine Verlagerung des Atomkriegsrisikos von den USA auf Europa begünstigt würde.«
In Übereinstimmung mit Carl Friedrich von Weizsäcker deutete Mechtersheimer im November 1979 einen Ausweg an: »Das akute Problem ist heute der Zugzwang, in den sich die NATO durch die von ihr propagierte ›Raketenlücke‹ gebracht hat. Ein genereller Verzicht auf einen Rüstungsschritt könnte das westliche Bündnis, insbesondere die deutsch-amerikanischen Beziehungen belasten. In dieser Situation würden durch eine maßvolle Verstärkung der vorhandenen see- und luftgestützten Systeme der USA (SACEUR-U-Boote und F-111-Flugzeuge in Großbritannien) die gravierenden Konsequenzen begrenzt werden.« Der Starnberger Militärexperte schloß seine Kritik an dem NATO-Doppelbeschluß mit der Bemerkung: »Gerade in einer Phase, in der durch weltweite Probleme der Ost-West-Konflikt an realer Bedeutung verliert, wird durch einen rüstungspolitischen Schritt eine politische Konfrontation begünstigt, deren Anlaß selbst in den härtesten Phasen des Kalten Krieges vermieden werden konnte. Es ist nicht zu erkennen, weshalb sich die Bundesrepublik für diese drohende Verschärfung, deren Folgen sie mehr als jedes andere Land treffen würden, mitverantwortlich machen soll. Die sogenannte Modernisierung dient nicht der militärischen Sicherheit, sie schadet ihr. Selten hat es eine Rüstungsmaßnahme des Westens gegeben, die so eindeutig mit einer am Frieden orientierten Außenpolitik unvereinbar ist.«
Einen Monat nach dem NATO-Doppelbeschluß schickte am 16. Januar 1980 ein Divisionskommandeur aus dem fränkischen Veitshöchheim ein Gesuch an Verteidigungsminister Hans Apel, in dem er um vorzeitige

Pensionierung bat. Generalmajor Gert Bastian legte diesem Gesuch ein Acht-Seiten-Memorandum bei: »Warum ich die Nachrüstung ablehne«, in dem er seine Bedenken gegen den NATO-Doppelbeschluß zusammenfaßte, die ihm bei vielen Spaziergängen auf dem Höhenweg über den Weinbergen im fränkischen Margretshöchheim am Main gekommen waren.

»Tatsächlich gibt es Gründe«, begann der Kommandeur der 12. Panzerdivision unter Hinweis auf die unterschiedlichen Bedrohungsanalysen innerhalb der NATO, »das sowjetische Modernisierungsprogramm nicht als grundsätzliche neue Bedrohung mit einem daraus resultierenden Zwang zu eignen Aktivitäten anzusehen.« Wie auch Mechtersheimer, so bezweifelte auch das ehemalige CSU-Mitglied und der spätere Abgeordnete der Grünen Bastian, ob die durch den NATO-Doppelbeschluß eingeleitete »viel bedeutsamere Neuverteilung der Fähigkeiten und Risiken im nuklearen Spektrum sowohl innerhalb des Bündnisses als auch zwischen den Supermächten . . . wirklich im Interesse der Europäer, vor allem aber im Interesse der Deutschen liegen kann«. Für Bastian setzte die Glaubwürdigkeit der Abschreckung nicht eine Gleichartigkeit der verfügbaren Kriegsmittel, sondern die Gleichwertigkeit der erzielbaren Wirkungen voraus. Für ihn sei es deshalb nicht einsehbar, teilte der Divisionskommandeur dem Minister seine »Glaubwürdigkeitslücke« mit, »weshalb die Modernisierung des sowjetischen Mittelstreckenpotentials hinsichtlich Reichweite, Zielgenauigkeit, Mehrfachwirkung und Mobilität der Systeme hieran etwas ändern sollte . . . Alle nuklearen Potentiale der Sowjetunion«, stellte General Bastian in Übereinstimmung mit einer späteren Studie des RAND-Mitarbeiters Kewin Lewis im »Spektrum der Wissenschaft« fest, »können auch in Zukunft vom land-, luft- und seegestützten strategischen Nuklearpotential der USA neutralisiert werden«. Unter Bezugnahme auf die amerikanische Reaktion auf Chruschtschows Versuch, 1962 auf Kuba sowjetische Raketen zu stationieren, fragte der bereits im März 1979 in der Springer-Presse als »Wehners General« attakkierte Gert Bastian: »Heute nun soll dieselbe Sowjetunion die Stationierung nuklearer Mittelstreckenwaffen der USA gegenüber ihren lebenswichtigen Zentren nicht ebenfalls als Herausforderung empfinden? Soll sie vielmehr mit Gelassenheit auf eine sich abzeichnende Fähigkeit der USA reagieren, mit diesem nuklearen Potential – bei Reduzierung der Vorwarnzeit auf etwa ein Fünftel – in der westlichen UdSSR Zerstörungen von strategischer Bedeutung herbeizuführen?« Wie Mechtersheimer und Havemann nannte auch Bastian die Gefahr von Präemptionszwängen. »Die Wirksamkeit der Abschreckung«, warnte der Generalstäbler Bastian, »darf sich daher auch in Zukunft nicht auf eine erweiterte nukleare Rolle

der Europäer stützen. Sie muß vielmehr weiterhin durch die glaubwürdige Entschlossenheit der USA gewährleistet werden, ihr vorhandenes strategisches Arsenal wann und wie auch immer erforderlich auch zum Schutz der Verbündeten einzusetzen.« Entschieden wandte sich Bastian gegen Vorstellungen des Bundesaußenministers, in der Bundesrepublik bestünde ein Risikodefizit, das durch die Stationierung amerikanischer Mittelstreckenraketen – vornehmlich auf deutschem Boden – ausgeglichen werden könne. »Bei einem Versagen der Abschreckung würden zunächst einmal die Deutschen vom ersten Schuß an den Krieg im eigenen Land erleiden . . . Bei einer Neuverteilung der nuklearen Kapazitäten, wie sie am 12. Dezember 1979 in Brüssel beschlossen worden ist, wären die Überlebenschancen der Mitteleuropäer bei einem Versagen der Abschreckung allerdings noch geringer, nämlich gleich Null!« Durch die sowjetische Intervention in Afghanistan werde dieser Sachverhalt nicht verändert, vielmehr sei zu vermuten, »daß die NATO am 12. Dezember 1979 unnötig hoch gereizt und damit dem Kreml den letzten Entschluß erleichtert hat, angesichts einer als Herausforderung empfundenen Absichtserklärung des Westens die eigene Macht hemmungsloser einzusetzen, als es sonst vielleicht für zweckmäßig gehalten worden wäre«.
Am Tag nachdem der Generalmajor sein Schreiben an Verteidigungsminister Apel abgesandt hatte, erfuhr Gert Bastian am 17. Januar 1980 aus den 13-Uhr-Nachrichten, daß er von seinem Divisionskommando entbunden wurde. Fünf Monate später wurde seinem Wunsch auf vorzeitige Entlassung in den Ruhestand nachgegeben. Damit begann zugleich die Geschichte der beiden aus der Bundeswehr kommenden führenden Köpfe der Friedensbewegung: Mechtersheimer und Bastian, die seit 1980 in Großveranstaltungen Tausende Bundesbürger zu Kritikern des NATO-Doppelbeschlusses machten.
Dem gemeinsamen Kanzelwort der Bischöfe, den Warnungen der Kernphysiker aus beiden deutschen Staaten, dem Widerspruch eines aktiven und eines ehemaligen Bundeswehroffiziers folgte die wissenschaftliche Infragestellung durch die Friedensforscher aus der Bundesrepublik und den anderen NATO-Ländern. »Als Wissenschaftler aus verschiedenen westeuropäischen Ländern und aus den USA, die über Fragen der europäischen Sicherheit, der Verteidigung, der Rüstungskontrolle und der Abrüstung arbeiten«, begann der Amsterdamer Appell für ein nukleares Waffenmoratorium vom 11. November 1979, der im Anschluß an eine transatlantische Konferenz zur sowjetischen Bedrohung in West-Berlin von drei Teilnehmern, dem dänischen Journalisten Jørgen Dragsdahl, dem niederländischen Abrüstungsexperten Paul Rusman und dem Autor dieses Bandes verfaßt wurde, »sind wir besorgt über die ernste Gefahr:

- daß eine neue Phase des nuklearen Rüstungswettlaufs in Europa eintreten kann;
- daß Europa zu einer Abschußbasis für neue und komplexere Atomwaffen wird;
- daß ein begrenzter nuklearer Krieg eher vorstellbar und dadurch wahrscheinlicher werden kann;
- daß dies die Entspannung und die Zusammenarbeit in Europa untergräbt und zu einem neuen Kalten Krieg führt und
- daß Bemühungen, die soziale Gerechtigkeit zu erweitern, und die Einhaltung der Menschenrechte in Europa dadurch geschwächt werden.«

Die drei Verfasser erinnerten die betroffenen Regierungen an das Russell-Einstein-Manifest vom Juli 1955, in dem der britische Nobelpreisträger Lord Russell und der Atomphysiker Albert Einstein, unterstützt von einigen Nobelpreisträgern der Naturwissenschaften und Atomphysikern, die Wissenschaftler »in der tragischen Situation, vor der die Menschheit« nach der Entwicklung der Wasserstoffbombe stand, zu einer Konferenz aufforderten, »um die Gefahren zu prüfen, die als Folge der Entwicklung von Massenvernichtungswaffen entstanden sind«. Das Russell-Einstein-Manifest, auf das das Amsterdamer Trio Bezug nahm, hatte mit dem eindringlichen Aufruf geendet: »Wenn wir wollen, liegen weiteres Glück, weitere Erkenntnisse und weitere Weisheit vor uns. Sollen wir statt dessen den Tod wählen, weil wir unsere Streitigkeiten nicht vergessen können? Wir appellieren von Mensch zu Mensch: erinnert Euch der Humanität und vergeßt das übrige. Wenn Ihr das könnt, so liegt der Weg zu einem neuen Paradies offen. Wenn Ihr es nicht könnt, so liegt vor Euch die Gefahr eines weltweiten Todes.« Diesem Aufruf folgend entstand 1957 die internationale Pugwash-Bewegung, die sich informell für Möglichkeiten der nuklearen Abrüstung einsetzt. Zahlreiche Mitglieder dieser Bewegung unterzeichneten den Amsterdamer Appell, in dem die betroffenen Regierungen nachdrücklich aufgefordert wurden:

»– sofort die Produktion und Stationierung jener Raketen einzustellen, die als SS-20 bekannt wurden (Produktions- und Stationierungsstopp);
- im Dezember 1979 oder später keine Entscheidung für die Produktion und Stationierung neuer Mittelstreckenraketen in Europa zu fällen, solange der Produktionsstopp eingehalten wird (Produktions- und Stationierungsmoratorium);
- umgehend Verhandlungen mit dem Ziel aufzunehmen, die bestehenden nuklearen Potentiale nicht zu verbessern und fortschreitend die Gesamtzahl der Nuklearwaffen in Europa zu vermindern.«

Die drei verwiesen skeptisch auf »die Erfahrung mit der früheren Entwicklung von Trumpfkarten, daß diese neuen Waffen, sobald sie einmal produziert sind, eine Eigendynamik entfalten, die es nahezu unmöglich macht, auf sie in Rüstungskontrollverhandlungen zu verzichten . . . Wie lange«, fragte das Amsterdamer Trio besorgt, »werden die politischen Führer der Staaten der NATO und der Warschauer Vertragsorganisation die Gefangenen des ungezügelten Prozesses der Waffenentwicklung, der Beschaffung und Stationierung bleiben? Wir bitten die politische Führung der betroffenen Länder den Rüstungswettlauf in Europa einzuschränken. Wir fordern sie auf, das Primat der politischen Kontrolle und Führung über technologische Zwänge, militärische Erfordernisse und bürokratische Automatismen durchzusetzen. Wir fordern sie dringend auf«, endete der Amsterdamer Appell vom 11. November 1979, »sich zugunsten eines sofortigen Stopps und eines Moratoriums für Mittelstreckenraketen zu entscheiden.«

Der internationale Aufruf wurde von ehemaligen Militärs, hohen Regierungsbeamten, führenden Friedensforschern, Parlamentariern, Schriftstellern und Publizisten, Geistlichen und zahlreichen späteren Führern der Friedensbewegung in Westeuropa und in den USA unterzeichnet. In der Bundesrepublik wurde dieser Aufruf und die eingehende Begründung dieses Appells von den Presseagenturen, den Tages- und Wochenzeitungen sowie den Rundfunkanstalten – sieht man von einer kurzen Meldung der »Süddeutschen Zeitung« und einem Kommentar des Hessischen Rundfunks am Tage nach dem NATO-Doppelbeschluß ab – totgeschwiegen. »Ihr Wunsch nach einem Stationierungsmoratorium für neue Mittelstrekkenraketen bei einem gleichzeitigen Produktionsstopp für die SS-20« entspreche nicht der Auffassung der Bundesregierung, daß der Frieden nur auf der Grundlage gleicher Sicherheit erhalten werden könne, antwortete das Bundeskanzleramt.

Ungeachtet des Totschweigens durch die deutschen Medien und der Ablehnung durch die SPD- und F.D.P.-Koalitionsparteien – die CDU/CSU-Fraktion enthielt sich jeder Stellungnahme – wurden zentrale Vorschläge in dem Aufruf der Bertrand-Russell-Friedensstifung »Für ein atomwaffenfreies Europa« übernommen:

»Wir stehen an der Schwelle des gefährlichsten Jahrzehnts in der Geschichte der Menschheit. Ein dritter Weltkrieg ist nicht nur möglich, sondern er wird auch immer wahrscheinlicher«, begann der Aufruf, der im Herbst 1981 Hunderttausende Europäer veranlaßte, in Bonn, London, Amsterdam, Brüssel, Rom, Paris und Stockholm für eine nukleare Abrüstung in Europa und gegen die Aufstellung neuer Atomraketen in Ost und West demonstrieren ließ. »Es liegt bei uns, dagegen etwas zu tun. Wir müssen gemeinsam darauf hinarbeiten, das gesamte Territorium Europas,

Ab 1985/86 sollen im Rahmen des Doppelbeschlusses und bei einem Scheitern der Genfer Gespräche 24 Transporter für je vier Marschflugkörper auf dem Gebiet der Bundesrepublik stationiert werden.

Foto: US-Department of Defense

von Polen bis Portugal, von atomaren Waffen, von Luft- und U-Boot-Stützpunkten und von allen Einrichtungen freizumachen, die mit der Erforschung und Herstellung von Atomwaffen beschäftigt sind. Wir fordern die beiden Supermächte auf, sämtliche Atomwaffen vom europäischen Territorium abzuziehen. Insbesondere fordern wir die Sowjetunion auf, die Produktion der SS-20-Mittelstreckenraketen einzustellen, und wir fordern die Vereinigten Staaten auf, ihren Beschluß über die Entwicklung von Marschflugkörpern (cruise missiles) und Pershing-Raketen zur Stationierung in Westeuropa nicht durchzuführen. Ferner drängen wir auf die Ratifizierung des SALT II-Abkommens, einem notwendigen Schritt auf dem Weg zur Wiederaufnahme von effektiven Verhandlungen über eine allgemeine und vollständige Abrüstung.«
Die Initiatoren des Aufrufs der Russell-Stiftung warnten aber auch davor: »Wir müssen uns allen Versuchen von Politikern aus Ost und West widersetzen, diese Bewegung zu ihrem eigenen Vorteil zu manipulieren. Wir wollen weder der NATO noch dem Warschauer Pakt Vorteile verschaffen, Vielmehr muß es unser Ziel sein, Europa aus der Konfrontation zu lösen, Entspannung zwischen den Vereinigten Staaten und der Sowjetunion durchzusetzen und schließlich die großen Machtblöcke aufzulösen.«
Gestützt auf diesen Aufruf entstand 1980 die Kampagne für eine europäische nukleare Abrüstung (European Nuclear Disarmament – E.N.D.), die im Juli 1982 in Brüssel und im Mai 1983 in West-Berlin die beiden ersten unabhängigen europäischen Konferenzen für eine nukleare Abrüstung durchführte.
In der Bundesrepublik formierten sich die Kritik und der Widerstand gegen den Brüsseler Raketen-Beschluß jedoch erst im Herbst 1980, nachdem der CDU/CSU-Kanzlerkandidat Franz Josef Strauß an den Wahlurnen gescheitert war. Zwei Entwicklungen leiteten die Mobilisierung der Bevölkerung der Bundesrepublik ein: der Aufruf der Aktion Sühnezeichen/Friedensdienste – einer evangelischen Friedensinitiative, die jahrelang im stillen in Polen, Israel und anderen Ländern Versöhnungsarbeit leistete –, im November eine bundesweite Friedenswoche durchzuführen, und eine Konferenz im niederrheinischen Krefeld, die eine Erklärung: »Der Atomtod bedroht uns alle«, den Krefelder Appell, annahm.
Seit Jahren fanden in einigen Städten und Gemeinden in der Bundesrepublik Deutschland Friedenswochen statt, die maßgeblich von kirchlichen Gruppen und Jugendorganisationen durchgeführt wurden. Im Sommer 1980 riefen erstmals die Aktion Sühnezeichen/Friedensdienste und die Aktionsgemeinschaft Dienst für den Frieden zu einer bundesweiten Friedenswoche unter dem Motto: »Frieden schaffen ohne Waffen« vom 16. bis 22. November 1980 auf. »Wir hören, ›Mut zur Rüstung‹ sei heute notwen-

dig. Dem halten wir entgegen: *Frieden schaffen ohne Waffen.* Frieden ist der Ernstfall, so Gustav Heinemann. Aber: ›Ein dritter Weltkrieg ist wahrscheinlich!‹ (C. F. von Weizsäcker). Deshalb: ›Wir wollen unsere Gedanken und Worte disziplinieren, daß kein Spielen mit dem Krieg sich mehr in uns rührt und kein friedensfeindliches Wort mehr über unsere Lippen kommt.‹ (H. Gollwitzer). Wir müssen dringender denn je für eine Friedenspolitik kontra Abschreckungsstrategie eintreten. Umkehr auf dem eingeschlagenen Weg wären z. B. kalkulierte einseitige Abrüstungsschritte.«

Bei den Hunderten von lokalen Friedenswochen trat im November 1980 dann immer mehr ein Thema in den Mittelpunkt: der NATO-Doppelbeschluß.

Anfang August 1980 erhielt der pensionierte Panzergeneral Bastian einen Anruf: »General, es muß etwas geschehen, wir müssen etwas tun.« Der Mann, der ihn ermunterte, war der 79jährige Physikprofessor Karl Bechert, der bis 1972 als Abgeordneter für die SPD im Bundestag saß. Bechert zerstreut später auch die Bedenken Bastians, an einem von der Deutschen Friedens-Union mitinitiierten Forum »Der Atomtod bedroht uns alle« mitzuwirken, zu dem u. a. die Professoren Ulrich Albrecht, Horst-Eberhard Richter, Dorothee Sölle, Erich Wulff und Walter Fabian, die Schriftsteller Peter Chotjewitz, Volker von Törne, der Gewerkschaftler Willi Bleicher und der Publizist Gösta von Uexküll aufriefen.

Am Tage nach der Wahl Ronald Reagans zum amerikanischen Präsidenten entwarf Bastian einen »Appell an die Bundesregierung«, der fordert, »die Zustimmung zur Stationierung von Pershing-II-Raketen und Marschflugkörpern in Mitteleuropa zurückzuziehen«. Wer zu den Erstunterzeichnern des Appells gehören sollte, »wird wesentlich von Alt-SPD-Mann Karl Bechert entschieden. Außer Bechert selbst, Bastian, Petra Kelly, dem Jungdemokraten-Vorsitzenden Christoph Strässer und Gösta von Uexküll zählen dazu Martin Niemöller, Helmut Ridder und Josef Weber. Nur die letzteren drei«, recherchierte Wilhelm Bittorf in einer dreiteiligen Serie über den Wandel des Gert Bastian vom General zum Friedenskämpfer im »SPIEGEL«, »haben in der Vergangenheit mit östlicherseits gutgeheißenen Friedensgruppen zu tun gehabt. Nur Josef Weber gehört der Deutschen Friedens-Union an. Mitglied der DKP ist keiner.«

Die Bundesregierung solle im Bündnis eine Haltung einnehmen, stimmten die 1000 Teilnehmer in Krefeld dem Bastian-Entwurf zu, »die unser Land nicht länger dem Verdacht aussetzt, Wegbereiter eines neuen, vor allem die Europäer gefährdenden nuklearen Wettrüstens sein zu wollen«. Der Appell schließt mit der Aufforderung an alle Mitbürgerinnen und Mitbürger, »diesen Appell zu unterstützen, um durch unablässigen und wachsen-

den Druck der öffentlichen Meinung eine Sicherheitspolitik zu erzwingen, die eine Aufrüstung Mitteleuropas zur nuklearen Waffenplattform der USA nicht zuläßt; Abrüstung für wichtiger hält als Abschreckung; die Entwicklung der Bundeswehr an dieser Zielsetzung orientiert«.
Zu den Versuchen, den Krefelder Appell als ein Machwerk kommunistischer Friedenspropaganda abzustempeln, der den Verhandlungsteil vernachlässige, bemerkte Bastian: »Die Initiatoren des Krefelder Appells verurteilen auch die sowjetische SS-20-Aufstellung, sehen in ihr jedoch keine überzeugende Begründung für die Stationierung eines nur zum Erstschlag geeigneten Nuklearpotentials der NATO in Europa. Der Appell wendet sich allein an die Bundesregierung, weil deren Haltung zur ›Nachrüstung‹ entscheidend gewesen ist und weil von der eigenen Regierung am ehesten Verständnis dafür erhofft werden kann, daß es unserer Sicherheit nicht dient, wenn auf das törichte Rüstungsverhalten des Ostens in noch bedenklicherer Weise geantwortet wird.«
Dem Krefelder Appell folgten 1981 zahlreiche weitere Aufrufe, wie die Rothenfelser Erklärung, in der die Bundesregierung aufgefordert wurde, »den sogenannten NATO-Nachrüstungsbeschluß im Bereich der Mittelstreckenraketen ersatzlos zu streichen«. Im Bielefelder Appell linker Sozialdemokraten wurden der SPD-Bundesvorstand, die SPD-Bundestagsfraktion und der sozialdemokratische Bundeskanzler aufgefordert, »dafür Sorge zu tragen, daß ohne weitere Verzögerung und ohne größere Denkpausen Verhandlungen aufgenommen werden, um die eurostrategischen Waffensysteme in Europa zu begrenzen, daß die Stationierung atomarer Mittelstreckenraketen in Westeuropa durch die Rücknahme des NATO-Doppelbeschlusses doch noch verhindert wird«. Eine Heidelberger Erklärung, die u. a. von den Professoren Klaus von Beyme, Walter Jens und Norbert Greinacher, Altbischof Scharf und dem Gewerkschafter Werner Vitt unterzeichnet wurde, forderte »von den Regierungen der USA und der UdSSR: Verhandeln Sie sofort mit dem Ziel, eine weitere Eskalation des Rüstungswettlaufs zu vermeiden. Frieren Sie alle atomaren Vernichtungspotentiale ein. Verzichten Sie auf eine weitere Aufstellung von SS-20. Verzichten Sie auf die Stationierung von Cruise Missiles und Pershing II im dichtbevölkerten Europa. Reduzieren Sie bereits stationierte SS-20 und das westliche Mittelstreckenpotential auf U-Booten und in Bombern (FBS).« Als erstes Verhandlungsziel erwarteten die Unterzeichner, »daß keine weiteren atomaren Raketensysteme stationiert werden«. Die Erklärung endete mit dem eindringlichen Appell: »Lassen wir es nicht zu, daß unsere Völker den Weltmachtplänen der Supermächte geopfert werden.«
Um ein Gegengewicht zum Krefelder Appell zu schaffen, den zahlreiche

Gewerkschafter unterzeichnet hatten, veröffentlichte der DGB-Bundesvorstand zum Antikriegstag 1981 einen eigenen Aufruf »Frieden durch Abrüstung«, in dem die Gewerkschaften die sofortige Aufnahme von Verhandlungen mit dem Ziel fordern, »eine weitere Stationierung von atomaren Mittelstreckensystemen in Ost und West zu verhindern und die vorhandenen abzubauen«. Ziel der Verhandlungen muß es nach Ansicht der Unterzeichner des DGB-Aufrufs sein, »auf die Stationierung weiterer Mittelstreckenraketen in Europa zu verzichten, die Produktion von Atomwaffen einzustellen, die bereits stationierten Mittelstreckenraketen abzubauen«.

Hinter den NATO-Doppelbeschluß stellten sich Anfang 1981 Mitglieder der CDU/CSU, der SPD und der F.D.P. in einem Dattelner Friedensaufruf, in dem eine Abrüstung in Ost und West gefordert, eine einseitige Abrüstung aber mit der Begründung abgelehnt wurde: »Die Sowjetunion stellt seit einigen Jahren Woche für Woche eine Atomrakete (Typ SS-20) nach der anderen auf. Diese sind gegen Westeuropa gerichtet und sind eine Bedrohung für unser Land. Dieser sowjetischen Überlegenheit hat die NATO bisher keine gleichwertigen Waffen entgegengesetzt. Das will sie frühestens ab 1983 nachholen. Bis dahin haben die Sowjets eine Chance, ihre uns bedrohenden neuen Atomraketen abzuziehen. Wenn das geschieht, braucht die NATO nicht nachzurüsten. Wir treten deshalb für Verhandlungen über Rüstungskontrolle und Abrüstung zwischen Ost und West ein.«

Um die Mobilisierung verschiedener Gesellschaftsgruppen voranzutreiben warnten am 1. September 1981 über 2000 Ärzte »vor dem Atomkrieg«. »Ein Atomkrieg ist die letzte Katastrophe für Mensch und Natur. Wir sehen es als unsere notwendige ärztliche Aufgabe an, die Bevölkerung darauf hinzuweisen, daß der einzige wirksame Schutz die Verhinderung des Atomkrieges ist. Wir setzen uns dafür ein, die Atomwaffen insgesamt abzuschaffen. Unser erster Schritt zu diesem Ziel ist es, die Stationierung der neuen Atomwaffen in Europa und besonders in der Bundesrepublik nicht zuzulassen.« Den Ärzten folgten die europäischen Schriftsteller, die sich dagegen wandten, daß die Menschheit »jetzt an den verbrecherischen Gedanken gewöhnt werden« soll, »daß ein begrenzter Atomkrieg führbar sei – mit neuen Raketen, Neutronenbomben, Marschflugkörpern etc. Wir setzen dagegen: Mit Atomwaffen ist kein begrenzter Krieg führbar; er würde die ganze Welt vernichten. Über alle Grenzen von Staaten und Gesellschaftssystemen, über alle Meinungsverschiedenheiten hinweg« appellierten die europäischen Schriftsteller »an die Verantwortlichen . . ., das neue Wettrüsten zu unterlassen und unverzüglich wieder miteinander in Verhandlungen über weitere Abrüstung einzutreten«. Die Weltöffent-

lichkeit forderte die schreibende Zunft auf, »nicht zu resignieren, sondern sich mit verstärkter Energie für den Frieden einzusetzen. Handeln wir gemeinsam, damit Europa nicht zum atomaren Schlachtfeld eines neuen und dann letzten Weltkriegs wird. Nichts ist so wichtig, wie die Erhaltung des Friedens.«
Mitte September 1981 lud Stephan Hermlin zu einer Begegnung in Ost-Berlin mit dem Ziel einer öffentlichen Aussprache zwischen einigen Erstunterzeichnern des Abrüstungsappells ein. Am Sonntag, dem 13. Dezember 1981, als Helmut Schmidt seinen Besuch bei Erich Honecker gerade beendet hatte und Polen unter das Kriegsrecht gestellt wurde, begann die »Berliner Begegnung zur Friedensförderung«, der im Mai 1982 das »Haager Treffen zur Weiterführung der Friedensinitiative europäischer Schriftsteller« und bereits im Juni 1982 in Köln die »Internationalen Literaturtage« folgten, deren Thema »Zeitgenössische Schriftsteller und ihr Beitrag zum Frieden« lautete, bei dem eine Woche lang 225 Autoren aus 48 Staaten geduldig miteinander zum Friedensthema sprachen. »In dem Bewußtsein, daß Hunger und Elend in der Dritten Welt keine geringere Bedrohung für die gesamte Menschheit sind«, stellten die Teilnehmer in dem internationalen Schriftstellerappell (Kölner Manifest '82) fest, »werden wir uns nunmehr gemeinsam weltweit und als Teil der Friedensbewegung einsetzen für die vollständige Beseitigung aller Massenvernichtungswaffen, einen gerechten Interessenausgleich ohne Kriege und die Schaffung friedlicher, freiheitlicher und menschenwürdiger Zustände in allen Erdteilen . . . Wir treten für politische Lösungen ein«, appellierten die Teilnehmer des Kölner Treffens an die Weltöffentlichkeit, »die der Entspannung dienen, die Rüstung vermindern und das Gleichgewicht des Schreckens durch eine gegenseitige Sicherungsgarantie ersetzen. Wir begrüßen jede Vorleistung, die zur Verminderung der Bedrohung erbracht wird. Hierzu zählen wir den Verzicht auf den ›Erstschlag‹, gleich mit welchen Waffen, wozu wir alle Mächte auffordern. Wir verlangen die gleichzeitige und vorbehaltlose Auflösung der beiden Militärblöcke.«
Dem deutsch-deutschen Treffen der Schriftsteller ging im September 1981 ein Offener Brief Robert Havemanns an den Vorsitzenden des Präsidiums des Obersten Sowjets der UdSSR, Leonid Breschnew, voraus, der auch von dem Ost-Berliner Pfarrer Rainer Eppelmann und 24 weiteren DDR-Bürgern und von Schriftstellern, Wissenschaftlern, Gewerkschaftern und Abgeordneten aus der Bundesrepublik mitunterzeichnet wurde. »Jede Bombe, jede Rakete, überhaupt jede Waffe, die von unseren Beschützern nach Deutschland gebracht wird, sichert nicht den Frieden, sondern bringt uns dem Untergang näher. Wir brauchen keine Rüstung, wir brauchen Abrüstung«, schrieb der DDR-Dissident an den mächtigsten Mann der

Sowjetunion vor dessen Besuch in Bonn im November 1981. »Wir brauchen nicht die Stärke von NATO und Warschauer Pakt, sondern die Fortführung der weltweiten Entspannungspolitik, damit NATO und Warschauer Pakt eines Tages überflüssig werden. Die Sicherheit Europas wird nicht durch Kriegswaffen geschaffen, sondern durch deren Beseitigung.« In diesem Zusammenhang erinnerte Havemann Breschnew daran, »daß die Sowjetunion sich bis in die sechziger Jahre immer wieder für die Entmilitarisierung und Neutralisierung ganz Deutschlands ausgesprochen hat. 36 Jahre nach Ende des Krieges ist es jetzt zur dringenden Notwendigkeit geworden, die Friedensverträge zu schließen und alle Besatzungstruppen aus beiden Teilen Deutschlands abzuziehen. Wie wir Deutsche unsere nationale Frage dann lösen werden, muß man uns schon selbst überlassen und niemand sollte sich davor mehr fürchten, als vor dem Atomkrieg.«

Am 25. Januar 1982 veröffentlichte der Mitunterzeichner des Havemann-Briefs, der Pfarrer der Samaritergemeinde Friedrichshain in Ost-Berlin, Rainer Eppelmann, zusammen mit Robert und Katja Havemann, dem Schriftsteller Lutz Rathenow und 31 weiteren Erstunterzeichnern einen »Berliner Appell – Frieden schaffen ohne Waffen«, der mit den Worten beginnt: »Es kann in Europa nur noch einen Krieg geben, den Atomkrieg. Die in Ost und West angehäuften Waffen werden uns nicht schützen, sondern vernichten. Wir werden alle längst gestorben sein, wenn die Soldaten in den Panzern und Raketenbasen und Schutzbunkern, auf deren Schutz wir vertrauten, noch leben und fortfahren zu vernichten, was noch übrig ist.« Aus dieser bedrückenden Lageanalyse leiteten die unterzeichnenden Arbeiter, Hausfrauen, Pfarrer und Mitarbeiter der evangelischen Kirche die Forderung ab: »Wenn wir leben wollen: Fort mit den Waffen! Und als erstes: Fort mit den Atomwaffen. Ganz Europa muß zur atomwaffenfreien Zone werden. Wir schlagen vor: Verhandlungen zwischen den Regierungen der beiden deutschen Staaten über die Entfernung aller Atomwaffen aus Deutschland.« Die Unterzeichner wiederholten dann den Vorschlag des Havemann-Briefes und empfahlen, »in einer Atmosphäre der Toleranz und der Anerkennung des Rechts auf freie Meinungsäußerung die große Aussprache über die Fragen des Friedens zu führen und jede spontane Bekundung des Friedenswillens in der Öffentlichkeit zu bewilligen und zu fördern«.

Folgende Fragen müßten nach Ansicht der 35 Erstunterzeichner in der DDR öffentlich beraten und entschieden werden: 1. Verzicht auf Kriegsspielzeug; 2. Friedens- anstatt Wehrkundeunterricht in den Schulen; 3. Zulassung eines sozialen Friedensdienstes anstelle des Ersatzdienstes für Kriegsdienstverweigerer; 4. Verzicht auf Demonstrationen militärischer

Machtmittel in der Öffentlichkeit; Verzicht auf Übungen der Zivilverteidigung.
Die Reaktion der DDR-Führung ließ nicht lange auf sich warten. Pfarrer Eppelmann wurde nach Bekanntwerden des Aufrufs verhaftet, aber bereits nach wenigen Tagen wieder freigelassen.
Am 13. Februar 1982 hatte die Evangelische Kirche in Sachsen aus Anlaß des 37. Jahrestages der Zerstörung Dresdens zu einem Forum »Frieden« mit der Jugend eingeladen, zu dem 5000 Jugendliche aus allen Teilen der DDR in die Dresdner Kreuzkirche strömten. Die meisten trugen als Erkennungszeichen einen Aufnäher mit dem Text: »Schwerter zu Pflugscharen«. Viele hatten um ihre langen Haare ein Band mit der Aufschrift: »Frieden schaffen ohne Waffen« gebunden. »Uns beunruhigt besonders die ständige Ausweitung des Militärischen in aller Welt«, leitete der sächsische Landesjugendpfarrer Brettschneider nach einer Vesper mit dem Thüringischen Akademischen Singkreis das Forum ein. In seiner Ansprache berührte Landesbischof Hempel die strittigen Fragen zwischen der Kirche, der Friedensbewegung und dem Staat: »Das Leitwort der kirchlichen Friedensdekade ›Frieden schaffen ohne Waffen‹, das verstehe ich auch als ein Symbol! (Beifall) Dieses Signal sagt nicht: alle anderen glauben noch an die Macht. Dieses Leitwort sagt: Waffen hinterlassen keine Sieger mehr. Und wenn Waffen, die ja siegen sollen, keine Sieger mehr hinterlassen, dann kriegen wir Angst vor den Waffen und schreien: Frieden schaffen ohne Waffen, obwohl wir wissen, daß das gar nicht leicht in politischen Alltag und politische Wirklichkeit zu überführen ist. (Beifall).«
In dem anschließenden Forum sprachen die Jugendlichen die Probleme an, die sie am meisten bewegten: die vormilitärische Ausbildung, der Wehrunterricht in den Schulen, aber auch den Berliner Appell »Frieden schaffen ohne Waffen«. Das Protokoll des Forums vermerkt hierzu: »Podium: Es sind einige Fragen, die sich mit dem ›Berliner Appell‹ beschäftigen (Beifall), zum Beispiel von wem geht er aus, an wen ist er gerichtet, was beinhaltet er, und warum unterstützt die Landeskirche nicht rückhaltlos den ›Berliner Appell‹? . . . (Starker Beifall).« Der Präsident des sächsischen Landeskirchenamts, Kurt Domsch, antwortete hierauf, sichtlich bemüht, eine Konfrontation zu vermeiden: »Der ›Berliner Appell‹ wurde verfaßt von dem Berliner Pfarrer Eppelmann. (Beifall) . . . Herr Eppelmann ist ›zur Ermittlung eines Sachverhalts‹ zwei Tage festgenommen worden. (Pfiffe). Nachdem die Berlin-Brandenburgische Kirchenleitung bei der Regierung vorstellig geworden ist, ist er wieder auf freien Fuß gesetzt worden. (Starker Beifall). Das Ermittlungsverfahren ist eingestellt worden. (Beifall). Die Berlin-Brandenburgische Kirchenleitung – . . . rät

lavon ab, den ›Berliner Appell‹ zu unterzeichnen, und zwar deshalb, weil lie Unterzeichnung und auch der Inhalt dem sachlichen Gespräch zur Erhaltung des Friedens nicht dienlich ist. (Pfiffe, Buh-Rufe).
Podium: . . . 300 000 in Bonn demonstrierten gegen Atomraketen. Ich neine, sie demonstrierten in erster Linie dafür, daß diese Raketen nicht uf unsere Köpfe fallen. (Beifall). Sollten wir nicht endlich beginnen, auch nsere Raketen zu zählen?« Oder: »Warum sind Friedensdemonstratio- nen in der DDR verboten? Wir sollten uns für den Frieden einsetzen. Starker Beifall). Ist Sicherheit mit militärischem Gleichgewicht und Stärke zu beantworten? Es müßte ein obligates Schulfach ›Friedenserzie- ung‹ eingeführt werden. (Starker, langanhaltender Beifall).« Oder: »Soll der gerechte Mensch zum Himmel blicken, während die Bombe fällt? . . . Noch eine Frage: Ich bin neunzehn Jahre und habe trotzdem nichts mehr u verlieren. Sie reden und reden hinter fester Tür. Wollen Sie uns bis zum Untergang vertrösten? (Beifall). Wie ist es mit der leuchtenden Stadt auf dem Berg?«
Fragen, die Ängste zum Ausdruck brachten, Ängste über den Frieden im geteilten Deutschland. Nach diesem bisher einmaligen Friedensforum in der Kreuzkirche zogen rund 1000 Jugendliche zur zerstörten Frauenkir- che. Mit brennenden Kerzen in der Hand standen sie meist schweigend vor den Trümmern, um so ihren Friedenswillen, von den zivilen Sicherheits- kräften beobachtet, nach außen zu dokumentieren.
Was den jungen Christen, Militärdienstgegnern und Rüstungskritikern in der DDR verwehrt war, brachten vom Frühjahr 1981 bis zum Herbst 1983 Hunderttausende Bundesbürger, die durch die Aufrufe mobilisiert wurden, zum Ausdruck: ihre Angst vor einem begrenzten Atomkrieg in Mitteleuropa, vor allem auf deutschem Boden. Im April 1981 anläßlich des Treffens der Nuklearen Planungsgruppe in Bonn hatten sich bereits etwa 10 000 Demonstranten eingefunden. Während des Evangelischen Kirchentages in Hamburg beteiligten sich etwa 80 000 meist junge Kir- chentagsteilnehmer an einer Großdemonstration: »Entrüstet Euch, der Atomtod bedroht uns alle.« Nach dieser machtvollen Demonstration der Ängste wurden die Bonner Politiker vor der für den 10. Oktober geplan- ten Großdemonstration immer nervöser. Alle Versuche, die Organisato- ren als Werkzeuge der Kommunisten hinzustellen und z. B. Erhard Epp- ler von der Teilnahme abzuhalten, mobilisierten zusätzlich. 250 000 bis 300 000 Demonstranten kamen dann am 10. Oktober zur bisher größten Friedensdemonstration in der deutschen Geschichte, um friedlich ihren Willen zur Abrüstung und ihre Kritik am NATO-Doppelbeschluß zu do- kumentieren. Weitere Demonstrationen anläßlich des Besuchs des sowje- tischen Parteichefs Breschnew folgten im November in Bonn. Vor Beginn

des Münchner SPD-Parteitages in München nahmen zwischen 20 000 und 70 000 Demonstranten an zwei Großkundgebungen teil. Die bisher größte Kundgebung in der Geschichte des Bundesrepublik fand am 10. Juni 1982 wiederum in Bonn statt aus Anlaß des Treffens der Regierungschefs der NATO-Staaten und des Besuchs des amerikanischen Präsidenten in der Bundeshauptstadt. 350 000 bis 400 000 Demonstranten waren nach Bonn geströmt, um gegen die geplante Aufstellung der neuen amerikanischen Atomraketen auf dem Gebiet der Bundesrepublik zu protestieren.
An Ostern 1982 wurde ein Stück Tradition aus der »Kampf dem Atomtod«-Kampagne der späten fünfziger und frühen sechziger Jahre wiederbelebt: die Ostermärsche. Bei Regen, Schnee, Graupelschauern und Hagel waren zwischen 100 000 und 300 000 Anhänger der Friedensbewegung auf den Straßen, um für Frieden und Abrüstung einzutreten und gegen den NATO-Doppelbeschluß zu demonstrieren. »Je stärker unsere Friedensbewegung wird«, erklärte Erhard Eppler am Ostersamstag 1982 vor 20 000 bis 60 000 Menschen auf dem Frankfurter Paulsplatz, »desto größer wird der Bewegungsspielraum für Friedensaktivitäten in der DDR . . . Wenn es darum geht, Schwerter in Pflugscharen umzuschmieden, dann geht dies überall . . . Die Solidarität derer, die sich auflehnen gegen die angeblichen Zwänge des Rüstens, macht an der Grenze zwischen Ost und West nicht halt.« Der aus dem DDR-Schriftstellerverband ausgeschlossene Stefan Heym sprach in Dortmund die Angst der geteilten Deutschen vor den auf ihrem Boden stationierten und auf sie gerichteten Raketen an: »Wie die Dinge heute stehen, (würde) ein atomarer Schlagabtausch hier im Zentrum Europas beginnen. Vielleicht mit einer kleinen taktischen Atomgranate . . . in der Nähe von Hannover und Magdeburg . . .« Auch aus diesem Grund forderte Stefan Heym ein »atomwaffenfreies« Deutschland.
Eben diese Forderung »Schafft eine, zwei, drei, viele atomwaffenfreie Zonen« wurde im Herbst 1982 in Veröffentlichungen der Gruppe Friedensmanifest und in den Kampagne-Vorschlägen der Aktion Sühnezeichen/Friedensdienste für »Regionale atomwaffenfreie Zonen« aufgestellt.
Die Gruppe Friedensmanifest '82, die von Politikern, Wissenschaftlern und Schriftstellern unterstützt wird, schlug als Beitrag zum Umdenken in der Sicherheitspolitik vor: »Wir müssen mit ›dem Frieden machen‹ in unserem Land beginnen. Nur so können wir erwarten, daß auch die andere Seite unter Legitimationsdruck gerät und Abrüstungsschritte ergreift. Für die Bundesrepublik Deutschland, in der Mitte Europas und an der Nahtstelle der Blöcke, wollen wir als unser nächstes Ziel an die Stelle der ›Nachrüstung‹ die Vorabrüstung setzen.« Bezugnehmend auf die Bemü-

Testabschuß eines landgestützten Marschflugkörpers. Foto: US-Department of Defense

hungen in den USA, in Großbritannien, in den Niederlanden und in Skandinavien, regionale atomwaffenfreie Zonen zu schaffen, ruft die Gruppe Friedensmanifest die Friedensbewegung auf: »Machen wir eine groß angelegte Kampagne für Abrüstung in unserem Land. Schaffen wir eine atomwaffenfreie Zone Bundesrepublik Deutschland. Dies wollen wir erreichen, indem wir dort, wo wir leben und arbeiten, viele kleine atomwaffenfreie Zonen proklamieren und errichten . . . Schaffen wir zahllose atomwaffenfreie Zonen von unten, die sich vernetzen und dadurch unsere Forderung nach einer atomwaffenfreien Bundesrepublik Deutschland unüberhörbar und unwiderstehlich machen.«

Ziel der Kampagne für die Schaffung atomwaffenfreier Zonen, der dritten Stufe des sich verdichtenden Widerstandes gegen den NATO-Doppelbeschluß nach der Phase der Appelle und Großdemonstrationen, sollte nach einem Vorschlag der Aktion Sühnezeichen/Friedensdienste für die dritte bundesweite Friedenswoche vom 7. bis 17. November 1982 sein: »Die abstrakte Bedrohung wird durch den Bezug auf die jeweilige Kommune konkret und für viele (be)greifbar gemacht. An die Stelle der abstrakten Forderung nach einem atomwaffenfreien Europa tritt die konkrete, gewinnbare.«

Dieser Vorschlag wurde in zahlreichen Gemeinden und Städten vor allem von den Stadt- und Gemeinderäten der SPD und der Grünen aufgegriffen. Im März 1982 bekräftigte der Rat der Stadt Nürnberg einen Beschluß aus dem Jahre 1958: »keine Maßnahmen zu ergreifen, die der Stationierung von Atomwaffen auf dem Gebiet der Stadt dienen könnten«. Am 24. Juni 1982 forderte die Stadtverordnetenversammlung der Stadt Mörfelden-Walldorf den Magistrat auf, »im Rahmen seiner Möglichkeiten zu verhindern, daß Nuklearwaffen, Raketen, biologische und chemische Kampfstoffe und Neutronenbomben innerhalb der Gemarkungszone und in der Nachbarschaft (z. B. im Odenwald) stationiert, gelagert oder transportiert werden. Symbolisch soll Mörfelden-Walldorf eine atomwaffenfreie Zone sein.« Nach Kassel und Lindau folgte am 30. September 1982 die Stadt Marl, am nördlichen Rand des Ruhrgebiets gelegen, mit dem Beschluß: »Der Rat der Stadt Marl unterstützt im Rahmen seiner kommunalen Zuständigkeit keine Maßnahmen, die der Produktion, dem Transport, der Stationierung und Lagerung von atomaren, biologischen und chemischen Massenvernichtungsmitteln dienen.«

Diese kommunalen Vorstöße forderten eine Reaktion der kommunalen Aufsichtsbehörden geradezu heraus. Der Innenminister von Nordrhein-Westfalen, Herbert Schnoor, beließ es bei einem sanften Rüffel: »Mit der grundsätzlichen Ablehnung bestimmter Waffen, wie sie in dem Ratsbeschluß zum Ausdruck kommen, hat die Stadt Marl ihren Zuständigkeits-

bereich überschritten.« Um einen »pazifistischen Flächenbrand« einzudämmen, beschied der niedersächsische Innenminister in einem Runderlaß den Kommunen, daß »Verteidigungsangelegenheiten . . . zu den Gegenständen der ausschließlichen Gesetzgebung des Bundes gehören und lokale Abrüstungsbekundungen nicht auf die Tagesordnung der Gemeinde gesetzt werden dürften«. Der schleswig-holsteinische Innenminister hatte diesbezüglich Anträge gar als rechtswidrig eingestuft. In Bayern wurden die Regierungsbezirke und Landratsämter angewiesen, alle Versuche abzuwenden, »die Kommunen zu Meinungsträgern gegen die Verteidigungspolitik der Staaten des westlichen Bündnisses zu machen«.
Demgegenüber erklärten sozialdemokratische Juristen (ASJ), daß die Vorstellung, das Gemeinwesen vor dem Schaden eines atomar geführten Krieges zu bewahren, sich eng an Artikel 25 der Haager Landkriegsordnung anlehne. Die rechtlichen Bedenken gegen Zuständigkeit und Zulässigkeit hätten dann keinen Bestand, »wenn Stadt und Kreis durch ihre zuständigen Organe sich im Wege einer Entschließung petitorisch an die Bundesregierung wenden und diese ›ersuchen, auf dem Gebiet der Gemeinde/des Kreises keine Maßnahmen zu veranlassen, die der Produktion, dem Transport, der Stationierung und Lagerung von atomaren, biologischen oder chemischen Massenvernichtungswaffen dienen.‹ . . . Der aktuelle Bezug«, empfahl das ASJ-Bundesvorstandsmitglied A. Klitsch, »diese Angelegenheit kommunal aufzugreifen, ergibt sich aus dem Rüstungsmechanismus des NATO-Beschlusses, der fehlenden Beteiligungsmöglichkeiten der Gebietskörperschaften bei einzelnen Einsatzmaßnahmen sowie der bislang ohne Gesetz erfolgenden Stationierung von Massenvernichtungsmitteln auf dem Gebiet der Bundesrepublik. Dem materiellen Bezug zur örtlichen Situation wird im allgemeinen genügt, wenn auf die vorhandenen Gefährdungspotentiale im eigenen Gebiet hingewiesen wird: Kraftwerke, chemische Großanlagen, militärische Anlagen, die eine weitere Gefährdung der Bevölkerung durch Produktion, Transport, Stationierung und Lagerung von Massenvernichtungswaffen auf dem Gebiet der Kommune nicht zulassen.«
Während die Kampagne für die Schaffung atomwaffenfreier Zonen anlief, wurden seit Sommer 1982 Formen des gewaltfreien Widerstands und des zivilen Ungehorsams von einem Teil der Friedensbewegung eingeübt und praktiziert. Zu Weihnachten 1980 hatte der von der Luftwaffe zur Friedensforschung übergewechselte Alfred Mechtersheimer in seinen »Anmerkungen zu einer Strategie zur Verhinderung der Stationierung neuer Mittelstreckenwaffen in der Bundesrepublik Deutschland« eine Richtung vorgegeben: »Um wirksam zu werden, braucht der Protest eine neue Qualität . . . Deshalb ist die spektakuläre Aktion unverzichtbar. Aktionen der

Gewalt gegen Personen und Sachen, auch wenn sie nur billigend in Kauf genommen werden, sind mit dem friedenspolitischen Handeln unvereinbar und kontraproduktiv.« Auch gelte es, sich durch Hinweise auf Polen und Afghanistan vor falschen Freunden zu schützen. Da Atomwaffen auch Atomziele seien, müsse die erste Aktion der Standorterkundung dienen. Im Februar 1981 brach der »STERN« ein Tabu, in dem er erstmals eine Lagekarte der amerikanischen Atomwaffenlager in der Bundesrepublik Deutschland veröffentlichte. Wenig später folgten die »Grünen« und die Aktion Sühnezeichen/Friedensdienste mit revidierten Lagekarten. Anfang 1982 gab der Vize-Präsident der Freien Universität Berlin, der Friedensforscher Ulrich Albrecht, in einem Taschenbuch Anregungen, wie man sein lokales Kernwaffenlager findet, und Burkhard Luber veröffentliche einen »Bedrohungsatlas Bundesrepublik Deutschland«.
Während die britische und die italienische Regierung alle Standorte der amerikanischen Mittelstreckenrakten veröffentlichte, verweigerte die alte und neue Bundesregierung bei allen entsprechenden Anfragen von Abgeordneten unter Bezugnahme auf die Geheimhaltungsbestimmungen jegliche Auskunft.
Ein erstes Ziel der symbolischen Aktionen des zivilen Ungehorsams wurde die Eberhard-Finkh-Kaserne in Großengstingen auf der Schwäbischen Alb, in der das Raketen-Bataillon 250 der Bundeswehr und das 84. Field Art. Detachment der US-Armee stationiert sind. Bereits zu Ostern 1981 hatten sich über 2000 meist jugendliche Demonstranten an einem Sternmarsch zur Großengstinger Kaserne beteiligt und im Juni 1981 hatten 13 aneinandergekettete Friedensfreunde 24 Stunden lang das Haupttor der Kaserne blockiert. In der 1. Augustwoche 1982 blockierten dann eine Woche lang 700 Anhänger der Friedensbewegung, die mit Fahrrädern und Autos als Mitglieder von 50 Friedensgruppen aus Baden-Württemberg, aber auch aus Göttingen, Bremen und Berlin angereist waren, die Zufahrtswege zu der Lance-Einheit Tag und Nacht – sozusagen im Schichtdienst.
Wochen zuvor hatten sich die Gruppen im »gewaltfreien Widerstand« geübt, sich in Trainingslagern und Workshops getroffen und sich mit den Formen des Protests von Mahatma Gandhi und Martin Luther King vertraut gemacht. Um Konfrontationen zu vermeiden, durften nur ausgesuchte Gruppen an der Blockade teilnehmen, um so Provokateure und Randalierer auszuschließen. Siebzehnmal wiederholte sich dasselbe Schauspiel: Eine Kolonne rückte von der Kaserne her gegen die Blockierer vor: »ein Polizei-PKW, zwei jaulende Unimog-LKW der Bundeswehr mit der neuen Wachmannschaft und warmer Verpflegung, weitere Polizei-Streifenwagen und acht grasgrüne Mannschaftsbusse, aus denen, wenn die

Streitmacht stoppt, eine Hundertschaft Bereitschaftspolizei quillt und in zwei Reihen nach vorn marschiert zur Körper-Barriere der Demonstranten.
›Ich mache Sie darauf aufmerksam, daß Sie durch Sperren einer öffentlichen Straße eine strafbare Handlung begehen‹«, beschreibt Wilhelm Bittorf im »SPIEGEL« den Aufruf der Polizei-Einsatzleiter. »Doch seine Polizisten haben keine Helme auf, keine Schilde vor der Brust. Sie tragen die Blockierer fort und sperren sie zur Personalienfeststellung in einen Omnibus, damit sie sich nicht gleich wieder hinsetzen, nachdem die Unimogs durch die geöffnete Drahtsperre ins Atomdepot hinaufgebraust sind. Die jungen Beamten bilden an der Bundeswehr-Sperre ein Spalier für die Rückkehr der Unimogs. Ihnen gegenüber, Schulter an Schulter, pflanzen sich andere Aktionsteilnehmer auf, die gerade nicht blockieren.«
Die Blockade in Großengstingen diente als Generalprobe für über 40 Aktionen des zivilen Widerstandes am dritten Jahrestag des NATO-Doppelbeschlusses, am 12. Dezember 1982. Bei naßkaltem Sudelwetter und Schneegestöber demonstrierten 400 vor den Zufahrten zur Kaserne in Großengstingen, wobei den Soldaten Hausfrauengebäck in Form von Friedenstauben überreicht wurde. Vor dem Europäischen Kommando in Stuttgart-Vaihingen ließen sich 293 Protestierer widerstandslos von der Zufahrt wegtragen, darunter auch zwei SPD- und ein »Grüner« Landtagsabgeordneter. In der Waldheide bei Heilbronn blockierten 60 junge Demonstranten acht Stunden lang den Zufahrtsweg zu einem zukünftigen Standort für 36 Pershing II-Raketen. 400 friedliche Demonstranten blokkierten bei Neu-Ulm bei Schneegestöber singend den Haupteingang der amerikanischen Wiley-Barracks. In Schwäbisch Gmünd zogen 500 Demonstranten zur Bismarck-Kaserne, um im Sitzen die Haupteinfahrt zu blockieren. »Gesittet ging es auch zu«, beschrieb Georg Paul Hefty in der Frankfurter Allgemeinen Zeitung die Protestaktion, »als der Großteil der Demonstranten zur amerikanischen Luftwaffenbasis Mutlangen hinauffuhr, wo die Pershing-Raketen stationiert sind.«
Bei einer Demonstration von 400 Atomwaffengegnern in Nürnberg sorgte eine Gruppe von Weihnachtsmännern mit dem Slogan: »Wir demonstrieren gegen die Gefährdung unserer Arbeitsplätze« für Stimmung. »Auch optisch stellten die Teilnehmer ihren Willen dar: Einmal zersäbelten sie einen ›Kuchen-Panzer‹ nach dem Motto: ›Abrüstung ist süß – Atomkrieg ist grausam‹, zum anderen führten sie eine total entstellte Menschenpuppe mit sich«, schrieb die Nürnberger Zeitung. »Wir sind auf alles vorbereitet nur nicht für den Frieden«, erinnerten die Nürnberger Demonstranten ihre Mitbürger. Im katholischen Eichstätt warnte eine Gruppe der Studentengemeinde bei einer Mahnwache mit einem großen Transparent: »Am

12. Dezember 1979 wurde das Todesurteil über Europa gesprochen, denn im Atomkrieg gibt es keine Verteidigung, sondern nur den gemeinsamen Untergang.« Unter die 1000 Hannoveraner Demonstranten mischte sich auch eine als Weihnachtsmänner verkleidete Katholikengruppe, die Geschenke gegen die Raketen verteilten. An den Protestaktionen an 40 Orten nahmen 5000 bis 10 000 Personen, davon 3300 als Blockierer teil ohne jeglichen Zwischenfall mit den Ordnungskräften. »Wir sind stolz«, atmete am Abend der Sprecher des Koordinationskomitees Jürgen Menzel auf, »daß alles gewaltfrei verlaufen ist.«
Mit einer Geheimwaffe versuchten christdemokratische Politiker im Pershing-Land Baden-Württemberg einen pazifistischen Flächenbrand durch eine »Vollstreckungskostenverordnung« in Schach zu halten, die am 11. Dezember gegen die Stimmen der SPD, FDP und der Grünen in Kraft gesetzt wurde. Neben gewalttätigen Demonstranten und Randalierern sollen auch gewaltlose Demonstranten mit Kostenforderungen belegt werden, »die keinen aktiven Widerstand gegen Polizeibeamte leisten, aber durch einen Sitzstreik öffentliche Verkehrsmittel behindern, Zufahrten zu militärischen Einrichtungen oder auch zu Kernkraftwerksbaustellen blokkieren«. Als Gebühr soll eine Pauschale von 38 Mark je angefangene Stunde für jeden eingesetzten Bediensteten vorgesehen werden. Eine »Aushöhlung der grundgesetzlich geschützten Demonstrationsfreiheit und Rückfall in polizeistaatliches Denken« nannte das der Stuttgarter DGB-Landesvorsitzende Pommerencke, und der Münchner Politologe Kurt Sontheimer sah in der baden-württembergischen Entscheidung eine Form der Einschüchterung. »Für völlig verfehlt«, hielt der Innenminister von Nordrhein-Westfalen die Stuttgarter Entscheidung. Der Staat gefährde sich selbst, wenn er durch bürokratische Akte seine Wandlungsfähigkeit ausschließe. »Sollte diese Regelung Bestand haben«, dann fürchtete die ehemalige Vorsitzende des Rechtsausschusses des Bundestages, Hertha Däubler-Gmelin, »daß wir in Orwellsche Zustände geraten«.
Die Kriminalisierung des zivilen Widerstandes ließ nicht lange auf sich warten. Vor einer Jugendkammer des Landgerichts Tübingen wurden elf Demonstranten wegen Nötigung verurteilt, die sich im Juni 1981 an die Tore der Großengstinger Finkh-Kaserne gekettet hatten. Gegen 380 Demonstranten, die sich an der einwöchigen Blockade derselben Kaserne im August 1982 beteiligten, wurden Ermittlungsverfahren wegen Nötigung eingeleitet. 293 Demonstranten, die sich an der Blockade des Eingangs des EUCOM in Stuttgart beteiligten, erhielten einen Kostenbescheid von 110 DM dafür, daß sie sich wegtragen ließen. Dagegen legten die Betroffenen Widerspruch ein und kündigten an, sich an das Bundesverfassungsgericht zu wenden. Aber auch die zehn Nürnberger Nikoläuse, die mit

Transparenten wie »Advent, Advent, Europa brennt«, »Die Bundesregierung empfiehlt: Verteidigen Sie Ihren Weihnachtsbaum«, oder »Ein Iwan im Bett ist besser als eine Pershing auf dem Dach« auf die Gefahren der Nachrüstung hinwiesen, wurden wegen einer nicht genehmigten Aktion angezeigt. Diese Versuche der Einschüchterung, der Kriminalisierung und der Verdächtigungen, wie sie wiederholt von konservativen Politikern vorgebracht wurden, die Friedensbwegung sei kommunistisch initiiert und gesteuert, konnten jedoch eine weitere Ausbreitung der Protestaktionen nach der Bundestagswahl am 6. März 1983 nicht verhindern.
Aber auch in der DDR ließ die staatliche Reaktion auf die Ansätze einer unabhängigen meist christlich getragenen Friedensbewegung nicht lange auf sich warten.
Eines der Zentren der unabhängigen Friedens- und Jugendbewegung ist Jena in Thüringen. Am 10. April 1981 wurden zwei Mitglieder der friedensbewegten Jungen Gemeinde und ihre Freundinnen auf der Fahrt von Saalfeld nach Berlin auf dem Bahnhof Jüterborg im Bezirk Potsdam vom Staatssicherheitsdienst verhaftet und ins Untersuchungsgefängnis von Gera gebracht: der Feinmechaniker Peter Rösch und sein Freund Thomas Domaschk, der unter mysteriösen Umständen im Gefängnis kurz vor seiner Hochzeit starb. Das Grab von Domaschk wurde zunehmend zum Pilgerort für die oppositionelle Jenaer Jugendszene. Zum Andenken an den 23jährigen Thomas schuf sein gleichaltriger Freund Michael Blumhagen eine Steinplastik, die bald vom Staatssicherheitsdienst entfernt wurde. Kurz darauf erhielt Blumhagen einen Einberufungsbefehl als Reservist. Sein Gesuch, einen sozialen Friedensdienst abzuleisten, wurde abgelehnt. Nach einer Eingabe beim Staats- und Parteichef Honecker wurde Blumhagen verhaftet und seine Wohnung durchsucht. Während seiner Haft wurde sein Bauernhaus wegen Baufälligkeit von den Behörden abgerissen. Vergeblich hatten sich Blumhagens Freunde, darunter der Transportarbeiter Roland Jahn, der 1976 wegen einer Solidaritätsaktion für Wolf Biermann von der Universität Jena zwangsematrikuliert wurde, dagegen gewehrt. Als Jahn, dem wegen seiner Sympathiebekundungen für die Solidarność schon der Lohn von 900 auf 700 Mark gekürzt wurde, am 31. August 1981 mit einer polnischen Flagge mit der Parole »Solidarität mit dem polnischen Volk« durch Jena radelte, wurde auch er verhaftet, seiner Verlobten wurde ein Räumungsbefehl angedroht. Im Juni 1983 wurde Jahn gegen seinen Willen in die Bundesrepublik abgeschoben. Weitere Jenaer Jugendliche wurden verhört und mußten sich zu Stillschweigen verpflichten. Einige der Führer der Jenaer Friedensgruppen: Rösch, Blumhagen wurden später in den Westen abgeschoben. Weitere folgten im Mai 1983.

Die Friedensaktivitäten der Evangelischen Landeskirchen, die Friedensdekaden und Friedensforen wurden zu einem Kristallisationskern einer Abrüstungsdiskussion, die nicht mehr vom Staat kontrolliert wurde. So forderte z. B. die sächsische Synode im Jahre 1981 »kalkulierte und mit den Verbündeten abgestimmte Vorleistungen in der Abrüstung, zum Beispiel Reduzierung der SS-20-Raketen, . . . zum Beispiel Abbau der zahlenmäßigen Panzerüberlegenheit«. Wegen der Brisanz dieser Diskussion durften im Herbst 1981 fünf Synoden nur von einem westlichen Journalisten besucht werden. Ein Synodenbeschluß beklagt die zunehmende Militarisierung, die »im wachsenden Maße unser ganzes gesellschaftliches Leben durchdringt: von Militärparaden bis zum Kindergarten, von gesperrten Wäldern bis zu den Kriterien bei der Zulassung zu Ausbildungswegen, vom Kriegsspielzeug bis zu den Übungen der Zivilverteidigung«.
Im März 1982 nahm die Konferenz der Kirchenleitungen in Buckow zu dem von staatlichen Stellen kritisierten Zeichen »Schwerter zu Pflugscharen« Stellung: »Wir stehen zu den jungen Christen, die mit Worten und Taten anzeigen, daß auch die Friedensbemühungen unseres Staates den christlichen Abrüstungsimpuls nicht erübrigen.« Am 24. März 1982 übte die evangelische Kirchenleitung in Sachsen in einer Kanzelverlesung heftige Kritik an dem Verbot, den Friedensaufnäher »Schwerter zu Pflugscharen« weiter zu tragen: »Uns drängt die Erkenntnis«, schrieb der Bischof der lutherischen Landeskirche in Sachsen, Johannes Hempel, »die wir mit vielen teilen, daß ein Krieg mit dem Einsatz der heutigen Waffensysteme keine Sieger mehr kennt. Auch das Gleichgewicht der Abschrekkung wird immer unsicherer. Es muß zur Erhaltung des Friedens der Weg der Abrüstung gesucht werden . . . Es sind Schritte notwendig und möglich«, betonte der sächsische Bischof, »durch Verzicht auf eigene Rüstungsmaßnahmen den Frieden sichern zu helfen. Wir begrüßen solche Schritte, auch wenn sie klein sind. Es sind Schritte notwendig und möglich, durch Vertrauen den Frieden sichern zu helfen. Versöhnung wird vor allem durch das Hören aufeinander gewonnen, durch die Bereitschaft zu Verständigung und Ausgleich.«
Am 28. März 1982 wandte sich die Synode der Kirchenprovinz Sachsen an die staatlichen Organe, der Unruhe in der Jugend »nicht mit Verboten, sondern mit offenem Gespräch« zu begegnen. »Wir bitten die Vertreter unseres Staates, dieses Gespräch zuzulassen und zu hören. Nur so kann dem Frieden in unserer Gesellschaft und ihrer Sicherheit gedient werden.«
Mitte April 1982 auf der Synode in der Ostregion der Berlin-Brandenburgischen Kirche wurde beklagt, daß von politisch relevanten Gruppen in der DDR nicht ernsthaft nach Lösungen für eine nichtmilitärische Friedenssicherung gesucht werde. Einige Tage später wurde in einem Brief

dieser Synode an ihre Gemeinden eine Haltung als gefährlich bezeichnet, die den modernen Krieg als ein Mittel »zur Verteidigung eines Staates oder einer Gesellschaftsordnung« ansehe. Die Kirche müsse bemüht sein, daß »auf Diffamierung von Konzeptionen zur gewaltlosen Friedenserhaltung in unserem Land verzichtet wird«, und daß »die militärische Durchdringung des öffentlichen Lebens in unserem Land abgebaut wird«.
Ende September 1982 war eine einwöchige Konferenz der evangelischen Kirchenleitungen in der DDR, welche die Friedensdekade 1982 vorbereitete, die unter dem Motto: »Angst – Vertrauen – Frieden« stand, ausschließlich dem Friedensthema gewidmet. »›Internationale Sicherheit‹, aufgebaut auf einem System gleichgewichtiger gegenseitiger Abschreckung, bietet uns immer weniger Sicherheit. Sie führt mit innerer Logik zu einer ständigen Verfeinerung der Waffensysteme, die heute einen Krieg auch zwischen den Großmächten und industrialisierten Staaten wieder denkbar und kalkulierbar zu machen scheinen.« In dem Konferenzbericht wird dem System gegenseitiger Abschreckung eine Absage erteilt, zugleich aber hinzugefügt: »Eine Absage an dieses System darf nicht gleichgesetzt werden mit einer Absage an vernünftige Verteidigungsanstrengungen.« Als Alternativen empfiehlt die Konferenz des Bundes der evangelischen Kirchen in der DDR: 1. einen besseren Austausch von Informationen, um die Absichten und Planungen der anderen Seite besser erkennen zu können, 2. Abbau der Ängste durch vertrauensbildende Maßnahmen, 3. Verzicht auf Rüstungsmaßnahmen, die die Möglichkeit von Überraschungsangriffen zum Ziel haben und die Vorwarnzeiten verringern. Ende Oktober 1982 beklagte die Magdeburger Kirchenleitung die Polizeimaßnahmen gegen die zumeist jugendlichen Träger des kirchlichen Friedensaufnähers: »Schwerter zu Pflugscharen« und sie kritisierte die Diffamierung pazifistischer Haltungen.
Die Reaktion der DDR-Führung auf die kirchlich initiierte Friedensdiskussion war widersprüchlich. Auf der dritten Tagung des SED-Zentralkomitees in Ost-Berlin bezeichnete der Erste Sekretär der SED-Bezirksleitung Cottbus, Werner Walde, den Vorschlag, einen sozialen Friedensdienst anstelle des Wehrdienstes einzuführen, »als friedens-, sozialismus- und verfassungsfeindlich«. »Angesichts der imperialistischen Hochrüstung« müsse der Beitrag zur Stärkung des Sozialismus, der wichtigsten Friedenskraft, gestärkt werden. Der stellvertretende FDJ-Vorsitzende bezeichnete es gar als eine »Ehrenpflicht«, »die Verteidigungsbereitschaft aller Mädchen und Jungen weiter zu erhöhen und die geeignetsten für den militärischen Beruf zu gewinnen«.
Parallel zur Friedensdekade der Evangelischen Kirche im November 1981 leitete das SED-Zentralkomitee im November 1981 eine Propaganda-Of-

fensive unter dem Motto: »Der Frieden muß verteidigt werden – der Frieden muß bewaffnet sein!« ein. Im Organ der »Kampfgruppen der Arbeiterklasse« wurde die Devise ausgegeben, der »zugespitzte internationale Klassenkampf« erfordere einen »meßbaren Zuwachs an Kampf- und Gefechtsbereitschaft« und das Feindbild »Haß auf den Imperialismus« müsse vertieft werden.

Nach dem Dresdner Friedensforum wurden vom Staatssicherheitsdienst nach Informationen des »SPIEGEL« 80 meist jugendliche Teilnehmer verhört. Neben Eppelmann wurde dem Wortführer der Initiative »Sozialer Friedensdienst«, dem Dresdner Pfarrer Christoph Wonneberger, vom Stasi vorgeworfen, er hätte »dem Klassenfeind« in die Hände gearbeitet.

Trägern des Abzeichens »Schwerter zu Pflugscharen« wurde von der Volkspolizei die Jacke oder der Parka beschlagnahmt und am kommenden Tag wieder ohne den Aufnäher, aber mit einer Rechnung des Schneiders für die Entfernung des Friedenssymbols zurückgegeben. In den Schulen wurde den Trägern Schulverweis und die Verweigerung einer Lehrstelle angedroht.

Während des Pfingsttreffens der Freien Deutschen Jugend wurde die Jugend der DDR dazu aufgerufen, für die Stärkung und Verteidigung des »sozialistischen Vaterlandes« und gegen die »wahnsinnigen NATO-Atomraketenpläne« zu demonstrieren. Demgegenüber wandten sich die Friedensaktivitäten junger Christen in der DDR gleichermaßen gegen die Aufstellung der SS-20 und die NATO-Nachrüstung.

Um die unabhängigen Friedensaktivisten zu disziplinieren, wurde wiederholt jungen DDR-Bürgern der Paß entzogen, um sie so an Auslandsreisen zu hindern. Zunehmend wurde die SED auch durch die Friedenskontakte der Evangelischen Kirche zum Ausland, z. B. zum holländischen Interkirchlichen Friedensrat verunsichert. Dessen Vorsitzender Mient Jan Faber erhielt sogar ein Einreiseverbot in die DDR.

Ende Oktober 1982 wandten sich 300 junge Frauen an den Staatsratsvorsitzenden, indem sie ein Gespräch über das im März 1982 verabschiedete neue Wehrdienstgesetz fordern, das erstmals die Einziehung von Frauen erlaubt. »Wir Frauen sehen den Armeedienst für Frauen nicht als Ausdruck ihrer Gleichberechtigung, sondern als einen Widersinn zu ihrem Frau-Sein . . . Wir Frauen verstehen die Bereitschaft zum Wehrdienst als eine Drohgebärde, die dem Streben nach moralischer und militärischer Abrüstung entgegensteht und die Stimme der menschlichen Vernunft im militärischen Gehorsam untergehen läßt . . . Wir Frauen glauben, daß die Menschheit heute an einem Abgrund steht und daß die Anhäufung von weiteren Waffen nur in einer wahnsinnigen Katastrophe enden würde.«

Dies ließen die Frauen im Alter zwischen 18 und 50 Jahren ihren Staats- und Parteivorsitzenden wissen. Erst als dieser Brief im »SPIEGEL« und in der linken »Tageszeitung« erschien, erfolgte als einzige Reaktion die vorübergehende Festnahme einiger der 300 Unterzeichnerinnen.
Die Aktivitäten der unabhängigen Friedensbewegung in beiden deutschen Staaten lassen eine gewisse Wechselwirkung erkennen. Während von den Regierenden in beiden Staaten jeweils die Friedensbewegung im anderen deutschen Staat als ein positives Zeichen gewertet wurde, warnte man im eigenen Land entweder vor der Gefahr einer »kommunistischen Unterwanderung« oder einer »imperialistischen Diversion«. Auf beiden Seiten versuchte man die jungen Demonstranten zur Kasse zu bitten: In Stuttgart sollten sie für das polizeiliche Wegtragen bezahlen und in Leipzig, Dresden und Ost-Berlin für die Entfernung eines Aufnähers, der die Plastik wiedergibt, welche als Geschenk der Sowjetunion im Park der Vereinten Nationen in New York das Symbol der Tätigkeit der UNO umschreiben soll: »Schwerter zu Pflugscharen«.
Ein gemeinsames Kanzelwort der beiden evangelischen Kirchen am 1. September 1979 stand am Anfang eines Prozesses der deutsch-deutschen Annäherung der Jugend, die ein Ziel verbindet, dem mörderischen Wettrüsten mit atomaren und konventionellen Waffen in Europa ein Ende zu bereiten.
Lange stand die Katholische Kirche in beiden deutschen Staaten abseits: in der Bundesrepublik, weil sie die sicherheitspolitischen Positionen zweier christlicher Parteien nicht schwächen wollte, in der DDR, weil sie sich in die säkularen Angelegenheiten eines atheistischen Staates nicht einmischen wollte. In beiden Staaten regte sich Kritik von der Kirchenbasis: in der Bundesrepublik formierte sich auf dem Dortmunder Katholikentag im September 1982 eine »Kirche von unten« und in der DDR warf eine Gruppe katholischer Laien und Priester, die sich als »Aktionskreis Halle« bezeichneten, der katholischen Kirchenführung Sprachlosigkeit in der Friedensdiskussion vor.
In einem Hirtenwort zum Weltfriedenstag am 1. Januar 1983 gaben die katholischen Bischöfe in der DDR ihre politische Zurückhaltung auf und forderten eine beiderseitige, kontrollierbare Abrüstung der Machtblöcke, verurteilten sie den Rüstungswettlauf und das Gleichgewicht des Schrekkens und erklärten sie die These vom gerechten Krieg für fragwürdig. Sie würdigten die Gewissensnot der Kriegsdienstverweigerer in der DDR und verlangten neue Formen des Wehrersatzdienstes und wendeten sich gegen den Wehrkundeunterricht an den Schulen.
In dem Hirtenbrief der katholischen Bischöfe in der DDR werden die Waffenarsenale in Ost und West geächtet: »Der Rüstungswettlauf zwi-

schen Ost und West ist ›ein unerträgliches Ärgernis‹. Er macht aus dem Gleichgewicht der Kräfte ein Gleichgewicht des Schreckens, er zerstört das Vertrauen zwischen den Völkern und Staaten und steigert das Elend der hungernden Menschen in der Dritten Welt. Es muß gelingen, die innere Logik des Wettrüstens, den Drang zur Überlegenheit über den möglichen Gegner, aufzubrechen.
In Übereinstimmung mit den Aussagen der Päpste«, verwerfen die Bischöfe der DDR, »jede Kriegsplanung, die – mit welchen Waffen auch immer – auf die Vernichtung ganzer Städte oder weiter Gebiete samt ihrer Bevölkerung gerichtet ist. Ein Krieg mit modernen Massenvernichtungswaffen ist in jedem Fall in sich unmoralisch und daher zu verwerfen. In keinem Krieg, aus welchem Grund auch immer, ist der Einsatz von ABC-Waffen zu rechtfertigen. Aber auch die konventionellen Waffen erreichen eine immer größere Perfektion. Sie bedrohen im Konfliktfall ebenfalls die Zivilbevölkerung eines Kampfgebiets. Daher ist es nach den Worten von Papst Johannes XXIII. in unserem Zeitalter nicht mehr möglich, ›den Krieg noch als das geeignete Mittel zur Wiederherstellung verletzter Rechte zu betrachten‹.«
Von zwei Seiten wurde der Hirtenbrief heftig kritisiert, von der DDR-Nachrichtenagentur ADN und im CSU-Organ »Bayern-Kurier«, der den Bischöfen in der DDR mangelndes Unterscheidungsvermögen vorwarf, da sie Ost und West bei Fragen der Gewaltanwendung und der Abrüstung unzulässig gleichgesetzt hätten. Diese Gleichsetzung ist nach Auffassung des CSU-Organs »Bayern-Kurier« »moralisch fragwürdig und politisch unzulässig«, da der Osten die Aufrüstung vorangetrieben habe und die westliche Nachrüstung nur der Verteidigung diene.
Erst nach dem Raketenwahlkampf folgten die katholischen Bischöfe in der Bundesrepublik dem Aufruf des Papstes und ihrer Kollegen in der DDR zum Abbau von Kernwaffen. »Nukleare Abschreckung ist auf Dauer kein verläßliches Instrument der Kriegsverhütung«, mit dieser Kernaussage trat die Deutsche Bischofskonferenz am 18. April 1983 in ihrem Wort zum Frieden »Gerechtigkeit schafft Frieden« an die bundesdeutsche Öffentlichkeit. Im Gegensatz zu den katholischen Bischöfen in den USA verzichtete das westdeutsche Episkopat auf konkrete politische Forderungen, wie z. B. auf den Nichtersteinsatz von Atomwaffen, die Einfrierung der Atomwaffen, zu atomwaffenfreien Zonen oder zur Nachrüstung. Immerhin aber stellte es fest, daß im Zeitalter der Nuklearwaffen der Krieg kein Mittel der Politik mehr sein könne. »Die Förderung des Friedens und die Bekämpfung der Kriegsursachen haben in der heutigen kirchlichen Friedensethik vorrangige Bedeutung gewonnen. Es geht darum«, betonten die westdeutschen katholischen Bischöfe, »gleiche

Chancen zur menschenwürdigen Entfaltung aller Menschen zu schaffen, internationale soziale Gerechtigkeit herzustellen und eine Völkergemeinschaft ohne Krieg aufzubauen.«

Die militärischen Mittel für die nukleare Abschreckung müßten jedoch folgenden Kriterien genügen:

»(1) Bereits bestehende oder geplante militärische Mittel dürfen Krieg weder führbarer noch wahrscheinlicher machen.

(2) Nur solche und so viele militärische Mittel dürfen bereitgestellt werden, die zum Zweck der an Kriegsverhütung orientierten Abschreckung gerade noch erforderlich sind.

(3) Alle militärischen Mittel müssen mit wirksamer beiderseitiger Rüstungsbegrenzung, Rüstungsverminderung und Abrüstung vereinbar sein.«

Sind aber mit diesen Kriterien die Waffen der Nachrüstung vereinbar, die aus der Sicht amerikanischer Experten aus militärstrategischen Gründen und nicht als Gegengewicht zur sowjetischen SS-20 erforderlich sind? Machen Pershing II und Marschflugkörper den Krieg nicht führbarer? Sind beide Waffensysteme mit den Zielen der Rüstungsbegrenzung vereinbar? Wohl kaum.

Weit konkreter ist dagegen das Heidelberger Friedensmemorandum aus der Evangelischen Studiengemeinschaft, das Anfang Juni 1983 vor dem Evangelischen Kirchentag in Hannover vorgelegt wurde: »Die jüngste Runde des Wettrüstens bedroht Europa in besonderem Maße. In den Genfer Verhandlungen über nukleare Mittelstreckensysteme entscheidet sich, ob das Vertrauen in Rüstungskontrollverhandlungen völlig zerstört wird oder ob ein Durchbruch gelingt.« Die 8. Heidelberger These von 1983 schließt mit der Forderung: »In der Region Europa kann und muß das Zeichen zu einem umfassenden Kernwaffenverzicht gesetzt werden.«

7. KAPITEL

Vor der Zerreißprobe: Die sozialliberale Koalition und die Raketendiskussion

Wenige Tage vor seinen ersten offiziellen Gesprächen mit dem neuen amerikanischen Präsidenten Ronald Reagan ging Bundeskanzler Helmut Schmidt aufs Ganze. Vor einer Konferenz der Ortsvereinsvorsitzenden des größten SPD-Bezirks westliches Westfalen machte der Kanzler in Recklinghausen unmißverständlich klar, mit der Verwirklichung beider Teile des NATO-Doppelbeschlusses, also des Nachrüstungsteils und des Verhandlungsteils – »insbesondere nicht nur mit dem Beginn von Verhandlungen, sondern auch mit dem Erfolg von Verhandlungen – damit stehe ich und falle auch damit«.
Tags darauf war die Spannung auf dem Höhepunkt, als Kanzler Helmut Schmidt auf dem 30. Landesparteitag der bayrischen SPD in Wolfratshausen ans Rednerpult trat. Zuvor hatten die Delegierten des Nürnberger Unterbezirks verlangt, die Regierungspartei möge ihre Zustimmung zum Nachrüstungsbeschluß der NATO zurückziehen. Über eine Stunde lang predigte der aufgebrachte stellvertretende SPD-Parteivorsitzende seinen rebellischen Genossen: »Hört endlich auf, euch suggerieren zu lassen, die Russen seien unsere Freunde und die Amerikaner unsere Feinde«, rief er mit erhobener Stimme in den Saal, und an die christlichen Friedensgruppen gewandt fügte der protestantische Kanzler hinzu: »Glaubt ihr etwa auch, daß die Bergpredigt der Bibel geeignet ist, die Politik der Sowjetunion zu korrigieren?« Hart ins Gericht ging der Kanzler mit jenen, die das militärische Gleichgewicht in Frage stellten: »Wer das Gleichgewicht der Kräfte verachtet, ist ein Illusionist, der den Frieden gefährdet.« Und noch deutlicher fügte er hinzu: »Mit aller Kraft werde ich mich gegen eine Politik des Untergewichts und gegen eine Politik des westlichen Übergewichts wehren. Man muß aufpassen, daß man sich innerlich nicht öffnet für eine Propaganda, weil sie von Theologen statt von Kommunisten vorgetragen wird.« Die Bergpredigt sei eine »bewegende Botschaft, aber ich halte sie nicht für ein Handbuch der praktischen Politik gegenüber der Sowjetunion, es haben zu viele Völker erlebt, daß sich die Sowjetunion nicht nach der Bergpredigt richtet«.

»Wenn der Nürnberger Antrag zur Ansicht der Bundespartei würde«, holte der Kanzler zum Schluß seiner dramatischen Rede mit erhobenem Zeigefinger aus, »dann könnte ich die Verantwortung für die Bundesregierung nicht länger tragen.« Als die Parteilinke in der anschließenden hitzigen Debatte den Nürnbergern Flankenschutz gab, wurde der Kanzler noch deutlicher. Die Ablehnung des NATO-Doppelbeschlusses durch die Bundespartei würde zur Ablösung der gegenwärtigen Regierung und Regierungskoalition »durch eine völlig andere« führen.
Helmut Schmidt verließ Wolfratshausen nach einer scharfen innerparteilichen Redeschlacht, bei der die Gegner des Doppelbeschlusses die Argumente der Friedensbewegung kraftvoll vertraten, als Sieger. Mit der eindeutigen Mehrheit von 258 Ja-Stimmen bei 46 Nein-Stimmen und vier Enthaltungen nahm der Parteitag einen Leitantrag an, der die Position des Kanzlers unterstützte.
Zwei Wochen später dasselbe Bild. Auf dem 32. Kölner F.D.P.-Bundesparteitag betrat Ende Mai 1981 Hans-Dietrich Genscher nach einer vierstündigen heißen Debatte das Rednerpult »ohne Sakko, das blaue Hemd an den Schultern und um die Hüften durchschwitzt wie ein Schwerstarbeiter. Er strapaziert sich in der Tat auf eine Art«, beschrieb Hans Ulrich Kempski später in der »Süddeutschen Zeitung« diesen dramatischen Auftritt des Bundesaußenministers, »die man bei ihm nicht gewohnt ist. Der massige Körper ist nach vorn geschoben, beinahe so, als wolle Genscher seinen Worten Nachdruck verschaffen durch physische Gewaltandrohung. Die Stimme ist beunruhigend laut geworden. Und bei allem, was er sagt, schwingt kein Rest von Duldsamkeit mehr mit. Dieser Genscher, das spürt wohl jeder, blufft nicht. Er gleicht einem Dompteur, den auch hartnäckige Widerspenstigkeit nicht davon abbringen kann, einen gefährlichen Dressurakt zu wagen.«
Entgegen den ursprünglichen Plänen der Parteiführung hatte der linke F.D.P.-Flügel unter Anführung des 86jährigen William Borm und des Vorsitzenden der Jungdemokraten Werner Lutz eine Debatte zur Sicherheitspolitik und zur Nachrüstung durchgesetzt.
Die Spannung trieb einem Höhepunkt entgegen, als ein Antrag des F.D.P.-Landesverbandes Schleswig-Holstein in den Mittelpunkt der Debatte rückte, der, um dem Parteivorsitzenden aus der Klemme zu helfen, vorschlug, in den Genscher-Antrag eine Formulierung aufzunehmen, daß beim Scheitern der Mittelstreckenrüstung, die dann nötigen Mittelstrekkenraketen »möglichst« auf See zu stationieren seien, wie es ja der Physiker Carl Friedrich von Weizsäcker bereits im November 1979 vorgeschlagen hatte.
»Das ist genau der Augenblick«, setzt Kempski seine Reportage fort, »der

Genscher Anlaß gibt, seinen politischen Dressurakt zu wagen. Die barsche Indignation, mit der von ihm abgelehnt wird, den schlauen Gedanken aufzunehmen, läßt in der Versammlungshalle viele von denen, die Genscher gut zu kennen glauben, schier fassungslos dreinschauen. Sie nehmen sich wie Leute aus, die an ihrer Klarsicht zweifeln. Genscher verzichtet auf taktische Finessen, verbaut jeden Brückenschlag, hält sich keine Hintertür offen, hat bestimmt kein heimliches Schlupfloch. Was ist los mit Hans-Dietrich Genscher? Die dunkle Brille verbirgt den Augenausdruck des Parteichefs. Dennoch bleibt unübersehbar, daß jeder von Genscher mit abweisender Strenge gemustert wird, der fortan noch genug Courage zur Weigerung zeigt, sich Genscher zu unterwerfen. Nicht wenige allerdings tun dies in den nachfolgenden Stunden, trotzig. Sie scheinen sich provoziert zu fühlen, nachdem auch Genscher, genau wie der Kanzler, sein politisches Schicksal mit dem des NATO-Beschlusses verknüpft hat.«
»Ich handle gemäß den Beschlüssen der Partei«, verteidigte der Außenminister die Position der Vorstandsmehrheit, »wer sie ändern will, will die deutsche Außenpolitik ändern.« Eine Seestützung beseitige die Abschrekkung und erhöhe die politische Erpreßbarkeit Westeuropas. Dann könnten deutsche Schiffe mit Raketen auch »ganz woanders« eingesetzt werden und damit das Risiko der Bundesrepublik steigern. »Ich bitte Sie«, appellierte der F.D.P.-Vorsitzende an die Delegierten, »nicht der Sowjetunion die Hoffnung zu machen, eine Debatte über die Seestationierung sei der erste Schritt zur Aufhebung des Nachrüstungsbeschlusses.« Auch er werde wie Schmidt nicht gegen sein Gewissen handeln, rief Genscher, »wenn ein Parteitag es will«. Die Folge wäre »nur die Konsequenz des Außenministers, seine Verantwortung für die Sicherheit der Bundesrepublik in der Regierung niederzulegen«. Den Delegierten schleuderte er entgegen: »Wollen Sie erwarten, daß ich gegen den Beschluß des Bundestages, der bei nur fünf Gegenstimmen gefaßt wurde, handle? Ich möchte dieses Land vertragstreu halten«.
Bei der Abstimmung über den Vorschlag einer seegestützten Alternative folgten 228 Delegierte ihrem Vorsitzenden, 141 lehnten Genschers Linie ab und zehn weitere enthielten sich der Stimme. Am Ende der fünfstündigen Debatte lehnten 103 von 387 Delegierten die Vorstandslinie ab, während 271 ihrem Vorsitzenden folgten. Claus Gennrich faßte in der »FAZ« die Folgen dieser Schlacht zusammen: »Nach Bonn kehrt Genscher aus dem Pulverdampf zwar siegreich, aber mit Narben zurück – auf einmal ein Kämpfer.«
Eineinhalb Jahre nach dem NATO-Doppelbeschluß vom 12. Dezember 1979 hatte die Diskussion in der Friedensbewegung die sozialliberalen Parteien erreicht. Nur mit ihrer deutlichen Rücktrittsdrohung konnten

Helmut Schmidt und Hans-Dietrich Genscher Mitte und Ende Mai 1981 noch verhindern, daß die Friedensbewegung über die SPD und F.D.P. den Damm zum Einsturz brachte. Wie reagierte die parlamentarische Opposition auf die Herausforderung der Friedensbewegung? Mit welchen taktischen Kompromissen versuchten die F.D.P. und die SPD ihre innenpolitische Basis zu erhalten, ohne außenpolitisch als unberechenbar zu erscheinen?
Während die »Grünen« sich als Teil und Speerspitze der Friedensbewegung empfanden, profilierten sich die Unionsparteien als die zuverlässigsten Freunde der neuen amerikanischen Regierung unter Ronald Reagan. Nur der ehemalige stellvertretende CDU-Bundesvorsitzende Kurt Biedenkopf ließ Zweifel an der atomaren Abschreckungsstrategie aufkommen. »Wir haben uns mit der atomaren Abschreckungsstrategie möglicherweise ganz fürchterlich verstiegen! . . . Wir sind vom Weg abgekommen und haben, um den Weg wiederzufinden, immer weitere Fehlschritte getan, das hat zu immer höherer Aufrüstung geführt«, äußerte Biedenkopf seine Skepsis in dem Fernsehmagazin REPORT. »Unsere Aufgabe besteht in den kommenden Jahren darin, nicht die Nerven zu verlieren, Politik zu machen, die uns die Möglichkeit gibt, behutsam abzusteigen, so daß jeder, der sich mit verstiegen hat, auch mitkommt, daß wir nicht dauernd Abstürze haben und dauernd Gefährdungen haben und alle zusammen abstürzen. Diese Aufgabe erst mal als Aufgabe begriffen zu haben, ist schon ein ungeheurer Fortschritt.« Vor dem CDU-Parteitag im Oktober 1981 hatte Biedenkopf erstmals die These geäußert, Atomwaffen als Verteidigungswaffen seien zunehmend weniger akzeptabel, weil die Menschen diese Grenzsituation nicht ertragen wollten. Ein Jahr später konkretisierte Biedenkopf seine Skepsis in einem Festvortrag auf der Jahrestagung des Londoner Instituts für Strategische Studien in Den Haag. Da die atomare Abschreckung langfristig nicht mehr plausibel zu machen sei, die NATO aber kurzfristig auf die atomare Abschreckung nicht verzichten könne, schlug Biedenkopf vor: »Es müssen alle Anstrengungen unternommen werden, die westliche Verteidigungsstrategie und ihre Anwendung so weiterzuentwickeln, daß sie zwar auf atomarer Abschreckung fußt, doch das Risiko des ›nuklearen Schlagabtausches‹ reduziert wird«. Konkret heißt das nach seinen Worten die »Reduzierung oder völlige Wegnahme taktischer Atomwaffen« und eine entsprechende Verbesserung der konventionellen Verteidigungsmöglichkeit. Von den meisten CDU/CSU-Politikern wurden diese Zweifel und die stille Sympathie für die Friedensbewegung nicht geteilt.
»Als schlechterdings verhängnisvoll« griff der CDU-Wehrexperte Manfred Wörner im April 1980 einen Vorschlag von Bundeskanzler Helmut

Schmidt für ein mehrjähriges Stationierungsmoratorium an. Selbst wenn die Sowjetunion auf den Schmidt-Vorschlag einginge und in einer bestimmten Zeit keine neuen SS-20 stationiere, sei dies für den Westen kein Vorteil. Zwei Monate später und kurz vor der Reise des Kanzlers nach Moskau lehnte der CDU-Abgeordnete Ekkehard Voigt alle Pläne ab, »die Mittelstreckenmodernisierung der NATO auszusetzen, selbst wenn die Sowjetunion zu einem Stopp ihrer SS-20-Produktion oder zur Teilverschrottung dieser Waffe bereit wäre, wozu ohnehin keine Aussichten bestehen«. Im Januar 1981 bezeichnete der außenpolitische Sprecher der CDU/CSU-Bundestagsfraktion Alois Mertes es als eine »undemokratische Perversion des Koalitionsgedankens«, daß maßgebliche Kräfte der SPD in vitalen Fragen der Sicherheits-, Deutschland- sowie Energiepolitik, »die Opposition gegen die Regierungspolitik bilden«, während die parlamentarische Opposition »aus Loyalität zum Staat über Jahre den Beweis für ihre Bereitschaft zum breiten Konsens im Bundestag praktiziert«.
Eine Modifizierung des NATO-Doppelbeschlusses von land- zu seegestützten Systemen, wie sie einige Wissenschaftler und der SPD-Politiker Scheer vorschlugen, lehnte Mertes am 19. Juni 1981 in der »ZEIT« entschieden ab. Grundlage der Landstützung sei die Einheit des nordatlantischen Bündnisterritoriums, die Unteilbarkeit der Sicherheit in der Bündnisgemeinschaft, die Koppelung der amerikanisch-europäischen Risikobelastung. Landgestützte Systeme hätten eine stärkere europäisch-amerikanische Koppelungswirkung. »Sie verhindert«, nach der Ansicht von Mertes, »glaubwürdig eine Regionalisierung des Kriegsrisikos zu Lasten Europas. Die Ambivalenz der seegestützten Systeme führt dazu«, wiederholte Mertes die amerikanischen Ablehnungsgründe, »daß die erste Eskalationsstufe der nuklearen Abschreckung entfällt. Der Westen verliert die Eskalationsdominanz, die Fähigkeit also zur souveränen Zweckmäßigkeitsentscheidung innerhalb des Systems der flexiblen Reaktion . . . Die landgestützten Mittelstreckenwaffen der USA werden mobil sein, also relativ unverwundbar . . . Bei einer Landstationierung entfiele jegliche nationale Beteiligung nicht-nuklearer Bündnispartner«, bedauerte der spätere Staatsminister im Auswärtigen Amt, »weil sie nur auf amerikanischen Schiffen mit ausschließlich amerikanischer Besatzung erfolgen könnte.«
»Wenn es während der Verhandlungen nicht dazu kommt«, vertraute der Bayrische Ministerpräsident im März 1982 dem »SPIEGEL« an, »ich rede jetzt nicht von Null-Lösung, über die man sich ja nur sarkastisch äußern kann hinsichtlich ihrer Verwirklichungsfähigkeit –, daß ein Gleichstand dieser Waffen auf dem europäischen Kontinent, zumindest eine Gleichwertigkeit, erreicht wird, dann hängt die Zukunft der atlantischen Allianz

Der seegestützte Marschflugkörper der US-Marine wurde am 10. Mai 1983 von dem Schlachtschiff USS New Jersey (BB-62) aus gestartet. Dieser für konventionelle Sprengköpfe vorgesehene Landangriffsflugkörper erreichte sein Ziel über eine Entfernung von 800 Kilometern auf dem Testgelände in Tonopah im US-Staat Nevada.

Foto: US-Department of Defense

davon ab, ob die Stationierung dieser amerikanischen Waffen als NATO-Waffen auf europäischem Boden erfolgen kann.«
Anfang Januar 1982 vertrat das CDU-Präsidiumsmitglied Norbert Blüm die Ansicht, »der Westen müsse auch zur Unterbrechung der Genfer Abrüstungsverhandlungen bereit sein, wenn Moskau nicht die ›Knebelung der polnischen Gewerkschaften‹ beende«. Angesichts der uneingeschränkten Zustimmung zum NATO-Doppelbeschluß und zur Position der Reagan-Regierung hatten viele Stellungnahmen führender Unionspolitiker eher taktische Funktionen in der innenpolitischen Auseinandersetzung.
Die Rücktrittsdrohung von Außenminister Genscher auf dem Kölner F.D.P.-Parteitag rückte eine Kontroverse ins Rampenlicht der Öffentlichkeit, die seit November 1979 schwelte. Am 25. November 1979 verglich der Vorsitzende des Bundesfachausschusses I der F.D.P., William Borm, die beabsichtigte Nachrüstung mit der Stationierung sowjetischer Raketen auf Kuba 1962. »Man kann füglich behaupten, daß die Raketen, die jetzt bei uns stationiert werden sollen«, bemerkte Borm auf einer gemeinsamen Veranstaltung der Bundesvorstände von Jungdemokraten und Jungsozialisten, »uns in letzter Konsequenz mehr bedrohen als die UdSSR, weil die zu erwartenden sowjetischen Gegenpotentiale dann unmittelbar auf uns gezielt sind.«
Am 8. Februar 1981 beschloß der von Borm geleitete F.D.P.-Ausschuß, dem Kölner F.D.P.-Parteitag einen Leitantrag zu Fragen der Außenpolitik und internationalen Sicherheit vorzulegen. Einen Monat später rief der Berliner Ehrenvorsitzende der F.D.P. Borm auf der Bundesdelegiertenkonferenz der Deutschen Jungdemokraten in seinem Redebeitrag »Quo vadis F.D.P.? – Von Dehler bis Pershing« zu einer Massenbewegung »Kampf dem atomaren Selbstmord« auf. Nachdem Borm am 20. März 1981 einen Antragsentwurf für Köln vorlegte: »Klarer Kurs für Frieden, Entspannung und Abrüstung«, reagierte das F.D.P.-Präsidium am 13. April 1981 mit einem eigenen Leitantrag, der die Position des Vorsitzenden voll unterstützte. Am 26. April 1981 beschloß der F.D.P.-Landesparteitag Schleswig-Holstein in Husum, daß eine evtl. auszuführende atomare ›Nachrüstung‹ ausschließlich seegestützt stattfinden dürfe, jenen Antrag also, der Hans-Dietrich Genscher am 29. Mai 1981 zu seiner Rücktrittsdrohung veranlaßte.
Am 17. Juni 1981 forderte Genschers Widerpart im F.D.P.-Bundesvorstand William Borm erstmals die Rücknahme der Zustimmung der Bundesrepublik zum NATO-Doppelbeschluß. Zwei Jahre nach dem NATO-Doppelbeschluß lehnte der F.D.P.-Landesparteitag in Berlin Anfang Dezember 1981 als erster Landesverband die Stationierung neuer amerikani-

Hans-Dietrich Genscher und Walter Scheel auf dem Kölner F.D.P.-Parteitag 1981.

Foto: Bundesbildstelle Bonn

scher Mittelstreckenraketen in Mitteleuropa insbesondere auf dem Gebiet der Bundesrepublik Deutschland ab.
Die Mehrheitsposition Genschers und die von 25 bis 37 Prozent auf dem Kölner Parteitag unterstützte Minderheitsposition Borms prallten 1981/82 wiederholt aufeinander, so z. B. bei der Bewertung des Moratoriums-Vorschlags Breschnews, den Außenminister Genscher ablehnte, während Borm »die eilfertige Ablehnung des Breschnew-Vorschlages« als »kaum vertretbar« bezeichnete.
In einer Rezension der ausgewählten Grundsatzreden des Bundesaußenministers warf Borm im August 1981 im »SPIEGEL« Genscher vor, sein »Konzept einer Kombination von ›Anreizen und Warnungen‹, von Zuckerbrot und Peitsche, entspricht einer westlichen Politik der Stärke«. Mit Genschers Einzug ins Auswärtige Amt 1974 sei die eigentliche Ära sozialliberaler Außenpolitik zu Ende gegangen. »Genscher setzt auf Gemeinsamkeit mit der entspannungskritischen CDU/CSU; dies geht zwangsläufig zu Lasten der entspannungspolitischen Substanz . . . Die Ostverträge wurden allenfalls noch lustlos verwaltet.«
F.D.P.-Bundesvorstandsmitglied William Borm faßte seine Kritik an dem Bundesvorsitzenden in folgendem Fazit zusammen: »Die F.D.P. hat seit 1978 keine außenpolitischen Grundsatzdiskussionen mehr geführt. Die klassisch außenpolitisch orientierte und vordenkende Partei wurde stumm. Sie hat die praktizierte Außenpolitik geistig nicht mehr verarbeitet. Die einstige Entspannungspartei«, kritisierte das 86jährige Idol der F.D.P.-Jugend den Außenminister und seine Partei, »steht heute gegen die Friedensbewegung, mit der sie weder dialogfähig noch -willig ist. Sie ist dabei, zum Sprachrohr einer illiberalen Philosophie in der Koalition zu werden – mit der unvermeidlichen Folge, daß die Koalition gesprengt wird.«
Dreizehn Monate später war es soweit.
Die von Borm und seinen politischen Freunden vertretene Position fand zunehmend Unterstützung an der F.D.P.-Basis. Während der Druck der Parteibasis in der Friedensfrage zunahm, intensivierte die Parteispitze gleichzeitig ihre Kontakte zur CDU/CSU-Spitze. Seit Sommer 1982 waren die Minen für den Bruch der Koalition gelegt. Die Entspannungspolitik als gemeinsamer Kitt der Koalition zerbröckelte, das Lambsdorff-Papier zur Wirtschafts- und Finanzpolitk bot nur noch einen Vorwand für den Ausstieg Mitte September 1982.
Die Kritik der Friedensbewegung an dem nuklearen Wettrüsten und am NATO-Doppelbeschluß erreichte die SPD nach dem Wahlsieg über Franz Josef Strauß. Als Folge der ersten bundesweiten Friedenswoche »Frieden schaffen ohne Waffen« im November 1980 wurden die Abgeordneten in

Genscher-Widersacher William Borm. Foto: Bundesbildstelle Bonn

ihren Wahlkreisen vor allem bei den Jugendlichen zunehmend mit sicherheitspolitischen Fragen konfrontiert.
Unmittelbar nach den Bundestagswahlen forderte eine kleine Minderheit in der SPD-Bundestagsfraktion eine Aufhebung des NATO-Doppelbeschlusses. Ende Januar 1981 kam es dann zum ersten Eklat, als 24 SPD-MdBs einen Antrag auf Kürzung der Verteidigungsausgaben um eine Milliarde Mark im Bundestag einbrachten. Am 9. Dezember 1980 hatten 150 sozialdemokratische Mandatsträger in einem Bielefelder Appell die SPD-Parteiführung aufgefordert, die »Entspannungspolitik nicht aufs Spiel zu setzen« und die Zustimmung der Bundesrepublik zum NATO-Doppelbeschluß zurückzuziehen. Da der neu gewählte amerikanische Präsident Ronald Reagan das SALT II-Abkommen für gegenstandslos halte, sei auch die Geschäftsgrundlage für den Berliner Parteitagsbeschluß nicht mehr gegeben. Wer den NATO-Doppelbeschluß in Frage stelle, warnte Annemarie Renger die Linken in der SPD-Bundestagsfraktion, untergrabe die entscheidenden Prämissen sozialdemokratischer Politik der Entspannung auf der Grundlage des militärischen Gleichgewichts. Der SPD-Fraktionsvorsitzende Herbert Wehner griff den Antrag der 24 Abweichler als eine direkte Gefährdung des Fortbestands der SPD/F.D.P.-Koalition heftig an. Im gleichen Sinne ermahnte Egon Bahr Anfang Februar die Kritiker, alles zu vermeiden, was eine Fortsetzung des SALT-Prozesses in den USA gefährden könne. »Wer heute an dem Stationierungsteil des Beschlusses rüttelt, rüttelt an der Verhandlungsverpflichtung, und vor die Stationierung hat der Beschluß bekanntlich die Verhandlungen gesetzt . . . Wer heute an den Doppelbeschluß rührt, würde auch die Sowjetunion aus der politischen Verpflichtung entlassen, die wir anstreben.« Der NATO-Doppelbeschluß als taktischer Hebel, um die beiden Supermächte an den Verhandlungstisch zu bringen, und die Vertagung der Stationierungsentscheidung auf 1983, um im Lichte der Verhandlungsergebnisse zu entscheiden – mit dieser Strategie versuchten Bahr und Wehner eine weitere Polarisierung der Partei und eine Spaltung der SPD-Bundestagsfraktion zu vermeiden. Am 20. Februar 1981 wurde der Sturm in der SPD-Bundestagsfraktion zunächst durch eine Fünf-Punkte-Erklärung beigelegt, die ohne Gegenstimmen und bei nur elf Enthaltungen angenommen wurde, in der der Berliner Parteitagsbeschluß mit seiner auflösenden Bedingung bekräftigt wurde.
Im Frühjahr 1981 traten die Unterschiede zwischen der pro-amerikanischen außenpolitischen Linie des F.D.P.-Bundesvorsitzenden Genscher und der zunehmend kritischen Linie der SPD-Führung deutlicher zutage. Während Willy Brandt deutlich die europäischen und deutschen Interessen in der NATO betonte und die voreilige Ablehnung des Moratoriums-

vorschlags Breschnews zurückwies, forderte Genscher ein engeres Zusammenrücken mit den Verbündeten.
Der baden-württembergische SPD-Parteitag in Aalen setzte dann Anfang Mai 1981 ein Signal für die Wiederaufnahme der Diskussion über den NATO-Dopelbeschluß, die dann fast jeden Montag nach Bezirks- und Landesparteitagen von SPD-Gliederungen bis zum SPD-Bundesparteitag in München im April 1982 für Schlagzeilen sorgte.
Nach einer leidenschaftlichen und teilweise emotionalen Debatte wurde in Aalen gegen Mitternacht ein Antrag mit knapper Mehrheit abgelehnt, mit dem die Bundesregierung aufgefordert wurde, die Geschäftsgrundlagen der Nachrüstung in Frage zu stellen und die Genehmigung der Stationierung auf ihrem Gebiet aufzukündigen. Eine kleine Minderheit hatte sich uneingeschränkt zum NATO-Doppelbeschluß bekannt. Gegen die Stimmen der vier Regierungsmitglieder Hauff, Huonker, von Bülow und Offergeld wurde schließlich der Antrag des Landesparteitages angenommen, wonach die Frage der Nachrüstung erneut auf dem Münchner Parteitag entschieden werden sollte.
Mit zwei Entschließungsanträgen versuchte die CDU/CSU-Opposition Mitte Mai, wenige Tage vor der Reise Kanzler Helmut Schmidts in die USA, die Koalitionsparteien zu einer eindeutigen Stellungnahme zum Doppelbeschluß zu bewegen, um so die innerparteilichen Auseinandersetzungen in der SPD zu einem Koalitionskonflikt werden zu lassen. Nach dem CDU-Entschließungsantrag sollte der Bundestag seine Entschlossenheit bekräftigen, »die Bundesregierung bei der konsequenten und zeitgerechten Verwirklichung des Beschlusses der NATO vom 12. Dezember 1979 in seinen beiden Teilen zu unterstützen«.
Am 21. und am 29. Mai 1981 griffen das SPD-Bundesvorstandsmitglied, der Oberbürgermeister von Saarbrücken Oskar Lafontaine, und der Abgeordnete Hermann Scheer erstmals den Vorschlag von Carl Friedrich von Weizsäcker auf, bei einem Scheitern der Rüstungskontrollgespräche statt landgestützten Mittelstreckensystemen nur seegestützte Raketen zu stationieren.
Am 27. und 28. Juni 1981 bekundete der stärkste und einflußreichste SPD-Landesverband Nordrhein-Westfalen seine Unterstützung für die Sicherheitspolitik des sozialdemokratischen Bundeskanzlers.
Die SPD brachte aber auch ihre Besorgnis über die unklare amerikanische Haltung zum Ausdruck: »Es besteht auch die Befürchtung einer Risikoverlagerung im Rahmen des atlantischen Bündnisses. Die europäischen Bündnispartner der USA haben Anspruch auf alsbaldige Klärung dieser für uns lebenswichtigen Frage. Denn es besteht die Gefahr, daß durch die SS-20-Raketen auf sowjetischer, Pershing-II-Raketen und Marschflugkör-

per auf amerikanischer Seite die Spirale des Wettrüstens in qualitativer wie in quantitativer Hinsicht weitergedreht wird. Dies kann dem Frieden nicht dienen.«

Am selben Wochenende wurde Erhard Eppler nach seiner Rede auf dem Juso-Bundeskongreß in Lahnstein von den 300 Delegierten mit Ovationen gefeiert. Mit der geplanten Stationierung der neuen amerikanischen Raketen werde ein auf Europa begrenzter Atomkrieg denkbar. Um die amerikanische Regierung zu einer Umkehr zu bewegen und zu Verhandlungen zu zwingen, forderte Eppler eine unabhängige Friedensbewegung, die sich drei Ziele setzen sollte: 1. Stopp des atomaren Wettlaufs durch die Ablehnung der neuen Mittelstreckenraketen, 2. eine Debatte über die anderen Verteidigungs- und Sicherheitskonzepte und 3. ein stärkeres Gewicht der Europäer in der NATO gegenüber den USA.

Anfang Juli sondierte der SPD-Parteivorsitzende Brandt bei seinen Gesprächen mit dem sowjetischen Partei- und Staatschef Breschnew die Möglichkeite einer »Null-Lösung« als einem Verhandlungsziel bei den geplanten Genfer Mittelstreckengesprächen. Nach einer Kabinettssitzung am 9. Juli 1981, die sich mit den Ergebnissen der Brandt-Mission befaßte, begrüßte Regierungssprecher Becker die Bereitschaft der beiden Großmächte, noch 1981 mit Verhandlungen über die nuklearen Mittelstreckensysteme zu beginnen. »Zur sogenannten Null-Option geht die Bundesregierung davon aus, daß sie sich auf die Systeme beider Seiten bezieht. Ihre Verwirklichung würde daher die Beseitigung der die Staaten der Allianz bedrohenden sowjetischen Vorrüstung im Mittelstreckenbereich voraussetzen. Dies steht im Einklang mit der Position der Bündnispartner, daß es das Ziel der Verhandlungen ist, die Herstellung eines gleichgewichtigen Kräfteverhältnisses im Bereich der Mittelstreckenraketen auf möglichst niedriger Ebene zu erreichen.«

Um das Gespräch mit den verschiedenen Gruppen der Friedensbewegung zu führen, hatte die Sicherheitspolitische Kommission beim SPD-Parteivorstand am 27. August 1981 zu einem »Forum Frieden« eingeladen, an dem neben Verteidigungsminister Apel sowie einigen SPD-Abgeordneten führende Sprecher der Friedensbewegung von Rudolf Bahro, Gert Bastian bis zu Petra Kelly und Alfred Mechtersheimer teilnahmen. In seinen 10 Thesen über Frieden und Abrüstung bekräftige Egon Bahr die Position der Sozialdemokraten: das Streben nach gemeinsamer Sicherheit durch Verhandlungen auf der Grundlage des Gleichgewichts im Rahmen der bestehenden Bündnisse mit dem Ziel, die Stationierung neuer amerikanischer Raketen überflüssig zu machen bzw. auf dem niedrigsten Niveau anzustreben. Als erstes Verhandlungsziel nannte der SPD-Abrüstungsexperte Bahr die Null-Lösung, die von der Sowjetunion verlange, »im Rahmen des globalen Gleichgewichts das annähernde Gleichgewicht in Europa, wie sie es 1978 zugesagt hat, vertraglich zu bestätigen. Wenn dies der Fall ist, ergäben sich entsprechende Reduktionen.« Zugleich müßten die Mittelstreckensysteme Großbritanniens und Frankreichs bei der Feststellung des Gleichgewichts berücksichtigt werden. »Falls man sich auf die Grundlinien eines europäischen Raketenabkommens einigte, wäre die Zeit für ein Moratorium gekommen . . . Würde man sich nicht einigen, käme die Stationierung an der Wende 1983/1984.« Egon Bahr schloß mit der These 10: »Nachdem sie SPD ihre Haltung bestimmt hat, ist es Sache der Friedensbewegung, zu bestimmen, wie weit sie mit uns gehen kann. Es wäre für das Ziel der Sicherheit durch Zusammenarbeit schädlich, wenn beide Kräfte auseinandergingen.«

Nach diesem ersten Dialog zwischen Vertretern einer großen Partei und den Sprechern einer neuen sozialen Bewegung, zwischen Verteidigungsexperten und Friedensforschern, schienen diese beiden Kräfte in den kommenden Monaten, insbesondere vor der Bonner Friedensdemonstration am 10. Oktober 1981 eher auseinanderzudriften. In der Sitzung der SPD-Bundestagsfraktion am 29. September 1981 standen sich die Position des um Integration bemühten Parteivorsitzenden Brandt und die Sorgen des Kanzlers, daß die Glaubwürdigkeit seiner Regierung gegenüber den Großmächten durch die erwarteten 100 000 Demonstranten geschwächt werde. »Ich bin gegen Kundgebungen, die intern eine Kampfansage gegen die Bundesregierung darstellen«, warnte der Kanzler die mit der Großdemonstration sympathisierenden Mitglieder der Parlamentarischen Linken.

Während die Bundesregierung die Aufnahme der nuklearen Mittelstreckengespräche als einen Erfolg des stetigen und berechenbaren Bemühens interpretierte und bedingungslos am NATO-Doppelbeschluß festhielt, überwog in der SPD auf vielen Parteitagen die Skepsis über die amerikanische Verhandlungsbereitschaft. Von vielen Sozialdemokraten wurde der Verdacht gehegt, der Doppelbeschluß könne sich letztendlich als Vehikel der Aufrüstung entpuppen. Im Herbst und Winter 1981/82 wurden die Tendenzen stärker, die ein Einfrieren bzw. ein Moratorium für neue Mittelstreckensysteme bzw. im Falle eines Scheiterns der Rüstungskontrollverhandlungen seegestützte Mittelstreckenraketen forderten.

Anfang November 1981 unterstützte der SPD-Landesverband des Saarlandes mit 80 Prozent einen Antrag des von Oskar Lafontaine geführten Landesvorstandes, wonach die alleinige Stationierung von amerikanischen Mittelstreckenraketen des Typs Pershing II in der Bundesrepublik abgelehnt und zugleich eine Verlängerung des bis Ende 1981 geltenden Zusatzprotokolls zum SALT II-Vertrag gefordert wurde.

Zwei Wochen später forderte der SPD-Bezirksparteitag Hannover die

USA und die Sowjetunion auf, für die Dauer ihrer Verhandlungen einen beiderseitigen Produktions- und Stationierungsstopp für neue nukleare Systeme in Ost und West zu vereinbaren. Eine Woche später konzentrierte sich die Debatte innerhalb der SPD auf die unterschiedlichen Möglichkeiten eines Moratoriums. Während sich das SPD-Präsidiumsmitglied Erhard Eppler für ein unbefristetes Moratorium aussprach, setzte sich Egon Bahr auf dem Hamburger Landesparteitag für ein bis 1983 befristetes Moratorium ein. Am 30. November, als in Genf die Mittelstreckengespräche zwischen den USA und der Sowjetunion aufgenommen wurden, deutete der Vorsitzende der SPD-Fraktion Herbert Wehner an, im Falle einer vertraglichen Einigung bis zum Herbst 1983, sei eine Verlängerung der vor dem Nachrüstungsvollzug liegenden Frist denkbar.
Zu einer erneuten Zerreißprobe zwischen dem sozialdemokratischen Kanzler und seiner Partei kam es am 6. Dezember auf dem Landesparteitag der Bremer SPD in Bremerhaven. »Wer die zweite Hälfte des Doppelbeschlusses aus der Welt nehmen will«, ermahnte Helmut Schmidt die Delegierten in der SPD-Hochburg, »der muß das ohne mich tun«. Schmidt warnte auch davor, in München erneut die Diskussion über den Doppelbeschluß aufzunehmen, bevor die Ergebnisse der Genfer Verhandlungen absehbar seien. Ungeachtet der Warnungen des Kanzlers sprach sich die Bremer SPD ausdrücklich gegen die Stationierung nuklearer Mittelstreckensysteme in Westeuropa und für den sofortigen Stopp der Vorbereitungen dazu aus. Ebenso sollten in Osteuropa keine neuen SS-20-Raketen aufgestellt und die bereits installierten Waffen dieses Typs zurückgenommen werden.
Während der Kanzler in der Friedensbewegung eher eine Herausforderung und Gefahr für seine Politik sah, erblickten der SPD-Vorsitzende Willy Brandt und Erhard Eppler darin eher einen Verbündeten, der sich nicht für die Interessen der anderen Weltmacht habe einspannen lassen. Während sich der SPD-Landesverband Nordrhein-Westfalen voll hinter die Politik von Kanzler Helmut Schmidt stellte, forderte ein Antrag für den SPD-Bezirksparteitag Mittelrhein Anfang Januar 1982 »einseitige, kalkulierte Abrüstungsvorleistungen« der NATO, wie z. B. den ausdrücklichen Verzicht auf den Ersteinsatz von Atomwaffen und keine Errichtung von Abschußvorrichtungen für die neuen amerikanischen Mittelstreckensysteme. Dagegen bekräftige der SPD-Bezirk Franken Mitte Januar 1982 die Sicherheitspolitik des Kanzlers, für die Helmut Schmidt in Veitshöchheim eindringlich warb. Auch auf dem Hamburger Parteitag gelang es dem Kanzler, einen Vorstoß der Parteilinken, die Zustimmung zum NATO-Doppelbeschluß zurückzuziehen, abzublocken.
Ende Januar 1982 beriet der SPD-Bundesvorstand den unter Federfüh-

rung von Egon Bahr entstandenen Leitantrag für den Münchner SPD-Parteitag. Nach einer Bekräftigung des Berliner Parteitagsbeschlusses, folgte der Vorstand der von Bahr entwickelten Linie: »Die SPD wird auf einem außerordentlichen Parteitag im Herbst 1983 entscheiden, welche Folgerungen sie aus dem bis dahin erreichten Verhandlungsstand für die Frage der Stationierung zieht. Es darf keine Stationierung auf deutschem Boden geben, bevor die SPD ihre Meinung über die dann vorliegenden Ergebnisse festgelegt hat.« Gegen diesen Kompromiß stimmten die Nachrüstungsgegner Lafontaine, Eppler und Hertha Däubler-Gmelin.
In den kommenden drei Monaten bis zum Münchner SPD-Parteitag konzentrierten sich die Bemühungen der Nachrüstungsgegner auf verschiedene Möglichkeiten eines Moratoriums für nukleare Mittelstreckenraketen. Auf dem Münchner SPD-Parteitag lieferten sich dann im Arbeitskreis Sicherheitspolitik Gegner und Befürworter des Doppelbeschlusses harte Rededuelle. In der dichtgefüllten Halle am Münchner Olympia-Stadion unterbreitete der gewiefte Taktiker und Vordenker Egon Bahr in seinem Einleitungsreferat über »Frieden und Sicherheit« das Angebot einer umfassenden Debatte über neue Militärstrategien. Dagegen erblickte Bahr in der Frage der nuklearen Mittelstreckenraketen keinen Entscheidungsbedarf. 1983 habe die Bundesrepublik die Fähigkeit und die Souveränität, »ja oder nein zu sagen zur Stationierung solcher Waffen bei uns. Wenn wir sagen würden ›Wir werden 1983 in jedem Falle stationieren‹, brauchten die Amerikaner nicht mehr ernsthaft zu verhandeln. Wenn wir sagen würden ›Wir wollen in keinem Fall stationieren‹, brauchten die Sowjets nicht mehr ernsthaft zu verhandeln . . . Wenn wir heute also nein sagen würden zur Stationierung, würde das die Chance der Verhandlungen zerstören; denn wir haben nichts zu stationieren.« Bahr lehnte auch den von den Parteilinken eingebrachten Vorschlag eines Moratoriums ab: »Einen zeitlichen Aufschub zur Stationierung können die Russen machen, denn die haben was zu stationieren; einen zeitlichen Aufschub zur Stationierung können wir nicht machen, denn wir auf westlicher Seite haben nichts zu stationieren.«
Als Wortführer der Gegenposition verurteilte Oskar Lafontaine unter dem frenetischen Beifall der Delegierten und der Zuhörer auf der Tribüne den Wahnsinn des Rüstungswettlaufs. Die Geschäftsgrundlage des Berliner Parteitagsbeschlusses, den er 1979 mit getragen habe, die Ratifizierung von SALT II, sei inzwischen entfallen. Seine Kritik gelte deshalb allein dem Rüstungsteil des NATO-Doppelbeschlusses. »Wir sind nach wie vor der Meinung, daß die Feststellung Helmut Schmidts richtig war: Landgestützte Raketen gehören nun einmal nicht in dichtbesiedelte Gebiete. Was wir hier in Frage stellen, ist die Philosophie des NATO-Dop-

pelbeschlusses.« Wenn sich die SPD jetzt entschließen und die Bundesregierung auffordern würde, alle bereits eingeleiteten Vorbereitungen zur Raketen-Stationierung sofort zu stoppen, dann würde sie sich »nahtlos an die amerikanische Friedensbewegung anschließen«. In der Generaldebatte im Parteitagsplenum beendete Oskar Lafontaine seinen dramatischen Schlußappell mit den Worten: »Denkt auch an die Hoffnungen und Sehnsüchte und Erwartungen einer Generation, die Angst hat, thermonuklear zu verbrennen«. »Sorgt doch dafür«, wandte sich der stellvertretende Parteivorsitzende Johannes Rau mit einer persönlichen Bitte an die Delegierten, »daß dieser verhängnisvolle Eindruck . . . wegkommt, daß nur der, der für ein Moratorium sei, für Abrüstung sei, gegen Raketen sei, die Angst der Menschen ernst nehme und aufnehme . . . Auch dieser Leitantrag ist ein Versuch, Friedenssehnsucht in Friedenspolitik umzusetzen!« »Ich will keine Pershing II«, begann Hans Jürgen Wischnewski sein Plädoyer für den Leitantrag des Parteivorstandes, »und ich will keine Cruise Missiles. Aber ich will auch keine SS-20, die auf Westeuropa gerichtet sind.« »Wer sagt uns eigentlich«, fragt Erhard Eppler in der Debatte zum Leitantrag, »warum unter der jetzigen Prämisse, wo der amerikanische Präsident sagt: ›Erst aufrüsten, ehe wir ernsthaft verhandeln können‹, in Genf mehr herauskommen soll? Und wer mir sagt, das Moratorium störe die Verhandlungen: Ich sehe im Augenblick noch gar nicht, was gestört werden soll . . . Ein Moratorium würde, wenn man schon von Gleichgewicht redet, das Gleichgewicht des Drucks auf beide Weltmächte bedeuten. Das könnte den Verhandlungen sogar ganz gut bekommen. Die Sowjetunion weiß ganz genau, daß, wenn sie keine Konzessionen macht, die Stationierung früher oder später stattfinden wird. Und die Vereinigten Staaten müssen wissen«, hob einer der wichtigsten Gegner des Doppelbeschlusses hervor, »wenn sie keine Konzessionen machen, dann wird die Friedensbewegung in Europa so stark, daß es keine Stationierung gibt . . .«

»Der Moratoriumsvorschlag will nichts weniger«, entgegnete Helmut Schmidt seinem Widerpart im Parteivorstand, »als der abgelehnte Antrag aus Schleswig-Holstein. Er will die Bundesrepublik Deutschland aus der gemeinsamen Entscheidung aller Bündnispartner herauslösen . . . Ich halte diese SS-20-Rüstung für einen schweren Fehler, der mindestens bei mir tiefe Angst ausgelöst hat – nicht die Angst, daß morgen einer auf die Druckknöpfe drückt, wohl aber die Angst, daß eine spätere sowjetische Führung, gestützt auf dieses Übergewicht, politischen Druck ausüben kann. Und dem möchte ich das deutsche Volk nicht ausgesetzt wissen«. Je nachdem, wie die Rüstungskontrollverhandlungen ausgehen, habe die Bundesrepublik »einen besonders starken Schlüssel, denn es handelt sich

zu einem wesentlichen Teil um deutsches Territorium, das zur Verfügung gestellt werden soll, d. h. um Territorium, über das der Bundestag und die Bundesregierung und, so Gott will, die Sozialdemokratische Partei Deutschlands zu einem entscheidenden Teil zu bestimmen haben werde, wenn der Zeitpunkt einmal herangekommen sein wird. Dies gibt uns auch Gewicht gegenüber all unseren westlichen Bündnispartnern, ebenso wie uns die Aussicht der Sowjetunion, mit Nachrüstung rechnen zu müssen, Gewicht gegenüber der Sowjetunion gegeben hat.« Mit einem eindringlichen Appell wandte sich Willy Brandt am Schluß der Debatte an die Parteitagsdelegierten: »Aber die Debatte, liebe Freunde, hat für mich nichts daran geändert, daß heute nicht über den Brüsseler Beschluß zu befinden ist, der tatsächlich eine der Grundlagen der laufenden Verhandlungen ist, sondern daß es in Wirklichkeit darum geht, die Handlungsfähigkeit der eigenen Regierung zu sichern.«
Die Mehrheit der Delegierten verschloß sich diesem Appell nicht. Wieder einmal ging die Partei- und Staatsräson über die individuelle Gesinnungsethik. Wäre es nach der Lautstärke der Zustimmung im Plenum und nach dem Beifall gegangen, dann hätten Erhard Eppler und Oskar Lafontaine als Sieger München verlassen können. Aber die Delegierten entschieden anders. Mit großer Mehrheit wurde der von Egon Bahr formulierte Leitantrag angenommen und damit die Zustimmung zum NATO-Doppelbeschluß mit der auflösenden Bedingung bestätigt, daß die SPD im Herbst 1983 im Lichte der Verhandlungsergebnisse endgültig über die Stationierung eurostrategischer Systeme auf deutschem Boden entscheiden wird. Die Zerreißprobe der sozialliberalen Koalition war zumindest im Bereich der Sicherheitspolitik überwunden.

Meinungsverschiedenheiten zwischen Schmidt und Genscher

»Ein erster Schritt in die richtige Richtung könnte darin liegen«, hatte Helmut Schmidt am 12. April 1980 in der Essener Gruga-Halle zur Eröffnung der ›heißen Phase‹ des Landtagswahlkampfes in Nordrhein-Westfalen Tausenden Zuhörern zugerufen, »daß beide Seiten gleichzeitig für eine bestimmte Anzahl von Jahren auf eine Dislozierung von neuen oder zusätzlichen Mittelstreckenwaffen verzichten und diese Zeit für Verhandlungen nutzen. Ich räume ein, der gegenwärtig erreichte Vorsprung der Sowjetunion würde für diese Zeit bestehen bleiben. Aber das wäre auch ansonsten mindestens für die drei Jahre der Fall, ja der sowjetische Vorsprung würde in der Periode der drei Jahre noch wachsen, die der Westen für die Produktion braucht.«
Auf Helmut Schmidts Moratoriumsvorschlag, für den er am 15. April 1980

vom SPD-Präsidium volle Rückendeckung erhielt, reagierten vor allem das Weiße Haus und die CDU/CSU in ungewöhnlicher Schärfe. Der CDU/CSU-Kanzlerkandidat Franz Josef Strauß meinte in der »Welt«, Schmidts Vorschlag sei eine Kapitulation vor Herbert Wehner. Zwischen Schmidt und Genscher gebe es entweder ein »gezinktes Doppelspiel« oder »keine echten Gemeinsamkeiten mehr«. Außenminister Genscher ließ durch den F.D.P.-Sprecher Josef Gerwald verlauten, daß das westliche Angebot »unverändert« auf dem Tisch läge. Es bestehe kein Zweifel, daß der Kanzler einen Alleingang unternommen habe, der weder durch Koalitionsabsprache noch durch Konsultationen mit den Verbündeten abgedeckt sei und der in dieser Form von Genscher nicht mitgetragen werde, erfuhren Bonner Journalisten aus Genschers Umgebung. Vor der F.D.P.-Fraktion reagierte Genscher indirekt auf den Schmidt-Vorschlag, indem er betonte: »Nur eine gemeinsam erarbeitete und gemeinsam vertretene und durchgeführte Politik des Westens, die von einer gemeinsamen Verantwortung und den gemeinsamen Interessen ausgeht, kann die Sowjetunion davon überzeugen, daß eine Politik der Expansion nicht ihren eigenen langfristigen Interessen dient«. »Diese Ausführungen Helmut Schmidts sind ein offener Affront gegen die NATO«, kommentierte Strauß den Vorschlag seines Konkurrenten, »und eine unverhüllte Brüskierung der Vereinigten Staaten von Amerika. Damit ist Helmut Schmidt zu dem Sicherheitsrisiko geworden, als das er gerne andere bezeichnet.«

Am 16. April bat Hans Dietrich Genscher für 15.30 Uhr um ein Vieraugengespräch mit dem Kanzler, über das widersprüchliche Informationen an die Öffentlichkeit drangen: »Von einer Seite ist zu hören, Genscher habe gedroht, ein Dissens, wie er aus den Abrüstungsvorschlägen Schmidts herauszulesen war, würde an den Grundfesten der sozialliberalen Koalition rütteln. Von anderer Seite heißt es«, berichtet Rudi Kilgus am 17. April 1980 im »Mannheimer Morgen«, »Schmidt sei nach der Lektüre der deutschen und internationalen Presse auf seinen Vorschlag so beeindruckt gewesen, daß er von sich aus zur NATO-Formel vom Dezember zurückgefunden habe. Die dritte Version ist, daß das Telefonat, das am Dienstag zwischen Kanzler und US-Päsident Jimmy Carter stattfand, vor allem um die Bonner Haltung zur NATO-Politik gegangen sei. Beobachter vermuten, daß alle drei Elemente mitgewirkt haben.« Am selben Tag wurde bekannt, daß die sowjetische Führung den Kanzler zu einer Moskaureise im Juni eingeladen hatte.

Offenbar auf Druck Genschers ließ der Kanzler am 17. April, sechs Tage nach seinem ersten Moratoriumsangebot in Hamburg, seine Äußerungen dahingehend interpretieren, daß sein Vorschlag nur für die nächsten drei

Jahre gelte: »Man verhandelt, aber man disloziert nicht. Meines Erachtens wäre das eine für beide Seiten faire Lösung. Wohlgemerkt, unterbleiben würde in den drei Jahren nur das, was man auch wirksam verifizieren kann, das heißt das einsatzfähige Aufstellen der Waffen.« Helmut Schmidts Moratoriumsvorschlag hatte deutlich die koalitionspolitischen und bündnispolitischen Grenzen selbst für punktuelle Revisionen und Modifikationen am NATO-Doppelbeschluß aufgezeigt.

Mitte Juni erhielt der Bundeskanzler, einige Tage vor dem Gipfeltreffen der sieben wichtigsten Staatsmänner des Westens in Venedig, ein mit »Dear Helmut« eingeleitetes Schreiben des amerikanischen Präsidenten, dessen Inhalt in Washington an die Presse durchsickerte. Carter argwöhnte, der deutsche Kanzler wolle Breschnew, der wegen der Afghanistan-Invasion bestraft werden müsse, wieder salonfähig machen. Eindringlich ermahnte Carter seinen deutschen Verbündeten, er solle sich bei seiner geplanten Moskaureise nicht durch lockende Angebote vom NATO-Doppelbeschluß abbringen lassen. Carter fürchtete offenbar, Schmidt könne die vorgesehene Stationierung der Marschflugkörper und Pershing II-Raketen in Europa hinausschieben, wenn die Sowjets dafür ihre SS-20-Raketen nicht weiter aufstellen. Schmidts Moratoriums-Vorschlag vom April und die generelle Verhandlungsbereitschaft der Europäer mit der Sowjetunion hatten die Amerikaner irritiert. Der Kanzler war wütend. »Wir sind doch nicht der 51. Staat Amerikas«, kommentierte Schmidt Carters Verhalten. Auch der pro-amerikanische Außenminister Genscher zeigte sich verstimmt.

Eine Woche später beschwerte sich Helmut Schmidt vor Beginn der Gipfelkonferenz auf der Insel San Giorgio Maggiore im Hotel Cipriano bei Carter über dessen unverschämten Brief. »So hat mit mir zuvor niemand geredet«, schilderte Carter später in seinen Memoiren den Wutausbruch des deutschen Kanzlers. »Er verbitte es sich, hatte der Kanzler den Präsidenten zurecht gewiesen, daß offen die Vertrauenswürdigkeit der Bundesrepublik in Zweifel gezogen werde. Er sei ›sehr enttäuscht‹ über dieses Verhalten . . . In seiner Kapuzinerpredigt«, schildert der »SPIEGEL« dieses ungewöhnliche Gespräch, »die mehr als eine Stunde dauerte, trug Schmidt an ausgewählten Beispielen vor, daß die Deutschen sich, im Gegensatz zu den USA, stets als verläßlicher und berechenbarer Partner erwiesen hätten . . . Unerklärlich aber sei ihm, so rügte der Kanzler, wie Carter auf den Gedanken komme, Schmidt wolle mit den Russen über ein Einfrieren der Rüstung auf dem derzeitigen Stand verhandeln. An einen solchen ›freeze‹ habe er zu keiner Zeit gedacht, was Carter auch in den Berichten seines eigenen Botschafters in Bonn hätte nachlesen können. Schmidt: ›Ich stehe zu jedem Wort des NATO-Beschlusses.‹ Carter klein-

laut: ›Ja, dann sind wir in der Sache einig.‹ Und der Kanzler später: Das Gespräch sei ein reinigendes Gewitter gewesen, ›das Thema ist obsolet‹.«
Eine Woche später traf Helmut Schmidt in Moskau den sowjetischen Partei- und Staatschef Leonid Breschnew. Am Montagabend, dem 30. Juni 1980, wurde der Katharinensaal, dessen erhabene Eleganz und goldene Pracht allen Prunk der anderen Kreml-Paläste überbieten, von 17 bis 20 Uhr Austragungsort eines scharfen Schlagabtausches. »Flankiert von jeweils zehn Delegationsteilnehmern«, beschreibt Hans Ulrich Kempski diese denkwürdige Begegnung in der »Süddeutschen Zeitung«, »rollen der Generalsekretär und der Bundeskanzler gleichsam wie zwei Gewitter aufeinander zu: beide doktrinär und mit Worten von so niederschmetternder Deutlichkeit, als würde man den jeweils anderen von vornherein für unbelehrbar halten.« Hart prallten in den beiden Eröffnungsreden die unterschiedlichen Beurteilungen des sowjetischen Einmarsches in Afghanistan und der amerikanischen Ost-Politik aufeinander.
Am Dienstag, dem 1. Juli, trat dann in den deutsch-sowjetischen Gesprächen und in dem ursprünglich nicht geplanten Treffen zwischen Schmidt und Genscher mit dem sowjetischen Verteidigungsminister Ustinow und dessen Stellvertreter Orgakow die Erörterung der nuklearen Mittelstreckengespräche ganz in den Mittelpunkt.
Erstmals ging die sowjetische Führung von ihrer harten Position ab, die Außenminister Gromyko bei seinem spektakulären Bonn-Besuch wenige Tage vor der Beschlußfassung über neue amerikanische Atomraketen verkündete: vor allen Gesprächen über die eurostrategischen Waffen müsse zuerst der NATO-Doppelbeschluß aufgehoben und SALT II ratifiziert werden.
Am Dienstagmorgen begann Breschnew die Fragen zu beantworten, die Präsident Carter Helmut Schmidt mit auf den Weg gegeben hatte. Zur Frage, ob sich beide Seiten nicht auch ohne die Ratifikation von SALT II daran halten könnten, entgegnete der KP-Chef, die Sowjetunion nehme eine völkerrechtliche Bindung ernst, wenn der Vertrag in Kraft sei. Und auf die zweite Frage, ob die Sowjetunion auch vor der Ratifizierung zu Sondierungen über SALT III bereit sei, erinnerte Breschnew zunächst an seine Ost-Berliner Rede vom 6. Oktober. Zum Einstieg in Vorverhandlungen sei man bereit. Deren Abschluß könne jedoch erst nach der Ratifizierung von SALT II erfolgen. Schmidts Moratoriumsvorschlag vom April, der Carters undiplomatischen Brief provoziert hatte, lehnte der Kreml als »ungerechte« Zumutung ab. Neben dem Entgegenkommen bauten die Sowjets jedoch auch neue Hürden auf: Die nuklearen Mittelstreckengespräche sollten neben den neuen Mittelstreckenraketen auch

lie in Europa stationierten amerikanischen Fernbomber und Flugzeugträ-
ger, die sogenannten Forward Based Systems einbeziehen.

Unmittelbar nach der Rückkehr der deutschen Delegation jetete der deutsche Außenminister nach Washington, um Präsident Carter über den Durchbruch in Moskau zu informieren. Während Franz Josef Strauß die Moskauer Offerte als ein »faules Ei« abtat, und Manfred Wörner den Moskaubesuch von Schmidt und Genscher als »eine der größten Fehlleistungen der deutschen Außenpolitik der Nachkriegszeit« bezeichnete, signalisierte U.S.-Präsident Carter am 6. Juli 1980 in seinem Heimatort Plains in Georgia den Sowjets Gesprächsbereitschaft, da Moskau einige Vorbedingungen für die Aufnahme der Abrüstungsgespräche fallengelassen habe. Die durch Bundeskanzler Schmidt übermittelten Vorschläge bezeichnete Carter als durchaus »erwägenswert«. Im Herbst begannen die zweiseitigen Gespräche, die jedoch nach der Abwahl Präsident Carters erst am 30. November 1981 – nach einjähriger Unterbrechung – von der Reagan-Administration wieder aufgenommen wurden.

Auf Breschnews Vorschlag eines Raketen-Moratoriums vom Februar 1981 traten unterschiedliche Bewertungen zwischen Helmut Schmidt und Hans-Dietrich Genscher auf. Während der Kanzler eine »sorgfältige Prüfung« der Breschnew-Vorschläge hinsichtlich ihres Gehalts forderte, hatte sein Außenminister den Breschnew-Vorschlag eher skeptisch bewertet. Ein Aussetzen des NATO-Doppelbeschlusses lehnte Genscher entschieden ab, weil damit die sowjetische Überlegenheit im Mittelstreckenbereich festgeschrieben werde.

In seinem Rechenschaftsbericht vor dem XXVI. Parteitag der KPdSU hatte Partei- und Staatschef Breschnew vorgeschlagen, ein Moratorium für die Stationierung neuer Mittelstreckenwaffen solle neue Gespräche über die Begrenzung dieser Waffensysteme begleiten: »Dabei gehen wir davon aus«, erläuterte Breschnew seinen Vorschlag, »daß von beiden Seiten jegliche Vorbereitung auf eine Stationierung entsprechender zusätzlicher Mittel, darunter der amerikanischen Pershing-II und bodengestützter strategischer Flügelraketen, eingestellt wird.«

Zum Auftakt der 29. Ministertagung der nuklearen Planungsgruppe der NATO in Bonn am 6. April 1981 machte Bundeskanzler Schmidt in einem Interview für die »Süddeutsche Zeitung« die Vereinigten Staaten auf die schwierigen psychologischen Folgen für Europa im Falle des Ausbleibens von Verhandlungen aufmerksam. Einige Tage zuvor hatte Außenminister Genscher in Moskau vernommen, daß es sich bei Breschnews Moratoriumsvorschlag um keine »Vorbedingung«, sondern um eine »ergänzende Vorstellung« handle. Gromyko erinnerte seinen deutschen Kollegen daran, daß die der NATO unterstellten »Forward Based Systems« bei den

Mittelstreckengesprächen einzubeziehen seien. Dem stellte Außenminister Genscher die westliche Verhandlungsposition entgegen, die Gespräche zunächst auf landgestützte Raketen zu begrenzen. Dagegen erklärte der SPD-Abrüstungsexperte Egon Bahr, wenn die Verhandlungen erfolgreich sein sollten, müßten alle land- und seegestützten Atomwaffen einbezogen werden, die sowjetisches Gebiet erreichen könnten, d. h. neben den amerikanischen FBS seien auch die britischen und französischen Systeme zu berücksichtigen.

Anfang Mai 1981 wies der amerikanische Außenminister Haig auf der NATO-Frühjahrstagung in Rom erstmals auf die Bereitschaft der Reagan-Administration hin, noch 1981 mit der Aufnahme der nuklearen Mittelstreckengespräche zu beginnen.

Während der ersten Reise des Bundeskanzlers zu Gesprächen mit der neuen amerikanischen Regierung in Washington in der zweiten Maihälfte bekräftigten Reagan und Schmidt das »Signal von Rom«, noch 1981 auf der Grundlage des NATO-Doppelbeschlusses Verhandlungen mit der Sowjetunion aufzunehmen. Der Bundestag begrüßte am 26. Mai in einem Entschließungsantrag der SPD und F.D.P. zur Friedens- und Sicherheitspolitik ausdrücklich die Ergebnisse der Reise des Kanzlers nach Washington und bekräftigte seine Unterstützung für den NATO-Doppelbeschluß. Während der Bundestagsdebatte über die beiden Entschließungsanträge der Regierungs- und Oppositionsparteien traten jedoch die unterschiedlichen Gewichtungen innerhalb der Koalitionsparteien in den Reden von Willy Brandt und Jürgen Möllemann deutlich zutage.

Am Rande der UNO-Vollversammlung Ende Semptember 1981 in New York einigte sich US-Außenminister Haig mit seinem sowjetischen Kollegen Gromyko, Ende November mit den zweiseitigen Rüstungskontrollgesprächen über nukleare Mittelstreckensysteme in Europa zu beginnen.

Die Bemühungen der sozialliberalen Koalition, die Sprachlosigkeit der beiden Supermächte nach Afghanistan und nach dem Regierungswechsel in Washington zu überwinden und den Rüstungskontrolldialog einzuleiten, zeigten im November 1981 Erfolg. Unmittelbar vor der Ankunft des sowjetischen Partei- und Regierungschefs Leonid Breschnew in Bonn, verkündete der amerikanische Präsident Ronald Reagan am 18. November die Grundzüge der amerikanischen Verhandlungsposition der sogenannten Null-Lösung. Herbert Wehner, der mit seinem Theaterdonner im Januar 1979 die innenpolitische Auseinandersetzung eingeleitet hatte, stellte in der Dezemberausgabe der »Neuen Gesellschaft« unter dem Titel: »Friedenspolitik in der Bewährung« zufrieden fest: »Wir stehen nicht ›zwischen den Blöcken‹. Unser Beitrag zur Friedenssicherung kann und muß

Auf Schloß Gymnich am 22. November 1981. Von links nach rechts: Egon Bahr, Andrej A. Gromyko, Leonid I. Breschnew, Willy Brandt.

Foto: Bundesbildstelle Bonn

zur Gesprächs- und Verhandlungsbereitschaft der Weltmächte hilfreich sein. Weder Reagan noch Breschnew allein können den Frieden sichern. Unser Beitrag zur Friedenssicherung«, betonte der Vorsitzende der SPD-Bundestagsfraktion, »ist die Fähigkeit zum Verhandeln. Unsere moralische Verpflichtung ist, den festen Willen zu haben und alles in unseren Kräften Stehende zu tun, daß von deutschem Boden nie wieder ein Krieg ausgeht. Und unsere Verpflichtung geht darüber hinaus, nämlich: Mit dafür zu sorgen, daß auf deutschem Boden nie wieder ein Krieg ausgetragen wird . . . Den langwierigen Prozeß des Zustandebringens der Verhandlungen zwischen den westlichen und östlichen Supermächten durch unsere Beiträge zu fördern, ist unser Beitrag zum Frieden.« Herbert Wehner schloß seinen Beitrag mit der Bitte: »Der sozialdemokratische Bundeskanzler Helmut Schmidt verdient Vertrauen.«
»Seit dem Montag dieser Woche sitzen die Vertreter der beiden Weltmächte in Genf am Verhandlungstisch«, leitete der von Wehner gelobte Kanzler am 3. Dezember 1981 seine Erklärung vor dem Bundestag ein. »Einige Stimmen in der Welt haben diesen Verhandlungen den Rang der für den Weltfrieden wichtigsten Gespräche seit 1945 gegeben . . .
Unserer Geschichte wegen und unserer geographischen Lage wegen sind wir Deutschen von diesen Verhandlungen, von ihrem Verlauf, von ihrem Ergebnis, so stark betroffen wie kaum einer sonst. Deshalb hat diese Regierung seit Jahren beharrlich und gegen Widerstand auf manchen Seiten für diesen Tag gearbeitet, ja gekämpft.«
Am Ende seiner Rede sprach Helmut Schmidt die drei Grundphilosophien der Kriegsvermeidung an: die Politik der Stärke, der einseitigen Abrüstung und die des Gleichgewichts und der gleichen Sicherheit.
»Keine Regierung einer Weltmacht kann einen ungleichen Abrüstungsvertrag unterschreiben. Weder der amerikanische Senat noch der Oberste Sowjet würden einen ungleichgewichtigen Vertrag ratifizieren. Das Gleichgewichtsprinzip«, bekräftigte der Kanzler seine Sicherheitsphilosophie, der er ein Buch gewidmet hatte, »ist unabdingbarer Grundbestandteil jeder vereinbarten, jeder vertraglich gesicherten Abrüstungs- und Rüstungsbegrenzungspolitik. Anders sind Rüstungsverminderung und Rüstungsbegrenzung völkerrechtlich nicht vertraglich zu sichern.« An die amerikanischen und deutschen Entspannungskritiker gewandt, warnte Helmut Schmidt: »Wer dagegen militärisches Übergewicht erstrebt und erreicht, der braucht nicht zu verhandeln, der kann diktieren.« Und an die linken Kritiker in seiner Partei und an die Friedensbewegung gewandt fügte er hinzu: »Und wer sich umgekehrt mit militärischem Untergewicht abfindet, der kann in die Lage kommen, vergebens um Verhandlung und Gespräch zu bitten.«

Die Außenminister Andrej A. Gromyko und Hans-Dietrich Genscher im Gespräch. Foto: Bundesbildstelle Bonn

Der Kanzler widersprach auch der Auffassung, daß der Friede nur ein Produkt von Abschreckung und Gegenabschreckung sei. »Der Friede ist nicht gesichert durch beiderseitige Angst vor dem Kriege. Er kann nur gesichert werden durch Interessenausgleich, durch Verhandlungen und Verträge. Er muß insbesondere gesichert werden durch Verträge über die gleichgewichtige Begrenzung und die gleichgewichtige Reduzierung der beiderseitigen Rüstung. Nur bei Gleichgewicht kann vermieden werden, daß einer aus Angst vor dem anderen seine Zuflucht zu immer neuer Rüstung nimmt.«
An die Kirchen und die kirchlichen Friedensgruppen gewandt, führte der Kanzler weiter aus: »Die existierende Sicherheitskonstellation der Welt von Abschreckung und Gegenabschreckung macht aus moralischem Grunde politisches Handeln und Verhandeln notwendig.«
Bei seinem letztem Auftritt vor den Vereinten Nationen ließ der Kanzler am 14. Juni 1982 anläßlich der Zweiten UNO-Abrüstungskonferenz sein gewandeltes Verständnis für die Friedensbewegung erkennen: »›Si vis pacem para bellum.‹ Heute protestieren dagegen nicht nur idealistisch gestimmte Pazifisten und weltfremde Utopisten, sondern hier äußern sich immer dringender Zweifel an der Weisheit und an der Fähigkeit der strategischen Denker, der Diplomaten, der Staatsmänner, Zweifel an deren Fähigkeit, aus dem Teufelskreis von Vorrüstung und Nachrüstung endlich auszubrechen.
Die Losung ›Frieden schaffen ohne Waffen‹ oder die andere Losung ›Aus Schwertern Pflugscharen machen‹, solche Losungen geben den politischen Führern deutliche Zeichen. Es wächst in der jungen Generation der Verdacht, daß die nuklearen Waffen eines Tages vielleicht nicht nur als Mittel der Abschreckung verstanden werden könnten. Viele haben Angst, daß irgendwann einer die Nerven verlieren und tatsächlich in das atomare Arsenal greifen könnte, um einem politischen Widersacher seinen Willen aufzuzwingen . . . Es wächst also die Ungeduld der Menschen, und nicht nur der jungen Menschen, die Ungeduld mit Regierungen, die nur zu reden scheinen, während sie gleichzeitig immer neue todbringende Waffen entwickeln, produzieren und in Stellung bringen lassen. Es wächst die Ungeduld mit politisch Verantwortlichen, die zulassen, daß immer mehr Ressourcen dem Kampf gegen Hunger und Armut entzogen und statt dessen in die Rüstung gesteckt werden . . . Wir (sollten) die große und positive moralische Kraft, die in der Bewegung für wirksame Abrüstung deutlich wird, nicht unterschätzen. Wir sollten die Menschen, die sich zu ihr bekennen«, bekundete der Kanzler seinen eigenen Lernprozeß, »nicht einfach als Amateure beiseite schieben, denen es an Einsicht und Überblick fehlt. Vielmehr und im Gegenteil muß die bewegende Kraft, die in

der Unruhe vieler unserer Mitbürger erkennbar geworden ist, als Ansporn und auch als moralische Verpflichtung verstanden werden. Wenn wir die Angst aus der Welt schaffen wollen, so müssen wir alle Kräfte der Vernunft anspannen.«

8. KAPITEL
Das Raketenpoker der Supermächte

»Als ich im April im Krankenhaus lag, hatte ich, wie Sie sich leicht vorstellen können, viel Zeit zum Nachdenken«, mit diesen Worten begann der amerikanische Präsident Ronald Reagan seine »historische Botschaft« am Buß- und Bettag des Jahres 1981 im National Press Club in Washington, die – einige Tage vor Breschnews Besuch in Bonn – von den meisten westeuropäischen Fernsehanstalten live übertragen wurde. »Eines Tages entschloß ich mich, einen persönlichen, handgeschriebenen Brief an den sowjetischen Staats- und Parteichef, Leonid Breschnew, zu richten und ihn daran zu erinnern, daß wir uns vor zehn Jahren schon einmal in San Clemente in Kalifornien getroffen hatten, als er und Präsident Nixon eine Reihe von Zusammentreffen beendeten, die aller Welt Hoffnung gemacht hatten.«
Seit Monaten hatten der Präsident, sein Außenminister Alexander Haig und sein Verteidigungsminister Caspar Weinberger die Europäer durch ihre Kraftsprüche über die Möglichkeit eines »begrenzten Atomkrieges«, eines nuklearen Warnschusses und über die dämonische Gefahr, die von der Sowjetunion drohe, eher verschreckt als ermuntert. Um der zunehmenden Kritik an seiner Politik der Stärke und an seinem außenpolitischen Zickzackkurs entgegenzutreten, zog Ronald Reagan für seine erste grundsätzliche außenpolitische Rede alle Register, um seinem Widerpart die Show zu stehlen.
Die Schwierigkeiten, die es beim »Raketenpoker« zu überwinden galt, waren den Bonnern voll bewußt: »Denn Reagans Offerte ist für Moskau eine ähnliche Zumutung, wie es umgekehrt die sowjetischen Abrüstungsvorschläge in amerikanischen Augen sein müssen: Verhandelt werden soll, laut Ronald Reagan«, beschrieb der »SPIEGEL« im November 1981 die Ausgangssituation, »fast ausschließlich über sowjetische Waffen; verhandelt werden soll, laut Leonid Breschnew, vornehmlich über amerikanische ›Pershing II‹ und Cruise Missiles.«
»Ich habe vor kurzem eine weitere Botschaft an die sowjetische Führung gerichtet . . . Der erste und bedeutendste Punkt betrifft die Genfer Ver-

handlungen . . . Ich habe Präsident Breschnew darüber informiert«, leitete Präsident Reagan sein Rüstungskontrollangebot ein, »daß meine Vertreter . . . den folgenden Vorschlag unterbreiten werden: Die Vereinigten Staaten sind bereit, auf ihre Dislozierung der Pershing II und der landgestützten Marschflugkörper zu verzichten, wenn die Sowjetunion ihre SS-20-, SS-4- und SS-5-Raketen abbaut. Dies wäre ein historischer Schritt«.

Am letzten Tag der dritten bundesweiten Friedenswoche in der Bundesrepublik, nahm Ronald Reagan in seiner Rhetorik die Hoffnungen der Friedensbewegung mit auf: »Die amerikanische Konzeption vom Frieden geht weit über den reinen Nichtkriegszustand hinaus . . . Wir arbeiten an der Entwicklung neuer Programme, um den ärmsten Ländern bei der Erreichung eines sich selbst tragenden Wachstums zu helfen . . . Ich habe heute eine Tagesordnung angekündigt«, schloß Ronald Reagan seine Friedensbekundung an die Völker Westeuropas, »die zur Erreichung von Frieden, Sicherheit und Freiheit auf dem ganzen Erdball beitragen kann.«

»Als reines Propagandaunternehmen« bezeichnete die sowjetische Nachrichtenagentur Tass Reagans Fernsehauftritt. In einem ungewöhnlichen »SPIEGEL«-Interview hatte der sowjetische Parteichef Anfang November verkündet, Reagans Null-Lösung habe weder »mit Objektivität noch mit Realismus« das geringste zu tun. »Diejenigen, die in den USA derartige ›Vorschläge‹ aufs Tapet bringen, werden wohl selbst nicht daran glauben, daß die UdSSR darauf eingehen wird.«

Mit dieser »Friedensschalmei« und dem zu erwartenden Paukenschlag begann das Raketen-Poker der Supermächte, begann das Ringen um die öffentliche Meinung Westeuropas und das Streben, möglichst wenig vom eigenen Potential durch Verhandlungen reduzieren zu müssen.

Drei Tage nach Reagans Fernsehschauspiel traf der sowjetische Partei- und Staatschef zu seinem dritten Besuch in der Bundeshauptstadt ein. Bei dem Festessen, zu dem Bundeskanzler Helmut Schmidt am Montagabend, dem 23. November 1981, 130 Gäste und nur 10 von 1 600 Journalisten, die wegen des Breschnew-Besuchs nach Bonn gekommen waren, in die Godesberger Redoute geladen hatte, stieß der Kanzler in seiner Tischrede von den philosophischen Fragen der Sicherheitspolitik schnell zum strittigen Kernproblem vor: »Frieden kann heute nur noch miteinander, nicht aber gegeneinander gewährleistet werden. In diesem Sinne trete ich für eine umfassende politische Sicherheitspartnerschaft ein.« Helmut Schmidt erinnerte dann an die Gemeinsame Erklärung vom Mai 1978, in der sie als einen Baustein für eine solche Sicherheitspartnerschaft bezeichneten, »daß niemand militärische Überlegenheit anstrebt. Sie gehen davon aus, daß annäherndes Gleichgewicht und Parität zur Gewährleistung der Verteidigung ausreichen. Ihrer Meinung nach würden angemessene Maßnahmen der Abrüstung und Rüstungsbegrenzung im nuklearen und konventionellen Bereich, die diesem Grundsatz entsprechen, von großer Bedeutung sein. Seither sind neue, uns sehr beunruhigende Entwicklungen eingetreten«, leitete der Kanzler zu dem Thema über, das er erstmals im November 1977 öffentlich ansprach, »Die Zunahme der Pionier-Raketen, bei uns SS-20 genannt, seit dem Jahr 1978 auf über 250 Stück – beweglich, mit insgesamt über 750 Sprengköpfen, bei großer Treffgenauigkeit – berührt unsere Sicherheitsinteressen unmittelbar und ist für uns Anlaß zu großer Sorge.« Und unter Bezugnahme auf die vereinbarten Mittelstreckengespräche, äußerte der Kanzler seine Hoffnung: »Die Verhandlungen sollten bis zum Herbst 1983 zum Ergebnis führen, das heißt: ehe es westlicherseits zur Stationierung landgestützter Mittelstreckenwaffen überhaupt erstmalig kommen kann – erstmalig seit den frühen sechziger Jahren.«

Nach der Kraftbrühe mit getrüffelten Fasanenklößchen, gebeiztem Lämmerschinken mit Ananasschiffchen, Kalbsfilet mit Steinpilzen, Walnußkroketten und »Moussee au chocolat«, kam Leonid Breschnew, der nach dem Auftakt der zweiseitigen Gespräche am Morgen im Kanzleramt und nach einem dreistündigen Gespräch mit Helmut Schmidt auf Schloß Gymnich unter vier Augen, noch erstaunlich frisch wirkte, in seiner Tischrede nach einigen lyrischen Takten schnell zur Sache. »Wir halten die Lage für alarmierend«, umschrieb Breschnew die Weltpolitik aus der Sicht des Kreml. Verantwortlich hierfür machte er die amerikanische Regierung, die das Wettrüsten hinaufschraube und von der Zweckmäßigkeit »begrenzter nuklearer Kriege« sowie von Europa als Kriegsschauplatz gesprochen habe. »Als ob es irgendein Karton mit Zinnpuppen wäre, die kein besseres Los verdienen, als in der Glut nuklearer Explosionen verschmolzen zu werden,« schockierte der Gast aus Moskau seine Zuhörer. »Was uns auch teilen möge, Europa bleibt unser gemeinsames Haus«, fügte er sodann beruhigend hinzu.

»Es wird von uns verlangt, daß wir einseitig abrüsten, während Hunderte gegen unser Land sowie gegen unsere Verbündeten gerichtete boden- und seegestützte Raketen, Flugzeuge mit Atombomben an Bord, dieses ganze drohende Arsenal, das den USA und anderen NATO-Ländern im Raum Europa gehört, unberührt bleiben sollen . . . Es ist klar, daß sich die Sowjetunion mit einer solchen Variante niemals einverstanden erklärt. . . . Um den Dialog zu erleichtern, eine günstige Atmosphäre dafür zu schaffen«, unterbreitete der Generalsekretär der KPdSU öffentlich den sowjetischen Gegenvorschlag für die in der kommenden Woche beginnen-

den Mittelstreckengespräche: »Beide Seiten sollen sich, solange die Verhandlungen dauern, der Stationierung der neuen und der Modernisierung der bereits vorhandenen Mittel mittlerer Reichweite in Europa enthalten. ... Noch mehr, wie wir heute dem Bundeskanzler mitgeteilt haben, würde die Sowjetunion, beim Einverständnis der anderen Seite mit dem Moratorium, über welches ich eben gesprochen habe, bereit sein, nicht nur die weitere Stationierung ihrer ›SS-20‹-Raketen einzustellen. Wir würden weitergehen«, wandte sich Breschnew an seinen Gastgeber, der an Hand des deutschen Textes aufmerksam die Ausführungen seines Gastes verfolgte, wobei er unentwegt auf irgendwelchen Knabbereien kaute, eher aus Nervosität, geboren aus der Not, nicht mehr zur Zigarette oder zur Schnupftabakdose greifen zu dürfen. »Als Geste des guten Willens könnten wir einen gewissen Teil unserer nuklearen Waffen mittlerer Reichweite im europäischen Teil der UdSSR einseitig reduzieren lassen. Wir könnten reduzieren, sozusagen auf Vorschuß, im Begriff, uns auf ein niedrigeres Niveau hinzubewegen, über welches sich die UdSSR und die USA im Ergebnis der Verhandlungen verständigen können.«
Damit sich die neue Variation seines Moratoriumsvorschlages vom Februar auch einprägte, betonte der Kremlchef nachdrücklich, Moskau sei für »radikale Reduzierungen« der nuklearen Mittelstreckenwaffen: »Was unsere Seite anbelangt, so würden wir bereit sein, die Reduzierungen nicht um Dutzende, sondern um Hunderte Einheiten der Waffen dieser Klasse vorzunehmen. Ich wiederhole – um Hunderte Einheiten. Und wenn unsere Partner die Bereitschaft zeigen, sich über den vollständigen Verzicht beider Seiten – des Westens und des Ostens – auf sämtliche Arten nuklearer Waffen mittlerer Reichweite zu verständigen, die auf Objekte in Europa gezielt sind, so sind wir dafür.«
Als Leonid Breschnew gegen 22.10 Uhr die Godesberger Redoute verließ, um nach Schloß Gymnich zurückzukehren, ließ Helmut Schmidt gegenüber einem Fernsehreporter seine Skepsis zur sowjetischen Version der »Null-Lösung« erkennen. Die sowjetische Bereitschaft die SS-20 »im europäischen Teil der UdSSR zu reduzieren«, sie also hinter den Ural zurückzuverlegen, nehme dieser Atomwaffe nichts von ihrer für die Bundesrepublik bedrohlichen Wirkung. »Auch wenn sie hinter den Ural zurückgezogen würden, könnten sie immer noch Köln und Hamburg erreichen.«
Noch vor Abschluß der deutsch-sowjetischen Arbeitssitzungen zog Kanzler Helmut Schmidt am Dienstagabend vor der SPD-Fraktion Bilanz, wobei er die Überzeugung äußerte, daß am ernsthaften Willen der Sowjetunion zu wesentlichen Reduzierungen im Mittelstreckenbereich kein Zweifel mehr bestehe.

Wenn auch Breschnews Rhein-Mission keine konkreten Ergebnisse bringen konnte, so hatte sie dennoch Ronald Reagan, wie es die »New York Times« formulierte, »zu seiner ersten überlegten außenpolitischen Rede und zu einer neuen Stimmungslage getrieben«, die den Weg zum Genfer Raketenpoker ebnete, das fünf Tage nach Breschnews Rückkehr zur Moskwa am Genfer See begann.
»Starting with Theater«, der Anfang des Theaters, mit dieser Schlagzeile leitete die New York Times einen Kommentar ein über die amerikanisch-sowjetischen Gespräche zur Begrenzung der nuklearen Mittelstreckensysteme, die zuerst als »Theater Nuclear Forces« und nach Einwänden des deutschen Bundeskanzlers als »Intermediate Nuclear Forces« (INF) bezeichnet werden. Diese Gespräche könnten nicht auf Waffen auf dem europäischen Kriegsschauplatz (Theater) begrenzt bleiben, »sondern sie werden hauptsächlich für die europäischen Galerien gespielt. Monatewenn nicht jahrelang wird diese Konferenz die Bühne für einen Propagandakrieg bieten, der die NATO-Allianz testet. Dies ist keine triviale Aufgabe. Die Propaganda ist ein wesentlicher erster Akt für jede Verbesserung der Ost-West-Beziehungen . . . Um den Propagandawettbewerb in Westeuropa zu gewinnen und um so den Kreml für wesentliche Waffenreduzierungen zu interessieren, wird die Regierung die Russen in breite und dauerhafte Gespräche auf höherer Ebene verwickeln müssen.«
Am Montag, dem 30. November 1981, morgens um 11 Uhr saßen sie sich in der Avenue de la Paix Nummer 15 erstmals Auge in Auge gegenüber, die beiden ungleichen Verhandlungschefs: der 74jährige deutschstämmige Amerikaner, Paul Henry Nitze, einer der gewieftesten Falken aus Washington, und der 45jährige diplomatische Senkrechtstarter, der Russe Jurij Alexandrowitsch Kwizinski, der als Semjonows Stellvertreter an der Bonner Botschaft vom Rhein an den Genfer See überwechselte. Nach dem neunzigminütigen Vorbereitungstreffen verkündeten die beiden Delegationsleiter, daß sie sich auf strikte Vertraulichkeit geeinigt hatten, und daß sie sich zweimal pro Woche abwechselnd im Gebäude der amerikanischen und der sowjetischen Mission, in der Friedensstraße No. 1 am See und in No. 15 auf einer kleinen Anhöhe treffen wollten.
Am 1. Dezember begannen dann die offiziellen Verhandlungen im 8. Stockwerk unter dem Dach der amerikanischen Mission in der Avenue de la Paix No. 1. Auf der einen Seite des 18 Meter langen, hochpolierten Palisander-Konferenztisches nahmen die etwa 20 Mitglieder der amerikanischen Delegation Platz mit Blick auf den Genfer See vor der Kulisse der Savoyer Berge, während der Blick der sowjetischen Delegation auf eine weiße Wand und auf drei Votivtafeln des Playboy-Illustrators Le Roy Neiman schweifen durfte.

»Zum Bewachen von Hühnern hat Ronald Reagan ausgerechnet zwei Füchse ausgewählt«, mit diesen Worten charakterisierte das Bulletin of the Atomic Scientists die Personalentscheidungen Präsident Reagans im Bereich der Rüstungskontrolle. Als Chef der Rüstungskontroll- und Abrüstungsbehörde hatte er den 68jährigen erzkonservativen Jura-Professor Eugene V. Rostow aus Yale berufen, der als Staatssekretär in der Johnson-Regierung zu den eifrigsten Verfechtern des Vietnamkrieges zählte und der 1976 das »Komitee über die gegenwärtige Gefahr« mitbegründete. Ihm zur Seite trat der General Edward L. Rowny, der 1979 aus Widerstand gegen die SALT-Pläne der Carter-Administration den Dienst als SALT II-Delegationsmitglied quittierte und anschließend als vehementer SALT-Kritiker auf sich aufmerksam machte. Rowny wurde die Leitung der START-Delegation übertragen. Als dritter im Club der Falken wurde Paul H. Nitze zum Delegationsleiter für die nuklearen Mittelstreckengespräche ernannt, der als Mitbegründer des »Commitee on the Present Danger« seine letzte erfolgreiche Schlacht gegen die Ratifizierung des SALT II-Vertrages schlug. Das Ergebnis der Planungen der Troika der Falken hatte Präsident Reagan am 18. November den europäischen »Galerien« präsentiert. Von diesen drei antikommunistischen Hardlinern im Pensionsalter erhoffte sich Präsident Reagan den Erfolg im Rüstungspoker, das die eigenen Rüstungsanstrengungen nicht gefährden durfte.
»Begabt, ungemein sprachgewandt, vielleicht eine Spur zu zynisch-bissig und ein paar Quentchen zu selbstbewußt«, diese Attribute kamen Sten Martenson von der »Stuttgarter Zeitung« beim Namen Kwizinski, dem in Polen gebürtigen sowjetischen Delegationschef, in den Sinn. Über ein Jahrzehnt stand die Deutschlandfrage im Mittelpunkt seines Wirkens. Anfang der sechziger Jahre war er Botschaftssekretär Unter den Linden. Seine diplomatischen Sporen verdiente er als Stellvertreter Falins in der Dritten Europäischen Abteilung des Außenministeriums. Seine akademische Fähigkeit stellte er mit einer Dissertation über die Berlin-Frage unter Beweis. Als zweiter Mann in der Bonner Sowjetbotschaft kannte er die Empfindsamkeiten der Europäer und ganz besonders der Westdeutschen.
Die Ausgangspositionen hatten Ronald Reagan und Leonid Breschnew in der zweiten Novemberhälfte öffentlich verkündet und damit zugleich die widersprüchlichen Interessen und Ziele der Öffentlichkeit präsentiert. Die »maximalistischen« Ausgangspositionen der beiden Verhandlungsdelegationen müßten allmählich gelockert werden, um ein Abkommen zu erreichen, dies zumindest hoffte Bundeskanzler Helmut Schmidt in einer Fernsehdiskussion, in der er seine Dolmetscherrolle so kennzeichnete: »Wir haben ein großes deutsches Interesse daran, daß die sowjetische Seite die

Abrüstungsvorstellungen . . . des Westens richtig versteht . . . Aber umgekehrt: Wir haben natürlich auch ein ganz großes Interesse daran, daß der Westen und daß die amerikanische Führungsmacht die Russen richtig verstehen.« Vor Beginn der Verhandlungen und während der Gespräche neigten beide Weltmächte dazu, »die tatsächlichen Positionen ihrer Regierung ein bißchen propagandistisch aufzumöbeln. Gegenwärtig neigt man in Amerika dazu, die eigenen militärischen Fähigkeiten öffentlich zu unterschätzen. Man neigt in der Sowjetunion gegenwärtig dazu, die amerikanischen Möglichkeiten zu überschätzen . . . Es ist ein psychologisch mir gut verständlicher Drang zur Untertreibung auf beiden Seiten. Jeder möchte so tun, als ob er schwächer sei als der andere.«
In den kommenden Monaten wurde das Raketenpoker auf zwei Ebenen gespielt: als Geheimdiplomatie hinter den Kulissen und als Teil einer Propagandastrategie, die vor allem an die Öffentlichkeit in den voraussichtlichen Stationierungsländern für die neuen amerikanischen Atomraketen gerichtet war. In den ersten zwanzig Monaten bis Ende Juli 1983 zeichnete sich keine Annäherung in den Grundpositionen ab. Über 80 Sitzungen fanden in fünf Verhandlungsrunden statt, die vom 30. November 1981 bis zum 15. März 1982, vom 20. Mai bis zum 20. Juli 1982 und nach dem Bonner Regierungswechsel vom 30. September 1982 bis 30. November 1982, vom 27. Januar 1983 bis 29. März 1983 und vom 17. Mai 1983 bis zum 14. Juli 1983 dauerten. Auf der Seite der NATO-Staaten wurden die Verhandlungen durch häufige und intensive multilaterale Konsultationen im NATO-Rat und in der Special Consultative Group sowie durch zweiseitige Gespräche begleitet.
Bei der Vorbereitung der amerikanischen Verhandlungsposition spielte ein agiler und taktisch gewiefter Jung-Falke die zentrale Rolle, der 41jährige Staatssekretär für internationale Sicherheitsfragen im Pentagon, Richard Perle, der zuvor ein Jahrzehnt als Sicherheitsberater von Senator Henry Jackson tätig war. Der ursprünglich von SPD-Politikern entwikkelte Vorschlag einer Null-Option, der einen Abzug jener sowjetischer Mittelstreckensysteme vorsah, die Europa bedrohen konnten, und der auch eine gewisse Berücksichtigung der britischen und französischen Systeme beinhaltete, wurde von Perle mit Unterstützung von US-Verteidigungsminister Caspar Weinberger so umformuliert, daß kaum mit einer Annahme durch die Sowjetunion zu rechnen war, während gleichzeitig die europäischen Rüstungskontrollbefürworter argumentativ entwaffnet wurden. Außenminister Alexander Haig und sein Rüstungskontrollexperte Richard Burt, der damalige Direktor des Büros für politische und militärische Fragen, hatten sich vergeblich für eine geschmeidigere Verhandlungsposition eingesetzt, die den Sowjets einige SS-20-Raketen zugebilligt

hätte, während sie gleichzeitig den USA genügend Raketen belassen hätte, um ein Gleichgewicht bei den Sprengköpfen herzustellen. Nach Monaten eines innerbürokratischen Kampfes gelang es Weinberger, Präsident Reagan für die harte Linie von Perle zu gewinnen. Auch Paul Nitze sah in Reagans Vorschlag einer radikalen Version der Null-Option »eine gute Startposition, die knapp war, die in einem Abschnitt in einer Rede dargestellt werden konnte und die sowohl nach innen als auch im Ausland eine positive Wirkung entfalten würde«.
Bereits vor Aufnahme der Verhandlungen hatten beide Seiten die unterschiedlichen Beurteilungen des Kräfteverhältnisses und des Gegenstandsbereichs der Verhandlungen veröffentlicht. Während die Sowjetunion ein grobes Gleichgewicht bei den nuklearen Mittelstreckensystemen behauptete, gingen die Vereinigten Staaten von einer sechsfachen sowjetischen Überlegenheit aus. Die Unterschiede ergaben sich vor allem aus der widersprüchlichen Einbeziehung nuklearer Trägersysteme und weniger als Ergebnis unterschiedlicher Zahlen über dieselben Systeme (vgl. Tabelle 1). Während die USA auf sowjetischer Seite alle Systeme mit einer Reichweite von 150 bis 5500 Kilometer einbezogen, wollten sie auf westlicher Seite nur die eigenen Systeme mit einer Reichweite von 1000 bis 5500 Kilometer berücksichtigen.
Am 2. Februar 1982 brachte Paul Nitze während der 12. Sitzung einen kompletten amerikanischen Vertragsentwurf in die Genfer Verhandlungen ein, der entsprechend der Rede Präsident Reagans vom 18. November 1981 für den Fall eine Nichtstationierung der 572 Systeme des NATO-Doppelbeschlusses vorsah, daß die Sowjetunion alle SS-4-, SS-5- und SS-20-Raketen abbauen würde. Dieser amerikanische Vorschlag einer Null-Lösung konzentriert sich in der ersten Stufe auf die für beide Seiten besonders bedrohlichen landgestützten Mittelstreckensysteme. Der westliche Verhandlungsansatz ging von folgenden Überlegungen aus: Es sollte schrittweise vorgegangen werden, wobei zuerst landgestützte Flugkörper und in einer zweiten Stufe Flugzeuge behandelt werden sollten. Als Zählkriterium sollten die Sprengköpfe gelten. Nukleare Systeme dritter Staaten (Frankreich, Großbritannien und VR China) sollten ausgeklammert werden. Die Begrenzungen sollten weltweite Gültigkeit besitzen. Nach dem Prinzip der Gleichheit (Parität) sollten für beide Seiten de jure gleiche Obergrenzen gelten. In der ersten Phase sollten flankierende Maßnahmen z. B. im Bereich der Raketen kürzerer Reichweite ausgehandelt werden, um zu verhindern, daß während der Rüstungskontrollgespräche über Mittelstreckensysteme der Rüstungswettlauf auf eine Ebene tiefer verlagert und damit ein mögliches Ergebnis ausgehöhlt wird. Schließlich strebten die USA mit ihrem Vertragsentwurf durchgreifende Überprüfungs-

Tabelle 1
Vergleich des euronuklearen Kräfteverhältnisses bei den Trägersystemen zu Beginn der Genfer Mittelstreckengespräche Ende November 1981 aus amerikanischer und sowjetischer Sicht

	Reichweite (km) (Kampfradius)	Spreng-köpfe	IISS Military Balance Juli 1982	Sowjetische Angaben	Amerikanische Angaben
Sowjetische Systeme					
Landgestützte Mittelstreckensysteme					
SS-20 3 Versionen	5 000–7 400	1–3	315	243	250
SS-4	2 000	1	275	253	350
SS-5	4 100	1	16		
SS-12/22	490–900/1 000	1	70/(100)*	- - -	100
Seegestützte Systeme					
SS-N-5	1 400	1	57	18	30
Mittelstreckenbomber					
Tu-16 Badger	4 800 (2 800)	2	310	461	350
Tu-22 Blinder	4 000 (3 100)	2	125		
Tu-22/26 Backfire	8 000 (4 025)	4	100		45
Nuklearfähige Jagdflugzeuge					
Su-7 Fitter	1 400 (400)	1	265	nicht gezählt	insgesamt ca. 2 700
Mig-21 Fishbed	1 100 (400)	1	100		
Mig-27 Flogger	1 400 (550)	1	550		
Su-17 Fitter C-D	1 800 (600)	1	688		
Fitter in CSSR und Polen		1			
Su-19/24 Fencer	4 000 (1 600)	2	550		
Gesamtsumme der sowjetischen Systeme			3 886	975	3 825
Amerikanische Systeme* **					
Landgestützte Mittelstreckensysteme					
Pershing I A (insg. 180)	700	1	180	- - -	- - -
SSBS-2/3 Frankreich	3 000	1	18	18	- - -
Seegestützte Systeme					
US/NATO Poseidon (in SALT II gezählt)	48	10	40 (400)**	- - -	- - -
MSBS M-20 Frankreich	3 000	1	80	80	- - -
Polaris Großbritannien	4 600	3 MRV	64	64	- - -
Nuklearfähige Kampfflugzeuge					
FB-111 in den USA	4 700	?	60	65	63
F-111 in Europa	4 700 (1 900)	2	156	172	164
F-4 Phantom	2 200 (750)	1	252	246	265
A-6 auf Flugzeugträgern	3 200 (1 000)	2	20	240	68
A-7	2 800 (900)	2	48		

	Reichweite (km) (Kampfradius)	Spreng-köpfe	IISS Military Balance Juli 1982	Sowjetische Angaben	Amerikanische Angaben
Mirage IV A	3 200 (1 600)	1	34	46	- - -
Vulcan B-2	6 400 (2 800)	2	48	55	- - -
F-4 der Bundesrepublik, Griechenland, Türkei			172	- - -	- - -
Nuklearfähige Kurzstreckenkampfflugzeuge					
Jaguar Großbritannien	1 600 (720)	1	} 117	- - -	- - -
Jaguar Frankreich	1 600 (720)	1		- - -	- - -
Super Etendard Frankreich	1 500 (560)	1	16	- - -	- - -
Mirage IIIE Frankreich	2 400 (600)	1	30	- - -	- - -
F-104 in Westeuropa	2 400 (800)	1	290	- - -	- - -
Gesamtsumme der amerikanischen Systeme			1 625***	986	560

* geschätzte Zahl
** Sprengköpfe
*** bei IISS einschließlich der britischen und französischen Systeme

maßnahmen an, die nicht nur nationale technische Aufklärungsmittel (z. B. die Satelliten) umfassen, sondern auch kooperative Maßnahmen (z. B. den Verzicht auf Tarnungsmaßnahmen) und begrenzte Inspektionen vor Ort vorsahen.
In den ersten beiden Verhandlungsrunden verfolgte die sowjetische Verhandlungsposition die Ziele, die ihr Generalsekretär Breschnew am 23. November 1981 in der Godesberger Redoute erstmals öffentlich vorstellte: Verzicht auf die Stationierung neuer und die Modernisierung bereits vorhandener Systeme mittlerer Reichweite (Moratorium) sowie Abbau der vorhandenen Systeme »um Hunderte Einheiten«. Am 9. Februar 1982 verbreitete die sowjetische Nachrichtenagentur Tass eine Woche nach der Veröffentlichung der amerikanischen Verhandlungsziele die Grundzüge des sowjetischen Verhandlungsansatzes: Im Einklang mit dem Prinzip der Gleichheit und der gleichen Sicherheit müsse das Abkommen alle nuklearen Systeme mit einem Aktionsradius von über 1000 Kilometern einschließen, wobei beide Seiten die Zusammensetzung der zu reduzierenden Systeme selbst bestimmen sollten. Bis zum Jahr 1990 sollte die vorhandene Zahl von ca. 1000 Systemen auf 300 und bis 1985 auf 600 Einheiten gesenkt werden. »Die Hauptmethode der Reduzierung von Rüstungen mittlerer Reichweite wird ihre Liquidierung sein, was den Abzug eines Teils von Rüstungen hinter vereinbarte Grenzen nicht ausschließt. . . . Für die Periode der Verhandlungen werden die beiden Seiten keine

Tätigkeit zur Stationierung neuer nuklearer Rüstungen mittlerer Reichweite im europäischen Raum entfalten. Die heute bereits in Stellung gebrachten Mittelstreckenwaffen der Seiten in diesem Raum werden quantitativ und qualitativ eingefroren.«

In seiner Rede auf dem 17. Kongreß der Sowjet-Gewerkschaften ging Breschnew am 16. März 1982 noch einen Schritt weiter, als er den Beschluß der sowjetischen Führung mitteilte, »auf einseitiger Basis ein Moratorium für die Stationierung von Kernwaffen mittlerer Reichweite im europäischen Teil der UdSSR einzuführen. Die hier bereits stationierten derartigen Waffen frieren wir quantitativ und qualitativ ein. Und die Ersetzung alter Raketen, die als SS-4 und SS-5 bekannt sind, durch die neueren SS-20 stoppen wir.«

Dieses einseitige Moratorium solle bis zum Abschluß eines Abkommens bzw. bis zu einer eventuellen Stationierung amerikanischer Atomraketen gelten.

In einer weiteren Rede vor dem 19. Komsomol-Kongreß konkretisierte Breschnew am 18. Mai 1982 weiter: »Ich kann mit aller Bestimmtheit sagen: Keine Raketen mittlerer Reichweite werden zusätzlich dort stationiert werden, von wo sowohl die BRD als auch andere Länder Westeuropas in ihrer Reichweite liegen würden.« Das einseitige sowjetische Stationierungsmoratorium sehe auch »die Einstellung der Vorbereitung zur Stationierung von Raketen . . ., darunter auch die Einstellung des Baus von Startrampen für solche Raketen vor«. Die amerikanische Forderung, auch im östlichen Teil der Sowjetunion die entsprechenden Raketen einzufrieren, wies Breschnew jedoch als »absurde Forderung« zurück.

Der sowjetische Verhandlungsansatz forderte im Gegensatz zu den amerikanischen Überlegungen umfassende Gespräche, die die Flugzeuge, die sogenannten amerikanischen »Forward Based Systems«, sowie die nuklearen Trägersysteme Frankreichs und Großbritanniens einzubeziehen hätten. Als Geltungsbereich sollten Europa und als Zählkriterium die Trägersysteme gelten.

Sowohl der sowjetische Verhandlungsansatz als auch die sowjetischen wechselseitigen und einseitigen Moratoriumsangebote wurden von der Bonner Bundesregierung und von den USA abgelehnt. Das einseitige Moratoriumsangebot Breschnews wurde von US-Präsident Reagan als Propagandamaßnahme abgetan und der Wahrheitsgehalt dieser Ankündigung von den amerikanischen Geheimdiensten und der NATO bezweifelt.

Nach Ansicht der chinesischen Nachrichtenagentur »Neues China« glichen die Genfer Gespräche der beiden Supermächte einem »Dialog der Taubstummen«; denn weder die USA noch die Sowjetunion hätten die Absicht, ein Abkommen zu erzielen. Die Positionen beider Seiten seien so unvereinbar wie Feuer und Wasser. Beide hätten nur die Absicht, die eigene Macht zu vergrößern und den Gegner zu schädigen.

Bis zum Ende der zweiten Verhandlungsperiode am 20. Juli 1982 konnten folgende Probleme bei den »vertraulichen« Genfer Gesprächen nicht überwunden werden:

(1) die unterschiedliche Beurteilung des Kräfteverhältnisses;
(2) die unterschiedlichen Verhandlungsgegenstände: Während die USA nur über den Abbau der sowjetischen Mittelstreckenraketen sprechen wollten, beharrte die Sowjetunion auf der Einbeziehung der amerikanischen »Forward Based Systems«;
(3) die Differenzen hinsichtlich des Verhandlungsgebietes;
(4) die Meinungsverschiedenheiten über die Drittstaatensysteme;
(5) die divergierenden Ziele hinsichtlich des Umfangs der Reduzierungen und
(6) die unterschiedlichen Vorschläge zur Überprüfung von Abkommen.

Diese sechs Unterschiede waren das Ergebnis zahlreicher Asymmetrien, die ihren Ausdruck in unterschiedlichen Waffensystemen fanden, die in einem ungleichen geopolitischen Kontext zwei verschiedenen nuklearen Doktrinen und Militärstrategien dienen. Diese Probleme wurden durch zusätzliche grundlegende Meinungsverschiedenheiten bei den Genfer START-Gesprächen, den Gesprächen über die Reduzierung der strategischen Waffen, die am 29. Juni 1982 aufgenommen wurden, nicht erleichtert. Zwischen beiden Gesprächen zeichnen sich drei neue Grauzonen und damit drei neue Rüstungswettläufe bei den Massenvernichtungswaffen in Europa ab: eine Grauzone zwischen den konventionellen und nuklearen Waffen durch die von den USA geplante erneute Produktion chemischer Kampfstoffe; eine zweite Grauzone zwischen den Wiener Truppenabbaugesprächen und den Genfer Mittelstreckenverhandlungen durch die Modernisierung der nuklearen Kurzstreckensysteme in Ost und West und eine dritte Grauzone zwischen den beiden Genfer Verhandlungstischen durch den geplanten Bau von über 10 000 see- und luftgestützten Marschflugkörpern, über die nach den Vorstellungen der amerikanischen Regierung überhaupt nicht verhandelt werden soll.

Reagans Falkentroika im Pensionsalter wurden die Herausforderungen zunehmend bewußt. Dennoch sahen sie sich zwischen drei Stühlen: auf der einen Seite zeigten sich die Sowjets in den geheimen Verhandlungen durchaus kompromißbereit; die europäischen Regierungen gaben den zunehmenden Druck ihrer Friedensbewegung durch die Forderung nach einer Zwischenlösung an die USA weiter, und in Washington sahen die Hardliner im Pentagon durch Entspannungsschalmeien das gigantischste Aufrüstungsprogramm in der Weltgeschichte gefährdet, und die Ideolo-

gen um Senator Helms, die in den Genfer Gesprächen nur ein »Theater« im Propagandawettstreit um Europas Seele erblickten, witterten gar Verrat.
»Ich habe gegen Talleyrands berühmtes Prinzip der Diplomatie verstoßen«, bekannte der Diplomat, der sich in zwei Jahren vom »Fuchs« beinahe zur »Taube« gemausert hatte, bei seinem Abschied zu seinen Mitarbeitern. »Surtout pas de zèle«, auf keinen Fall Eifer.
Hätten allerdings die Politiker »unmittelbar vor 1914 und 1939 mehr Eifer gezeigt, dann wären uns möglicherweise die furchtbaren Tragödien zweier Weltkriege erspart geblieben«, rechtfertigte Eugene Rostow seinen Eifer, der ihm im Januar 1983 sein Amt als Chef der amerikanischen Rüstungskontroll- und Abrüstungsbehörde kostete, als er zusammen mit Paul Nitze für mehr Flexibilität bei den Genfer Mittelstreckengesprächen gestritten hatte. Wenige Tage zuvor war eine Episode bekannt geworden, die im Sommer 1982 den Streit innerhalb der Reagan-Administration über die zukünftige amerikanische Verhandlungsposition ausgelöst hatte.
Nach 38 formellen Sitzungen und einigen informellen Gesprächen unter vier Augen hatten sie sich kennen- und schätzengelernt: der 76jährige amerikanische Delegationsleiter Paul Nitze und sein um dreißig Jahre jüngerer sowjetischer Gesprächspartner Kwinzinski. Am 16. Juli 1982 hatten sie sich zum letzten informellen Gespräch vor der Sommerpause in einem Restaurant in der Nähe von Saint Cergue in den Bergen unweit von Genf getroffen, um beim Spaziergang nach Auswegen aus dem festgefahrenen Raketenpoker zu suchen. Als sie gemächlich einen Waldweg hinunterschlenderten, um zu ihren Autos zurückzukehren, übergab Nitze seinem Gegenüber ein privates Dokument, in dem er ein mögliches Abkommen konzipiert hatte. Kwizinski studierte das Dokument sorgfältig, nahm einige Veränderungen vor und erwiderte, daß der von Nitze ins Auge gefaßte Kompromiß durchaus plausibel erscheine. Beide verabredeten, diesen möglichen Kompromiß ihren Regierungen vorzutragen.
Im einzelnen hatte Nitze vorgeschlagen, die Sowjetunion solle die Zahl ihrer SS-4, SS-5 und SS-20 in Europa, bzw. die Europa erreichen konnten, auf 75 reduzieren und die Zahl der nuklearfähigen Flugzeuge auf 150 beschränken. Ferner sollte die Zahl der SS-20 im Fernen Osten auf 90 begrenzt und flankierend die Stationierung der sowjetischen Kurzstreckensysteme SS-12, SS-22 und SS-23 eingefroren werden.
Die USA würden dagegen keine Pershing II stationieren, in Europa nur 75 statt den vorgesehenen 116 Startsystemen für je vier landgestützte Marschflugkörper aufstellen, die Zahl der F-111 Langstreckenbomber in Europa und der FB-111 in den USA von 227 auf 150 reduzieren. Dagegen sollten die britischen und französischen Kernwaffenträger unberücksichtigt blei-

ben und für die landgestützten Marschflugkörper außerhalb Europas keine Begrenzungen gelten.
Am 19. Juli erkundigte sich Eugene Rostow bei Nitze nach dem Ergebnis der privaten Erörterungen. Rostow gab das Ergebnis von Nitzes Waldspaziergang im Jura Präsident Reagans Sicherheitsberater Clark zur Kenntnis, der daraufhin eine informelle Runde, bestehend aus Rostow, Außenminister Shultz, Verteidigungsminister Weinberger, dem Vorsitzenden der Vereinigten Stabschefs, General John Vessey, sowie je einem Assistenten, die nach eingehenden Erörterungen des Nitze-Kwinzinski Papiers zwar ihr Interesse an einer weiteren Verfolgung dieser Fährte zunächst bekundete, aber zugleich auf schwerwiegende Probleme hinwies. Das Pentagon war vor allem über den Verzicht auf die Pershing II empört und monierte, daß ein Abweichen von der Nulloption überhaupt ohne Zustimmung aus Washington erfolgen konnte. Nachdem sich Rostows Mitarbeiter und die Vertreter der Joint Chiefs in einem gemeinsamen Bericht dahingehend geeinigt hatten, daß die Pershing II zwar sehr wichtig aber nicht wesentlich (unverzichtbar) sei, hatte Caspar Weinberger diesen Bericht seinem Staatssekretär Perle vorgelegt, der seitens des Pentagon den Nitze-Kwizinski-Plan verdammte und damit den Beschwerdebrief von Rostows Widersacher, dem Richter Clarke, provozierte, in dem dieser sich bei Shultz über das eigenmächtige Vorgehen des Abrüstungsduos beschwerte.
Am 28. September 1982 sprach Außenminister Shultz mit seinem sowjetischen Kollegen Gromyko in den Vereinten Nationen über die Notwendigkeit, die privaten Gespräche in Genf fortzusetzen. Zwei Tage später teilte Kwizinski bei einem weiteren Spaziergang in den Bergen des Jura mit, daß seine Vorgesetzten den Kompromiß vom Juli abgelehnt hätten. Eine Ausklammerung der britischen und französischen Systeme sei unannehmbar. Außerdem müßte das Wachstum der nuklearfähigen Flugzeuge der NATO begrenzt werden. Damit war ein tragfähiger Kompromiß an den Falken im Kreml und im Weißen Haus sowie im Pentagon gescheitert.
Nitzes Versuch, die Flexibilität der Sowjets zu testen, und sich selbst mehr Flexibilität zu erklämpfen, war jedoch nicht völlig umsonst, signalisierte er damit doch den Sowjets ein echtes persönliches Interesse, zu einem Abkommen zu gelangen.
Nach dem Tod Leonid Breschnews nutzte sein Nachfolger im Amt des Generalsekretärs der KPdSU, Juri Andropow, die Festsitzung des Zentralkomitees der KPdSU und des Obersten Sowjets aus Anlaß des 60. Jahrestages der Gründung der UdSSR im supermodernen Kongreßpalast im Kreml dazu, über die Rolle der UdSSR als »Bollwerk des Friedens und der Freiheit der Völker zu sprechen«. »Diesem Kontinent droht jetzt eine

neue Gefahr«, sprach der ehemalige KGB-Chef die geplante Stationie
rung neuer amerikanischer Mittelstreckenraketen an und leitete dann zu
einem neuen Vorschlag über. »Wir sind unter anderem bereit, darau
einzugehen, daß die Sowjetunion in Europa nur genausoviele Raketen
behält, wie sie Großbritannien und Frankreich besitzen, und nicht eine
einzige mehr. Das bedeutet, daß die Sowjetunion Hunderte Raketen ab
bauen würde, darunter mehrere Dutzend der modernsten Raketen, die im
Westen als SS-20 bezeichnet werden. Für die Sowjetunion und die USA
würde das bei den Mittelstreckenraketen in der Tat eine ehrliche ›Null‹
Variante sein. Und wenn sich die Zahl der britischen und französischen
Raketen des weiteren verringern würde, so würde auch die Zahl der so
wjetischen Raketen zusätzlich um genausoviele zurückgehen.
Es gilt auch gleichzeitig, eine Reduzierung der Zahl der Trägerflugzeuge
für Kernwaffen mittlerer Reichweite, die sowohl die UdSSR als auch die
NATO-Länder in der betreffenden Region haben, auf ein für beide Seiten
gleiches Niveau zu vereinbaren.«
Die Antwort aus dem Weißen Haus ließ nicht lange auf sich warten. In
nerhalb weniger Stunden wiesen die USA die Andropow-Offerte als un
annehmbar zurück. Das Pentagon und das Außenministerium erklärten
übereinstimmend, »Andropows Plan würde der Sowjetunion mehr SS
20-Raketen lassen, als sie zu Beginn der Genfer Verhandlungen gehab
habe, und die Vereinigten Staaten würden buchstäblich mit leeren Hän
den in Europa stehen . . . Zusammenfassend wurde in Washington An
dropows Initiative als Versuch zur Aufsplitterung der nordatlantischen
Allianz und zur Trennung der Vereinigten Staaten von ihren Verbündeten
gewertet . . . Ein Eingehen auf sein Angebot würde tiefe politische und
psychologische Konsequenzen in der Allianz zur Folge haben«, berichtete
der Washingtoner Korrespondent der »Neuen Zürcher Zeitung« am
24. Dezember 1982.
Weniger ablehnend reagierte Außenminister Genscher auf die Andro
pow-Offerte, wobei er jedoch dem Verlangen der Sowjetunion, »sich mi
mehr als 450 nuklearen Sprengköpfen auf über 150 SS-20-Raketen in Eu
ropa das Monopol bei Mittelstreckenraketen« vertraglich abzusichern, mi
der sicherheitspolitischen Einheit des Westens für unvereinbar zurück
wies. Für Verteidigungsminister Wörner gingen die sowjetischen Vor
schläge nicht weit genug.
Mit Andropows Vorschlag nahm die Sowjetunion erstmals Abstand von
der Behauptung, es bestehe bereits heute ein eurostrategisches Gleichge
wicht in Europa, in dem sie sich zum Abzug aus dem europäischen Teil de
UdSSR bzw. zur Verschrottung von über 70 SS-20 bereiterklärte. Am
6. Januar 1983 unterbreiteten die Parteichefs der sieben Mitgliedstaaten

der Warschauer Vertragsorganisation nach ihrem Prager Treffen weitere Vorschläge für eine radikale Verringerung der Mittelstreckenraketen in Europa und den Abschluß eines Nichtangriffspaktes zwischen beiden Militärblöcken. Eine Woche später erklärten die beiden sowjetischen Delegationsleiter bei den Genfer Nuklearwaffengesprächen, Kwizinski und Karpow, gegenüber einer Gruppe amerikanischer Abgeordneter, die sowjetische Bereitschaft, einen Teil der aus Europa abzuziehenden SS-20 zu verschrotten.

Das Raketenpoker der Supermächte wurde zunehmend durch die deutsche Innenpolitik und den sich abzeichnenden »Raketenwahlkampf« überschattet. Während sich die neue sowjetische politische Führung mit Abrüstungsofferten an die Völker und Regierungen Westeuropas und der USA wandte, hielten die USA bis zum Ende der deutschen »Raketenwahlen« uneingeschränkt an der Ausgangsposition fest. Nach seiner elftägigen Good-will-Tour durch die westeuropäischen Hauptstädte, die vor allem der wachsenden anti-nuklearen Bewegung in Westeuropa entgegenwirken und im Raketentheater die Andropow-Vorschläge aus den Schlagzeilen und Titelseiten verdrängen sollte, mußte der amerikanische Vizepräsident Bush zu dem Ergebnis gelangen, »daß nicht ein einziger Regierungschef noch einen Pfifferling gibt für die Hebelkraft der Null-Lösung, mit dessen Hilfe den Sowjets in Genf die Verschrottung ihrer Mittelstreckenraketen abgetrotzt werden sollte. Dieses Vorhaben ist nur noch eine Bezugsgröße in vager Ferne. Präsident Reagan muß jetzt die Karten für den Genfer Verhandlungstisch völlig neu mischen«, riet Kurt Becker Mitte Februar 1983 in der »ZEIT«.

Gegen das neue Mischen der Karten, das auch vom amerikanischen Chefunterhändler Paul Nitze seit Sommer 1982 empfohlen wurde, hatten sich die Rechtskonservativen und das Pentagon im Januar 1983 noch erfolgreich gewehrt. Vor allem gegen einen möglichen Verzicht auf die Pershing II war das Pentagon Sturm gelaufen. »Das impliziert im nachhinein«, schilderte Nobert Mühlen in der »Neuen Zürcher Zeitung« den Raketen-Clinch in der Reagan-Administration, »daß im Pentagon nicht an das Zustandekommen der Null-Lösung geglaubt wird. Wenn aber am Verhandlungstisch schließlich schon ein Kompromiß zustande kommen sollte, so werden die Überlegungen der Pentagonstrategen interpretiert, dann dürfte er nicht auf dem amerikanischen Verzicht auf die Stationierung wenigstens einiger Pershing-Raketen hinauslaufen. In erster Linie die Armee, deren ›Kind‹ die Pershing ist, ließ durch ihren Stabschef im Sommer allerhärtesten Widerstand gegen Nitzes Vorgehen anmelden. In diesem Zusammenhang sollte nicht aus den Augen gelassen werden, daß im Pentagon auch die Meinung Anhänger findet, sogar bei der Verschrottung sämtlicher SS-20 müßten die Amerikaner neue Mittelstreckenwaffen in Europa stationieren, und sei es nur, um das bisherige überalterte Arsenal zu modernisieren.«

Die Forderung nach einer Zwischenlösung, die Anfang 1983 von der britischen Premierministerin Thatcher, vom deutschen Außenminister Genscher und seinem italienischen Kollegen Colombo geäußert und Vizepräsident Bush mit auf den Weg gegeben wurde, stärkte die Position Nitzes bei seinem Bemühen um mehr Flexibilität bei den Genfer Gesprächen.

»Die Zeit des Finassierens geht zu Ende«, meinte Christoph Bertram Anfang Februar in der »ZEIT«. »Das ist die Botschaft, die Bush nach Washington zurückbringen sollte. Vielleicht gibt sie dem Präsidenten Anstoß, die Grabenkämpfe zu beenden. Aber auch mit dem europäischen Taktieren muß es ein Ende haben. Wer vom Doppelbeschluß abrückt, macht damit eine Vereinbarung in Genf unwahrscheinlicher. Wer die Nulloption ablehnt, muß zumindest eine teilweise Stationierung neuer Mittelstrekkenraketen in Kauf nehmen. Wer sich an die Null-Option klammert, muß sagen, was er macht, wenn sie nicht Wirklichkeit wird. Wenn dies auf beiden Seiten des Atlantiks verstanden wird«, mahnte der ehemalige Direktor des Londoner Instituts für Strategische Studien, »hätte sich der Besuch des amerikanischen Vizepräsidenten gelohnt: der Besuch eines Pfadfinders, nicht bloß eines Werbetrommlers.«

Reagan griff die Anregungen seines »Pfadfinders« in einer Rede am 22. Februar 1983 auf, in dem er vier Grundprinzipien für jeden neuen westlichen Vorschlag formulierte: 1. Das Verhandlungsziel müsse auf Parität zielen und die Sowjets dürften kein Monopol behalten. 2. Die britischen und französischen Systeme sollten in Genf ausgeklammert bleiben. 3. Ein bloßes Verschieben der SS-20 von Europa nach Asien sei unzumutbar. 4. Das Abkommen müsse kontrollierbar sein.

Während das Nachdenken und Suchen nach möglichen Zwischenlösungen in der amerikanischen Bürokratie begann, erhielt der amerikanische Chefunterhändler Nitze die Order, auf jeden Fall bis zum 6. März an der Maximalforderung der Null-Lösung festzuhalten.

»Es wäre originell«, spekulierte Marion Gräfin Dönhoff über die neuesten Züge Andropows und Reagans im Raketenpoker der Supermächte, »wenn zwei, die ausziehen, sich gegenseitig die Show zu stehlen, auf diesem Umweg zu erfolgreichen Verhandlungen gelangten. Es wäre ungewöhnlich, aber nicht unmöglich.«

9. KAPITEL

Raketenwahlen?

Zwei Bemerkungen eröffneten den Raketenwahlkampf. In seiner Regierungserklärung hatte Bundeskanzler Helmut Kohl am 13. Oktober 1982 verkündet: »Wir werden die deutsch-amerikanischen Beziehungen aus dem Zwielicht befreien, die Freundschaft bekräftigen und stabilisieren.« Zugleich betonte er jedoch die Kontinuität zur Regierung Schmidt/Genscher in einer zentralen Frage des bevorstehenden Wahlkampfes: »Die Bundesregierung steht uneingeschränkt zum Doppelbeschluß der NATO von 1979 . . . Sie wird diese Beschlüsse erfüllen und nach innen vertreten: den Verhandlungsteil und – wenn notwendig – auch den Nachrüstungsteil . . . Nur wenn die Sowjetunion weiß«, bekräftigte Kohl die Entschlossenheit seiner Regierung, »daß sie mit einer Stationierung der amerikanischen Systeme ab 1983 in Europa fest rechnen muß, kann mit ihrer Bereitschaft gerechnet werden, zu guten Verhandlungsergebnissen beizutragen.«

Während einer zweitägigen USA-Reise am 8. und 9. November 1982 provozierte der neue Verteidigungsminister Manfred Wörner mit dem Hinweis, daß auch nach einer Stationierung der neuen amerikanischen Mittelstreckenraketen in der Bundesrepublik weiterverhandelt werden könne, Egon Bahr zu einer scharfen Replik: »Wenn Herr Wörner jetzt sagt, es kann weiterverhandelt werden nach der Stationierung, ist das 1. ein Standpunkt, den die CDU früher gehabt hat, es ist 2. ein Punkt, wo von Kontinuität keine Rede mehr sein kann, und es ist 3. ein Punkt, wo die bisherige deutsche Position verletzt worden ist. Wir müssen fürchten«, schlußfolgerte der Abrüstungsexperte der SPD und der gewiefte Taktiker Egon Bahr am 9. November 1982 in der Tagesschau, »daß die Amerikaner nicht mehr – wie Helmut Schmidt gesagt hat – mit äußerster Anstrengung verhandeln. Sie brauchen gar nicht mit äußerster Anstrengung zu verhandeln. Wenn erst mal stationiert wird, können sie dann acht oder neun Jahre weiterverhandeln wie über konventionelle Waffen in Wien.«

Zwei Tage später zog Bahr im »Vorwärts« mit einem Beitrag »Nein der SPD nähergerückt« daraus die Schlußfolgerung: »Mit einem Satz wurde die sorgsam aufgebaute Position der Bundesrepublik zerstört. In einem wichtigen Punkt deutscher Interessen wurde die versprochene Kontinuität verlassen. Eine schlechte Vorbereitung des Besuchs des deutschen Bundeskanzlers. Er muß reparieren oder bestätigen. Den Schaden hat unser Land.«

Tags darauf lobte Wörner die Bereitschaft der Amerikaner, seriös zu verhandeln. Er versicherte aber auch, daß im Falle eines Scheiterns der Verhandlungen höchstens 108 und nicht 350 bis 380 Pershing II auf dem Gebiet der Bundesrepublik aufgestellt werden sollten. Nicht die amerikanischen Verbündeten hätten Wörner an die Erfüllung des Doppelbeschlusses gemahnt, sondern der deutsche Verteidigungsminister habe auf seiner Einhaltung gepocht, »um eine Entwicklung zu verhindern, deren – unvermeidliche – öffentliche Entdeckung psychologisch fatale Folgen gehabt hätte«. Während Karl Feldmeyer in der »Frankfurter Allgemeinen Zeitung« die »Eindeutigkeit« der Wörnerschen Position und sein Ansehen in Washington lobend hervorhob, griff Alexander Szandar in der »Süddeutschen Zeitung« Wörners »waghalsige Thesen zum Doppelbeschluß« scharf an: »Bei dem Bemühen, die Zuverlässigkeit der konservativ-liberalen Koalition herauszustreichen, hat Wörner allerdings mit einigen gewagten Thesen mehr Verwirrung als Klarheit nicht nur in der innenpolitischen Diskussion . . ., sondern auch in die nordatlantische Allianz gebracht.« Als einen »peinlichen Patzer« bezeichnete Szandar den Vorschlag Wörners, im Herbst 1983 die Nachrüstung zunächst zu vollziehen und bei einem günstigen Verhandlungsausgang die Waffen wieder abzubauen, »wenn ausgerechnet der Verteidigungsminister der Bundesrepublik Deutschland durch die Verkündung solcher Ansichten jeglichen Zeitdruck von den Verhandlungen nimmt.« Als bemerkenswert empfand Szandar auch, »mit welchem Nachdruck Wörner forderte, die USA müßten die Pershing II ungeachtet der technischen Probleme pünktlich im nächsten Herbst einsatzbereit stellen«.

Um den deutsch-amerikanischen Schulterschluß in der Nachrüstungsfrage herzustellen, hatte Bundeskanzler Helmut Kohl am 8. November 1982 im Nachrichtenmagazin »Time« erklärt: »Wir werden bei unserem Versprechen bleiben. Und wir werden dies tun in Übereinstimmung mit der großen Mehrheit der Bevölkerung. Natürlich wird es Widerstand geben, möglicherweise sogar größeren Widerstand. Aber wir werden es dennoch tun.«

Am 16. November 1982 antwortete Bundeskanzler Kohl auf einer Veranstaltung des American Council of Germany in New York auf eine Frage des ehemaligen US-Außenministers Henry A. Kissinger nach dem Sinn der Neuwahl, er betrachte die Neuwahl auch als eine Gelegenheit, die

Wähler über ihre Meinung zum NATO-Doppelbeschluß zu befragen: »Die Entscheidung über den NATO-Doppelbeschluß ist die außen- und sicherheitspolitische Entscheidung der Jahrzehnte. Eine falsche Entscheidung in unserem Lande wird irreparable Verhältnisse für die nächsten Jahrzehnte schaffen. Die Debatte gegen den zweiten Teil des Nachrüstungsbeschlusses, gegen die Stationierung, wird entscheidend mit moralisierenden Argumenten geführt. Man braucht kein Prophet zu sein: Wenn keine Neuwahlen stattfinden würden, würden die Gegner dieses Beschlusses, die Anhänger einer Neutralisierung Mitteleuropas, argumentieren: Die Wähler haben das nicht gewußt. Die Wähler müssen ihr Wort sprechen.«
Im Januar wurde durch einen Artikel der »Financial Times« eine weitere Kurskorrektur der Regierung Kohl bekannt. Danach sagte Kanzler Kohl seinem Gastgeber Ronald Reagan zu, die Bundesrepublik werde Ende 1983 auch dann Pershing II und landgestützte Marschflugkörper stationieren, wenn die anderen europäischen Länder die Aufstellung verweigerten. Kanzler Kohl nahm damit nach unwidersprochenen Presseberichten Abstand von der Maxime seines Vorgängers, »die Bundesrepublik niemals in eine vereinzelte, singuläre Rolle geraten zu lassen. Wenn demnach die zitierten Berichte über Helmut Kohl zutreffen sollten, so wäre dies die Abkehr des amtierenden Bundeskanzlers in einer wesentlichen deutschen Position«, kommentierte SPD-Vorstandssprecher Clement diesen Kurswechsel.
Anfang Dezember machte sich das SPD-Präsidium den Abrüstungsvorschlag des ehemaligen Direktors der amerikanischen Rüstungskontroll- und Abrüstungsbehörde, Paul C. Warnke, zu eigen und forderte die Bundesregierung auf, diesen Vorschlag zu prüfen und durch eigene Abrüstungsvorschläge die Genfer Raketengespräche in Bewegung und zu einem erfolgreichen Abschluß zu bringen. Warnke hatte am 16. September vorgeschlagen, die Sowjetunion sollte alle 280 SS-4-, SS-5- und 100 SS-20-Raketen mit 300 Sprengköpfen zerstören und damit die NATO-Nachrüstung überflüssig machen. Mit diesem Vorschlag wollte Warnke eine Verknüpfung der Mittelstrecken (INF-)Gespräche mit den START-Gesprächen ermöglichen, bei denen eine angemessene Berücksichtigung der britischen und französischen Systeme leichter werde. Zusätzlich hatte Warnke das Einfrieren der amerikanischen F-111 und der sowjetischen Backfire auf dem derzeitigen Stand und weitere begleitende Maßnahmen vorgeschlagen. Warnke hoffte, mit diesem Vorschlag den Verhandlungsstillstand zu überwinden, eine beträchtliche Reduzierung herbeizuführen, das Risiko eines Nuklearkrieges in Europa herabzusetzen, die INF-Gespräche in die START-Verhandlungen überzuleiten, die Zahl der auf Westeuropa gerichteten sowjetischen Raketen um 380 bzw. 580 Nuklear-

sprengköpfe zu reduzieren und das Vorhandensein der Nuklearstreitkräfte der westlichen Verbündeten zu berücksichtigen, ohne ihnen Beschränkungen aufzulegen.
Der ehemalige Bundeskanzler Helmut Schmidt unterstützte diesen Vorschlag Warnkes Anfang Dezember in einem Gespräch führender SPD-Politiker mit dem amerikanischen Außenminister Shultz, während sich Bundeskanzler Kohl ohne Wenn und Aber an den amerikanischen Vorschlag einer Null-Lösung klammerte und Außenminister Genscher die Warnke-Initiative verwarf.
Waren diese unterschiedlichen Verhandlungsziele allenfalls für einen kleinen Kreis von Experten und sicherheitspolitisch interessierten Wählern einsehbar, so kam der Raketenwahlkampf erst durch die unterschiedlichen Reaktionen der Bonner Parteien auf die Vorschläge des neuen sowjetischen Parteichefs Andropow allmählich in Gang.
Während führende SPD-Politiker in den sowjetischen Vorschlägen gewisse Parallelen zu den Überlegungen des ehemaligen SALT II-Unterhändlers Warnke entdeckten, stieß die Andropow-Offerte bei den Regierungsparteien CDU/CSU/FDP weitgehend auf eine unterschiedlich akzentuierte Ablehnung.
Anfang Januar setzte sich der SPD-Abrüstungsexperte Egon Bahr in einem »Vorwärts«-Artikel: »Andropow hat die Lage zum Positiven verändert«, mit den Implikationen dieses Vorschlags auseinander. Er forderte die Einbeziehung der britischen und französischen Atomwaffen und kritisierte die These Manfred Wörners, die Bundesrepublik werde nach den Andropow-Vorschlägen 150 SS-20-Raketen schutzlos ausgesetzt und von den USA abgekoppelt.
Hinter den Warnungen von der »Abkoppelung« der Bundesrepublik vermutete der SPD-Abrüstungsexperte Hermann Scheer ein politisch-strategisches Konzept, das auf jeden Fall eine Nachrüstung auf westeuropäischem Festland wolle. Diesem Konzept zufolge, »fehlte in der nuklearen Stufenleiter der Abschreckung eine wesentliche Stufe, nämlich Mittelstreckenraketen in Europa. Diese Lücke müsse gestopft werden. Dieses Konzept hat dann kaum noch etwas damit zu tun, daß es SS-20 gibt. Mit anderen Worten: Selbst wenn es keine sowjetischen Mittelstreckensysteme gäbe, würde es immer noch vertreten werden, weil es sich um eine rein innerwestliche Strategievariante handelt. Deshalb ist es kein Wunder, daß die Vertreter dieses Konzepts der Nachrüstung den eindeutigen Vorrang vor Verhandlungen geben.« Scheer vermutete, daß es denjenigen, die von »Abkoppelung« redeten, weniger um das europäische Gleichgewicht, sondern um ein neues strategisches Konzept der NATO in Europa gehe, daß sie eigentlich nachrüsten wollten und an einem Verhandlungs-

erfolg gar nicht interessiert seien und deshalb nach Hindernissen und Beweggründen suchten, um neue Kompromißvorschläge ablehnen zu können.
Während der SPD-Kanzlerkandidat Hans-Jochen Vogel im Angebot Andropows »noch keineswegs« das gewünschte Verhandlungsergebnis aber einen Schritt in die richtige Richtung erkannte, machte Außenminister Genscher deutlich, daß der sowjetische Vorschlag nicht annehmbar sei, weil er eine einseitige Überlegenheit Moskaus durch die Bedrohung Westeuropas mit einer Vernichtungskraft von 3000 Hiroshima-Bomben festschreiben würde. Der Staatsminister im Auswärtigen Amt Alois Mertes erblickte in den sowjetischen Vorschlägen »einen Teil ihres Propagandamanövers, das darauf abzielt, dem Westen den Schwarzen Peter der Schuld für ein eventuelles Scheitern in die Schuhe zu schieben«. Der Vorschlag sei in dieser Form nicht annehmbar. »Es wäre als ein erheblicher Rückgang der Sicherheit der Bundesrepublik Deutschland als Nichtnuklearwaffenstaat zu verzeichnen, wenn der Westen auf diesen Vorschlag eingehen würde.« Ziel der sowjetischen Politik sei es, auch durch diesen Abrüstungsvorschlag Mißtrauen zwischen den Europäern und den Amerikanern zu säen.
In der Gleichsetzung des sowjetischen Mittelstreckenpotentials mit den britischen und französischen Waffen sah Verteidigungsminister Manfred Wörner einen »Verhandlungstrick«. »Die Sowjetunion braucht ihre SS-20 nicht, um das französische und britische Potential in Schach zu halten. Niemand käme auf die Idee, daß die Franzosen und die Briten etwa die Sowjetunion mit ihren Raketen überfallen könnten. Die französischen und britischen Waffen sind reine Vergeltungswaffen, während die sowjetische SS-20 Punktziele im Wege eines Erstschlags bekämpfen kann. Das zeigt«, nach Ansicht des Verteidigungsministers, »daß Moskau hier etwas ganz anderes beabsichtigt, nämlich ein Modernisierungs- und Stationierungsverbot für amerikanische Mittelstreckenraketen in Europa.«
Er kämpfe bei den Wahlen am 6. März um den Auftrag der Bürger, alles zu tun, »damit durch ein positives Ergebnis der Genfer Verhandlungen die Stationierung neuer amerikanischer Mittelstreckenraketen überflüssig wird«. Diese Position erläuterte der SPD-Kanzlerkandidat Vogel Anfang Januar 1983 in einer spektakulären diplomatischen Ost-West-Tournee, die ihn sieben Wochen vor der Bundestagswahl zu Gesprächen mit Ronald Reagan nach Washington, zu Juri Andropow nach Moskau und zu François Mitterrand nach Paris führte.
In Begleitung von Egon Bahr, Hans-Jürgen Wischnewski und seines sicherheitspolitischen Beraters, Carl Friedrich von Weizsäcker, erläuterte der SPD-Kanzlerkandidat US-Präsident Reagan, Außenminister George

Shultz, Verteidigungsminister Caspar Weinberger, dem Chef der amerikanischen Abrüstungsbehörde Rostow und dem amerikanischen Chefunterhändler in Genf, Paul Nitze, sein Wahlkampfziel, »daß die SPD mehr auf ein deutsches Interesse an der Nichtstationierung hinwirkt«. Deutlich verlangte Vogel auch einschneidende Reduzierungen bei den interkontinentalen Waffen. Der SPD-Kanzlerkandidat Vogel, der erst nach dem überraschenden Sieg der SPD bei den Landtagswahlen in Hamburg einen Termin bei Präsident Reagan erhalten hatte, vermied offene Kritik an der amerikanischen Politik aber auch eine Anpassung an Washingtoner Wunschvorstellungen.

Als erster westlicher Politiker traf der SPD-Kanzlerkandidat Hans Jochen Vogel am 11. Januar im Gebäude des Zentralkomitees des KPdSU begleitet von den Präsidiumsmitgliedern Bahr und Wischnewski und dem Moskauer Botschafter Meyer-Landrut, nach der Veröffentlichung der neuen sowjetischen Abrüstungsinitiativen mit dem neuen sowjetischen Parteichef Juri Andropow zu einem zweieinviertelstündigen Gespräch über aktuelle weltpolitische Fragen und zu einem anschließenden zwanzigminütigen Gespräch unter vier Augen zusammen. Kein anderer westlicher Politiker hatte nach Breschnews Tod eine so ausgedehnte Unterredung mit dem neuen Chef im Kreml. Im Mittelpunkt der als »intensiv, offen und fruchtbar« bezeichneten Gespräche stand die Frage der nuklearen Mittelstreckenwaffen in Europa.

Während der zweitägigen Gespräche in Moskau mit Andropow, Ministerpräsident Tichonow und dem sowjetischen Delegationsleiter bei den Genfer Gesprächen, Kwizinski, erlangte die SPD-Delegation neue Aufschlüsse über die Andropow-Vorschläge: Erstmals unterstützten die Sowjets als Verhandlungsziel ein Gleichgewicht bei den Sprengköpfen. Die von Andropow vorgeschlagene Reduzierung sei so zu verstehen, »daß ein Teil der sowjetischen Mittelstreckenwaffen vernichtet werden soll, ein anderer Teil abgezogen und soweit ostwärts – bis zum 80. Längengrad – verlegt werden soll, daß er Westeuropa einschließlich der Bundesrepublik nicht mehr erreichen könne«. Über die französischen und die britischen Mittelstreckenraketen solle nicht verhandelt oder verfügt werden, sondern sie sollten als Berechnungsfaktor für das Ausmaß der sowjetischen Reduzierung dienen. Die Sowjetunion sei auch bereit, über Raketen und Flugzeuge getrennt zu verhandeln. Schließlich wolle die Sowjetunion bei den nuklearen Kurzstreckenraketen keine neuen stationieren.

Der SPD-Kanzlerkandidat, der beide Gesprächspartner im Weißen Haus und im Kreml aufforderte, eine katastrophale Entwicklung im Bereich des Wettrüstens zu verhindern, und der mit seiner Doppelmission mithelfen wollte, »daß dieser mühsame Prozeß auf das umrissene Ziel hin in Gang

bleibt und nicht Mutlosigkeit, Resignation und Frustration Platz greifen«, kam nach seiner Moskau-Visite zu dem Ergebnis: »Die Amerikaner sind jetzt am Zug . . . Wir wollen eine Bewegung der amerikanischen Seite.«
In einem »SPIEGEL«-Gespräch erwähnte Vogel auch die widersprüchlichen Informationen, die er in Washington und Moskau zum Vorschlag eines Kurzstreckenmoratoriums erhalten habe: »Die Sowjetunion, so wurde uns gesagt, habe in Genf vorgeschlagen, auch solche Raketen der Reichweite von 500 bis 1000 Kilometer einzubeziehen. Die USA, so behauptet Moskau, hätten dies abgelehnt. In Washington ist uns dagegen gesagt worden, die USA hätten einen Stopp der Kurzstreckenraketen vorgeschlagen. Sie hätten darauf keine definitive sowjetische Antwort erhalten. Das zeigt uns«, betonte Vogel, »wie notwendig Verhandlungen sind, damit keine neuen Grauzonen entstehen.«
Nach einem dritten Kurzbesuch zum französischen Staatspräsidenten Francois Mitterrand, bei dem vor allem die Frage der »Berücksichtigung« der britischen und französischen Nuklearsysteme im Raketenpoker der Supermächte eine zentrale Rolle spielte, faßte der SPD-Kanzlerkandidat Vogel am 13. Januar vor der Bundespressekonferenz die Ergebnisse seiner Erkundungstour zusammen: »In allen Hauptstädten habe ich keinen Zweifel daran gelassen, daß eine Vereinbarung, die die Zahl der sowjetischen Raketen radikal reduziert und die Aufstellung neuer Raketen auf unserem Territorium überflüssig macht, im deutschen Interesse liegt. Um es klar zu sagen: Wir wollen keine Raketen, die von Osten her auf uns gerichtet sind; wir wollen ebensowenig, daß von unserem Boden aus Raketen eine Bedrohung für den Osten darstellen. Deshalb begrüßen wir jeden Schritt in Richtung auf eine Verständigung, die vorhandene Raketensysteme beseitigt und die Aufstellung neuer Raketen verhindert.« Zwei Tage zuvor hatte das Bundeskabinett »die derzeit noch ablehnende Haltung der Sowjetunion zu dem weitreichenden Angebot des Bündnisses« bedauert und es für unverzichtbar gehalten, daß auch im Fall, daß bis Herbst keine Verhandlungsergebnisse erzielt werden könnten, »die Verhandlungen in Genf mit dem Ziel fortgesetzt werden, eine Null-Lösung zu erreichen«.
Zur selben Zeit hatte sich jedoch bereits ein Disput innerhalb der Koalitionsparteien über die Erreichbarkeit der Null-Lösung entwickelt. Während Bundeskanzler Kohl ohne »wenn und aber« an dem Ziel der amerikanischen Falken festhielt, nannte es Franz Josef Strauß als illusionär und unerreichbar und führende F.D.P.-Politiker dachten laut über die Möglichkeit einer »Zwischenlösung« beim Genfer-Raketenpoker nach.
Anfang Januar hatten Außenminister Genscher und der FDP-Staatsmini-

ster im Auswärtigen Amt Möllemann zu erkennen gegeben, daß bei den Raketenverhandlungen auch die USA Kompromißbereitschaft zeigen müßten. Neben dem Festhalten am westlichen Verhandlungsziel gelte es aber auch, Möglichkeiten einer Konsenslösung als Zwischenergebnis auszuloten. Demgegenüber erklärte der für Außenpolitik zuständige stellvertretende Vorsitzende der CDU/CSU-Bundestagsfraktion, Volker Rühe, es bestehe kein Grund, »jetzt auf das Ziel der Null-Lösung zu verzichten«. Rühe hielt es für fragwürdig, »sich jetzt öffentlich Gedanken über eine Zwischenlösung zu machen«. Tags darauf wurde durch Kabinettsbeschluß den Spekulationen über eine Zwischenlösung ein Ende gemacht.

»Ich halte die amerikanische Null-Regelung für irreal, so wie das heute Herr Rostow auch gesagt hat, und ich halte die sowjetische Null-Regelung, wie Herr Falin das eben gesagt hat, auch für irreal«, umriß Egon Bahr in einem Streitgespräch mit Alois Mertes am 16. Januar im WDR-Auslandsstudio die Position der SPD. »Ich halte es deshalb für irreal, weil wir zur Kenntnis zu nehmen haben und zu respektieren haben, daß Frankreich und Großbritannien über seine Waffen allein verfügt und daß niemand imstande ist . . . über die französischen und britischen Waffen in Genf zu verhandeln . . . Damit muß man davon ausgehen, daß die französischen und britischen Waffen in Europa bleiben. Das absolute Null gibt es also nicht.« »Worauf die Sowjetunion abzielt«, konterte der Staatsminister im Auswärtigen Amt Alois Mertes, »ist ein Machtverhältnis im Bereich der landgestützten Mittelstreckenraketen, in der das amerikanische Gegengewicht hier nicht eingeführt wird. Nur eines ist nicht möglich, und das unterscheidet uns, daß es eine Null-Lösung auf amerikanischer Seite gibt und bei der Sowjetunion eine Null-Plus-Lösung.«

»Ich bin nicht der Auffassung, daß die Sowjetunion ein Monopol bekommen soll in Mittelstreckenraketen, aber ich bin auch der Auffassung«, betonte Bahr vier Tage nach seinem Gespräch mit Andropow, »daß die Sowjetunion nicht akzeptieren wird, daß es zwischen Amerika und der Sowjetunion auf dem Gebiete der Mittelstreckenraketen in Europa Null gibt und Frankreich und Großbritannien eine Monopolstellung bekommen. Dies halte ich nicht für real.«

Am selben Tag hatte Verteidigungsminister Wörner dem SPD-Kanzlerkandidaten Vogel vorgeworfen, »daß er nicht mehr zum Doppelbeschluß steht, daß er nicht mehr zur Null-Lösung steht, daß er bereit ist, sich mit dem sowjetischen Monopol an Mittelstreckenwaffen abzufinden«. Dies aber bezeichnete der Nachrüstungsbefürworter Wörner als »Gift für unsere Sicherheit und Gift für die Abrüstungsverhandlungen in Genf«.

»Im nuklearen Zeitalter sitzen die Bundesrepublik Deutschland und die Sowjetunion in einem Boot. Dies können nur die Menschen übersehen, die an politischer Farbblindheit leiden, die nicht fähig sind, die Dinge so zu sehen, wie sie sind«, ermahnte der sowjetische Außenminister Gromyko am 17. Januar 1983 während seines ersten Bonn-Besuchs seit 1979 die Regierung Kohl/Genscher. »Und wenn es doch Hasardspieler und Hochstapler gibt, die erklären, daß sie bereit seien, ihren Ambitionen zuliebe die Menschheit in die nukleare Katastrophe hinein stürzen zu lassen, so ist die Frage erlaubt: Wieso wollen sie alle die Völker, die leben wollen, mit sich in den Abgrund ziehen, und wer hat ihnen das Recht dazu gegeben«, warnte der dienstälteste Außenminister der Welt seine konservativen Gastgeber vor der Politik der amerikanischen Verbündeten. »Alles, was die Sowjetunion möchte«, unterstrich er die Friedensliebe seines eigenen Landes, »ist die gleiche und zuverlässige Sicherheit für sich selber und ihre Verbündeten sowie auch für die anderen Staaten, einschließlich der Bundesrepublik.«

Dieses gemeinsame Ziel werde jedoch durch die Gefahr eines neuen nuklearen Wettrüstens in Zweifel gezogen als Folge der Stationierung Hunderter neuer amerikanischer Raketen in Westeuropa. »Die Verwirklichung dieses Programms würde für die ganze Welt eine jahrelange nukleare Konfrontation mit allen sich daraus ergebenden Folgen bedeuten. Wir können auch die Tatsache nicht ignorieren«, redete Gromyko der Bundesregierung ins Gewissen, »daß die Bundesrepublik der einzige Staat ist, wo die Stationierung der Pershing-II-Raketen geplant ist, die innerhalb weniger Minuten strategische Objekte tief im Innern der Sowjetunion erreichen können.« Gromyko wiederholte dann die Vorschläge, die eine Woche früher Parteichef Andropow dem SPD-Kanzlerkandidaten Vogel mitgegeben hatte: »Wir sind auch bereit, die taktischen Raketen mit einer Reichweite von unter 1000 Kilometern auf der Grundlage der Gegenseitigkeit quantitativ zu begrenzen.«

Außenminister Genscher hatte in seiner Tischrede zwar den Kabinettsbeschluß bekräftigt, wonach die amerikanische Null-Lösung das ideale Verhandlungsziel darstelle, zugleich aber auch den Willen des Westens bekräftigt, »jede Verhandlungsmöglichkeit zu nutzen, um zu konkreten Ergebnissen zu gelangen, die dem Grundsatz der Gleichheit und Parität entsprechen«.

Bei der abschließenden Pressekonferenz vermied der 74jährige Gromyko am 18. Januar »Paukenschläge« und warb statt dessen moderat um die deutsche Seele. Für absolut unakzeptabel wies er erneut das amerikanisch-deutsche Traumziel einer Nullösung zurück. Zu westlichen Presseberichten über eine informelle Übereinkunft zwischen Nitze und Kwizinski bemerkte Gromyko: »Natürlich ist es ein Gerücht.«

Vergeblich hatte Gromyko in den vertraulichen Gesprächen Bundeskanzler Kohl an die Schlüsselrolle der Bundesregierung erinnert, mäßigend auf die USA einzuwirken. Im Eichensalon des Wasserschlosses Gymnich erläuterte Gromyko seinem deutschen Kollegen die Bedrohung der Sowjetunion durch amerikanische Raketenstellungen rund um die UdSSR und durch »maritime Systeme im asiatischen Bereich. Von überall«, meinte Gromyko zu Genscher, werde sowjetisches Gebiet »doppelt und dreifach« bedroht, u. a. durch neue amerikanische Schiffe »im Meer um Japan«.

»›Wir wollen keine neuen Raketen‹ – Ex-Verteidigungsminister sagt Zusammenbruch der Hochrüstung voraus«, mit diesem Aufmacher erschien am Tag vor dem SPD-Wahlparteitag die DGB-Wochenzeitung »Welt der Arbeit«. Auf die Frage, ob das Bundesverteidigungsministerium 1979 mit überhöhten Zahlen zur sowjetischen Raketenrüstung der SPD den Doppelbeschluß schmackhaft gemacht habe, erklärte Hans Apel: »Im übrigen spielen Zahlen bei der Frage, wie wir zum Doppelbeschluß stehen, keine Rolle . . . Die NATO strebt nicht nach militärischer Parität oder nach numerischer Parität in diesem Bereich. Wir wollen eine Bedrohung, die aus dem Osten kommt, wegverhandeln.« Apel deutete in diesem Interview auch Zweifel an der NATO-Strategie an hinsichtlich der Möglichkeit, nach einem Ersteinsatz von Atomwaffen einen Atomkrieg begrenzt halten zu können.

Auf dem SPD-Wahlparteitag in Dortmund, auf dem Hans-Jochen Vogel einstimmig zum Kanzlerkandidaten nominiert wurde, faßte die SPD folgenden Beschluß zur Raketenfrage, der Kontinuität mit neuen Akzenten verband: »Die Verhandlungen in Genf über eurostrategische Raketen wären ohne die Einwirkung der Bundesregierung Helmut Schmidt nicht zustande gekommen. Sie müssen mit dem Ziel geführt werden, sowjetische Raketen abzubauen, um die Stationierung neuer amerikanischer Mittelstreckenwaffen überflüssig zu machen . . . Wenn die Genfer Verhandlungen mangels Verständigungswillen einer Seite kein Ergebnis erzielen sollten, so würde dies unsere Entscheidung wesentlich beeinflussen. Die Rechtskoalition dient weder deutschen noch amerikanischen Interessen, wenn sie den Eindruck erweckt, die US-Regierung könne mit Zustimmung der Bundesrepublik auf ihrer Ausgangsposition vom Herbst 1981 beharren. Die Sowjetunion und der Warschauer Pakt haben sich durch die Vorschläge Andropows und die Prager Erklärung ein Stück in die richtige Richtung bewegt. Die USA und die NATO müssen sich nun ebenfalls auf den Verhandlungspartner zu bewegen . . . Nur eine sozialdemokratisch geführte Bundesregierung«, verkündete das SPD-Regierungsprogramm, »wird alle deutschen Möglichkeiten der aktiven Einwirkung in Genf nutzen.«

Die CDU hatte dagegen in ihrem Wahlprogramm die Atlantische Gemeinschaft als Freiheits-, Friedens- und Wertegemeinschaft beschworen und betont: »Mit dem engen Schulterschluß zwischen der Bundesrepublik Deutschland und den USA wurde ein Eckpfeiler des westlichen Bündnisses wieder gefestigt.« Ohne jeglichen Vorbehalt wurde die westliche Gesamtstrategie für die Beziehungen zum Osten bekräftigt, die folgende Instrumente für eine erfolgreiche Friedenssicherung in Europa enthalte: »Wirksame Verteidigungsfähigkeit und psychologische Verteidigungsbereitschaft als Voraussetzungen gegen ein militärisches Übergewicht der Sowjetunion; Abrüstung und Rüstungskontrolle; Dialog und Zusammenarbeit.« Ohne jegliche Detailaussagen bekräftigte das CDU-Wahlprogramm das Motto der Regierungserklärung von Kanzler Kohl: »Wir wollen Frieden schaffen mit weniger Waffen. Unser wichtigstes aktuelles außenpolitisches Ziel ist die allseitige Begrenzung und Verringerung der Rüstungen und ihr Gleichgewicht auf einem möglichst niedrigen Niveau – unter der Voraussetzung unverminderter Sicherheit. Der Doppelbeschluß der NATO ist ein Fahrplan zur Abrüstung«, interpretierte die CDU das Kernstück des Raketenpokers der Supermächte und des Raketenwahlkampfes. »Sein Ziel ist der Abbau von real existierenden Raketen auf seiten der Sowjetunion gegen bloß angekündigte Raketen auf seiten der NATO. Nur eine stabile, von der Union geführte Regierung zerstört Spekulationen der Sowjetunion auf die Anerkennung ihrer Überrüstung und ist infolgedessen eine wichtige Voraussetzung dafür, daß es in Genf zu positiven Verhandlungsergebnissen und damit zur Abrüstung kommt.«

Damit hatten die beiden Hauptkontrahenten im Raketen-Clinch ihre programmatischen Ausgangspositionen für die Endphase des Wahlkampfes bezogen.

Auf dem Dortmunder SPD-Wahlparteitag trat Helmut Schmidt der »Legende« entgegen, es gebe zwischen ihm und Vogel Positionsunterschiede in der Raketenfrage. Die Amerikaner zögerten gegenwärtig mit eigenen Kompromißvorschlägen »aus Rücksicht auf die extremen Festlegungen des gegenwärtigen Bundeskanzlers«. Kohl müsse »aufpassen, daß er nicht der letzte bleibt, der in diesem Verhandlungsprozeß erkennt, daß es zu einem Kompromiß kommen muß«, sagte Schmidt unter dem tosenden Beifall der Delegierten.

Kaum war das Kampfgetöse der Wahlauftaktveranstaltungen verklungen, sorgte CSU-Chef Franz Josef Strauß mit seinen deftigen Bemerkungen zum Doppelbeschluß für neue und schärfere Akzente. Bei einer Landesdelegiertenkonferenz der CSU erteilte Strauß der Null-Lösung eine Absage. Sie sei »unsinnig, irreal und unerreichbar«. Sein Gespräch mit Gro-

myko habe ihn bestärkt: »Die Sowjets denken nicht daran, eine Null-Lösung im westlichen Sinne des Wortes, das heißt in dem von Bonn erfundenen und den Amerikanern aufgeschwätzten Sinne, etwa aufzunehmen. Das ist völlig ausgeschlossen.« Da die Sowjetunion allenfalls zu einem geringeren Abbau des Raketenpotentials bereit sei, lasse sich nicht verhindern, »auf der westlichen Seite ein quantitatives und qualitatives Gegengewicht zu schaffen. Er teile dies den Bürgern nicht erst nach dem 6. März, sondern bereits jetzt mit«, betonte der bayrische Ministerpräsident. Dem »SPIEGEL« gegenüber bekannte Strauß sehr zum Mißfallen seiner Parteifreunde in der CDU: »Ich persönlich bin überzeugt, daß die Amerikaner an die Erreichbarkeit der Null-Lösung nie geglaubt haben oder nicht glauben . . . Ich will diese Lösung; aber ich kann mir nicht befehlen, zu glauben, daß diese Lösung erreichbar ist«, gab er Erich Böhme und Dirk Koch in der Münchner Staatskanzlei zu Protokoll, »weil ich mir nicht vorstellen kann, daß die Russen ihre 250 Systeme, die etwa 30 Milliarden Rubel gekostet haben, zerstören und damit das Problem so lösen, wie echte Friedensfreunde es gerne gelöst sähen.« Auf die Frage, ob die Union eher zur Aufnahme neuer Raketen bereit sei, antwortete Strauß mit ungeschminkter Offenheit: »Die entscheidende Frage ist doch nicht, wer sich als bester Täuscher in Sachen Frieden aufspielt, sondern welche uns und den kommenden Generationen Freiheit und Frieden realistisch gewährleisten, wer nicht nur von Frieden spricht, sondern wer Frieden macht.« In Übereinstimmung mit den amerikanischen Falken erklärte Strauß am 10. Februar in Wien, der NATO-Doppelbeschluß habe von vornherein den »Geburtsfehler« besessen, daß er auf einer politisch irrealen Voraussetzung, nämlich der Null-Lösung aufgebaut habe. Am 27. Februar verkündete der CSU-Vorsitzende in Schongau er werde eine »Wallfahrt von Schongau nach Altötting mit der Kerze zu Fuß machen, wenn die Sowjets auf die westliche Null-Lösung eingehen sollten«. Bei den Genfer Verhandlungen gehe es nicht um ein Ja oder Nein zu Raketen: »Es geht darum, ob Europa Mitte der neunziger Jahre politisch erpreßbar wird und ob Europa sich von den Vereinigten Staaten von Amerika abkoppelt«, schrieb die »Welt« am 28. Februar 1983.
»Ich möchte Ihre offene Antwort erfahren, Mister Bundeskanzler. Ich werde sie niemand anders mitteilen«, kündigte Vizepräsident George Bush vor Beginn seiner Europareise in einem Interview der »New York Times« an und fügte offenbar als Ergebnis der widersprüchlichen Äußerungen von Kohl, Genscher und Strauß hinzu: »Aber derjenige, der sie genau kennen muß, ist der Präsident der USA. Und ich bin hier – auf seinen dringenden Wunsch – genau herauszufinden, was sie denken.«
Aus der Sicht von Egon Bahr ergab sich am 27. Januar, vier Tage vor dem

Eintreffen von Vizepräsident Bush in Bonn folgendes Bild: »Kohl spricht sich für die Null-Lösung aus, Genscher für eine Zwischenlösung, Strauß gegen die Null-Lösung. Das war der Stand Ende letzter Woche. Anfang dieser Woche ist der Stand: Kohl ist gegen ›Alles oder Nichts‹ und nähert sich damit Strauß, was nicht verwundert. Genscher spricht sich in Washington für die Null-Lösung aus, entfernt sich von sich selbst und nähert sich den Amerikanern, was auch nicht verwundert. Genscherismus als Prinzip deutscher Außenpolitik in einer Frage vitalen Interesses, das ist das Bild, das die Übergangsregierung in der Raketenfrage bietet, wobei sich durch alle Stellungnahmen hindurch zieht, sie würden im Herbst Ja zur Stationierung sagen, wenn sie das nach dem 6. März können.«
Am 31. Januar 1983 bekundeten Bundeskanzler Kohl und der amerikanische Vizepräsident Bush eine »nahtlose Übereinstimmung« der Positionen in bezug auf die Genfer Raketenverhandlungen. Beide bekräftigten vor der Presse übereinstimmend, daß sie am Ziel der Null-Lösung bei den Genfer Raketengesprächen festhielten. Bush verteidigte die inzwischen umstrittene Null-Lösung als eine »vernünftige und moralische Option«. Zwei Tage zuvor hatte Verteidigungsminister Wörner bekundet, der Westen sei zu jeder »paritätischen Kompromißlösung« bereit. »Sollte eine Stationierung erforderlich werden . . ., dann wird sie durchsetzbar sein, wenn man dem Volk beweisen kann, daß alles versucht wurde, um im Wege von Verhandlungen zum Erfolg zu gelangen, daß man den Abrüstungswillen der Sowjetunion getestet hat und daß man alles versucht hat, um die Bedrohung in Gestalt von SS-20 von unserem Volk zu nehmen.«
Tags darauf reduzierte Egon Bahr den Raketenstreit auf die Alternative: »Die Ankündigung der Stationierung durch die Koalitionsparteien auf der einen Seite, das Ringen um die Offenhaltung der deutschen Entscheidung auf der anderen Seite, das ist die Alternative in einer vitalen Frage unseres Landes.«
Auf dem CDU-Fachkongreß »Frieden sichern durch Abrüstung und Verteidigung« kehrte Bundeskanzler Kohl am 3. Februar 1983 zu der ursprünglichen Position Helmut Schmidts zurück, daß neue Mittelstreckenraketen nicht allein auf dem Gebiet der Bundesrepublik stationiert werden sollten. Erstmals bekundete der Kanzler auch das Interesse an Teilergebnissen, die das Ziel der Null-Lösung nicht erreichten. Das Verhandlungsziel solle »Schritt für Schritt« verwirklicht werden.
»Jedes Zwischenabkommen bedeutet Stationierung«, reagierte Egon Bahr auf den Sinneswandel des Kanzlers, »das Gerede über das Zwischenabkommen ist der Versuch, die Menschen an die Raketen in kleinen Dosen zu gewöhnen . . . Wir sollen uns gedanklich wegbewegen von einer Lösung, die die Stationierung amerikanischer Raketen überflüssig macht.

Dies ist nicht akzeptabel . . . Im Spätherbst dieses Jahres, spätestens in den ersten Monaten des kommenden Jahres, wird eine historische Entscheidung über Mittelstreckenraketen in Europa fällig.«
Der Staatsminister Alois Mertes interpretierte Bahrs »Vorwärts«-Artikel als »ein unverhülltes Plädoyer für die Aufrechnung des eurostrategischen Übergewichts der Sowjetunion, das die Glaubwürdigkeit der amerikanischen Sicherheitsgarantie in der Bundesrepublik Deutschland erschüttern soll . . . Seit den Kämpfen um den Beitritt der Bundesrepublik Deutschland zum Atlantischen Bündnis«, unterstellte Mertes dem Architekten der deutschen Ostpolitik, »vertrat Egon Bahr beharrlich und zielstrebig einen Kurs des National-Neutralismus. Daß Egon Bahr sich als Patriot mit der Teilung Deutschlands nicht abfinden will, ehrt ihn; daß er aber zur Überwindung der Teilung der SPD einen Kurs schrittweiser Abkoppelung von der Garantiemacht unserer Freiheit durchsetzt, alarmiert zu Recht alle Verantwortlichen der westlichen Welt. Egon Bahr ist ein Überzeugungstäter, dessen strategisches Ziel offen zutage liegt: die Überwindung der Adenauerschen West- und Deutschlandpolitik durch eine konsequente Distanzierung von den USA und eine ebenso konsequente Annäherung an die Sowjetunion.« Mertes nahm mit diesen Verdächtigungen die Wahlkampfrhetorik von Adenauer und Strauß wieder auf.
Auf die Vorwürfe von Mertes antwortete Bahr im »Flensburger Tageblatt«, in dem er sich gegen alle Schritte wehrte, die Amerika von Europa abkoppeln würden. »Es gehört zu den Erfolgen der sozial-liberalen Außenpolitik, konsequent auf die Anerkennung durch die Sowjetunion hingewirkt zu haben, daß Sicherheitsfragen in und für Europa nicht ohne die Vereinigten Staaten gelöst werden können . . . Wer vor diesem Hintergrund von konsequenter Distanzierung zu den USA redet, spekuliert auf kurzes Gedächtnis und macht vielleicht Wahlkampf, aber disqualifiziert sich für eine ernsthafte Diskussion.«
Während sich der »Raketenstreit« der Parteien zunehmend auf Haarspaltereien, Verunglimpfungen und Unterstellungen konzentrierte, wurden die beiden neuen Elemente, der Vorschlag einer gefechtsfeldfreien Zone von 150 Kilometern in beiden deutschen Staaten und in der ČSSR und der Vorschlag des sicherheitspolitischen Beraters des SPD-Kanzlerkandidaten, Carl Friedrich von Weizsäcker, für eine Seestationierung kaum erörtert.
Am 8. Februar 1983 stellte Vogels Berater, Carl Friedrich von Weizsäkker, in Bonn Thesen und Erläuterungen zur Friedenspolitik vor, in denen er die absolute Priorität der Friedenssicherung betonte und zur Lage der Bundesrepublik feststellte: »Die Bundesrepublik will und muß am westlichen Bündnis festhalten. Die Bundesrepublik will und muß am Ziel der

Entspannung festhalten. Deshalb muß jede Bundesregierung die äußerste Anstrengung machen, um zur Verständigung zwischen den Weltmächten beizutragen.« In der zentralen 7. These führte der Starnberger Physiker, Philosoph und Friedensforscher Carl Friedrich von Weizsäcker aus: »Ein Erfolg der Genfer Verhandlungen über Mittelstreckenraketen ist unerläßlich. Ihr Scheitern hätte einen destabilisierenden qualitativen Rüstungswettlauf mit Raketen von kurzer Warnzeit zur Folge. Sollte die NATO im Rahmen dieser Vereinbarungen (oder wegen ihres Scheiterns) die Stationierung neuer Mittelstreckenraketen in Europa beschließen, so gehören diese auf See und nicht auf kontinentaleuropäischen Boden.« Über seinen Berater von Weizsäcker brachte der SPD-Kanzlerkandidat einen Vorschlag in die Endphase des Wahlkampfes ein, für den Helmut Schmidt im Frühjahr 1979 in der NATO vergeblich eingetreten war und für den sich von Weizsäcker erstmals im November 1979 ausgesprochen hatte. Sollte das ehrgeizige Ziel der Null-Lösung nicht erreicht werden, plädierte von Weizsäcker für einen Vertragsabschluß, »der die beiderseitigen Mittelstreckenraketen numerisch begrenzt und vor allem einen qualitativen Rüstungswettlauf in diesem Bereich ausschließt . . . Ich muß darauf bestehen, daß etwaige neue westliche Mittelstreckenwaffen auf See und nicht auf europäischem Boden stationiert werden.« Zu seinem Hauptargument von 1979, landgestützte Raketen würden bei einem Versagen der Abschreckung Ziel eines verwüstenden Präventivschlages, fügte von Weizsäcker im Februar 1983 ein zweites zwingendes Argument hinzu. »Die Menschen in unserem Lande haben begonnen, sich die Gefahr der Landstationierung bewußtzumachen. Es ist zweifelhaft, ob es noch eine parlamentarische Mehrheit für Landstationierung wird geben können. Selbst wenn sich aber eine solche Mehrheit fände«, warnte der Starnberger Philosoph, »so wäre der vorhersehbare Widerstand in der Bevölkerung eine schwere Bedrohung sowohl unseres innenpolitischen Friedens wie unserer außenpolitischen Handlungsfähigkeit. Der Versuch, gegen solchen Widerstand die Landstationierung durchzusetzen, wäre in den Konsequenzen eine reale Erhöhung der Kriegsgefahr . . . Die Verhandlungsposition des Westens wäre durch einen rechtzeitigen Entschluß zur Seestationierung überhaupt nicht geschwächt worden,« betonte von Weizsäcker.
Auf Weizsäckers aus tiefer Sorge entstandenen Vorschlag reagierte CDU-Sprecher von Tiesenhausen, die SPD könne es nicht lassen, In- und Ausland in der Frage des NATO-Doppelbeschlusses zu verunsichern. Weizsäckers Vorstoß stehe im Widerspruch zur bisherigen Politik des früheren Bundeskanzlers Schmidt und schwäche die Position des Westens. Regierungssprecher Stolze bezeichnete es als »naiv« zu glauben, seegestützte Systeme würden den Frieden in Europa sicherer machen. Die Zielplanung

sowjetischer Nuklearwaffen für Europa würde sich auch im Falle seegestützter Systeme nicht ändern lassen. Damit fegten die CDU und die Bundesregierung einen inhaltlich begründeten Vorschlag vom Tisch und vermieden zugleich eine tieferschürfende Auseinandersetzung.
Egon Bahr reagierte am 24. Februar auf den Vorwurf der Union, ohne amerikanische Raketen würden wir abgekoppelt: »Wenn das richtig wäre, dann waren wir die letzten 20 Jahre abgekoppelt; denn in dieser ganzen Zeit gab es sowjetische, aber keine amerikanischen Mittelstreckenraketen.« Und indem er Weizsäckers Vorschlag der Seestützung aufgriff, kam er zu dem Ergebnis, daß dieser Vorschlag für die Russen schlecht aber für die Westeuropäer vorteilhaft wäre. »Es wäre auch gut für die Ankoppelung Amerikas an das europäische Schicksal. Denn anders als nach der jetzigen Planung, nach der die auf Land stationierten Cruise Missiles nicht zu den strategischen amerikanischen Streitkräften gehören sollen, wäre diese Unterscheidung dann möglich. Die beste Ankoppelung ist, daß niemand mehr zwischen strategischen und nicht-strategischen Cruise Missiles unterscheiden kann. Seestationierung ist wirksam gegen den Wahnsinn, einen Krieg auf Europa begrenzen zu wollen.«
In der Endphase des Raketenstreits bestimmte dagegen Parteitaktik und Polemik die Auseinandersetzung, welche die zentralen Fragen für den Bürger ausklammerte.
Am 17. Februar 1983 löste Präsident Reagan während einer Pressekonferenz mit seiner Antwort auf die Frage: »Was denken Sie, wären die Folgen für das westliche Bündnis, wenn eine neue deutsche Regierung ins Amt käme und es ablehnen würde, die Pershing-Raketen zu stationieren?« empfindliche Reaktionen bei der SPD aus. Reagan hatte erklärt: »Ich denke, es wäre gefährlich für die Sache des Friedens und der Abrüstung. Bisher habe ich keine Anzeichen dafür, daß das eine Möglichkeit wäre.«
Hans Jochen Vogel erklärte hierzu am 17. Februar im Heute-Journal, die Sozialdemokraten stünden zur NATO und erfüllten ihre Verpflichtungen. »Zum Doppelbeschluß wiederhole ich: Wir werden über unsere Haltung entscheiden am Ende des Jahres im Lichte der Verhandlungsergebnisse. Es wird keinen Automatismus geben, das bekräftige ich.«
Drei Tage später bat der SPD-Kanzlerkandidat den amerikanischen Präsidenten in einem persönlichen Schreiben, »daß die Vereinigten Staaten nun ihrerseits die Initiative ergreifen und in die Genfer Verhandlungen einen weiterführenden Gegenvorschlag einführen. Es liegt im gemeinsamen Interesse, daß die Genfer Verhandlungen zu einem Ergebnis führen. Für die Bundesrepublik Deutschland ergibt sich aus den Schrecken der Vergangenheit eine besondere Verpflichtung: Von deutschem Boden darf nicht nur nie wieder ein Krieg ausgehen, wir wollen den Frieden aktiv

fördern. Wir wissen auch, daß jede atomare Konfrontation unser Land sofort in eine Wüste verwandeln würde. Deshalb werden wir jeden nur möglichen Beitrag leisten«, ließ der SPD-Kanzlerkandidat den amerikanischen Präsidenten diplomatisch verschlüsselt aber dennoch deutlich wissen, »um den schweren Rückschlag zu vermeiden, der sich für den Frieden aus dem Scheitern der Genfer Verhandlungen und dem ungehemmten Fortgang des atomaren Rüstungswettlaufs ergeben müßte.«
In einem Fernsehhearing zur Außen- und Sicherheitspolitik, an dem am 17. Februar 1983 für die Regierungsparteien Außenminister Genscher, Verteidigungsminister Wörner und der bayerische Ministerpräsident Strauß und für die Oppositionsparteien Egon Bahr und Manon Maren-Grisebach vom Bundesvorstand der Grünen teilnahmen, stand die Raketenfrage ganz im Mittelpunkt. Während der FDP-Bundesvorsitzende Genscher versuchte, das Festhalten am NATO-Doppelbeschluß aus der politischen Kontinuität zu begründen und der CDU-Spitzenkandidat aus Baden-Württemberg sich gegen die Gleichsetzung der Amerikaner mit den Sowjets wehrte, eine Bekanntgabe der Stationierungsorte für die neuen Atomraketen jedoch ablehnte und vor den schweren Folgen für die NATO im Falle eines deutschen Ausstiegs aus dem NATO-Doppelbeschluß warnte, versuchte Egon Bahr seine taktische Position des deutschen Drucks auf beide Supermächte durch einen Aufschub der Stationierungsentscheidung bis zum Herbst 1983 zu erläutern, wobei er als Ausweg im Falle eines Scheiterns der Gespräche die Seestützung nannte. Hart prallten dagegen die beiden Extrempositionen von Franz Josef Strauß und der Vertreterin der Grünen aufeinander.
Während Frau Maren-Grisebach einen Ausstieg aus dem Doppelbeschluß und aus den beiden Militärblöcken forderte mit dem langfristigen Ziel eines blockunabhängigen Europas, warnte Strauß vor einer »deutsch-nationalen Gigantomachie«, vor der irreführenden Parole einer »Sicherheitspartnerschaft mit Moskau«, vor dem Theater des Raketenwahlkampfes, vor Verhinderungskrawallen der Grünen und befürwortete statt dessen eine enge europäische Zusammenarbeit auch auf verteidigungspolitischem Gebiet.
Zehn Tage später präzisierten die vier Spitzenkandidaten: Bundeskanzler Kohl, SPD-Kanzlerkandidat Vogel, Außenminister Genscher und der CSU-Vorsitzende Strauß in den »Bonner Perspektiven« ihre Einstellung zum NATO-Doppelbeschluß.
»Der NATO-Doppelbeschluß ist die Reaktion der freien Welt gegen die sowjetische Überrüstung«, begründete Bundeskanzler Kohl seinen Standpunkt. »Wir haben von Anfang an diese Verhandlungen unterstützt . . . Unser Ziel ist, Frieden schaffen mit weniger Waffen . . . Wenn die So-

wjetunion nicht bereit ist, ihre Waffen zu reduzieren und abzubauen, werden wir um des Friedens und der Sicherheit und der Freiheit unserer Länder willen, mit der Rüstung, mit Raketen gleichziehen müssen . . . Wir wollen möglichst keine sowjetischen und amerikanischen Raketen in Europa. Aber wenn die Sowjetunion uneinsichtig ist, muß der Westen reagieren, um seine Sicherheit auch in Zukunft zu garantieren.«
Dagegen betonte der SPD-Kanzlerkandidat Kontinuität zur Politik Helmut Schmidts mit dem Ziel, »den Rüstungswettlauf der beiden Supermächte zum Stehen zu bringen, hier das Aufwachsen einer neuen Grauzone zu verhindern«. Diese Politik habe bewirkt, daß die Supermächte in Genf verhandelten und die Sowjetunion sich ein Stück bewegt habe.
Ganz im Gegensatz zu den etablierten Parteien, die sich in der Raketenfrage nur in taktischen Varianten unterschieden, forderten die Grünen als Teil der Friedensbewegung die Aufkündigung des NATO-Doppelbeschlusses. Schon aus diesem Grund nahmen sie an den mit taktischen Finessen geführten Raketendiskussionen über »Null-Lösung« und über das Ob und Wie einer »Zwischenlösung« nicht teil. Neben dem kurzfristigen Ziel einer Verhinderung der Nachrüstung ohne Wenn und Aber forderten die Grünen langfristig den Austritt aus der NATO und die Schaffung einer atomwaffenfreien Zone, die zur Bildung eines Gürtels neutraler Staaten führen solle. Was die CDU der SPD unterstellte, hatten die Grünen zum Programm erhoben: die Abkoppelung von Amerika.
»Die Mehrheitsfähigkeit der Ablehnung neuer Mittelstreckenraketen wird jedoch gegenwärtig von den Grünen in verantwortungsloser Weise aufs Spiel gesetzt«,warf der SPD-Abrüstungsexperte Scheer den Grünen vor, da sie die Ablehnung der Nachrüstung mit der Ablehnung der NATO verbänden, die von 90 Prozent der Bundesbürger befürwortet werde, und damit der CDU die Gelegenheit liefere, »vor Neutralismus und Gefährdung unserer Sicherheit zu warnen«. Scheer zog nach seiner Analyse der Wahlkampfaussagen der Grünen die Schlußfolgerung: »Deshalb liegt zwischen den Positionen der SPD und der Grünen ein fundamentaler Unterschied. Mit ihrer Forderung nach einem Austritt aus der NATO gefährden die Grünen eine Verhandlungslösung, die die Stationierung überflüssig macht.«
Das Ergebnis der Raketenwahlen war ernüchternd. Noch im Januar hatte der »SPIEGEL« eine Meinungsumfrage des Münchner Sinus-Instituts zitiert, die im Bundeskanzleramt unter Verschluß gehalten wurde. Unmittelbar vor und nach dem Bruch der sozialliberalen Koalition am 17. September 1982 sprachen sich 61 Prozent der befragten 1600 Wahlberechtigten für eine Verschiebung der Stationierung neuer Mittelstreckensysteme auf deutschem Boden aus, falls in Genf bis zum Herbst 1983 kein Ergebnis

erzielt würde, was von 56 Prozent bezweifelt wurde. 58 Prozent der Befragten lehnten eine Aufstellung der neuen amerikanischen Atomraketen in der Bundesrepublik ab und 55 Prozent bezweifelten, daß die USA überhaupt ernsthaft verhandeln.
Die Kritik an den neuen Atomraketen hatten dieser Umfrage zufolge auch die CDU/CSU-Anhänger, von denen 54 Prozent, und die FDP-Wähler, von denen 70 Prozent für eine Verschiebung der Stationierung eintraten, erfaßt.
Die Mehrheit der Bundesbürger bezweifelte auch den Sinn der Nachrüstung. 49 Prozent gegenüber 45 Prozent im Vorjahr glaubten, das Risiko eines Atomkrieges werde dadurch steigen, während nur eine Minderheit von 24 Prozent, gegenüber 30 Prozent im Vorjahr, noch glauben wollte, daß dadurch der Frieden in Europa sicherer werde. Bei den Unionswählern bekundeten 40 Prozent ihre Angst und 32 Prozent gaben an, sie würden sich im Falle einer Stationierung sicherer fühlen. Nach derselben Umfrage begrüßten 47 Prozent der Unionswähler Proteste gegen die Nachrüstung, bei den SPD-Wählern sogar 63 Prozent, während 37 Prozent der Unionswähler und 23 Prozent der SPD-Anhänger solche Proteste ablehnten.
Auch die Sympathie der Bevölkerung für die Friedensbewegung stieg von 46 Prozent im Oktober 1981 auf 59 Prozent im September 1982, während 13 Prozent, verglichen mit 19 Prozent im Vorjahr, die Friedensbewegung ablehnten. Aber 21 Prozent vermuteten, daß die Friedensbewegung letztlich die Interessen der Sowjetunion vertrete und 26 Prozent glaubten, daß Kommunisten die Richtung bestimmten.
Wahlentscheidend wurde der Raketenstreit der Parteien keineswegs, da bei den Wählern eindeutig wirtschaftspolitische Fragen im Vordergrund standen. Das taktische Finassieren in der Raketenfrage blieb für die meisten Wähler unverständlich. Selbst in den Wahlkreisen, in denen nach Ablauf der Gnadenfrist im Dezember 1983 mit der Stationierung der Pershing-II-Raketen in Heilbronn, Schwäbisch Gmünd, Neu-Ulm begonnen werden soll und ab 1985 die Aufstellung der Marschflugkörper vermutet wurde (in Bitburg in der Eifel, inzwischen Wüschheim im Hunsrück), mußte die SPD schwere Verluste hinnehmen, lagen die Grünen unter dem Landesdurchschnitt, während die CDU deutliche Gewinne verbuchen konnte. Gerade im Pershing-Land Schwaben fielen die Verluste für die Nachrüstungsgegner deutlicher als im Bundesdurchschnitt aus (siehe Tabelle 2).
Haben damit die Wähler, wie Bundeskanzler Helmut Kohl am 16. November 1982 Henry Kissinger in New York antwortete, ihr Wort für die Stationierung neuer Mittelstreckensysteme und gegen die »Neutralisie-

Tabelle 2
Wahlergebnisse bei den Bundestagswahlen am 6. März 1983 in den »Raketen«-Wahlkreisen verglichen mit der Bundestagswahl 1980 (Zweitstimmen) Angaben in Prozent

	CDU/CSU			SPD			FDP			GRÜNE		
	1980	1983	+/–	1980	1983	+/–	1980	1983	+/–	1980	1983	+/–
Bundesgebiet	44,5	48,8	+4,3	42,9	38,2	−4,7	10,6	7,0	−3,6	1,5	5,6	+4,1
Baden-Württemberg	48,5	52,6	+4,1	37,2	31,1	−6,2	12,0	9,0	−3,0	1,8	6,8	+5,0
Heilbronn	44,5	47,6	+3,1	40,7	35,6	−5,1	12,6	9,8	−2,8	1,8	6,5	+4,7
Schwäbisch Gmünd	49,6	52,9	+3,2	36,6	30,7	−5,9	11,8	9,5	−2,3	1,8	6,4	+4,6
Bayern	57,6	59,5	+1,9	32,7	28,9	−3,8	7,8	6,2	−1,6	1,3	4,6	+3,3
Neu-Ulm	58,8	62,0	+3,2	31,5	26,3	−5,2	7,8	6,4	−1,4	1,5	4,6	+3,1
Rheinland-Pfalz	45,6	49,6	+4,0	42,8	38,4	−4,4	9,8	7,0	−2,8	1,4	4,5	+3,1
Bitburg	62,8	65,6	+2,8	28,4	24,2	−4,2	7,1	6,0	−1,1	1,4	3,8	+2,4

rung Mitteleuropas« gesprochen? Wohl kaum, weil diese Alternative nur bei den Grünen bestand.
Mit dem 6. März 1983 ist die politische Gnadenfrist vor der Stationierung abgelaufen und die Ungewißheit für die Partner im Raketenpoker vorüber. Die Raketen kommen!

10. KAPITEL

Die Raketen kommen!
Die letzten Vorbereitungen für die Stationierung

»Unsere Völker bringen den starken Wunsch zum Ausdruck«, verlas US-Außenminister George Shultz am Sonntagabend, dem 29. Mai 1983, nach vorausgegangenen hektischen Beratungen in der Basketballhalle von Williamsburg die Abschlußerklärung der Regierungschefs der sieben wichtigsten Industrienationen in dem idyllischen Kolonialstädtchen 200 Kilometer von Washington entfernt, »daß eine ausgewogene Vereinbarung über Mittelstreckenraketen bald erzielt wird. Sollte dies der Fall sein, so wird das Verhandlungsergebnis den Umfang der Stationierung bestimmen. Sollte dies nicht der Fall sein«, bekräftigten der Gastgeber Ronald Reagan, der französische Staatspräsident François Mitterrand, die britische Premierministerin Margaret Thatcher, der deutsche Bundeskanzler Helmut Kohl und die Regierungschefs Italiens, Amintore Fanfani, Kanadas, Pierre Trudeau, und Japans, Yasuhiro Nakasone, sowie EG-Kommissionspräsident Gaston Thorn ihre an die Adresse Moskaus aber auch an die innenpolitischen Kritiker der Raketenstationierung gerichtete Warnung, »so wird das Verhandlungsergebnis den Umfang der Stationierung bestimmen. Sollte dies nicht der Fall sein«, wiederholten die Vertreter der NATO-Staaten, aber auch erstmals Frankreich, das an der Abfassung des NATO-Doppelbeschlusses nicht beteiligt war, und Japans, das keinem Militärbündnis angehören darf, »so werden die beteiligten Länder bekanntlich zur geplanten Stationierung der amerikanischen Systeme in Europa Ende 1983 schreiten.« Viereinhalb Jahre nach dem Vierergipfel unter dem Sonnendach von Guadeloupe warnten die Nachfolger Carters, Callaghans, Giscard d'Estaings und Schmidts die Sowjetunion eindringlich: »Die Sicherheit unserer Länder ist unteilbar und muß global gesehen werden. Jeder Versuch, ernsthafte Verhandlungen durch Beeinflussung der öffentlichen Meinung in unseren Ländern zu verhindern, wird scheitern.«
Der nicht gerade erstklassige Schauspieler Ronald Reagan hatte sich auf heimischem Parkett als hervorragender Regisseur gezeigt. Als erfahrener Hollywood-Veteran hatte der amerikanische Präsident als Kulisse für das größte Medienereignis im Raketenjahr, zu dem 6000 Journalisten erwartet

wurden, von denen dann aber nur 3000 anreisten, die Abgeschiedenheit der Idylle der ehemaligen Hauptstadt Virginias gewählt. Eingebettet in saftige grüne Wiesen und Wälder, umrahmt vom noblen Kolonialstil der in den dreißiger Jahren von den Rockefellers restaurierten Museumsstadt mit seinen schindelgedeckten Häusern und altmodischen Gärten wurde den Gästen die heile Welt des 18. Jahrhunderts vorgegaukelt. »Der Gipfel als Idyll«, beschreibt Dieter Buhl in der »ZEIT« die geschickte Regie des Gastgebers und Zeremonienmeisters, »war nicht Zufall, sondern Methode.« »Nichts, wirklich nichts bei dem Gipfelspektakel«, ergänzte Hans Ulrich Kempski in der »Süddeutschen Zeitung«, »hat Amerikas Präsident dem Zufall überlassen. Die dabei erreichte Irreführung der Öffentlichkeit kann als perfekt bezeichnet werden.«

Ziemlich lange waren viele Journalisten auf der falschen Fährte gewesen. Sie hatten angenommen, daß auf dem streng abgeschirmten Siebener-Wirtschaftsgipfel die drängenden Fragen das Thema bestimmten: 32 Millionen Arbeitslose in den westlichen Industrieländern, schrumpfende Weltproduktion, sinkende Investitionen, anhaltende amerikanische Hochzinspolitik und schwankende Wechselkurse. Mitterrands hochgesteckte Erwartungen auf ein neues Weltwährungssystem mit festen Wechselkursen waren bereits im Gespräch unter vier Augen mit Reagan vorab von der Tagesordnung genommen worden. Unter Ausklammerung der strittigen Kernfragen demonstrierte der westliche Gesinnungsverein Harmonia statt dessen den Schulterschluß in der Raketenfrage. Am Samstagabend hatte Präsident Reagan beim Dinner zwischen Hauptgericht und Dessert die Diskussion auf die Raketenfrage gelenkt und ein klärendes Wort zur Abrüstungspolitik vorgeschlagen, wobei er von der britischen eisernen Lady unterstützt wurde, die damit ein »klares Signal für den Kreml« setzen wollte. Reagans Vorschlag, die Außenminister sollten hierzu ein gemeinsames Papier akzeptieren, wurde widerspruchslos hingenommen.

Nach Presseberichten verliefen die Beratungen der Außenminister am Sonntagmorgen dennoch »turbulent«. Während der japanische Außenminister die Schwierigkeiten seines Landes bei der Ausarbeitung einer Stellungnahme zur NATO-Nachrüstung hervorhob, betonte Frankreichs Cheysson die »Sonderrolle« seines Landes in der NATO. Auf den Vorschlag Kanadas, die britischen und französischen Systeme bei den Genfer Verhandlungen zu berücksichtigen, soll es Proteste der Amerikaner, der Briten und Franzosen gegeben haben. Nach mehrstündigem zähen Ringen wurde die Sammlung von Gemeinplätzen vom US-Außenminister Shultz in der William and Mary Hall als Erklärung von Williamsburg verlesen, in der der Sowjetunion überhaupt nichts Neues außer der westlichen »Ent-

Die Teilnehmer des Gipfeltreffens in Williamsburg (von links): Kanadas Premierminister Pierre Trudeau, EG-Präsident Gaston Thorn, Bundeskanzler Helmut Kohl, Frankreichs Staatspräsident François Mitterrand, US-Präsident Ronald Reagan, Japans Ministerpräsident Yasuhiro Nakasone, Großbritanniens Premierministerin Margaret Thatcher und Italiens Ministerpräsident Amintore Fanfani. Foto: Bundesbildstelle Bonn

Am Konferenztisch beraten die Teilnehmer des Gipfeltreffens in Williamsburg hauptsächlich über Fragen der Nachrüstung, insbesondere über die Raketenstationierung in Europa.
Foto: Bundesbildstelle Bonn

schlossenheit« zur Nachrüstung signalisiert wurde. »Als aufregend neu muß jedoch der Umstand erscheinen«, kommentiert von Kempski das Raketendokument, »daß es sechs NATO-Partnern und überdies Japan möglich gewesen ist, sich über Prinzipien der westlichen Sicherheitspolitik einig zu werden, die intern und im Detail bisher keineswegs unstrittig waren. Um diesen Coup im Raketen-Poker durch nichts zu gefährden, durch kein einziges weiteres Wort, teilt Shultz den Berichterstattern mit, daß er Fragen nicht zulassen werde.« Als Beruhigungsdroge für den innenpolitischen Streit war die Williamsburger Erklärung vor allem für die Bonner Bundesregierung willkommen, wurde doch die Absicht bekräftigt, alle politische Kraft zur Verminderung der Kriegsgefahr einzusetzen und Rüstungskontrollverhandlungen dynamisch und mit Nachdruck fortzuführen. »Versuche, den Westen dadurch zu spalten, daß die Einbeziehung von Abschreckungskräften dritter Länder, wie beispielsweise Frankreichs und des Vereinigten Königreichs, vorgeschlagen wird«, eine Forderung, die die oppositionelle SPD bereits auf ihrem Berliner Parteitag im Dezember 1979 erhoben hatte, »werden fehlschlagen. Eine Berücksichtigung dieser Systeme hat in den Verhandlungen über Mittelstreckenraketen keinen Platz.« Eine dürftige, aber ehrliche Botschaft kommentierte Franz Thoma in der »Süddeutschen Zeitung« die Ergebnisse des substanzarmen neunten Gipfels von Williamsburg. Karl Grobe sah in dessen außenpolitischer Erklärung einen »Freifahrtschein für die Hochrüstungspolitik des US-Präsidenten Ronald Reagan ... Nach Williamsburg kann man ein bißchen sicherer sein, daß im Herbst Pershing II-Raketen in der Bundesrepublik stationiert werden ... Einheit des Westens – das wird denn auch das Motiv sein, wenn im Herbst stationiert wird. Damit werden die ernsthaften Kritiker, die Skeptiker, die aktiven Gegner jeglicher Aufrüstung unterschiedslos zu Agenten der Gegenseite hinabdiffamiert ... Nicht das Überleben der Europäer wird damit das höchste Rechtsgut«, beschließt der außenpolitische Ressortchef der »Frankfurter Rundschau» seinen bissigen Kommentar, »sondern die Wiederwahlchancen des Stärke-Politikers Reagan und die Nibelungentreue seiner Partner werden so das Maß aller Dinge. Ein Meisterstück eines Regisseurs; doch Mitteleuropa wird es den heißesten Herbst seit langen Jahren bescheren und Gefahren darüber hinaus.« Nach Einschätzung des »SPIEGEL« haben sich die Amerikaner in Williamsburg mit ihrer Strategie, den Sowjets keinen Millimeter nachzugeben, durchgesetzt. Wenige Tage später ließ US-Verteidigungsminister Caspar Weinberger auf der Ministertagung des Verteidigungs-Planungsausschusses am 1. und 2. Juni 1983 in Brüssel seine europäischen Kollegen wissen, »für Washington sei die Aufstellung der Pershing II und der Marschflugkörper so gut wie abgehakt: Produktion und Vorbereitungen

liefen nach Plan, Ende des Jahres könnten die ersten Raketen in die Bundesrepublik verfrachtet werden. Ein Moratorium, das den Beginn der Stationierung bis 1984 hinausschöbe, komme nicht in Frage.«
Auch in Bonn hatte unmittelbar nach den »Raketenwahlen« vom 6. März 1983 der innenpolitische Countdown zur Stationierung von Pershing II in Schwaben begonnen. In einem internen Papier von CDU und CSU vom März 1983 für die Koalitionsverhandlungen über die »Orientierungen deutscher Außenpolitik« wurde offen gefordert: »Die Bevölkerung ist *psychologisch* darauf vorzubereiten, daß bei einem Mißerfolg der Verhandlungen Ende 1983 mit der Nachrüstung begonnen werden muß.« Dies sei der einzige mögliche Weg, eine sonst in den achtziger Jahren wachsende Erpreßbarkeit der Europäer und einen unheilvollen Bruch in den Beziehungen zu den USA zu verhindern.
Aber auch Ex-Bundeskanzler Helmut Schmidt, der noch im Mai 1983 die Reagan-Administration mit seinen in den USA geäußerten Zweifeln an der Ernsthaftigkeit des amerikanischen Verhandlungswillens irritiert hatte, bekräftigte am 3. Juni in der »ZEIT« seine frühere Position: »Ich halte diesen Beschluß nach wie vor für richtig«, während sich seine Partei immer mehr von den ehemaligen Positionen absetzte und eine Nichtstationierung von neuen Mittelstreckensystemen forderte. Falls bei einem Scheitern der Verhandlungen eine westliche Stationierung notwendig würde, »so werden erhebliche innenpolitische Belastungen in den beiden Allianzsystemen und Belastungen zwischen den Allianzsystemen und den Vereinigten Staaten unvermeidlich«, warnte Schmidt. Bei einem Wiederaufgreifen des Nitze-Kwitsinski-Vorschlages vom Juli 1982 könnten die Zweifel an der Ernsthaftigkeit des amerikanischen Verhandlungswillens beseitigt und eine eventuell vorzuziehende Stationierung von Marschflugkörpern in der Bundesrepublik erleichtert werden. Als Hans-Dietrich Genscher Mitte Juli eben diesen Vorschlag des Waldspaziergangs vom Juli 1982 erneut in die Diskussion brachte, löste er Spekulationen über ein Abrücken der Bundesregierung von der Stationierung von Pershing II aus, die jedoch bereits am 26. Juli 1983 mit einer auch von den deutschen Vertretern mitgetragenen Erklärung der Sonderberatungsgruppe der NATO beendet wurden. Das Festhalten an dem Waffenmix von 108 Pershing II und 464 landgestützten Marschflugkörpern wurde damit bekräftigt und der Nitze-Kwitsinski-Plan von der NATO erstmals offiziell verworfen. Damit hatten sich erneut die Stationierungsbefürworter im Pentagon in der NATO durchgesetzt. Nachdem auch bei den Genfer Mittelstreckengesprächen angesichts der Verhärtung der Verhandlungspositionen bei dem Dialog der Taubstummen bis Ende Juli keine Kompromißmöglichkeiten erkennbar waren, ist mit der termingerechten Stationierung von

Pershing II im Dezember 1983 in Schwaben und von landgestützten Marschflugkörpern in Greenham Common in Südengland und in Comiso auf Sizilien zu rechnen. Die Wiederwahl Margaret Thatchers im Juni und der Ausgang der Parlamentswahlen in Italien im Juli 1983 lassen einen kurzfristigen Kurswechsel in den ersten drei Stationierungsländern nicht mehr erwarten.

Allein technische Pannen können die termingerechte Stationierung der Pershing II noch verzögern. Nach den Fehlschlägen im Jahre 1982, meldete das Pentagon am 9. Februar, am 28. März, am 10. und 24. April den 6. bis 9. erfolgreichen Test der Pershing II-Rakete. Aber bereits beim 13. von insgesamt 18 vorgesehenen Testflügen für die Pershing II traten wieder Komplikationen auf. Am 29. Juni 1983 entstanden beim Wiedereintritt unweit des Zielgebiets White Sands im US-Staat Neu Mexiko erneut ungenannte technische Schwierigkeiten.

Ende April forderte Verteidigungsminister Caspar Weinberger aus Sicherheits- und finanziellen Erwägungen die Nachbewilligung von 478,6 Millionen US-Dollar für die Pershing II, die Ende 1982 als Reaktion auf die Testfehlschläge gekürzt worden waren. Am 4. Mai 1983 bewilligte der Kongreßunterausschuß für Verteidigungsfragen mit 7:5 Stimmen davon 453,6 Millionen US-Dollar. Ungeachtet der Freeze-Resolution des von den Demokraten beherrschten Repräsentantenhauses billigte das Plenum des Repräsentantenhauses am 26. Mai 1983 die Empfehlung des Ausschusses, und tags darauf folgte der Senat mit der Entscheidung, ebenfalls die Mittel für die Herstellung der ersten 91 Pershing II-Raketen bereitzustellen. Dagegen folgte das Repräsentantenhaus am 20. Juni 1983 einer Empfehlung des Bewilligungsausschusses, von den 148 Millionen US-Dollar, die für Gebäude zur Unterbringung der Soldaten und der etwa 10 000 Angehörigen in den Stationierungsorten für die Marschflugkörper vorgesehen und gefordert wurden, 69 Millionen US-Dollar zu streichen. Ungeachtet der Verdreifachung der Produktionskosten jedes landgestützten Marschflugkörpers von 2,2 Millionen US-Dollar im Jahre 1978 auf etwa 6,4 Millionen US-Dollar im Jahre 1983, waren damit jedoch die finanziellen parlamentarischen Hürden genommen und war endgültig sichergestellt: *Die Raketen kommen!*

Als Teil der psychologischen Vorbereitung der Öffentlichkeit in den Stationierungsländern versuchten die NATO-Gremien seit März 1983 mit einer Doppelstrategie der Friedensbewegung und der »Nachrüstungs«-Kritik entgegenzutreten: durch die Dramatisierung der sowjetischen Gefahr (Präsident Reagan nannte die Sowjetunion gar im März 1983 in Orlando im US-Staat Florida, in dem die Pershing II produziert werden, die »Macht des Bösen«) und durch die Bereitschaft, im Herbst 1983 einseitig

eine größere Zahl von »veralteten« Nuklearsprengköpfen für Gefechtsfeldsysteme abzuziehen.
Die Frühjahrstagungen der verschiedenen NATO-Gremien wurden mit der 33. Sitzung der Nuklearen Planungsgruppe am 22. und 23. März 1983 im portugiesischen Badeort Vilamoura eröffnet. Den unter höchster Geheimhaltungsstufe hinter verschlossenen Türen tagenden NATO-Verteidigungsministern wurden zu Beginn von Caspar Weinberger die neuesten Satellitenfotos von sowjetischen Mittelstrecken- und Interkontinentalraketen gezeigt, und man beschwor die russische Gefahr. »Bei den INF größerer Reichweite (LRINF)«, heißt es hierzu in dem trockenen Schlußkommuniqué, bei dessen Formulierung zwischen NATO-Diplomaten und Militärs stundenlang um jede Nuance gerungen wurde, »hat die Sowjetunion nunmehr 351 Abschußvorrichtungen der mobilen und zielgenauen SS-20-Raketen mit 1053 Sprengköpfen stationiert und einsatzbereit. Zusammen mit den noch einsatzbereiten SS-4 und SS-5 verfügt die Sowjetunion« nach der neuesten Zählung der US-Geheimdienste, die bereits Anfang März 1983 von Weinberger der Presse vorgestellt wurde, »über etwa 1300 bodengestützte Raketensprengköpfe größerer Reichweite auf einsatzbereiten Abschußvorrichtungen. . . . Darüber hinaus nahmen die Minister zur Kenntnis, daß die Sowjetunion ältere Flugkörper kürzerer Reichweite durch eine beeindruckende Gruppe neuer und zielgenauerer Systeme ersetzt, nämlich SS-21, SS-22 und SS-23, die vorverlegt weit nach Westeuropa hineinreichen würden. Sie waren sich darin einig«, übernahmen die Verteidigungsminister Kanadas und zwölf europäischer NATO-Staaten uneingeschränkt die amerikanische Bedrohungsanalyse, »daß ein derart abgestimmter Ausbau der sowjetischen Streitkräfte, der trotz einer Dekade der Selbstbeschränkung durch das Bündnis stattfindet, weit über das hinausgeht, was für rein defensive Zwecke notwendig wäre.«
Auf Drängen der Europäer begrüßte das Abschlußkommuniqué, »daß die Vereinigten Staaten weiterhin eine aktive und flexible Verhandlungsposition [bei den Genfer Mittelstreckengesprächen] einnehmen«. Intern hatte sich jedoch Weinberger mit seiner harten Linie durchgesetzt, die zwei Kompromißmöglichkeiten in diesen Gesprächen mit den Sowjets verbaute, den Waffenmix, d. h. konkret die Pershing II, aufzugeben und die britischen und französischen Nuklearsysteme entsprechend dem Andropow-Vorschlag vom Dezember 1982 stillschweigend in die Gleichgewichtsrechnung einzubeziehen. Schließlich beharrte NATO-Oberbefehlshaber Bernard Rogers auf einer »wirksamen Überprüfung« jedes Abkommens. Die USA wollen sich, erläuterte er den Ministern, »an Ort und Stelle von der Verschrottung der SS-20 überzeugen«. Satelliten-Bilder seien kein hinreichender Beweis. Mit Zufriedenheit stellten die NATO-

Verteidigungsminister fest, »daß die laufende Entwicklungsarbeit, Flugerprobung und die beginnende Produktion der Pershing II und der bodengestützten Marschflugkörper (GLCM) in den Vereinigten Staaten gute Fortschritte machen«. Sie setzten sich auch dafür ein, »ihre termingerecht verlaufenden Vorbereitungen für die geplante Stationierung moderner Mittelstreckensysteme« fortzusetzen. In kleinem Kreis gestand der Direktor der Nuklearen Planungsgruppe, G. M. Martin, daß Ende 1983 die ersten Pershing II-Teile in die Bundesrepublik geliefert würden. »Im Frühjahr 1984 ist die erste US-Einheit mit neun Pershing II-Raketen in Westdeutschland einsatzbereit.«
Auf Pressespekulationen, die NATO wolle ihre taktischen Nuklearsprengköpfe um 1000 bis 2000 einseitig reduzieren, ging das Abschlußkommuniqué nicht ein.
In dem Abschlußkommuniqué der Ministertagung des Verteidigungsplanungsausschusses der NATO am 1. und 2. Juni 1983 in Brüssel betonten die Minister mit Ausnahme Griechenlands unter Bezugnahme auf die Erklärung von Williamsburg ihre Entschlossenheit, »den Doppelbeschluß vom Dezember 1979 über Modernisierung und Rüstungsbegrenzung von Mittelstreckensystemen (INF) durchzuführen«. Noch einmal bekräftigten die Minister ihre Entschlossenheit, die »Mittelstreckensysteme wie geplant zu dislozieren und bei Nichtzustandekommen einer konkreten Vereinbarung . . . mit diesen Dislozierungen Ende 1983« zu beginnen.
Drei der 16 NATO-Mitglieder vertraten jedoch eine abweichende Haltung. Während Griechenland eine Unterstützung des Doppelbeschlusses ablehnte, erinnerte Dänemark an eine Entschließung des Folketing, in der ein Stationierungsaufschub gefordert wurde. Spanien nahm bis zur Klärung seiner weiteren NATO-Mitgliedschaft an der Abstimmung nicht teil.
Für Verwirrung sorgte die Aussage eines hohen amerikanischen Beamten, wonach die Sowjetunion seit mindestens drei Jahren moderne atomare Kurzstreckenraketen der Typen SS-21, SS-22 und SS-23 außerhalb ihres Territoriums aufgestellt habe. Während der Vorsitzende des NATO-Militärausschusses, Admiral Robert H. Falls, Anhaltspunkte für diese Aussage bestritt, bestätigte Pentagon-Chef Weinberger die gezielte Indiskretion.
Am Tage des Wahlsieges von Margaret Thatcher, die zwar ca. 2 Prozent Stimmen verlor, aber 63 Sitze im Unterhaus hinzugewann, begann am 9. Juni im Salle Pleyel in Paris – erstmals seit dem Austritt Frankreichs aus der militärischen Integration im Jahre 1966 – die Ministertagung des Nordatlantikrates. Während der französische Premierminister Mauroy in seiner feierlichen Eröffnungsansprache die Solidarität Frankreichs mit der NATO und zugleich seine Unabhängigkeit innerhalb des Bündnisses un-

erstrich, äußerte Präsident Mitterrand in einer Tischrede bei dem Diner, u dem Außenminister Cheysson ins Elysée einlud, seine Skepsis, daß ein Erfolg bei den Genfer INF-Verhandlungen auf der Basis der vorliegenden owjetischen und amerikanischen Vorschläge bis zum Dezember noch nöglich sei. »Auf Grund der bisher von beiden Seiten eingebrachten Vorchläge können sie vor Dezember und vor der Stationierung amerikanicher Mittelstreckenwaffen zu keinem Schluß kommen.«
n dem Abschlußkommuniqué der letzten NATO-Tagung vor der Statioierung neuer amerikanischer Mittelstreckenraketen in Europa wurde lurch eine Präambel dem französischen Wunsch Rechnung getragen, sich tärker zur NATO zu bekennen und gleichzeitig die unabhängige Sonderosition zu betonen. Die Sowjetunion wurde aufgerufen, »durch Taten zu eigen, daß sie ebenso entschlossen ist, in diesen Verhandlungen konkrete Ergebnisse zu erzielen«. Als Verhandlungsziel forderten die NATO-Auenminister »ein verifizierbares Abkommen . . ., das Gleichheit zwischen len Vereinigten Staaten und der Sowjetunion vorsieht«. Noch einmal nachte die NATO den Stationierungsländern Mut: »Wenn konkrete Verandlungsergebnisse ausbleiben, werden die Dislozierungen, wie geplant, beginnen, wie das bereits im Dezember 1979 entschieden wurde.« Zuleich wurde in dem Text der sowjetische Verhandlungsansatz entschieden bgelehnt, da er »die lebenswichtige Kopplung zwischen der Verteidigung Europas und der amerikanischen strategischen Abschreckung« aushöhle. Die Außenminister kündigten aber an: »Sie werden die Fortsetzung der Verhandlungen auch nach den ersten Dislozierungen befürworten.«
Während die NATO-Regierungs- und Staatschefs, sowie ihre Verteidiungs- und Außenminister vor dem in einigen westeuropäischen Ländern rwarteten heißen Herbst wiederholt ihre Entschlossenheit demonstrieren, den NATO-Doppelbeschluß, d. h. insbesondere den Stationierungseil, auch gegen den erbitterten Widerstand von Teilen der zu schützenden Bevölkerung durchzusetzen, liefen die konkreten Stationierungsvorbereiungen in Mutlangen, Heilbronn/Neckarsulm und in Neu-Ulm für die Pershing II und in Greenham Common und Comiso für die ersten landestützten Marschflugkörper bereits auf Hochtouren.
Während in der Bundesrepublik aus Angst vor Protestaktionen der Friedensbewegung von der Bundesregierung die Standorte für die geplanten 108 Pershing II und die 96 Marschflugkörper zur Geheimsache erklärt wurden, gaben die britische und italienische Regierung die Standorte offiziell bekannt. Am 25. März 1983 wurde in Greenham Common der erste on sechs Bunkern für je vier Marschflugkörperfahrzeuge mit insgesamt 6 Marschflugkörpern der Presse vorgestellt. Nach Angaben des Sprechers der amerikanischen Luftwaffe, Captain Steve Manning, begann

die US-Luftwaffe am 3. Mai 1983, die ersten Ausrüstungsgüter mit eine Transportmaschine vom Typ Galaxy C-5 in die unmittelbare Nähe vo Greenham Common einzufliegen. Am 5. Mai sollen nach einem Berich der sowjetischen Nachrichtenagentur TASS die ersten 50 amerikanische Soldaten als Vorkommando nach Comiso in Sizilien eingeflogen worde sein. Bis 1987 werden nach einem Bericht des Boston Globe etwa 190 Amerikaner mit ihren Angehörigen bei Comiso leben.

Am 12. Juni 1983 berichtete Drew Middleton gestützt auf amerikanisch Informanten im Brüsseler NATO-Hauptquartier, daß die Vorarbeiten fü die Stationierung von Pershing II und Marschflugkörpern in vollem Gang seien. Die Offiziere erwarteten, daß die USA bis Ende 1983 die ersten 4 Flugkörper in Europa stationieren werde, und zwar je sechzehn Marsch flugkörper in Greenham Common und in Comiso sowie neun Pershin II-Raketen voraussichtlich in Mutlangen bei Schwäbisch Gmünd, wie Bi Arkin vom Washingtoner Institut für Politische Studien vermutet. Do würden bereits, berichtete der ehemalige Geheimdienstexperte Arkin ar Rande der 2. Europäischen Konferenz für nukleare Abrüstung Mitte Ma in Berlin, die Abstellplattformen für die Fahrzeuge erneuert, ein neue Control-Tower aus Beton sei im Bau und die Zäune würden verstärkt Ab Oktober würden das Begleitpersonal – eine Pershing-Einheit umfaß nach Arkin ca. 1030 Soldaten – und die Startcomputer eingeflogen, ve mutlich über Ramstein oder Miesau in der Pfalz und von dort per Hub schrauber ins schwäbische Mutlangen weitertransportiert.

Am 23. Mai 1983 enthüllte der »SPIEGEL« unter der Überschrift »De Countdown läuft« weitere Details, die vom Parlamentarischen Staatsse kretär im Bonner Verteidigungsministerium Würzbach zwar als Spekula tion abgetan aber nicht widerlegt wurden. Demnach haben die erste Pershing II-Experten der US Army bereits im Frühjahr 1983 mit der Ve messung der künftigen Feuerstellungen und mit der Installierung der zu sätzlichen elektronischen Ausrüstung begonnen. Das »Long Range Secu rity Program«, das eine bessere Sicherung der Standorte und Stellunge durch elektronische Überwachung vorsieht, sei ebenfalls angelaufen.

Nach einem Plan des Pentagon soll im September 1983 mit der Einweisun des Bedienungs- und Instandsetzungspersonals in der Bundesrepublik be gonnen werden, während im Oktober die ersten Pershing II-Raketenspe zialisten über Ramstein eingeflogen werden sollen. Die erste Einsatz- bzw Gefechtsbereitschaft der Pershing II-Raketen soll schon Ende Dezembe 1983 erreicht werden, wie dem amerikanischen Senator Strom Thurmon bei einem Besuch des US-Hauptquartiers im Dezember 1982 in Heide berg versichert wurde. Ende 1983 oder Anfang 1984 soll mit dem Ba eines Standortes für die 96 für die Bundesrepublik geplanten Marschflug körper, sowie für ein Reparaturzentrum und für ein »European Command Center« begonnen werden. Bei seinem Bonn-Besuch bestätigte US-Verteidigungsminister Weinberger am 31. Mai 1983 denn auch, daß die Stationierungsvorbereitungen »planmäßig und zeitgerecht« verliefen. Bis Anfang 1986 soll dann nach Abschluß der Stationierung der Pershing II bei Schwäbisch Gmünd, Heilbronn/Neckarsulm und bei Neu-Ulm mit der Stationierung der 96 Marschflugkörper in Rheinland-Pfalz, voraussichtlich in Wüschheim im Hunsrück, begonnen werden, unweit einer ehemaligen Nike-Hercules-Abschußbasis im strukturschwachen Rhein-Hunsrück-Kreis. Nach Informationen des Südwestfunk-Korrespondenten in Washington, Gerd Lotze, ermittelte Bill Arkin aus öffentlich zugänglichen Quellen folgende Details, die auf der Hardthöhe als Geheimsache sorgfältig gehütet werden:

- Die amerikanische Luftwaffe hat (von der Basis Hahn aus) die Kontrolle über die ehemalige Nike-Hercules-Basis in Wüschheim übernommen.
- Das Pentagon fordert für Wüschheim 22 Millionen Dollar für Bauarbeiten, die im Januar 1984 beginnen sollen.
- Nach Abschluß der Aufstellung der 96 Marschflugkörper im Jahre 1987/88 sollen insgesamt 1300 Raketenspezialisten und mit ihren Angehörigen ca. 2800 Personen im idyllischen Soonwald Quartier beziehen.

Durch die offenere amerikanische Informationspolitik geriet die geheimniskrämerische Bundesregierung zunehmend unter den Beschuß der parlamentarischen Opposition und der Friedensbewegung. Am Abend des 23. Juni 1983 beschloß der Bundestag mit den Stimmen der CDU/CSU und der FDP, nach dem 15. November eine Erklärung der Bundesregierung zum Ergebnis der Genfer Mittelstreckenverhandlungen vorzulegen und zu der (rhetorischen) Frage Stellung zu nehmen, »ob Anlaß besteht, von der im Dezember 1979 beschlossenen Stationierung ganz oder teilweise abzugehen«. Nach dieser Absichtserklärung der Regierungsparteien sollen vor dieser Beratung »weder Pershing II-Raketen, noch Marschflugkörper, noch Teile davon stationiert werden«. Weitergehende Anträge der SPD, die Stationierung von der Zustimmung des Bundestages abhängig zu machen und vor dieser Bundestagsentscheidung auch keine Zusatzgeräte zu stationieren, wurden von den Regierungsparteien jedoch niedergestimmt. Um erwartete Anschläge auf Materialtransporte auf dem Land- oder Schiffsweg zu vermeiden, wollen die amerikanischen Nachrüstungsplaner nach Recherchen des »SPIEGEL« die Bestandteile der Pershing II-Raketen von nahe gelegenen Militärflughäfen, z. B. in Ramstein oder Wiesau, mit Hubschraubern in die bekannten Stationierungsorte einflie-

gen. Um Unfälle und Konfrontationen mit der Friedensbewegung zu vermeiden, soll auf die Übungsmanöver zunächst weitgehend verzichtet werden.
Nach Helmut Kohls Wahlsieg gab die amerikanische Regierung dem Drängen der ersten drei Stationierungsländer – der Bundesrepublik, Großbritanniens und Italiens – nach und ersetzte die starre Null-Option durch eine flexiblere Zwischenlösung. Während das Pentagon die aussichtslose Null-Option bei der streng geheimen Sitzung des Nationalen Sicherheitsrates am Freitag, dem 18. März 1983, verteidigte, sprach sich das Außenministerium in der von Präsident Reagan geleiteten Sitzung für ein flexibleres Vorgehen aus, nicht zuletzt auch aus Rücksichtnahme auf die kritische öffentliche Meinung in Westeuropa. Vier Handlungsalternativen standen dabei zur Diskussion: 1. Ein Festhalten an der Null-Option. 2. Eine Obergrenze von 100 Raketen mit 300 Sprengköpfen bei einer völligen Freiheit beider Seiten, die Komponenten selbst zu bestimmen. 3. Eine Abrüstung der Sowjetunion und eine Aufrüstung der USA, bis beide Seiten bei den nuklearen Mittelstreckensystemen ein Gleichgewicht erzielten, und 4. Begrenzungen bei den zweifach verwendungsfähigen Flugzeugen und Raketen. Das Außenministerium bevorzugte die 2. Alternative. Am 23. März informierte Präsident Reagan die Regierungschefs der Verbündeten über diese unterschiedlichen Optionen für eine Zwischenlösung. In der 70. Sitzung, am letzten Tag der vierten Verhandlungsrunde unterbreitete dann der amerikanische Delegationsleiter bei den Genfer Mittelstreckengesprächen, Paul Nitze, am 29. März 1983 in Genf den Vorschlag einer Zwischenlösung, den US-Präsident Reagan in einer Fernsehansprache am 30. März 1983 der Weltöffentlichkeit vorstellte. Reagan bedauerte, daß die Sowjetunion seinen Vorschlag, alle Mittelstreckensysteme abzubauen, bisher abgelehnt habe. Botschafter Nitze habe inzwischen seinen sowjetischen Gesprächspartner darüber informiert, »daß wir bereit sind, ein Zwischenabkommen auszuhandeln, bei dem die Vereinigten Staaten ihre geplante Dislozierung von Pershing II und landgestützten Marschflugkörpern um ein Beträchtliches verringern würden, vorausgesetzt, die Sowjetunion reduziert die Anzahl der Gefechtsköpfe ihrer weiterreichenden nuklearen Mittelstreckenraketen weltweit bis auf den gleichen Umfang«.
Einige Tage zuvor hatten bereits eifrige Beamte der Reagan-Administration durch gezielte offizielle Indiskretionen die Presse auf Reagans Rede am 31. März in Los Angeles vorbereitet. »Aus allen freigebig verteilten Andeutungen«, berichtet der Korrespondent der »Neuen Zürcher Zeitung« am 29. März aus Washington, »ergibt sich folgendes Bild: [Reagans] neues Angebot, das weit mehr der Rücksicht auf die europäischen Alliier-

ten als eigenem Bedürfnis oder eigener Überzeugung entspringt, würde jeder Seite die Stationierung von zwischen 75 und 100 Mittelstreckenraketen mit insgesamt nicht mehr als 300 Sprengköpfen erlauben; es wird aber in der Umgebung des Präsidenten betont, daß dieser größtmögliche Flexibilität bei der Formulierung dieses Kompromisses anstrebe. Außerdem gedenke er, am Ziel der Null-Option festzuhalten . . . Eine Berücksichtigung der britischen und französischen Nuklearарsenale fällt für die Vereinigten Staaten außer Betracht.«
In einer Rede vor dem Rat für Weltangelegenheiten in Los Angeles präzisierte Präsident Reagan am Gründonnerstag seine Rüstungskontrollstrategie, und er nannte zugleich die Rahmenbedingungen einer erhofften Mittelstreckenlösung: Gleichheit bei der Zahl der amerikanischen und sowjetischen landgestützten Mittelstreckenraketen, Nichteinbeziehung der britischen und französischen Systeme, globale Beschränkung für die SS-20, effektive Überprüfbarkeit und keine Beeinträchtigung der konventionellen Verteidigungsfähigkeit der NATO, Bedingungen also, die sich von der Ausgangsposition vom November 1981 nicht unterscheiden.
Während Bundeskanzler Kohl Reagans neuen Wein in alten Schläuchen »als Ausdruck des stetigen und intensiven Bemühens des westlichen Bündnisses« begrüßte, »alle Verhandlungsmöglichkeiten in Genf auszuschöpfen und zu einem möglichst frühen Zeitpunkt ein konkretes und ausgewogenes Ergebnis zu erreichen«, verwies Leslie Gelb in der »New York Times« auf den eher propagandistischen Wert der neuen Reagan-Offerte: »Regierungsbeamte bestätigten, daß dieser Vorschlag Reagans mehr darauf abzielte, auf die Besorgnisse der europäischen Regierungen einzugehen und die anti-amerikanischen Gefühle in Europa im Keime zu erstikken, als einen Durchbruch in Genf zu erzielen.« Und im ähnlichen Sinne äußerte sich Anfang Mai der ehemalige Chefunterhändler der amerikanischen SS-20-Delegation, Paul C. Warnke: »Ein INF-Abkommen steht nicht sehr hoch auf der Prioritätenliste von Präsident Reagan. Er will viel lieber Waffen stationieren, als sie reduzieren. Er verhandelt in Genf«, fügte der ehemalige Direktor der Abrüstungsbehörde in der ersten Hälfte der Carter-Administration hinzu, »weil er das aus außenpolitischen Gründen muß.«
Während in der Bundesrepublik etwa eine halbe Million Bürger im Rahmen der Ostermärsche für eine nukleare Abrüstung demonstrierten, reagierte der sowjetische Außenminister Andrej Gromyko am Ostersamstag, dem 2. April, in Moskau auf einer Pressekonferenz. Als völlig »unakzeptabel«, »unseriös« und »absurd« bezeichnete der dienstälteste Außenminister der Welt in einer einstündigen freien Rede Reagans Zwischenlösung. Im grauen Einreiher, mit blauem Schlips und Parteiabzeichen am

Revers, umgeben von hohen Beamten des Außenministeriums und Parteibürokraten, unterstrich der neue stellvertretende sowjetische Regierungschef seine Aussagen mit der ihm eigenen mimischen Ausdruckskraft. Reagans Vorschlag sei kein »Weg zu Übereinkunft und Frieden . . . Der Graben zwischen einer Übereinkunft und diesen Vorschlägen wird noch tiefer. Kurzum, der Vorschlag der USA ist unseriös.« Beklommenheit setzte erst beim Studium der Notizen ein, beschreibt Uwe Engelbrecht in der »Stuttgarter Zeitung« den zweistündigen intellektuellen und theatralischen Genuß des Großmeisters der internationalen Szene. »Er verstand es, ein vielfältiges Divertimento vorzutragen und dennoch jeden Satz, ob spöttisch-bewegt, ob melancholisch-getragen, mit einem ›ma non troppo‹ zu versehen – je älter er wird, um so besser beherrscht er die Kunst der kleinen Mittel und der sanften Ironie.«
Die gegenwärtige Haltung der USA laufe darauf hinaus, »sich von einem Abkommen zu entfernen, die Lage zu komplizieren, das Wettrüsten weiter zu eskalieren«, stellte Gromyko fest. Reagans Vorschlag einer Zwischenlösung sei aus drei Gründen unannehmbar: »Erstens: Sie berücksichtigt nicht die britischen und französischen nuklearen Systeme mittlerer Reichweite, darunter 162 Raketen. Zweitens: Sie bezieht nicht die Hunderte amerikanischer kernwaffentragender Flugzeuge ein, die in Westeuropa und auf Flugzeugen stationiert sind. Drittens: Zu liquidieren wären auch die sowjetischen Mittelstreckenraketen im asiatischen Teil der UdSSR, obwohl sie in keinerlei Beziehung zu Europa stehen.« In seinem zweistündigen Auftritt vermied Gromyko jegliche persönliche Schärfe und jegliche Drohungen über sowjetische Gegenmaßnahmen im Falle einer Stationierung der ersten Pershing II. »Wenn die Haltung der Vereinigten Staaten so bleibt wie jetzt, . . . dann gibt es keine Chance für ein Abkommen.«
Im Anschluß an ein 60minütiges Gespräch mit dem Herausgeber des »Spiegel«, Rudolf Augstein, behauptete der sowjetische Parteichef Andropow in einer autorisierten Stellungnahme am 25. April 1983, die Genfer Verhandlungen seien in eine Sackgasse geraten. Im Falle eines Scheiterns müsse der Westen mit Gegenmaßnahmen der Sowjetunion rechnen. »Dies ist kein Pokerspiel, wo man sozusagen verlieren kann und dann anschließend wieder geradebiegt«, warnte der Breschnew-Nachfolger vor allem seine Leser in der Bundesrepublik. Die amerikanischen Versuche, »die Sicherheit der Sowjetunion zu beeinträchtigen«, seien unrealistisch. Wäre der Westen auf seinen Vorschlag vom Dezember 1982 eingegangen, heißt es in Andropows Antwort, »verblieben der UdSSR und den NATO-Ländern je 162 Raketen, das heißt genauso viele, wie auf seiten der NATO – England und Frankreich – vorhanden sind. Jede Seite würde dann dar-

über hinaus noch über je 138 Mittelstreckenflugzeuge verfügen.« Bei seiner Tischrede, anläßlich des Besuchs des SED-Chefs Erich Honecker in Moskau, ging Jurij Andropow am 3. Mai 1983 einen Schritt weiter: »Wir sind bereit, eine Übereinkunft über die nuklearen Potentiale in Europa, sowohl für Träger als auch für Sprengköpfe, herbeizuführen, selbstverständlich unter Berücksichtigung der entsprechenden Waffen Großbritanniens und Frankreichs.« Der stellvertretende amerikanische Außenminister Kenneth Dam interpretierte Andropows Vorschlag als einen weiteren sowjetischen Versuch, die für Ende 1983 geplante Stationierung amerikanischer Mittelstreckensysteme verhindern zu wollen.
Aber weder Reagans noch Andropows öffentlich zur Schau getragene Kompromißbereitschaft konnten die festgefahrenen Genfer Mittelstrekkengespräche während der 5. Verhandlungsrunde, die am 17. Mai begann und am 14. Juli zu Ende ging, aus der Sackgasse herausführen. Vor allem drei Probleme haben die vorletzte Verhandlungsrunde vor der Stationierung dominiert: die Frage der Berücksichtigung der 162 französischen und britischen Mittelstreckenraketen, die Frage der Einbeziehung der in Asien stationierten sowjetischen SS-20-Raketen und die von den Sowjets geforderte Einbeziehung der amerikanischen in Europa stationierten Flugzeuge. »Unter diesen Gesichtspunkten«, kommentierte Dietrich Möller am 16. Mai in der »Rheinischen Post« die Stimmungslage in Washington, »ist auf amerikanischer Seite die Hoffnung nicht sonderlich groß, bis zum Dezember zu einer Lösung zu kommen, die die dann fällige Aufstellung der Pershing-Raketen hinfällig machen oder verzögern könnte.«
Ebenso skeptisch äußerte sich die »Prawda« am Vorabend der Wiederaufnahme der Genfer Konferenz. Beide Seiten hätten sich seit November 1981 »nicht um einen Millimeter angenähert«. Der Präsident der sowjetischen Akademie der Wissenschaften, Anatoli Alexandrov, warnte am 17. Mai in seiner Eröffnungsansprache einer internationalen Wissenschaftler-Konferenz über Fragen der nuklearen Abrüstung in Moskau davor, die Sowjetunion müsse im Falle einer Aufstellung amerikanischer Mittelstrekkenraketen in Westeuropa zu einer Strategie Zuflucht nehmen, die vorsieht, daß sowjetische Raketen bereits nach den ersten Warnzeichen (»launch on warning«) eingesetzt werden. Und einige Tage vor dem westlichen Wirtschaftsgipfel in Williamsburg Ende Mai wurde die Sowjetunion noch deutlicher, als sie für den Fall einer Stationierung neuer amerikanischer Mittelstreckenraketen in Europa in der »Prawda« die Aufstellung weiterer SS-20-Raketen auf ihrem europäischen Territorium und die Aufstellung neuer Atomraketen in den anderen osteuropäischen Staaten ankündigte und an eine frühere Erklärung erinnerte, daß bei neuen westlichen Aufrüstungsschritten »auch notwendige Gegenmaßnahmen in bezug

auf das Territorium der Vereinigten Staaten selbst ergriffen werden«. Anfang Juni 1983 deutete ein Mitglied des sowjetischen Zentralkomitees der KPdSU in der »Neuen Zeit« an, die Sowjetunion könne auch als Reaktion auf die Pershing II in der DDR und in der Tschechoslowakei neue sowjetische nukleare Kurzstreckenraketen aufstellen. Ende Juni 1983 stand dann bei einem vorher nicht angekündigten Gipfeltreffen der Partei- und Regierungschefs der Staaten des Warschauer Paktes, an dem auch die Außen- und Verteidigungsminister teilnahmen, offenbar – nach Vermutungen westlicher Moskau-Korrespondenten – die Beratung konkreter östlicher Gegenmaßnahmen im Mittelpunkt, wenn auch die Gemeinsame Erklärung vom 28. Juni 1983 hierüber keine Auskunft gibt.
Die Regierung Kohl, deren Wiederwahl von der Reagan-Administration mit Erleichterung begrüßt wurde, hatte zwar gegenüber der amerikanischen Regierung bereits im März auf mehr Flexibilität in Genf gedrängt, alle Erklärungen der NATO-Gremien zur bevorstehenden Stationierung im Frühjahr und Sommer 1983 aber mitgetragen und während der ersten Moskaureise die harte amerikanische Verhandlungsposition vehement vertreten, zugleich jedoch durch Außenminister Genschers Anspielungen auf den Nitze-Kwitsinski-Kompromiß vom Juli 1982 ein Jahr später die Reagan-Administration irritiert.
Während eines eintägigen Besuchs in Washington versicherte Bundeskanzler Kohl am 15. April 1983 Präsident Reagan: »Wenn es bis zum Herbst kein Verhandlungsergebnis gibt, werden wir das durchführen, was wir im NATO-Doppelbeschluß versprochen haben.«
Einen Tag nach Andropows letzter Kompromißbereitschaft unterstrich Bundeskanzler Kohl am 4. Mai in seiner Regierungserklärung seine Hoffnung auf Fortschritte bei den Genfer Mittelstreckenverhandlungen und »daß die sowjetische Führung noch nicht ihr letztes Wort zum amerikanischen Vorschlag einer Zwischenlösung gesprochen hat«. Als die »Washington Post« am 26. Mai die Vermutung äußerte, daß der Nitze-Kwitsinski-Vorschlag vom Juli 1982, der auf die Stationierung der Pershing II völlig verzichtet hätte, nicht nur bei der SPD, sondern auch in den Regierungsparteien an Interesse gewinne, dementierte der stellvertretende Regierungssprecher Sudhoff am 27. Mai 1983: »Es bleibt beim Waffenmix« – das heißt an der im NATO-Doppelbeschluß geplanten Stationierung von Pershing II-Raketen und Marschflugkörpern. Für weitere Irritationen sorgte am 27. Mai ein Interview des Generalinspekteurs der Bundeswehr, General Wolfgang Altenburg, in dem dieser eine Einbeziehung der britischen und französischen Nuklearsysteme in den Rüstungskontrolldialog außerhalb der Mittelstreckensysteme vorschlug: »Für die Sowjets existieren diese Waffen. Und deshalb ist es eine Sache der Verhandlungen in

Bundeskanzler Kohl beim Gespräch in Moskau mit Partei- und Staatschef Andropow »über den Raketenzaun«. Foto: Bundesbildstelle Bonn

Die Abrüstungsbeauftragten der USA, Paul Nitze (links), und der UdSSR, Jurij A. Kwitsinksi, die durch ihren Kompromißvorschlag zur Abrüstung von sich reden machten. Der Kompromiß wurde bei einem Waldspaziergang bei Genf gefunden – kurz darauf aber von den Regierungen sowohl der UdSSR als auch der USA abgelehnt. Foto: dpa

Genf, wie diese Berücksichtigung finden.« Eine deutliche Warnung des ehemaligen Bundeskanzlers Helmut Schmidt Ende Mai in der »Washington Post«, in der er den ernsten Abrüstungswillen der Reagan-Administration bezweifelte und den Vorschlag des »Waldspaziergangs« von Nitze und Kwitzinski unterstützte, hatte vor dem Gipfel in Williamsburg die amerikanischen Irritationen ausgelöst, die, nachdem sie Ende Mai durch offizielle Bonner Dementis ausgeräumt schienen, Mitte Juli nach der Moskaureise von Kanzler Kohl durch Außenminister Genscher erneut genährt wurden.
Drei Jahre nachdem Helmut Schmidt als erster westlicher Regierungschef nach der sowjetischen Intervention in Afghanistan an die Moskwa gekommen war, und durch seine Gespräche die Aufnahme der Mittelstreckengespräche bewirkt hatte, stand beim ersten Gespräch zwischen den Nachfolgern Andropow und Kohl ebenfalls die Frage der nuklearen Mittelstreckengespräche im Mittelpunkt.
An Stelle des wegen einer Nierenkolik entschuldigten Parteichefs Andropow hielt am Montag, dem 4. Juli 1983, abends der Vorsitzende des Ministerrates der UdSSR, der 78jährige Nikolai Tichonow, bei einem Essen im Kreml zu Ehren des Bundeskanzlers die Tischrede, in der er seine Bonner Gäste nachdrücklich warnte, daß die Verwirklichung des NATO-Doppelbeschlusses »zu einer jähen Verschlechterung der Lage in Europa und in der ganzen Welt führen« werde. »Die Gefahr ist um so offensichtlicher«, wiederholte Tichonow die bekannte sowjetische Position, »als es dabei um die Stationierung amerikanischer Erstschlagwaffen geht.« Nachdrücklich erinnerte er seine Gäste an die psychologische Herausforderung für die Sowjetunion, »daß erstmals in der Nachkriegszeit von deutschem Boden militärische Bedrohung für die Sowjetunion ausgehen würde. Was das für uns bedeuten würde, bedarf keiner Erläuterung. Wir werden auf all das selbstverständlich nicht mit Zugeständnissen bei den Genfer Verhandlungen antworten«, versuchte Tichonow dem Kanzler eventuell noch bestehende Illusionen zu nehmen. »Wir und unsere Verbündeten werden darauf mit zusätzlichen Sofortmaßnahmen zur Festigung unserer Sicherheit antworten und ein Gegengewicht für das neue Militärpotential der NATO schaffen. Im Endergebnis wird das Gleichgewicht wiederhergestellt werden, doch auf einem höheren, für den Frieden gefährlicheren Niveau.«
In seiner sechzehnseitigen Erwiderung wiederholte Bundeskanzler Kohl die Position der NATO und wies den sowjetischen Vorwurf zurück, die USA würden nicht ernsthaft verhandeln.
Am Dienstagmorgen kam es dann zum ersten eineinhalbstündigen Gespräch zwischen Andropow und Kohl. Als Andropow Tichonows Andeutung vom Vorabend wiederholte, die Sowjetunion werde auf die Aufstel-

lung von Pershing II-Raketen in der Bundesrepublik mit Gegenmaßnahmen reagieren, versuchte der Kanzler dies mit der Feststellung zu entkräften: »Wir sind keine Selbstmörder.« Die Bundesrepublik sei nicht »raketensüchtig«. Nach »ungewöhnlich offenen und direkten Gesprächen« mit dem sowjetischen Verteidigungsminister Ustinow und Generalstabschef Orgakow kam Kanzler Kohl am Nachmittag nochmals zu einem längeren Gespräch mit Andropow zusammen.
Während sich der Kanzler über den Ausgang der in der Sache harten aber nicht scharfmacherischen Gespräche zufriedenzeigte, kritisierte Juri Kornilow über die sowjetische Nachrichtenagentur TASS die Stellungnahmen der Bonner Regierung, die ihr Deutsch mit »starkem amerikanischen Akzent« spreche. Im Gegensatz zum Besuch seines Vorgängers zeichnete sich bei Kohls Visite in der Raketenfrage kein Millimeter Fortschritt ab. Zugleich wurde aber dennoch eine völlige Erkaltung der bilateralen Beziehungen vermieden. Einige Kanzlerbegleiter waren deshalb durchaus zuversichtlich, daß es nach der Raketenstationierung keine konkreten Verschlechterungen bei den Wirtschaftsbeziehungen, im Berlin-Verkehr oder im Kultur- und Wissenschaftsaustausch geben werde. Offen gab Kanzleramtsminister Philipp Jenniger bei den britischen und französischen Systemen »einen Schwachpunkt in der westlichen Argumentation« zu, »wenn man sich mal in die Lage der Gegenseite versetzt«.
Während die »Frankfurter Rundschau« in einem Kommentar, »Vorboten des Frostes«, die Moskau-Visite von Bundeskanzler Kohl als »keinen Erfolg« wertete, ein Signal für die festgefahrenen Raketenverhandlungen vermißte und Schwierigkeiten im künftigen zweiseitigen Verhältnis erwartete, war die Reagan-Administration für Kohls treuherzige Vertretung amerikanischer Positionen voll des Lobes. Die Reaktion wurde jedoch durch ernste Irritationen in Washington und London abgelöst, als der Cheftaktiker Außenminister Genscher wenige Tage danach erneut die Diskussion auf Nitze-Kwitsinskis Waldspaziergang vom Juli 1982 lenkte.
Drei Tage nachdem sich am Donnerstag, dem 14. Juli, in Genf Nitze und Kwitsinski ergebnislos in die Sommerpause begeben hatten und ein Jahr nach ihrem denkwürdigen Waldspaziergang nach einem ausgiebigen Mittagessen im Landgasthaus Point du Jour im Dorf St. Cergue bei Genf, versuchte Außenminister Genscher in einem Interview, das er in Sofia der Deutschen Welle gab, seine Wiederbelebungskünste, gerade zu dem Augenblick als Egon Bahr nach einem Moskau-Besuch ein starkes sowjetisches Interesse an eben diesem Kompromiß zu entdecken meinte. »Ich glaube, daß . . . es um so nützlicher sein wird, auch in Richtung des damaligen Waldspaziergangs zu denken.« Dieser Kompromiß berücksichtige

sowohl die legitimen Interessen des Westens durch die Ausklammerung der britischen und französischen Systeme als auch die sowjetischen Sicherheitsinteressen. Und Regierungssprecher Boenisch fügte in einer Erklärung hinzu: »Der sogenannte ›Waldspaziergang‹ ist ein Beweis dafür, daß die Sowjetunion auch in der Vergangenheit in der Lage war, in dieser Richtung flexibel zu denken ...« Aus dem Satz, daß ein Verzicht auf die Pershing II »zur Zeit« nicht zur Diskussion stehe, schlossen scharfsinnige Journalisten und verunsicherte amerikanische und britische Diplomaten, daß Bonn nicht mehr auf dem »Waffenmix« bestehe und damit beginne, dem innenpolitischen Druck nachgebend, die amerikanische Verhandlungsposition auszuhöhlen.

Nach einem Gespräch mit Bundeskanzler Kohl deutete Egon Bahr am Montag, dem 18. Juli, in einer Pressekonferenz an, daß in Moskau über zwei Modelle nachgedacht werde: Bei einem Verzicht auf die westliche Nachrüstung sei eine Reduzierung der SS-20 auf 50 Stück vorstellbar. Möglich sei auch eine Einigung im Rahmen des Waldspaziergang-Kompromisses und eine Zusammenlegung der beiden Genfer Verhandlungsrunden über INF und START.

Ebenso besorgt wie Bundeskanzler Kohl über die Blockade der Genfer INF-Verhandlungen zeigte sich auch der französische Staatspräsident Mitterrand, die beide am Dienstag, dem 19. Juli, in einem abgelegenen Forsthaus bei Dabo in den Vogesen eingehend über die Raketenfrage diskutierten.

»Wen will Genscher verunsichern?« fragte Dieter Schröder am 20. Juli in der »Süddeutschen Zeitung«. »Zwei Deutungen sind denkbar: ... Genscher glaubt aus den Anzeichen von Flexibilität in Moskau und Washington schließen zu können, daß die schon totgesagte Formel doch noch einmal aus der Aktenablage hervorgekramt wird und möchte deshalb der Gefahr vorbeugen, daß die Deutschen plötzlich mit der Pershing II allein dastehen und sich am Ende umsonst in einen ›heißen Herbst‹ hineinmanövrieren lassen ... Mehr Sinn gibt die Erklärung, Genscher wolle die Genfer Verhandlungen ›deblockieren‹. Seine Äußerungen zielen dann nicht nur auf Moskau, sondern auch auf Washington ... Genscher mußte auch wissen, daß seine Äußerungen neue Unruhe in das Bündnis tragen. Ist er dieses Risiko bewußt eingegangen, um Reagan zu verunsichern und diesem klarzumachen, daß er nicht auf unsere volle Unterstützung rechnen kann, wenn er nicht mehr Beweglichkeit zeigt?«

Wenige Tage später hakte Bundeskanzler Helmut Kohl in einem Interview für die »Washington Post« nach: »Da ... war vor einem Jahr der sogenannte Waldspaziergang. Das Thema wurde nicht vertieft. Ob eine Chance besteht, hier einen Ansatz zu finden, kann ich nicht beurteilen.

Das muß in Genf versucht werden. Ich will noch einmal wiederholen: Das muß in Genf geprüft werden. Ich habe unseren amerikanischen Freunden immer wieder gesagt: Der NATO-Doppelbeschluß hat zwei Seiten und der erste Teil besagt, daß ernsthaft verhandelt wird.« Ernsthaft verhandeln bedeute, »daß man mit den Sowjets alle Felder diskutiert, um zu sehen, ob eine Lösungsmöglichkeit gegeben ist«. Kohl lehnte es aber ab, auf die Frage einzugehen, ob die Bundesregierung durch Aushandeln einer Kompromißlösung einen Verzicht auf die Stationierung von Pershing II-Raketen den Vorzug geben würde.
Innerhalb der CDU/CSU-Bundestagsfraktion wurden zum Waldspaziergang und zum Waffenmix unterschiedliche Ansichten sichtbar. Während der abrüstungspolitische Sprecher Jürgen Todenhöfer die Pershing II-Raketen für unverzichtbar hielt, deutete Willi Weißkirch an, daß nach dem Waldspaziergangs-Kompromiß auf die Stationierung der Pershing II auf deutschem Boden verzichtet werden könne.
Mit seiner Bemerkung »Großbritannien würde nicht beiseite stehen«, wenn die START-Verhandlungen zu »einem größeren Durchbruch« führen sollten, deutete der britische Verteidigungsminister Michael Heseltine am 19. Juli im Unterhaus in der zentralen Streitfrage der britischen und französischen Systeme Flexibilität an. Die Rauchzeichen aus Bonn, London und der deutsch-französische Spaziergang in den Vogesen wurden in Moskau im Juli 1983 aufmerksam registriert.
Bei der letzten Sitzung des Ständigen Konsultationsgremiums der NATO vor der Sommerpause am 26. Juli 1983 in Brüssel gab zwar der amerikanische Staatssekretär Richard Burt gegenüber der Presse bekannt, daß keine Delegation die kontroverse Formel des Waldspaziergangs unterstützt habe, unterderhand ließen amerikanische und britische Beamte die Presse aber wissen, daß die Bonner Glasperlenspiele die gemeinsame Position unterminierten. »Irritation«, ließ ein Mitarbeiter der Bonner US-Botschaft den »Spiegel« wissen, »ist nur eine schwache Umschreibung« für den Schrecken, den Genschers Wiederbelebungsversuche in Washington ausgelöst hatten. Kaum war Burt von seiner anschließenden Blitz-Visite nach Bonn ins State Department zurückgekehrt, mahnte der FDP-Fraktionschef Wolfgang Mischnick: »Weder die Amerikaner noch die Sowjets dürfen auf Maximalforderungen bestehen.« Noch seien »100 Tage Zeit, endlich zu einem Ergebnis zu kommen«.
Die Kritik der parlamentarischen Opposition, der SPD und der Grünen, und die organisatorischen Vorbereitungen der Friedensbewegung für eine Massenmobilisierung gegen die Raketenstationierung hatten Wirkung gezeigt: Selbst Franz Josef Strauß versuchte sich nach einer Kehrtwendung um 180 Grad als Entspannungspolitiker. Grund genug, daß viele kalte

Krieger in Washington die neuen Bonner Töne kaum noch verstehen konnten.
Nach dem 6. März 1983 hatten die Sozialdemokraten schrittweise ihre Unterstützung für den NATO-Doppelbeschluß und vor allem für eine Stationierung der Mittelstreckensysteme im Falle eines erwarteten Scheiterns bei den Genfer Gesprächen zurückgezogen und sich Forderungen der Friedensbewegung angenähert.
Am 25. März sprach sich der Leiter des außenpolitischen Arbeitskreises und stellvertretende SPD-Fraktionsvorsitzende, Horst Ehmke, für den Nitze-Kwitsinski-Vorschlag und damit für einen Verzicht auf die Pershing II-Raketen aus.
Anfang April schlug Egon Bahr auf dem 16. Kongreß der Sozialistischen Internationale im portugiesischen Albufeira vor, die NATO-Nachrüstung um ein Jahr zu verschieben, da zwei Jahre lang überhaupt nicht verhandelt worden sei. Mitte April kündigte der saarländische SPD-Vorsitzende Oskar Lafontaine für den Fall seinen Austritt aus der SPD an, daß die SPD sich für eine Aufstellung neuer Mittelstreckensysteme in der Bundesrepublik entscheiden sollte und einen Monat später forderte er auf der 2. Konferenz für europäische nukleare Abrüstung die Gewerkschaften auf, die Strategie eines »Produktstreiks« gegen die Nachrüstung aufzugreifen. Am 15. April 1983 verlangte die parlamentarische Linke in der SPD im westfälischen Oer-Erkenschwick ein klares Nein gegen die Stationierung. Einer der Vordenker der Friedensbewegung, Erhard Eppler, sah gar im Widerstand gegen die Stationierung eine Chance, Gewerkschaften, SPD und neue soziale Bewegungen zu gemeinsamem Handeln zusammenzubringen.
Immer mehr SPD-Bezirke machten sich die Forderung nach einem klaren Nein zur Nachrüstung zu eigen: Anfang Mai der SPD-Bezirksparteitag Mittelrhein, Mitte Mai folgte der saarländische SPD-Landesverband, Ende Mai Hessen und Bremen sowie Ende Juni der SPD-Landesvorstand von Baden-Württemberg in einer einstimmig angenommenen Erklärung.
Ende Mai bereitete der Arbeitskreis I der SPD-Bundestagsfraktion eine ganztägige Klausursitzung der gesamten Bundestagsfraktion vor, bei der am 1. Juni ein Grundsatzpapier zum Verhältnis von SPD und Friedensbewegung verabschiedet wurde. Helmut Schmidts gegenüber der »Washington Post« geäußerte Zweifel an der Ernsthaftigkeit der amerikanischen Verhandlungsposition und sein Eintreten für den Nitze-Kwitsinski-Vorschlag veranlaßte selbst den rechten SPD-Flügel zum Nachdenken. Die Regierung Reagan werde erst noch »ihre gute Absicht deutlich machen müssen«, hatte der Ex-Bundeskanzler Helmut Schmidt in einem Gespräch

mit der Herausgeberin der »Washington Post«, Katherine Graham, am Freitag vor Pfingsten anvertraut, bevor er – Schmidt – die Aufstellung modernisierter Raketen in Europa gegen Ende des Jahres billigen könne.

»Wenn die SPD am nächsten Wochenende über die Raketen zu entscheiden hätte«, schrieb Egon Bahr am 2. Juni 1983 im Vorwärts, »gäbe es ein Nein, von Schmidt bis Lafontaine, von Apel bis Eppler . . . Dieses Nein läge in der Konsequenz der Haltung und der Beschlüsse, die die Partei seit 1979 zu diesem Thema gefaßt hat.« Nach achtstündiger Debatte hatte die SPD-Fraktion am 1. Juni 1983 ein Argumentationspapier zur Nachrüstung verabschiedet, in der ein klares Nein zur Stationierung aber noch vermieden und weiterer Druck auf die Verhandlungspartner gefordert wurde.

Am 13. Juni 1983 befaßte sich das SPD-Präsidium mit dem Verhältnis von SPD und Friedensbewegung. In einer vom Parteivorstand verfaßten Vorlage betrachtete die SPD die Friedensbewegung »nicht als Gegner«, sondern vielmehr »als ›Bundesgenosse‹ im Ringen um die Entspannungspolitik, um das Anhalten der Rüstungsspirale und um Abrüstung« als ein »mitunter unbequemer, manchmal die Grenze zwischen Wunsch und Wirklichkeit überschreitender Bundesgenosse«. Nach eingehenden Diskussionen mit dem Gewerkschaftsrat verständigten sich die Mitglieder von SPD-Spitze und Gewerkschaftsführung darauf, ihren Mitgliedern die Entscheidung anheim zu stellen, sich an den Veranstaltungen der Friedensbewegung im Herbst 1983 zu beteiligen, wenn die »Gewaltlosigkeit« gewährleistet sei und »eigene inhaltliche Positionen« vertreten werden könnten. Die gemeinsame Entschließung vermied jedoch jegliche Stellungnahme zu Fragen »gewaltfreier Aktionen« oder des »zivilen Ungehorsams«. »Dies sind individuelle Gewissensentscheidungen«, erläuterte SPD-Bundesgeschäftsführer Peter Glotz die Beratungsergebnisse, »die jeder allein zu treffen hat«. Eine klare Absage erteilte der Gewerkschaftsrat denjenigen, die sich auf ein Widerstandsrecht nach Art. 20, Abs. 4 des Grundgesetzes für den Fall einer Raketenstationierung berufen oder einen Generalstreik forderten.

Am 17. Juni 1983 nahm der SPD-Parteivorstand eine Entschließung an, in der gegen eine konsultative Volksbefragung zur Raketenstationierung »durchgreifende politische und verfassungspolitische Bedenken« vorgebracht wurden und festgestellt wurde, daß sich »Sozialdemokraten auf der Grundlage ihrer eigenen Positionen an friedlichen Aktionen beteiligen« können: durch eigene Veranstaltungen im Rahmen von Friedenswochen und der Aktionswoche vom 15. bis 22. Oktober 1983, durch pluralistische Diskussionsforen und Podiumsdiskussionen, durch Unterschriftensamm-

lungen und Petitionen, sowie durch die »Beteiligung an friedlichen Aktionen wie Friedensfesten, Demonstrationen und Kundgebungen auf regionaler und Bundesebene«.
Der SPD-Landesverband Baden-Württemberg ging am 9. Juli in Heilbronn-Böckingen noch einen Schritt weiter, in dem er seine Mitglieder aufforderte, »sich an der Aktionswoche der Friedensbewegung ... aktiv zu beteiligen«. Insbesondere werden die »Parteigliederungen sowie die Gemeinderats- und Kreistagsfraktionen aufgefordert, Initiativen zur Bildung von atomwaffenfreien Zonen zu ergreifen«, und »sich an den Veranstaltungen des DGB zum Anti-Kriegstag am 1. September 1983 zu beteiligen«.
Die Aktivitäten der Friedensbewegung gegen die Stationierung neuer amerikanischer Mittelstreckenraketen in Europa und für den Abbau der sowjetischen SS-20-Raketen erreichten mit dem Ostermarsch, an dem sich ca. 500 000 Bundesbürger beteiligten, einen ersten Höhepunkt. Von vielen Unionspolitikern waren die Organisatoren der Ostermärsche als Kommunisten, als Ackergäule vor dem sowjetischen Pflug diffamiert worden, und der SPD, die erstmals zur Teilnahme an den Ostermärschen aufgerufen hatte, wurde vorgeworfen, sie verlasse Arm in Arm mit der DKP die Phalanx der Demokraten. Bei Blockadeaktionen in Neu-Ulm setzte die Polizei auch erstmals in größeren Mengen Tränengas gegen die Demonstranten ein.
»Falls Reagan und seine mehr oder weniger treuen Anhänger oder Andropow glauben sollten, daß sie das erneut entflammte Feuer des Widerstandes gegen Atomwaffen ersticken können, dann täuschen sie sich.« Mit diesen Worten begann die Grußbotschaft der »grand old lady« der Rüstungsgegner, der ehemaligen schwedischen Abrüstungsministerin und Trägerin des Friedensnobelpreises, Alva Myrdal, an die 2. Konferenz für Europäische Abrüstung, zu der sechs Wochen nach den Ostermärschen 3000 Teilnehmer als Vertreter von 400 Friedensgruppen aus fünf Kontinenten teilnahmen. In der »Frankfurter Allgemeinen Zeitung« lobte Georg Paul Hefty »die Spontaneität« als das »Sympathische an diesem undoktrinären, von den Kommunisten und ihrem Umfeld verachteten Teil der Friedensbewegung«.
»Wir dürfen keinen Kompromiß akzeptieren«, hatte Alva Myrdal diese Teilnehmer in ihrer Grußbotschaft ermuntert. »Die USA müssen völlig auf die Stationierung der Mittelstreckenwaffen verzichten, und die Sowjetunion muß entsprechend zu einer beträchtlichen Reduzierung ihrer SS-20-Raketen gedrängt werden.«
Diese Forderung und der Tagungsort West-Berlin waren für die offiziellen osteuropäischen Friedensräte eine offene Provokation. Der vergebliche

Ostermarsch 1983: Euroshima durch Pershing. Stoppt die NATO-»Nach«rüstung.
Foto: dpa/Wieseler

In Hamburg beteiligten sich am Ostermontag 1983 rund 20 000 Menschen an einem Sternmarsch gegen die Atomrüstung.
Foto: dpa/Cornelia Gus

Versuch des Vorsitzenden des sowjetischen Friedensrates, Jurij Schukow, auf die Gestaltung dieser 2. Europäischen Friedenskonferenz, die aus dem Aufruf der Russell-Friedensstiftung für ein atomwaffenfreies Europa von Portugal bis Polen hervorgegangen war, Einfluß zu nehmen, hatte dazu geführt, daß die regierungsnahen osteuropäischen Friedensräte die Berliner Konferenz ebenso boykottierten wie das bundesdeutsche Kofaz-Spektrum (Komitee für Frieden, Abrüstung und Zusammenarbeit). Die Friedensgruppe Dialog aus Ungarn, die Gruppe Charta '77 aus der Tschechoslowakei, eine Moskauer Friedensgruppe und die Jenaer und Ost-Berliner unabhängigen Friedensgruppen erhielten keine Ausreiseerlaubnis.
Aus Sorge um einen neuen Rüstungswettlauf in Europa und aus der Angst, daß Europa als Schlachtfeld eines atomaren Holocaust vorgesehen ist, hatte ein internationales Verbindungskomitee vom 9. bis 14. Mai 1983 ins Berliner Internationale Kongreßzentrum eingeladen, um bewußtzumachen, »daß wir Europäer uns über alle nationalen Grenzen hinweg zusammenfinden und lernen, nicht gegenüber dem Osten oder Westen, sondern untereinander loyal zu sein; die Rüstungen und Militärstrategen in West und Ost uns nicht schützen, sondern bedrohen; . . . wir endlich aufhören damit, wie das Kaninchen auf die beiden Schlangen zu starren; Handlungsimpulse entwickelt werden zur Verhinderung der Stationierung neuer Atomwaffen in Europa«. Die 2. Europäische Friedenskonferenz in West-Berlin hatte sich ein doppeltes Ziel gesetzt, »die Öffentlichkeit in Europa . . . zu gewinnen, um die Stationierung neuer Atomwaffen in Europa zu verhindern und das Wettrüsten zu beenden« und »Mut zu machen auf eine neue Phase der Entspannung und Abrüstung in Europa durch Überwindung der Blockkonfrontation«.
Um die Zielsetzung eines atomwaffenfreien Europas von Portugal bis Polen zum Ausdruck zu bringen, bildeten die Teilnehmer, die eine Woche lang in Expertenanhörungen, unzähligen Arbeitsgruppen und Foren im Berliner Kongreßzentrum (ICC) friedlich diskutiert hatten, zum Abschluß eine Menschenkette zwischen dem portugiesischen Konsulat am Kurfürstendamm bis zur polnischen Militärmission in der Lassenstraße. Christen, Buddhisten und Atheisten, Linke und Grüne, Gewerkschafter und auch einige Politiker, Hausfrauen aus Comiso und Greenham Common, aus Heilbronn, Schwäbisch Gmünd und Neu-Ulm, sie alle verband eine gemeinsame Stimmung, ein gemeinsames Ziel: ein atomwaffenfreies Europa über die Grenzen der Ideologien hinweg. Eines hatte der NATO-Doppelbeschluß hervorgebracht: ein neues europäisches Bewußtsein gegen die Vernichtungspläne der Supermächte – ein überzeugender Ausdruck des Endes des ideologischen Zeitalters und einer beginnenden Europäisierung Europas, Entwicklungslinien, die Peter Bender 1981 in einem Buch

scharfsinnig herausgearbeitet hatte. Hinter dem Protest gegen Atomwaffen stand die Sehnsucht – vor allem bei den wenigen anwesenden Osteuropäern –, das System von Jalta zu überwinden. »Wir Osteuropäer möchten, daß die sowjetischen Truppen nach Hause gehen und die Leute mehr als Touristen in unsere Länder kommen und nicht als Soldaten«, hatte der ungarische Schriftsteller Gjörgy Konrad die Zukunftsvision vieler Menschen in Osteuropa verdeutlicht. »Dafür würden viele von uns auch den Preis geben, daß auch die amerikanischen Soldaten nach Hause gehen.«

In den ersten drei Tagen hatten sich fast 1000 Teilnehmer in vier Expertenanhörungen mit zentralen Fragen der Rüstungsdynamik auseinandergesetzt: mit der revolutionären Entwicklung der Waffentechnologie, der Militarisierung des Weltraums, mit den Gefahren eines neuen Kalten Krieges und mit den Alternativen eines Nichtersteinsatzes von Atomwaffen und dem Konzept der Gemeinsamen Sicherheit.

Im Mittelpunkt der Arbeitsgruppen und Plenarversammlungen des zweiten aktionsorientierten Teils, zu dem 3000 Teilnehmer gekommen waren, standen u. a. Strategien des Widerstandes gegen die NATO-Nachrüstung, atomwaffenfreie Zonen in Europa, die beiden deutschen Staaten als atomwaffenfreie Zonen, die politische Bedeutung der Abrüstung in Ost- und Westeuropa sowie soziale, ökonomische und ökologische Kosten des Rüstungswettlaufes und die Rolle der Friedensbewegung zur Dritten Welt.

Als Teilnehmer der 2. Europäischen Konferenz für nukleare Abrüstung nach einer bewegenden und kämpferischen Rede des Friedensforschers Robert Jungk, der während der Konferenz seinen siebzigsten Geburtstag feierte, das Lied der amerikanischen Bürgerrechtsbewegung anstimmten, »We shall overcome!«, war dies auch Ausdruck eines neuen blockübergreifenden europäischen Gemeinschaftsgefühls, das die Ideologien und Gegensätze als zweitrangig erscheinen ließ. Die Forderung der Friedensnobelpreisträgerin Alva Myrdal wurde in der Abschlußkundgebung aufgegriffen: »Die dringende Pflicht ist es jetzt, die Menschen und früh genug auch die Regierungen für die Entscheidung, alle Atomwaffen wegzunehmen, zu gewinnen.« »Wir können es schaffen«, rief ein holländischer Christdemokrat ins Publikum, »wir müssen nur selber an unsere Stärke glauben – in Dänemark, England, in Italien und hier in der Bundesrepublik.« Er rief die an einer Volksbefragung gegen die Atomwaffenstationierung Interessierten auf, sich vier Wochen später wiederzutreffen am Rande des Evangelischen Kirchentages in Hannover.

Wie beim Ostermarsch und bei der Berliner Konferenz so warnte das Bundesinnenministerium auch vor dem 20. Evangelischen Kirchentag in

Hannover (8. bis 12. Juni 1983) vor kommunistischen Bestrebungen, »Einfluß auf den Kirchentag zu gewinnen«. Nach Einschätzung des von Friedrich Zimmermann geleiteten Ministeriums erhofften sich die orthodoxen Kommunisten und ihre Sympathisanten vom Evangelischen Kirchentag »neue Impulse gegen die NATO-Nachrüstung«. Irritiert hatten konservative Politiker und Kirchenleute den Aufruf von zahlreichen christlichen Friedensgruppen, lilafarbene Tücher mit dem Motto »Umkehr zum Leben – Die Zeit ist da für ein Nein ohne jedes Ja zu Massenvernichtungswaffen« als Zeichen des Protests gegen die NATO-Nachrüstung zu tragen, heftig kritisiert und einige mit Boykott gedroht.
Die Diskussion über die Friedens- und Rüstungspolitik bildete dann auch einen der Hauptschwerpunkte dieses Kirchentages, zu dem etwa 140 000 Menschen, davon über 60 Prozent unter 25 Jahren, nach Hannover gekommen waren. Willy Brandt und Egon Bahr wurden mit ihrer Kritik am NATO-Doppelbeschluß und mit ihren Zweifeln an der Ernsthaftigkeit der Genfer Verhandlungen mit nicht endenwollendem Applaus bedacht, während die Befürworter der offiziellen Sicherheitspolitik zwar einen schweren Stand hatten, aber nicht unterbrochen oder gestört wurden.
Am Samstagnachmittag formierten sich zwischen 50 000 und 80 000 Teilnehmer zu einem 13 Kilometer langen Protestzug gegen die Nachrüstung, an der sich auch Soldaten aller Waffengattungen beteiligten. Einer von ihnen, der 44jährige Bundeswehrmajor Helmut Prieß, sprach auf der Abschlußkundgebung vor Zehntausenden sein Bekenntnis: »Erstschlagwaffen wie Pershing II und Cruise Missiles, die – militärisch formuliert – das Feuer auf sich ziehen, sind vielleicht im amerikanischen, aber nicht in unserem Interesse.«
Der Erfurter Bischof Heino Falcke wiederholte zu Beginn seines Grußwortes eine Bitte, die er am 15. Mai auf dem Kirchentag in Erfurt verlesen hatte: »Wir bitten unsere Kirchenleitungen: Erklärt verbindlich, daß die Herstellung, Bereitstellung und der Einsatz von Massenvernichtungswaffen gegen Gottes Wort und Gebot ist, und wir bitten unseren Staat, der Phantasie für den Frieden mehr Raum und Recht zu geben!« Propst Falcke erinnerte an die Absage, die der Bund der Evangelischen Kirchen in der DDR im September 1982 der Logik und der Praxis der Abschreckung erteilte. Er warnte vor einer »falschen Solidarität« mit den Friedensgruppen in der DDR: »Das Tun des Friedens muß hier bei euch und bei uns in der DDR verschieden aussehen. Die Evangelischen Kirchen in der Bundesrepublik und in der DDR haben sich vor vier Jahren ja gemeinsam zu der besonderen Verantwortung bekannt, die wir an der Nahtstelle zweier Weltsysteme tragen . . . Ich begleite euren Protest gegen die Mittelstreckenraketen mit innerster Beteiligung und Hoffnung und auch mit

Auf dem 20. Evangelischen Kirchentag Anfang Juni in Hannover rief der SPD-Vorsitzende Willy Brandt zu ständigem Engagement für den Frieden auf. Foto: dpa/Dieter Klar

Überwiegend junge Menschen bestimmten das Bild des 20. Evangelischen Kirchentages und die violetten Halstücher der Friedensgruppen mit ihrem Motto »Umkehr zum Leben: Die Zeit ist da für ein Nein ohne jedes Ja zu Massenvernichtungswaffen«. Foto: Bundesbildstelle Bonn

Bangen, aber ich weiß, daß es euch nicht hilft, wenn ich von der DDR billigen Beifall spende ... Das Tun des Friedens muß in beiden deutschen Staaten verschieden aussehen; aber die Verantwortung für den Frieden ist uns gemeinsam. Wir tragen gemeinsam an der Schuld für die Verbrennungsöfen in Auschwitz, und wir haben Verantwortung dafür, daß nicht ganz Europa zu einem einzigen Verbrennungsofen wird. Wir Deutschen an der Nahtstelle zweier Weltsysteme«, knüpfte Propst Falcke an das Bild des gemeinsamen Friedensaufrufes vom 1. September 1979 an, »müßten doch wohl zuerst begreifen, wie abschreckend die Abschreckung ist. Wir müssen uns in West und Ost als Partner begreifen, die Frieden, Sicherheit und Zukunft miteinander und nicht gegeneinander gewinnen können.«

Diese Forderung »für eine neue Sicherheitspartnerschaft in Europa« wurde in einem Text, der in einer Sitzung der Arbeitsgruppe »Frieden stiften« in Hannover verlesen wurde, wenige Tage später mit der Unterschrift von führenden Vertretern der Evangelischen Kirche in der DDR und in der Bundesrepublik veröffentlicht – darunter die Bischöfe Falcke, Krusche und Schönherr aus der DDR und Altbischof Kurt Scharf, Verfassungsrichter Helmut Simon und Kirchentagspräsident Erhard Eppler. Aus der Erkenntnis, daß Europa »am Ende des Abschreckungsfriedens« stehe und »die beiden deutschen Staaten ... eine besondere Friedensverantwortung« hätten, schlugen sie folgende konkrete Schritte zu einer »Sicherheitspartnerschaft zwischen den deutschen Staaten« vor:

»– eine ausgewogene Reduzierung der konventionellen Streitkräfte und Rüstungen und der Militärausgaben in den deutschen Staaten in Abstimmung mit dem jeweiligen Bündnissystem,
– den schrittweisen Aufbau einer kernwaffenfreien Zone in Mitteleuropa,
– die Bildung einer gemeinsamen Kommission der deutschen Staaten für Fragen gemeinsamer Sicherheit, zum Beispiel zur Erörterung vertrauensbildender Maßnahmen oder von Verteidigungskonzeptionen, die als bedrohungsärmer angesehen werden,
– die Nutzung von Mitteln, die im militärischen Bereich frei werden, für gemeinsame Wirtschaftsprojekte mit den europäischen Nachbarn (z. B. Polen) und mit Ländern der Dritten und Vierten Welt zur Stärkung gemeinsamer Sicherheit.
– Einleitung eines Stufenprozesses der vollen Normalisierung der Beziehungen zwischen den beiden deutschen Staaten ...
– Ausschöpfung aller gegenseitig vorhandenen Möglichkeiten, das Prinzip der gemeinsamen Sicherheit für den Aufbau einer gesamteuropäischen Friedensordnung nutzbar zu machen.«

Von den Kirchen erwarteten die Unterzeichner, daß sie dieses Konzept gegenüber ihren Regierungen mit Nachdruck vertreten, zum Gegenstand des Gesprächs in den Gemeinden machen und dabei Sicherheitspartnerschaft als Übersetzung der biblischen Feindesliebe verstehen lernen.
Drei Wochen später hatten sich in Mainz über 3000 Naturwissenschaftler, darunter einige Nobelpreisträger, Direktoren von Max-Planck-Instituten, Institutschefs und einige hundert Professoren am 2. und 3. Juli zu einem Kongreß »Verantwortung für den Frieden« versammelt, um sich u. a. in Plenarversammlungen und Arbeitsgruppen mit Atomkriegsfolgen und den Wirkungen von A-, B- und C-Waffen, Gefahren eines Krieges aus Versehen, Möglichkeiten alternativer Sicherheitspolitik, Möglichkeiten der Überprüfung der Rüstungskontrolle, der Konversion von Massenvernichtungswaffen, der Rüstungsforschung in der Bundesrepublik, mit der Verantwortung der Naturwissenschaftler, den Beiträgen der Hochschule zur Friedenssicherung und dem Zusammenhang von Rüstung und Entwicklung zu beschäftigen.
»Wir haben bisher den Politikern unsere Meinung nur ins Ohr geflüstert. Nun müssen wir sie unter Druck setzen, durch eine Bewegung aus dem Volk heraus. Deutschland, mehr als alle anderen Ländern bedroht, soll an die Spitze des Umdenkungsprozesses treten«, machte der schwedische Physiker und Nobelpreisträger Hanns Olof Alfvén über 5000 Teilnehmern an einer öffentlichen Veranstaltung auf dem Mainzer Domplatz Mut, bei der unter Leitung des Fernseh-Professors, des Neurologen Hoimar von Ditfurth, ein Physiker, ein Strahlenbiologe, ein Mediziner und ein Fachmann für Katastrophenschutz die schauerlichen Folgen der Zündung einer 150 Kilotonnenbombe (der sowjetischen SS-20 oder der britschen Polaris-Rakete) in zweitausend Meter Höhe über dem Mainzer Domplatz beschrieben: Hunderttausende von Toten und Verletzten, denen medizinische Hilfe nicht mehr zuteil werden könnten. Nach dieser beklemmenden Schilderung der real möglichen Apokalypse zog der zweifache Nobelpreisträger, der 82jährige amerikanische Chemiker und Friedensaktivist, Linus C. Pauling, daraus die Konsequenz: »Sie dürfen nicht zulassen, daß die Mittelstreckenraketen Pershing II und die Marschflugkörper in Ihrem Land stationiert werden.«
Der mit Ovationen gefeierte amerikanische Gelehrte, der in den fünfziger Jahren mit einer Unterschriftensammlung die öffentliche Aufmerksamkeit für die Gefahren der atmosphärischen Tests von Atomwaffen geschärft und damit den Weg für ein Verbot dieser Tests in den USA mit ebnete, hatte bereits bei der Eröffnungssitzung im hoffnungslos überfüllten Konzertsaal Elzer Hof mit seiner Botschaft: »Refuse the cruise, refuse the cruise!« wahre Beifallsstürme ausgelöst. Mit der Hand zum Friedens- und

Siegeszeichen emporgehoben, rief der 82jährige Amerikaner die Bundesregierung auf, »kein dummes Instrument der Reagan-Administration« zu sein und ihre Zustimmung zur Stationierung der Mittelstreckenraketen noch einmal zu überdenken.

Der 74jährige amerikanische Physiker Viktor Weisskopf forderte eine eigenständigere Rolle Europas insbesondere auch bei Fragen der Sicherheitspolitik. Zugleich warnte er die europäische Friedensbewegung auch davor, sich durch Polarisierung in die Enge treiben und isolieren zu lassen. Sie dürfe auch zur sowjetischen Überrüstung nicht schweigen und die sowjetische Überrüstung sei genauso falsch wie die anderen nuklearen Rüstungsschritte. Bescheiden hatte der Münchner Physiker Hans-Peter Dürr, Direktor am Münchner Max-Planck-Institut für Astrophysik, zum Auftakt der Veranstaltung bekannt: »Das Problem der Friedenssicherung überfordert uns alle.« In sicherheitspolitischen Fragen sei der Naturwissenschaftler auch nur ein mündiger Bürger, der es aber gelernt habe, mit komplexen dynamischen Systemen und ihren zeitlichen Entwicklungen umzugehen. Mit dieser Erfahrung solle der Naturwissenschaftler zielstrebig und engagiert, offen und tolerant an die Abrüstungsfrage und an die Suche alternativer Sicherheitskonzepte herangehen. Der Münchner Physiker, der bei Edward Teller promovierte, verglich den Zustand der Abschreckungspolitik und des 38jährigen Friedens in Europa mit einem Wasserkessel, der unter Feuer gehalten werde. Wenn nun aufgrund der Erfahrung, daß dieses Wasser bisher nicht zum Sieden gekommen sei, ständig weiter erhitzt werde, obwohl die Temperatur bereits bei 95 Grad liege, dann brauche man sich über die Folgen nicht zu wundern. Deshalb empfahl Dürr: »Feuer weg, bevor es zu spät ist.«

Zweifellos den größten Andrang fand die von Dürr geleitete Arbeitsgruppe über Möglichkeiten alternativer Sicherheitspolitik und den Beitrag der Naturwissenschaftler, bei dem der Philosoph Albrecht von Müller ein synoptisches Risikoprofil für Europa entwarf und eine Abrüstung durch Umrüstung durch defensive Waffen und Wehrstrukturen empfahl, Lutz Unterseher alternative Verteidigungskonzepte skizzierte, der Autor dieses Bandes die destabilisierenden Tendenzen der strategischen Rüstungen herausarbeitete und der Tübinger Physiker Harald Stumpf den möglichen Beitrag der Naturwissenschaftler zu einem sicherheitspolitischen Umdenken behandelte.

Die konzentrierte Tätigkeit in der Mainzer Universität mündete ein in einen »Mainzer Appell«, in dem vor einer »Entwicklung zu einer Destabilisierung des ohnehin fragwürdigen Abschreckungsgleichgewichts« gewarnt wurde, die einen Atomkrieg in Europa wahrscheinlicher machen könne. »Weder darf das Wettrüsten fortgesetzt noch die Sicherstellung

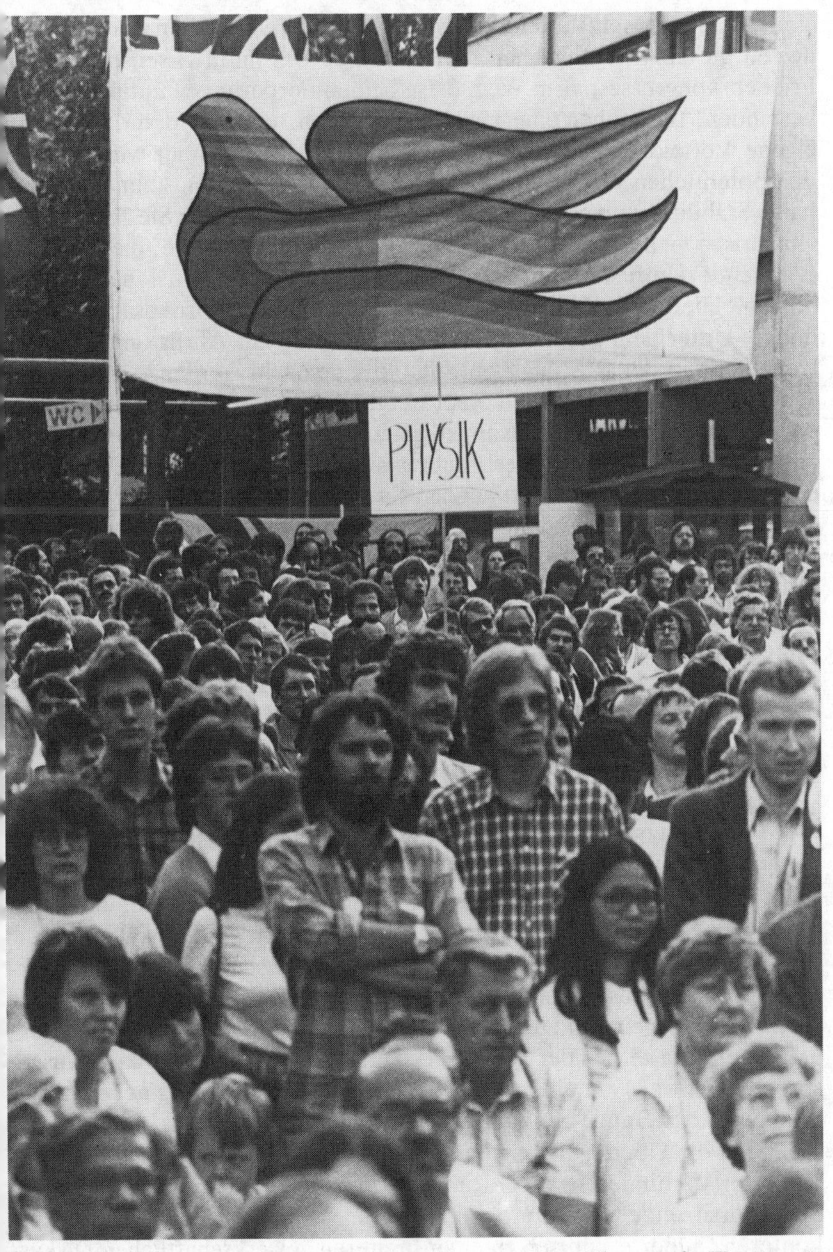

Naturwissenschaftler für den Frieden: Zuhörer beim »Mainzer Appell« gegen das Wettrüsten in Ost und West.
Foto: dpa/Krause

einer angemessenen Verteidigungsbereitschaft preisgegeben werden«, forderten die 22 Unterzeichner zum Abschluß des naturwissenschaftlichen Friedenskongresses. »Ein Weg, diese beiden Forderungen miteinander zu verbinden, führt über eine Umrüstung. Dann, und nur dann, wenn die eigene Verteidigungsbereitschaft mit Mitteln sichergestellt wird, welche den potentiellen Gegner nicht ihrerseits aktiv bedrohen, kann es dauerhafte Stabilität und Sicherheit ohne Wettrüsten geben.« Sie fordern die »historisch vielleicht einmalige Chance für eine beidseitige, die Stabilität erhöhende Umrüstung auf eine ›strukturelle Nichtangriffsfähigkeit‹« zu nutzen. Hierzu bedürfe es jedoch einer politischen Grundsatzentscheidung: »Unter dem Leitmotiv ›Durch Umrüstung zur Abrüstung‹ muß ein Neuanfang in der Rüstungskontrollpolitik gemacht werden.« An die Resolution des amerikanischen Repräsentantenhauses für eine Einfrierung der Kernwaffen anknüpfend appellierten die Wissenschaftler »an die Verantwortlichen in Ost und West: Laßt uns umkehren, bevor es zu spät ist! In dieser unserer existenzbedrohenden Situation fordern wir, wie viele uns freundschaftlich verbundene Kollegen aus den USA, von den Regierungen aller Nuklearmächte das sofortige Einfrieren der atomaren Rüstung in Ost und West. Für unser Land bedeutet das den Verzicht auf die Stationierung von Pershing II und Cruise Missiles. Wir fordern deshalb die Bundesregierung auf, die Stationierung dieser Waffen nicht zuzulassen.«
»Es darf keine Stationierung neuer Mittelstreckenraketen in Europa geben«, erklärte der Vorsitzende des Deutschen Gewerkschaftsbundes, Ernst Breit, auf der zentralen Maikundgebung des DGB in Bremen. Er drückte damit aus, was Millionen Arbeitnehmer und Gewerkschaftsmitglieder fürchten: »Aufrüstung und Sozialabbau.« In einer Erklärung zur Friedens- und Sicherheitspolitik appellierte der DGB-Vorsitzende am 7. Juni 1983 an die Großmächte: »Weiterverhandeln, notfalls Verlängerung des Verhandlungszeitraums.« Er empfahl eine Kompromißlösung, nach der »zumindest keine Pershing II« stationiert werden sollten.
Mit dieser Erklärung versuchte der DGB-Vorsitzende, einer innergewerkschaftlichen Diskussion entgegenzutreten, die sich an der Frage eines »Generalstreiks gegen Raketen« seit Mai 1983 entzündet hatte. Bereits am 3. Mai 1983 hatte sich der DGB-Kreisvorstand von Bayreuth dafür ausgesprochen, notfalls mit einem Generalstreik die Stationierung neuer Atomraketen in der Bundesrepublik zu verhindern.
Aber erst die Überlegungen über einen Produktstreik und einen Generalstreik zur Verhinderung einer Raketenstationierung, die der saarländische SPD-Vorsitzende Oskar Lafontaine am 12. Mai auf der Berliner Friedenskonferenz äußerte, führten zu einer breiteren gewerkschaftlichen Diskussion. Während Breits Stellvertreter Gustav Fehrenbach abwiegelte, für

Ihre Aktion »Verantwortung für den Frieden« erläuterten (von links): der Münchner Atomphysiker Prof. Dr. Hans-Peter Dürr, Prof. Dr. Peter Starlinger vom Institut für Genetik, Köln, und der Wissenschaftler und Schriftsteller Hoimar von Ditfurth. Foto: dpa/Peter Popp

den DGB stelle ein Generalstreik kein Thema dar und der DAG-Vorsitzende Hermann Brandt erklärte: »Wir lehnen jede Form des Streiks gegen rechtsgültige demokratische Entscheidungen der Verfassungsorgane ab«, forderten die 122 Delegierten des hessischen Landesbezirks der IG Druck und Papier in Frankfurt einstimmig, daß die Gewerkschaften »mit Betriebsversammlungen, Kundgebungen während der Arbeitszeit und notfalls auch Streiks bis hin zum Generalstreik« gegen die Stationierung vorgehen sollen. Eine Woche später erklärte Franz Steinkühler auf einer IG Metall-Bezirkskonferenz in Karlsruhe, daß es nicht zugelassen werden dürfe, »daß wir in der Raketenfrage zum atomaren Vorgarten der USA ausgerüstet werden«. Auf derselben Konferenz hatte IG Metall-Vorstandsmitglied Georg Benz angedeutet, er könne sich vorstellen, daß »der Punkt bald kommen kann, wo die Gewerkschaften von ihrem Widerstandsrecht Gebrauch machen müssen«. Und einen Monat später deutete der GEW-Landesvorsitzende von Baden-Württemberg, Siegfried Vergin, an, daß bei einem Festhalten der Bundesregierung an der Raketenstationierung GEW-Gliederungen nach dem Willen der Vertreterversammlung auf Maßnahmen bis hin zum Warnstreik hinarbeiten. Die Forderung nach einem Generalstreik hatten die Delegierten in Mannheim am 20. Juni jedoch abgelehnt.

»Was die rechtliche Seite betrifft«, hatte der Vorsitzende des DGB, Ernst Breit, in seiner Erklärung vom 7. Juni festgestellt, »so steht außer Zweifel, daß ein Streik, würde er mit dem Ziel der Verhinderung der Raketenaufstellung geführt, nicht rechtmäßig wäre, weil er ein Ziel verfolgt, das zweifellos außerhalb der in Art. 9 Abs. 4 Grundgesetz erwähnten Arbeits- und Wirtschaftsbedingungen liegt.« Breit hielt Lafontaines Überlegungen zum Produkt- und Generalstreik »für nicht akzeptabel« und »mit der freiheitlich-demokratischen Grundordnung nicht vereinbar«. Die Raketenaufstellung könne auch kein Grund sein, sich auf das Widerstandsrecht nach Art. 20, Abs. 4 des Grundgesetzes zu berufen.

Damit war die Diskussion allerdings nicht beendet. Am 28. Juni schlug der Saarbrücker Oberbürgermeister, Oskar Lafontaine, vor, »zuerst mit einem zwei- oder dreistündigen Kurzstreik am 1. September vor der Raketenaufstellung zu warnen«. Einen Monat später regte der Leiter des IG Metall-Bezirks Stuttgart, Franz Steinkühler, an, alle Arbeitnehmer in der Bundesrepublik sollten am 19. Oktober für zehn- bis fünfzehn Minuten die Arbeit ruhen lassen, um der 60 Millionen Toten des Ersten und Zweiten Weltkrieges zu gedenken und zugleich die Politiker zu warnen, keine Mittelstreckensysteme in der Bundesrepublik aufzustellen.

Am 5. Juli rief der DGB-Bundesvorstand seine Mitglieder in einer »Stellungnahme des DGB zur Friedens- und Sicherheitspolitik« auf, u. a. am

22. Oktober an den Großkundgebungen teilzunehmen, die von der außergewerkschaftlichen Friedensbewegung in Bonn, Hamburg und Stuttgart organisiert würden. Darin werden die beiden Supermächte u. a. aufgefordert, »die Genfer Verhandlungen über Mittelstreckenwaffen endlich ernsthaft und konstruktiv zu führen und erfolgreich abzuschließen. Alle in Europa stationierten und auf Europa gerichteten Waffen dieser Art müssen abgebaut werden. Es darf keine Stationierung neuer Mittelstreckenwaffen in Europa geben.« Der DGB appelliert an die Großmächte, »notfalls den Verhandlungszeitraum zu verlängern. Eine sogenannte ›Zwischenlösung‹, die als bloßer Vorwand für den Beginn der Stationierung aufgefaßt werden könnte, lehnt der DGB ab . . . Eine Nachrüstungsautomatik darf es nicht geben.«
Darüber hinaus forderte der DGB von der Bundesregierung und vom Bundestag: »Eigenständige Vertretung der besonderen deutschen Sicherheitsinteressen im Rahmen des NATO-Bündnisses. Initiativen zur Schaffung eines von Massenvernichtungswaffen (ABC-Waffen) freien Europa. Dazu sollte in einem ersten Schritt der Vorschlag der Palme-Kommission aufgegriffen werden (300 km breiter nuklearwaffenfreier Korridor) . . . Keine Lagerung von atomaren, biologischen und chemischen Kampfmitteln auf dem Gebiet der Bundesrepublik Deutschland.« Eindeutig lehnt der DGB »einen Generalstreik gegen eine eventuelle Stationierung von atomaren Mittelstreckensystemen ab. Auch die konsultative Volksbefragung hält er in dieser Frage für kein geeignetes Mittel.«
Der Vorschlag, eine konsultative Volksbefragung durchzuführen, wurde von Verfassungsrichter Helmut Simon auf einer Tagung des Präsidiums des Evangelischen Kirchentages in Bad Boll angeregt. Danach sollte der Bundestag durch ein Gesetz dem Volk die Möglichkeit geben, sich zu äußern, ob es im Falle eines Scheiterns der Verhandlungen die Raketen haben wolle oder nicht.
Durch diesen »gewagten« Vorschlag wollte Dr. Simon die inzwischen sichtbar gewordenen verfassungspolitischen Defizite des Grundgesetzes aufarbeiten.
Der als Beitrag zur Befriedung der für Herbst 1983 ins Haus stehenden innenpolitischen Auseinandersetzungen gedachte Vorschlag, veranlaßte die CSU zu einer heftigen Replik. Der CSU-Rechtsexperte Paul Gerlach warnte Simon, sich der Gefahr einer Ablehnung wegen Befangenheit auszusetzen. Als »Mithüter der Verfassung« erscheine Simon »in einem zweifelhaften Licht«. Am 24. April 1983 übernahm der Bundesverband Bürgerinitiativen Umweltschutz diesen Vorschlag und forderte die Bundesregierung auf, eine Volksbefragung zur NATO-Nachrüstung durchzuführen, und am 8. Juni 1983 kündigte der Fraktionssprecher der Grünen, Otto

Schily, an, seine Fraktion wolle einen Gesetzentwurf einbringen, um eine Bürgeranhörung zur Raketenstationierung zu ermöglichen.
Am 5. Juni 1983 schlug das Komitee für Grundrecht und Demokratie in einem Schreiben an alle Bundestagsabgeordneten vor, mit einfacher Mehrheit durch ein Gesetz »den Bürgerinnen und Bürgern die Möglichkeit eines Votums in dieser Frage zu geben«. Zuvor hatte bereits die Arbeitsgruppe Volksabstimmung der 2. Europäischen Konferenz für nukleare Abrüstung in Berlin empfohlen: »in den Ländern Westdeutschland, England, Italien, Niederlande und Belgien eine europäisch koordinierte Friedenskampagne für einen Volksentscheid gegen die Stationierung der US-Mittelstreckenraketen in Europa durchzuführen«.
Am 14. Juli startete dann die Friedensbewegung, vertreten durch sechs bedeutende Organisationen, die bereits die beiden großen Bonner Demonstrationen koordiniert hatten, eine Kampagne für eine Volksbefragung zur Stationierung amerikanischer Mittelstreckenraketen in der Bundesrepublik. Der Text der konsultativen Volksbefragung soll demnach lauten: »Ich lehne die Stationierung neuer atomarer Mittelstreckenraketen (Pershing II, Cruise Missiles) auf dem Boden der Bundesrepublik Deutschland ab: Ja/Nein.«
Gleichzeitig richtete das Komitee für Grundrechte und Demokratie eine Bittschrift an den Petitionsausschuß des Deutschen Bundestages, in dem die im Bundestag vertretenen Parteien gebeten wurden, sich für ein Gesetz über eine konsultative Volksbefragung einzusetzen. In einem sechsseitigen Schreiben wurde die konsultative Volksbefragung »als eine Ergänzung des repräsentativen Willens- und Entscheidungssystems« bezeichnet, die angesichts der existentiellen Weggabelung, vor der die Bundesrepublik stehe, notwendig sei.
Sollte aber der Bundestag die Einbringung und die Annahme eines Gesetzes einer konsultativen Volksbefragung ablehnen – zumindest das letztere erscheint wahrscheinlich –, besitzt dann der einzelne Bürger in einer für ihn existentiellen Grundfrage ein Widerstandsrecht nach Art. 20, 4 des Grundgesetzes? Darf er dann, ohne sich strafbar zu machen, zu Aktionen des passiven und gewaltlosen Widerstandes bzw. des zivilen Ungehorsams greifen?
Diese Fragen wurden seit April 1983 von Vertretern der Friedensbewegung, Verfassungsrechtlern und Regierungsvertretern kontrovers diskutiert. Der Schriftsteller Günter Grass bestritt am 24. Mai in einem Interview mit dem Saarländischen Rundfunk dem Parlament in der existentiellen Frage der Einführung der Pershing II-Raketen das Recht der Alleinentscheidung. »Da hat auch der einzelne Bürger das Recht, von sich aus gewaltlos seinen Widerstand deutlich zu machen.« Am 30. Mai hielt der

Richter am Bundesgerichtshof, Heinz Recken, in einem Interview mit dem Deutschlandfunk Verfassungsbeschwerden gegen die Stationierung amerikanischer Mittelstreckenraketen für grundsätzlich möglich. »Wir haben ja bisher keinerlei gesetzliche Legitimation für diese Gefährdung unseres Volkes. Es gibt kein Nachrüstungsgesetz, sondern ein Regierungsabkommen. Es ist umstritten, welche Rechte die Regierungen jeweils aus ihrer allgemeinen außen- und wehrpolitischen Kompetenz haben, aber daß eine akute Lebensgefahr für Menschen nicht ohne eine gesetzliche Billigung vorgenommen werden kann, das ergibt sich schon aus Artikel II, Absatz 2 des Grundgesetzes, wo es heißt: ›In die Rechte auf Leben und körperliche Unversehrtheit und Freiheit darf nur aufgrund eines Gesetzes eingegriffen werden.‹«
Auf dem Evangelischen Kirchentag bekundete Bundesverfassungsrichter Helmut Simon seine Sympathie mit Aktionen bürgerlichen Ungehorsams gegen die mögliche Raketenstationierung. Er warnte davor, die Grenze zwischen Gewalt und gewaltfreiem Ungehorsam durch eine gleichmacherische Kriminalisierung zu verwischen. In einer Entschließung forderte die Humanistische Union im Juni 1983 dazu auf, »wie in den Vereinigten Staaten Aktionen des gewaltfreien Widerstehens im Sinne des zivilen Ungehorsams anzuerkennen oder zu dulden. Das gewaltfreie Widerstehen ist ein Bürgerrecht ... Das gewaltfreie Widerstehen im Sinne des zivilen Ungehorsams ist eine Gegenwehr, die mehr Mut, Disziplin und Selbstüberwindung kostet als die Reaktion der Gewalttätigkeit.« Es sei aber keine Allzweckwaffe, sondern ein »allerletztes Mittel für den Fall, daß andere Formen des Protestes, der auf Gewissensgründen beruht, nicht zur Kenntnis genommen werden; der hohe persönliche Einsatz«, wird nach der Entschließung der Humanistischen Union erbracht, »um einer partiellen Rechtsverletzung entgegenzutreten, um fundamentale Rechte durchzusetzen oder um Leben zu schützen, das schließt ein: seine Unversehrtheit und Gesundheit sowie den Lebensraum«.
Das Komitee Grundrechte und Demokratie hatte im April 1983 seine Jahrestagung unter das Thema »Demonstrationsrecht und gewaltfreier Widerstand« gestellt und später als Ergebnis der Diskussionen zwei Broschüren veröffentlicht zu den Themen »Friedensbewegung zwischen Gewalt und Gewaltfreiheit« und »Demonstrationsrecht und gewaltfreier Widerstand«. In der sechsten These des zweiten Papiers kündigt das Komitee an: »Wir werden uns, ohne andere dazu zu nötigen oder aufzurufen, an gewaltfreien Blockaden beteiligen, wenn von der geplanten Stationierung der neuen US-amerikanischen Mittelstreckenraketen und anderen Maßnahmen der Weiterrüstung nicht abgesehen wird ... Das Mittel der gewaltfreien Blockade ist nur eines von vielen Mitteln, sich wider das Wett-

rüsten zu wehren.« Zugleich schränkte das Komitee jedoch ein: »Gewaltfreie Blockaden müssen außerdem sobald abgeblasen werden, wiebald die humanitären Kosten derjenigen, die sich daran beteiligen, zu groß werden. Märtyrer sind nicht erwünscht und dürfen noch weniger erzeugt werden.«

Die SPD-Führung zeigte Anfang Juli Verständnis dafür, daß auch Sozialdemokraten passiven Widerstand gegen die Aufstellung von US-Atomraketen leisten und dabei »Regeln verletzen« wollen. »Ich würde nicht dazu ermuntern«, sagte der SPD-Fraktionsvorsitzende Vogel in einem Gespräch mit der »Frankfurter Rundschau«, »aber ich kann es verstehen.« Wer daran teilnehme, müsse jedoch bereit sein, »den Preis dafür zu zahlen«. Und der SPD-Bundesgeschäftsführer schrieb ergänzend hierzu in der SPD-Mitgliederzeitschrift: »Wir werden . . . nicht zulassen, daß ziviler Ungehorsam, der das Gebot der Verhältnismäßigkeit beachtet, kriminalisiert wird.«

In einem langen »SPIEGEL«-Gespräch bestritt Bundesjustizminister Hans Engelhard ein verfassungsmäßiges Recht auf Widerstand gegen die Raketenstationierung. Auch Aktionen »zivilen Ungehorsams« seien rechtswidrig, da sie eine bewußte Verletzung von Gesetzen darstellten. Die Meinungsfreiheit schützt nach Ansicht des FDP-Politikers nicht die Äußerung von Meinungen durch rechtswidrige Mittel und finde im übrigen ihre Schranken in den allgemeinen Gesetzen. Minister Engelhard widersprach auch der Auffassung von Bundesrichter Recken, daß die Nachrüstung nur auf Grund eines Gesetzes und nur nach vorheriger Anhörung der Bürger erfolgen dürfe. »Die Bundesregierung nimmt mit ihrer Zustimmung zur Stationierung der Mittelstreckenraketen ihre Pflicht zum Schutz von Leben und Gesundheit der Bürger wahr.« Während sich die Verfassungsjuristen noch über die Rechtmäßigkeit von Protestaktionen stritten und die Regierung Kohl/Genscher eine Verschärfung des Demonstrationsrechtes beschloß, liefen die konkreten organisatorischen Vorbereitungen der Friedensbewegung für den erwarteten »heißen Herbst« bereits auf Hochtouren.

Die ersten wichtigen Vorentscheidungen für die letzten Monate vor der Stationierung wurden auf der 3. Aktionskonferenz der Friedensbewegung, an der am 16. und 17. April in der Pädagogischen Hochschule in Köln 700 Vertreter von Friedensgruppen aus allen Teilen des Bundesgebietes teilnahmen, getroffen. Dabei einigten sich die Gruppen nach teilweise kontroversen Diskussionen zwischen den Befürwortern einer zentralen Demonstration in Bonn (von den Kritikern als »Laßt-uns-latschen-Fraktion« tituliert) und den Dritte-Welt Gruppen und kirchlichen Friedensinitiativen, die sich vor allem für dezentrale Aktionen des zivilen Un-

gehorsams stark machten. Heftige Diskussionen gab es auch um die Formulierung des Aufrufs zu den Herbstaktionen: »Es ist an der Zeit: Sagt Nein! Keine neuen Atomraketen in unser Land!« Im Zusammenhang mit der UNO-Abrüstungswoche riefen die Gruppen der Friedensbewegung darin für die Woche vom 15. bis 22. Oktober 1983 angesichts der drohenden Stationierung neuer Atomraketen zu vielfältigen und gewaltfreien Aktionen und Veranstaltungen einschließlich Friedenscamps, Blockaden und Schweigestunden auf. Am Ende der zweitägigen Debatten einigten sich die Vertreter der Friedensbewegung auf einen Kompromißvorschlag des BBU-Vorsitzenden Jo Leinen, am 22. Oktober an drei Orten im Bundesgebiet Volksversammlungen durchzuführen. Die Frage einer konsultativen Volksbefragung wurde einer Kommission zur Prüfung übertragen. Am 28. und 29. Mai trafen sich 170 Vertreter gewaltfreier Aktionsgruppen in Frankfurt, um die einzelnen Aktionen aufeinander abzustimmen. Die Vertreter dieser autonomen Gruppen wollten schwerpunktmäßig für regionale Blockaden mobilisieren, die sich bis zur Ankunft der Raketen ständig steigern sollten. Am selben Wochenende beschlossen die badenwürttembergischen Grünen in Blaubeuren, mit spektakulären gewaltfreien Aktionen, wie z. B. einer hundert Kilometer langen »Menschenkette zwischen Ulm und Stuttgart«, gegen die geplante Raketenstationierung zu demonstrieren.
Am Wochenende vom 4. und 5. Juni standen zwei Regionalkonferenzen in Ulm und in Hannover ganz im Widerstreit der verschiedenen Strömungen der Friedensbewegung. Während vor allem die Vertreter der Gewerkschaften und Parteien Massenveranstaltungen für den 22. Oktober vorschlugen, plädierten die unabhängigen Aktionsgruppen dagegen für dezentrale Aktivitäten an den Stationierungsorten. In Ulm einigten sich die mehr als tausend Teilnehmer der Friedensbewegung aus ganz Süddeutschland, parallel zu den beiden Blockaden des EUCOM in Stuttgart und der Wiley-Barracks in Neu-Ulm eine Menschenkette zwischen beiden Städten zu bilden. In Hannover beschloß die Mehrheit gegen den entschiedenen Widerstand der autonomen Gruppen, die Volksversammlung am 22. Oktober 1983 in Hamburg durchzuführen.
Am 14. Juni stellte Jo Leinen vom BBU als einer der Sprecher des Koordinierungsausschusses der Friedensbewegung in Bonn neben diesen »Aktivitäten des Herbstes« einen außerparlamentarischen Feldzug zugunsten einer Volksbefragung gegen die Raketenstationierung vor. Übereinstimmend betonten dabei die Sprecher von 26 verschiedenen Gruppierungen, daß nur an gewaltfreie Aktionen »im Sinne von Gandhi und Martin Luther-King« gedacht sei.
Zur Vorbereitung der gewaltfreien Aktionen des zivilen Ungehorsams rief

die Gruppe Friedensmanifest am 1. Juli 1983 in einem Aufruf: »Gewaltfrei gegen Atomraketen?« zu einem Friedenscamp in Schwäbisch Gmünd/Mutlangen vom 6. August bis zum 4. September 1983 auf. »Wir erklären uns solidarisch mit gewaltfreien Aktionen gegen atomare und chemische Waffenlager und Raketenabschußrampen«, erklärten die Unterzeichner, unter ihnen Heinrich Albertz, Heinrich Böll, William Borm, Walter Dirks, Ingeborg Drewitz, Erhard Eppler, Robert Jungk, Oskar Lafontaine und Horst-Eberhard Richter. »Wir werden vom 1. bis 3. September 1983 gemeinsam mit gewaltfreien Aktionsgruppen und zusammen mit Pfarrern, Künstlern, Publizisten, Ärzten, Hochschullehrern, Gewerkschaftlern, Juristen, Politikern u. a. den Raketenstützpunkt Mutlangen bei Schwäbisch Gmünd blockieren. Dort sind Pershing I-Raketen stationiert und sollen im Spätherbst Pershing II aufgestellt werden.« Zugleich kündigten die 27 Unterzeichner an: »Wir werden uns auch an weiteren Aktionen beteiligen, falls es zur geplanten Stationierung kommt. Wir werden ferner Demonstranten, die sich an gewaltfreien Aktionen beteiligen, gegen Kriminalisierung und Bestrafung durch Kostenbescheide nach Kräften zu verteidigen suchen.« Die Unterzeichner begründen ihre Aktionen mit der Verpflichtung des Grundgesetzes, »›dem Frieden der Welt zu dienen‹. Es macht das Völkerrecht für unseren Staat verbindlich und verbietet alle Handlungen, die geeignet sind, ›das friedliche Zusammenleben der Völker zu stören‹. Das Grundgesetz steht damit gegen die Stationierung der neuen Raketen und legitimiert unseren Widerstand gegen sie. Sicherheit für uns kann nur gewonnen werden, wenn von unserem Lande keine Bedrohung anderer Länder ausgeht. Dies liegt in unserem ureigensten Interesse und in dem unserer Kinder.«
Die CDU/CSU bereitete gleichzeitig, unterstützt durch das Bundespresse- und Informationsamt der Bundesregierung und die Sicherheitskräfte, eine großangelegte Gegenoffensive für den NATO-Doppelbeschluß und für die herrschende Sicherheitspolitik vor. Anfang April 1983 hatte der »SPIEGEL« berichtet, daß das Bundespresseamt eine interministerielle Arbeitsgruppe mit Vertretern des Auswärtigen Amtes und des Verteidigungsministeriums unter Leitung des stellvertretenden Regierungssprechers Jürgen Sudhoff bilden wolle, um Journalisten mit Argumenten gegen die Friedensbewegung zu rüsten. »Ziel der Sommer-Kampagne: Die Friedensbewegung soll als gewalttätig und von Kommunisten gesteuert hingestellt werden. Große Wirkung erhoffen sich die Propagandastrategen im Presseamt von Journalisten-Reisen in das NATO-Hauptquartier nach Brüssel. Der Bonner NATO-Botschafter Hans Georg Wieck«, beschloß der »SPIEGEL« seine Meldung, »gilt als besonders geschickt im Umgang mit kritischen Zeitungsleuten.«

Während des Evangelischen Kirchentages in Hannover warf Verteidigungsminister Manfred Wörner in einem Vortrag vor der Gesellschaft für Wehrkunde der Friedensbewegung vor, sie »beschwört ... genau die Kriegsgefahr herauf, die sie zu bannen sucht«. Eine am 5. Mai in Berlin veröffentlichte Studie der Berliner Polizei verwies, offenbar als Teil der Medienstrategie, auf eindeutige Erkenntnisse der Sicherheitsbehörden, »daß große Teile der Friedensbewegung von der DKP konsequent unterstützt werden«. Am 24. Mai berichtete »Die Welt«, die DKP und ihre Jugendorganisationen hätten »offenbar die Blockierung von Nachschubtransporten für NATO-Basen in ihren Kampf gegen die Sicherheitspolitik der Bundesregierung fest einbezogen«. Unter dem Stichwort »Friedensspionage« habe sie in Nordwestdeutschland ein Spitzel- und Spähernetz aufgebaut. Ganz in diesem Sinne, die Friedensbewegung als tendenziell kommunistisch unterwandert und gewalttätig darzustellen, versuchte Innenminister Friedrich Zimmermann an das »Recht und Ordnungsempfinden« der Bürger zu appellieren und die Friedensbewegung zu isolieren. In einem Interview mit der Illustrierten »BUNTE« hielt es Zimmermann für nicht ausgeschlossen, »daß bei den erwarteten Demonstrationen gegen die Stationierung von amerikanischen Mittelstreckenwaffen im Herbst deutsche oder amerikanische Militäreinrichtungen angegriffen werden. Dabei könne es auch zu Auseinandersetzungen zwischen Soldaten und Demonstranten kommen. Die Vorbereitungen für die Demonstrationen würden ›maßgeblich von kommunistisch beeinflußten Gruppen‹ getroffen, die im Interesse Moskaus handelten und dafür Geld aus der DDR bekämen.« Demgegenüber schrieb die »Frankfurter Allgemeine Zeitung« am 9. Juli, daß den Sicherheitskräften derzeit konkrete Pläne für Gewaltaktionen im Herbst nicht vorlägen. Ähnlich urteilt Karl-Heinz Krumm am 27. Juli in der »Frankfurter Rundschau« nach Gesprächen mit dem Kölner Bundesamt für Verfassungsschutz: »Die bisherigen Erkenntnisse der Sicherheitsbehörden stützen schließlich nicht die These, daß im Zusammenhang mit der bevorstehenden Stationierung von US-Raketen das Potential politischer Gewalttäter erkennbar gestiegen ist.«
Da die Verdächtigungskampagne offenbar wirkungslos blieb, kündigte der CDU-Generalsekretär Heiner Geißler am 14. Juli auf einer Pressekonferenz für den Herbst 10 000 Friedenstage der CDU im ganzen Bundesgebiet zum Thema »Gemeinsam für Frieden und Freiheit« an. Die CDU will dabei, nach Ansicht Geißlers, deutlich machen, daß die Friedensbewegung keinen Alleinvertretungsanspruch auf Moral besitze. »Ein Christ kann aus voller Überzeugung und im Geist der Bergpredigt ja sagen zu unserer Verteidigungspolitik, auch zum Doppelbeschluß«, versuchte Geißler die offenbar verunsicherten Mitglieder, die vor allem durch die

aus dem Geist der Bergpredigt abgeleitete Nachrüstungskritik des Christdemokraten Franz Alt in Bewußtseinskonflikte geraten waren, zu beruhigen.
Die Aufklärungskampagne der CDU.soll mit einer Konferenz sämtlicher Kreisvorsitzenden, Bundestags- und Landtagsabgeordneten am 19. September 1983 eröffnet werden. Bis Ende November sollen die 10 000 »Friedentage« sich über alle Orts-, Stadt- und Kreisverbände zeitlich gestaffelt erstrecken und im November mit einem »Europäischen Friedenskongreß« in Bonn in den Europawahlkampf übergehen. Gegen diese parteioffizielle Friedenskampagne haben CDU-Mitglieder bereits einen Arbeitskreis gegen die Nachrüstung gebildet. Sie wollen – ihrem Vordenker Franz Alt folgend – mit dabei sein, wenn im Herbst Kasernen blockiert werden, wenn gefastet und demonstriert wird.
Ein aufregender, kämpferischer Herbst steht bevor. Ob es den Politikern in Washington und Moskau bzw. dem Duett Nitze und Kwitsinski in Genf noch gelingen wird, einen Kompromiß zu finden, der eine Stationierung der Pershing II und der landgestützten Marschflugkörper überflüssig macht, erscheint am 38. Jahrestag des ersten Einsatzes einer Atomwaffe in Hiroshima unwahrscheinlich. Ob es der Friedensbewegung gelingen wird, die Bonner Koalition zum Nachdenken zu bewegen, ist ungewiß. Ob die Wahlergebnisse in Hessen und Bremen den Denkprozeß beschleunigen oder die Selbstgewißheit festigen, wird bei Erscheinen dieses Buches feststehen.
Der ungewisse Herbst wird zu einer Bewährungsprobe für unsere Demokratie und vielleicht auch zu einer der erstesten Herausforderungen für die offizielle Sicherheitspolitik und für das Nordatlantische Bündnis. Ob die großen Vier unter dem Sonnendach von Guadeloupe in den ersten Januartagen des Jahres 1979 wohl eine Vorentscheidung für den NATO-Doppelbeschluß gefaßt hätten, wenn ihnen die politischen Folgen und der politische Preis bewußt gewesen wären? Vielleicht hat dieser Beschluß längerfristig eine positivere und heilsamere Wirkung auf die politischen Entscheidungsträger als die Abrüstungsgespräche der letzten 38 Jahre. Die Unterstützung des wahnsinnigen nuklearen Wettrüstens aufzukündigen, die Glasperlenspiele der Abschreckungsstrategen zu durchkreuzen, das kann einen heilsamen Prozeß des Überdenkens und der Suche nach neuen Verteidigungssystemen auslösen, die mit den Zielen der Entspannung vereinbar sind und die gestützt auf eine Konzeption der gemeinsamen Sicherheit das Suchen nach einer Europäischen Friedensordnung durch ein neues Europabewußtsein von unten beflügeln. Die Bewährungsprobe für die Friedensbewegung steht erst noch bevor, nachdem die Raketen kamen!

11. KAPITEL

Gibt es noch Auswege aus der Gefahr?

Sowohl die Befürworter als auch die Kritiker stimmen zumindest in einem Punkt überein: Es gibt kaum noch Aussichten, eine Null-Option oder eine Zwischenlösung bei den Genfer Mittelstreckengesprächen zu erzielen, die eine Stationierung von mindestens einigen der 572 Mittelstreckensysteme überflüssig machen würde. Ein doppelter Countdown hat begonnen:
- Auf seiten der NATO und in den drei ersten Stationierungsländern, Großbritannien, der Bundesrepublik Deutschland, Italien, haben die letzten Vorbereitungen für die Stationierungen begonnen.
- Bei der Friedensbewegung in Europa und in den USA sind die Vorbereitungen für die gewaltfreien Demonstrationen, Akte des zivilen Ungehorsams und Blockaden im Gange.

Sind angesichts der fehlenden Erfolgsaussichten der Genfer INF-Verhandlungen die Raketenstationierung, größere innenpolitische Unruhen und als Folge eine Schwächung der amerikanischen Verhandlungsposition und eine Abnahme der innenpolitischen Unterstützung für die NATO in mehreren Mitgliedsländern die einzige Alternative?
»In einer Allianz demokratischer Gesellschaften ist die Unterstützung der Bevölkerung für eine strategische Doktrin ebensowichtig«, schrieb Lawrence Freedman in der amerikanischen Zeitschrift »Foreign Policy« im Winterheft 1981/82, »wie die Fähigkeit der Doktrin, den Gegner zu beeindrucken . . . Die Demokratie ist auch entscheidend, da in einer wirklichen Krise der öffentliche Druck die Durchführung und den Erfolg jeder Doktrin beeinflußt.«
Wenn ein gemeinsamer Beschluß – wie der NATO-Doppelbeschluß vom 12. Dezember 1979 – nur gegen den massiven millionenfachen friedfertigen Protest der Bevölkerung in Westeuropa durchgesetzt werden kann, die durch eben diese Waffen geschützt werden soll, ist es dann nicht an der Zeit, diesen gemeinsamen Beschluß zu überprüfen und erneut Alternativen zu bewerten, die sowohl in den eigenen Ländern akzeptabel als auch für jeden Gegner als Abschreckung glaubwürdig sind? Können die bevorstehende innenpolitische Krise und eine zunehmende Infragestellung der

NATO-Strategie und des Nordatlantischen Bündnisses selbst noch abgewendet werden?
Auf folgende Fragen soll hier kurz eingegangen werden: Welche politisch-psychologische und militärisch-strategische Gründe haben 1979 zum NATO-Doppelbeschluß geführt? Welche Veränderungen im politisch-militärischen Umfeld und bei der Geschäftsgrundlage dieses Beschlusses sind seit dem 12. Dezember 1979 eingetreten? Gibt es noch militärische und politische Alternativen, die für die eigene Bevölkerung akzeptabel sind und die die gemeinsame Sicherheit nicht gefährden? Welche politische Ausgangslage zeichnet sich vor der Stationierung ab und welche Konsequenzen sind im Falle der Stationierung von Pershing II und Marschflugkörpern für die europäische Sicherheit absehbar? Welche weiteren destabilisierenden Waffensysteme und Strategiekonzepte stehen vor der Einführung? Welche Anforderungen sind an eine neue Sicherheitspolitik zu stellen, um Irrwege zu vermeiden? Gibt es eine positive friedenspolitische Perspektive für die europäische Friedensbewegung in West- und Osteuropa für die Zeit nachdem die Raketen kamen?

Politische und militärische Hintergründe für den NATO-Doppelbeschluß

Seit den fünfziger Jahren ist die NATO mit dem unauflösbaren Interessenkonflikt zwischen Amerikanern und Europäern über die konkrete Rolle des amerikanischen strategischen Nuklearschirms für die Verteidigung Europas konfrontiert. Die transatlantischen Reibereien, die zum NATO-Doppelbeschluß geführt haben, und die innenpolitischen Auseinandersetzungen in Westeuropa über diesen Beschluß sind der jüngste Ausdruck dieses grundlegenden Interessenunterschieds. Im Jahre 1977 hat der jetzige Verteidigungsminister Manfred Wörner diesen fundamentalen Interessenkonflikt innerhalb der NATO so beschrieben:
»Während die USA verständlicherweise interessiert sind, für den Fall des Versagens der Abschreckung in Europa den militärischen Konflikt möglichst lange begrenzt zu halten – also nicht zu eskalieren und den Konflikt unter Ausklammerung des eigenen Territoriums zu bewältigen –, liegt es im Interesse der Europäer, das Risiko für den Angreifer dadurch hochzuschrauben, daß verhältnismäßig schnell eskaliert werden kann und der Konflikt damit qualitativ und geographisch eine neue Dimension erhält. Dieser Interessenkonflikt ist unauflösbar.«
Dieser strategische Kontext hat die Suche nach einer militärischen Begründung für die Modernisierung der Mittelstreckensysteme beeinflußt, und er war für die Wahl von außen sichtbarer, landgestützter Systeme anstelle unverwundbarer seegestützter Systeme maßgeblich, die – aus

amerikanischer Sicht – die Sowjets nicht von amerikanischen strategischen Systemen unterscheiden könnte.

Nach David C. Elliot führten vier Entwicklungen zum NATO-Beschluß vom 12. Dezember 1979: »Erstens gab es da einige eigendynamische technologische Entwicklungen. Mitte der 1970er Jahre kam es zu einer zweiten Generation von Nuklearwaffen. Zweitens, die Entwicklung des strategischen Denkens betonte den Wert neuer Waffensysteme ... Einen dritten Anlaß lieferte die Sowjetunion ... Ein viertes Element ergab sich aus den SALT-Verhandlungen ... Die vorhersehbare Stabilisierung des strategischen Gleichgewichts bestärkte das Interesse an Gefechtsfeldsystemen sowohl aus der Sicht der Waffenentwicklung als auch der Rüstungskontrolle.«

Die Waffensysteme des Nachrüstungsstreits (SS-20, Pershing II und Marschflugkörper) sind illegitime Kinder des SALT-I-Vertrages von 1972:

- Das Versäumnis, auf die Mehrfachsprengköpfe (MIRV) zu verzichten, machte die SS-20 erst möglich, womit dann der Doppelbeschluß begründet wurde.
- Die Entwicklung der modernen Marschflugkörper war Teil des innenpolitischen Preises Präsident Nixons für die Zustimmung zum SALT-I-Vertrag.
- Die Nichtberücksichtigung der vornstationierten amerikanischen Systeme (FBS) ließ eine Grauzone der Rüstungskontrolle entstehen, auf die sich die sowjetische Rüstung (SS-20, Backfire) konzentrierte.

David Aaron, der ehemalige stellvertretende Sicherheitsberater Carters, gab 1983 offen zu, »daß der Hauptgrund für die Mittelstreckensysteme politischer Natur ... und die strategische Begründung für die Stationierung von Mittelstreckensystemen selbst unter den Befürwortern häufig konfus und widersprüchlich war«. Durch diesen Beschluß sollten drei Ziele erreicht werden: »zuallererst die Solidarität der Allianz; zweitens, eine zumindest begrenzte Stationierung von Mittelstreckensystemen; und drittens die Schaffung eines neuen Rahmens sowohl für die SALT-Gespräche als auch für das Allianzkonzept der nuklearen Abschreckung«. Von Anfang an gab es innerhalb der NATO keine Übereinstimmung über den genauen politischen Zweck und über die militärische Begründung für den NATO-Doppelbeschluß. Helmut Schmidts ursprüngliche Sorge aus dem Jahre 1979 über das sich verändernde eurostrategische Gleichgewicht lieferte die öffentliche Begründung, um die Defizite im Mittelstreckenbereich der NATO zu überwinden und um einige nukleare Anforderungen an die NATO-Doktrin aufzuheben, wie diese von den USA definiert wurden.

Die Nordatlantische Versammlung hielt nach Gesprächen mit deutschen, britischen und amerikanischen Beamten in den Jahren 1981 und 1982 unterschiedliche Begründungen für den umstrittenen Beschluß fest. Während die Mitglieder des Sonderausschusses für Nuklearwaffen in Bonn erfuhren, daß nukleare Mittelstreckensysteme als Antwort auf die SS-20 benötigt würden, betonten britische Beamte »die Notwendigkeit einer Modernisierung als eine Folge von Defiziten der flexiblen Reaktion . . . Die SS-20 war für dieses Argument nicht wesentlich, wenn auch ihre Stationierung den Modernisierungsbedarf erhöhte.« Dagegen hoben amerikanische Beamte »den Bedarf an Mittelstreckensystemen als Folge der Nukleardoktrin« hervor.

Aus diesen unterschiedlichen Begründungen ergaben sich unterschiedliche Erwartungen an die Rüstungskontrollverhandlungen. Während sich die deutschen Gesprächspartner einen völligen Verzicht auf Pershing II und landgestützte Marschflugkörper bei einem Erfolg der Rüstungskontrolle vorstellen konnten, betonten die Briten und Amerikaner den von der SS-20 unabhängigen westlichen Modernisierungsbedarf. Aber selbst für den unwahrscheinlichen Fall eines Erfolges der Rüstungskontrollverhandlungen – z. B. des Nitze-Kwitsinski-Kompromisses vom Juli 1982 – haben die amerikanischen Waffenplaner vorgesorgt. Sie wollen dann 108 Pershing II mit einer reduzierten Reichweite von wie bisher 800 Kilometern »nachrüsten«. Die Einführung von 72 dieser einstufigen Pershing II-Rakete bei der Bundeswehr erwartet das Pentagon ohnehin für 1986/87.

Der NATO-Doppelbeschluß konnte das Grunddilemma, den Interessenkonflikt zwischen Europäern und Amerikanern in der westlichen Nukleardoktrin, nicht lösen; die transatlantische Kontroverse hat diesen Konflikt durch das einseitige Abrücken der Reagan-Administration von der Geschäftsgrundlage des Doppelbeschlusses und durch neue strategische, technologische und politische Entwicklungen verschärft.

Der politische Preis für die Durchsetzung des NATO-Doppelbeschlusses ist inzwischen höher geworden als der ursprünglich von den vier Gesprächspartnern auf Guadeloupe damit erhoffte politisch-psychologische Nutzen. Richard Perle, einer der unnachgiebigsten Falken im Pentagon, gab am 26. Mai 1983 bei einem Arbeitsessen in den Redaktionsräumen der Zeitschrift »New Republic« offen zu, es sei ein Fehler gewesen, landgestützte Marschflugkörper in Europa zu stationieren. Da sie gegenüber gegnerischen Luftangriffen verwundbar seien, hätten sie nie einen besonderen militärischen Wert besessen. »Sie haben einen größeren politischen Schaden für die Allianz verursacht«, zitierte Fred Kaplan den Erzfalken am 2. Juni 1983 im »Boston Globe«, »als sie wert sind.«

Politisch-militärische Veränderungen in der Geschäftsgrundlage für den NATO-Doppelbeschluß zwischen Guadeloupe und Williamsburg

Seit dem 12. Dezember 1979 wurde die Geschäftsgrundlage für den NATO-Doppelbeschluß durch mindestens fünf einseitige amerikanische Entscheidungen verändert:

- Die Vereinigten Staaten haben einseitig ihre nukleare Einsatzpolitik mit der Annahme von PD 59 durch Präsident Carter im August 1980, durch die Entscheidungsdirektive No. 13 Präsident Reagans vom Oktober 1981 und durch die nukleare Einsatzpolitik von Verteidigungsminister Weinberger vom Juli 1982 sowie durch das Leitliniendokument modifiziert.
- Die amerikanische Armee nahm eine neue Doktrin an: das Air Land Battle-Konzept (FM 100-5/Operations), das u. a. unterschiedlich bestückbare Systeme (Pershing II, Mehrfachraketenwerfer, landgestützte Marschflugkörper und das Nachfolgesystem der Lance-Rakete) fordert, die sowohl konventionelle, chemische und nukleare Sprengköpfe für militärische Schläge gegen die zweite oder dritte Welle gegnerischer Angriffsverbände führen können.
- Die Reagan-Administration hat nach Protesten in den Wüstenstaaten Utah und Nevada die Zahl der von Carter geplanten MX-Raketen von 200 bzw. 2000 Sprengköpfen einseitig auf 100 MX-Raketen reduziert und sie hat sogar zweimal ihren Stationierungsmodus durch Expertenkommissionen untersuchen und revidieren lassen.
- Sie hat das Marschflugkörperprogramm durch Pläne, 4000 bis 5500 luftgestützte Marschflugkörper, etwa 4000 seegestützte sowie 565 landgestützte Cruise Missiles bis Ende der achtziger Jahre produzieren zu lassen, deutlich aufgestockt.
- Die Vereinigten Staaten haben auch einseitig den rüstungskontrollpolitischen Kontext des NATO-Doppelbeschlusses verändert, indem sie die Ratifizierung des SALT II-Vertrages ablehnten und die Aufnahme von Rüstungskontrollgesprächen über nukleare Mittelstreckensysteme um fast zwei Jahre verzögerten.

Diese fünf politischen und militärischen Entwicklungen haben eine direkte Wirkung auf den politisch-strategischen Kontext und auf die Philosophie des NATO-Doppelbeschlusses vom Dezember 1979, »die Stabilität und die Entspannung in Europa in Übereinstimmung mit der Politik der Abschreckung, der Verteidigung und der Entspannung, wie sie im Harmel-Bericht enthalten ist, zu fördern«. Wenn es keine Gefährdung der Sicherheit des Westens bedeutete, den Besorgnissen der Gegner einer MX-Stationierung in den Wüstenstaaten Utah und Nevada entgegenzukommen und den Stationierungsmodus der MX-Raketen zweimal überprüfen zu lassen, haben dann die besorgten Europäer, Briten, Italiener, Deutsche, Belgier und Holländer, nicht dasselbe Recht auf Gehör? Muß nicht das, was für die Gegner der MX-Stationierung in Utah und Nevada Rechtens war, für die Gegner einer mobilen Stationierung von Pershing II und landgestützten Marschflugkörpern im dichter besiedelten Mitteleuropa billig sein?

Klaas de Vries, ein langjähriges Mitglied des Verteidigungsausschusses des niederländischen Parlaments und der Nordatlantischen Versammlung, zog aus den einseitigen Veränderungen der amerikanischen Außen-, Sicherheits- und Rüstungskontrollpolitik von Carter zu Reagan die folgerichtige Konsequenz, daß »diese Schwankungen in der Rüstungskontrollpolitik, die verschiedenen Einstellungen in der Allianz zur Entspannung verbunden mit anderen Spannungsquellen es deshalb notwendig machten, den Beschluß neu zu bewerten und einige allgemeine Prinzipien, die die Sicherheitspolitik bestimmen sollten, erneut zu durchdenken«. Im Geiste des Harmel-Berichts von 1967 forderte Klaas de Vries eine Überprüfung des NATO-Beschlusses von 1979: »Die Stationierung sollte aufgeschoben werden, um die Entwicklung eines Rüstungskontrollansatzes zu gestatten, der die enge und illusorische Ausrichtung auf landgestützte Systeme vermeidet und die nuklearen Mittelstreckensysteme in den breiteren Kontext von SALT [START] stellt . . . Wenn die Vereinigten Staaten nicht gewillt sind, zu einem ausgewogeneren sicherheitspolitischen Ansatz zurückzukehren, dann werden die europäischen Partner nur eine begrenzte Alternative haben, das einzige Druckmittel einzusetzen, über das sie verfügen – die Zustimmung zur Stationierung der Nuklearwaffen auf ihrem Gebiet zu verweigern . . . Ohne die beiden Pfeiler: Verteidigung und Entspannung ist die NATO von zweifelhaftem Wert und sie wird zunehmend so von der öffentlichen Meinung in Europa beurteilt werden.«

Die fünf einseitigen Veränderungen der amerikanischen Außen- und Sicherheitspolitik unterstützen diesen Appell für eine Neubewertung des NATO-Beschlusses und für eine Rückkehr zur gemeinsamen politischen Philosophie der NATO: den Harmel-Bericht. Wird die NATO aber in der Lage sein, ebensoviel politische Flexibilität und Anpassungsfähigkeit aufzubringen, wie ihre Militärstrategie es fordert? Die Inflexibilität im Namen der proklamierten Beständigkeit der Allianz, der Solidarität und des Zusammenhalts seiner Mitglieder können dann konterproduktiv werden, wenn dadurch ein Prozeß gefördert wird, der das glaubwürdigste Element der gemeinsamen Politik der NATO gefährdet, die Präsenz der amerikanischen Truppen in Westeuropa.

Gibt es noch politisch-militärische Alternativen, eine Stationierung abzuwenden?

Es gibt mindestens drei alternative Handlungsperspektiven. Alle drei beinhalten gewisse Risiken: innenpolitisch, innerhalb der NATO und im Ost-West-Kontext:

- Die NATO hält unverändert an dem Beschluß vom Dezember 1979 fest und wird mit der Stationierung beginnen, ungeachtet der öffentlichen Proteste in Westeuropa und des innenpolitischen Preises, der hierfür zu entrichten ist.
- Einzelne NATO-Staaten könnten ihre Unterstützung für den NATO-Doppelbeschluß zurückziehen. Es ist aber äußerst unwahrscheinlich, daß die britische, die deutsche und die italienische Regierung dies noch tun werden. Der politische Schock hierauf für die amerikanische Regierung und den Kongreß wäre schwerwiegend.
- Die NATO könnte den Doppelbeschluß vom Dezember 1979 modifizieren angesichts der außen- und innenpolitischen Herausforderungen und der Veränderungen in der amerikanischen Nukleardoktrin, der Militär- und der Rüstungskontrollpolitik.

Die Lösung, die hierfür in den sechziger Jahren gefunden wurde: zusätzliche zentralstrategische Systeme, ca. 400 bis 480 Sprengköpfe der Poseidon-Raketen oder heute seegestützte Marschflugkörper (SLCM), dem NATO-Oberbefehlshaber zuzuordnen (zu assignieren), könnte hierfür ein Modell bereitstellen. Nach dem Rückzug der amerikanischen Thor- und Jupiter-Raketen aus Großbritannien, Italien und der Türkei im Jahr 1963 und nach dem Scheitern der Verhandlungen über eine multilaterale Nuklearstreitkraft (MLF) im Jahre 1965 fiel die NATO nicht auseinander. Warum sollten die Folgen heute tiefgreifender sein als in den sechziger Jahren?

Nur die letzte Alternative vermeidet die beiden Klippen: eine innenpolitische Konfrontation und eine ernste Krise in der Allianz. Wenn es für eine Übergangszeit einen militärischen Bedarf an einer eurostrategischen Abschreckungskomponente geben sollte, was in der politischen und wissenschaftlichen Diskussion kontrovers beurteilt wird, dann sollten Stationierungsalternativen den folgenden Kriterien genügen:

- gegen einen Überraschungsangriff oder terroristische und subversive Aktionen nicht verwundbar sein;
- die Abschreckung verbessern, ohne das Kriegführungspotential zu erhöhen;
- die Flexibilität und die Zweideutigkeit über die Kopplung mit den amerikanischen zentralstrategischen Systemen beibehalten;

- mit den beiden Zielen des Harmel-Berichts von 1967, die Verteidigungsfähigkeit zu erhalten und die Entspannung zu fördern, nicht kollidieren;
- mit rüstungskontrollpolitischen Bemühungen vereinbar sein;
- keinen neuen Stimulus für den euronuklearen Rüstungswettlauf bereitstellen;
- mit nationalen technischen Mitteln (Satelliten) überprüfbar sein;
- vermeiden, daß Ersparnisse als Folge eines Rüstungskontrollvertrages zu einem neuen Rüstungswettlauf in anderen Bereichen führen;
- für die Bürger in Europa und in den Vereinigten Staaten sowie für ihre Regierungen akzeptabel und schließlich auch kosteneffektiv sein.

Im Herbst 1983 sollten der Nordatlantikrat und die Außen- und Verteidigungsminister der Allianz in ihrer Bewertung der TNF-Erfordernisse der Allianz den Stationierungsvollzug um zwei Jahre aussetzen (Moratorium) und sowohl den Stationierungsmodus als auch die Verhandlungsstrategie überprüfen. Eine Zuordnung (Assignierung) einiger der bereits bestellten 1000 nuklearbestückten seegestützten Marschflugkörper (SLCM) an den NATO-Oberbefehlshaber (SACEUR) und eine Zusammenlegung der beiden Genfer Verhandlungsforen über strategische Waffen (START) und Mittelstreckenraketen (INF) könnte auch einen Beitrag zur Berücksichtigung der Nuklearwaffen Frankreichs und Großbritanniens leisten. Diese bereits 1979 u. a. von Carl Friedrich von Weizsäcker vorgeschlagene und von den Friedensforschern Horst Afheldt und Alfred Mechtersheimer, sowie von den SPD-Politikern Oskar Lafontaine, Hermann Scheer und seit Februar 1983 auch von Egon Bahr öffentlich unterstützte Seestützung würde die NATO-Nachrüstung, d. h. die Aufstellung von bis zu 572 landgestützten Mittelstreckensystemen überflüssig machen und zusätzlich die bisher bei den Genfer Rüstungskontrollverhandlungen auf amerikanischen Wunsch nicht berücksichtigten neuen seegestützten Systeme in den Abrüstungsdialog einführen.

Die politische Ausgangslage vor der Stationierung

Bei den Genfer Mittelstreckengesprächen stehen sich die beiden Supermächte im Raketenpoker mit widersprüchlichen Interessen gegenüber. Während die USA, aber auch die Briten, wegen der Veränderungen der Militärtechnologie (Veralten der britischen nuklearen Bomberflotte und verbesserte sowjetische Luftabwehr) und aus Gründen der neuen Nukleardoktrin eine Teilmodernisierung (»Zwischenlösung«) bzw. die Stationierung einiger der 572 vorgesehenen Systeme für unverzichtbar halten

und durch einen Rüstungskontrollvertrag die Präsenz neuer amerikanischer Atomraketen in Europa sanktionieren lassen möchten, erhofft sich die Sowjetunion mit den Vorschlägen Andropows – durch die Aufrechnung der sowjetischen mit den britischen und französischen Systemen – zum einen ein Verbot neuer amerikanischer Atomraketen in Europa und zum anderen einen »Modernisierungsschub« sanktionieren zu lassen. Während die Reagan-Administration auf die Standfestigkeit und das Festhalten der Stationierungszusage Kohls, Craxis und von Frau Thatcher setzt, erhofft das sowjetische Politbüro unter Andropow offenbar, daß die westeuropäische Friedensbewegung eine Durchführung des NATO-Doppelbeschlusses undurchführbar macht, d. h. einen einseitigen Verzicht des Westens ohne den Preis einer Verschrottung von Hunderten neuer SS-20-Raketen.
Daß der Nitze-Kwitsinski-Vorschlag sowohl für das Weiße Haus und das Pentagon als auch für den Kreml und den sowjetischen Generalstab unakzeptabel war, zum einen, weil er auf die Pershing II verzichtete, und zum anderen, weil er die britischen und französischen Systeme unberücksichtigt ließ, verdeutlicht die festgefahrene Verhandlungssituation in Genf. In den ersten fünf Verhandlungsrunden vom 30. November 1981 bis zum 14. Juli 1983 gab es in drei Punkten minimale Annäherungen: beim prozeduralen Ansatz (hier ist die Sowjetunion dem amerikanischen Begehren, sich in der ersten Phase auf landgestützte INF-Flugkörper zu konzentrieren, nachgekommen), beim Kräfteverhältnis (Andropow hat sich mit seiner Rede vom 21. Dezember 1982 hier der westlichen Position indirekt genähert) und bei der Zähleinheit (am 3. Mai 1983 erklärte Andropow erstmals bei einem Essen zu Ehren Erich Honeckers die Bereitschaft, auch über Sprengköpfe zu verhandeln). Die zentralen strittigen Probleme sind aber nach wie vor offen: *die Berücksichtigung der britischen und französischen Systeme,* die von den USA abgelehnt wird; *der geographische Geltungsbereich* auch für den asiatischen Teil der Sowjetunion, was diese entschieden zurückweist; die *Beschränkung der nuklearen Kurzstreckensysteme,* wozu widersprechende öffentliche Aussagen vorliegen; die *Frage der Überprüfbarkeit* (Verifikation) eines Abkommens, bei der die USA auf Inspektionen vor Ort beharren; und schließlich die Behandlung von *Mittelstrecken-Flugzeugen.*
Auch die durch Außenminister Genscher am 17. Juli in Sofia ausgelösten Spekulationen über die Realisierungsmöglichkeit des Nitze-Kwitsinski-Kompromisses bleiben widersprüchlich. Die Forderung nach einem Festhalten am Waffenmix (d. h. an der Stationierung der Pershing II im Winter 1983/84) und an einer Nichteinbeziehung der britischen und französischen Systeme ist mit den bekanntgewordenen Details der Waldspazier-

gangslösung nicht vereinbar. Die eindeutige Zurückweisung des Vorschlages eines Stationierungsaufschubs (Moratorium) und einer Überprüfung des Stationierungsmodus (Seestützung) durch die Bundesregierung läßt bisher weder Flexibilität noch eine eigenständige Position – sieht man von wahltaktisch wirkungsvollen sibyllinischen Interviews des Außenministers ab – erwarten.
Der Verhandlungsstand in Genf und die Haltung der um einen möglichst engen Schulterschluß mit der Reagan-Administration bemühten Bundesregierung lassen – zumindest im August 1983 – kein Verhandlungsergebnis erwarten, wodurch auf die Stationierung der Pershing II verzichtet würde. Die Raketen kommen! Möglicherweise kommen sie wegen noch immer auftretender Mängel erst Anfang 1984! Neben den gewaltfreien Aktionen der Friedensbewegung sind auch die ersten Bombenanschläge rechts- und linksextremer Desparados (z. B. gegen das amerikanische Offizierskasino in Hahn am 7. August 1983) feststellbar. Eine Polarisierung unserer Bevölkerung in der Raketenfrage erscheint unvermeidbar. Die Verschärfung des Demonstrationsrechts, mögliche Unfälle mit Pershing I-Fahrzeugen – wie 1981 und 1982 – sowie Kurzschlußreaktionen deutscher Sicherheitskräfte und amerikanischer Soldaten sind nicht auszuschließen. Welche emotionalen innenpolitischen Folgen ein »nuklearer Benno Ohnesorg« auf diesem Hintergrund haben kann, darüber läßt sich nur spekulieren. Eine der ernstesten Bewährungsproben unserer Republik steht bevor, die bei einer gleichzeitigen Arbeitslosigkeit von bis zu drei Millionen zu einer Desillusionierung über unser demokratisches Staatswesen und zu Destabilisierungserscheinungen unserer Republik führen kann. Durch ministerielle Erlasse, nur noch Jugendoffiziere in Schulklassen als Interpreten der Sicherheitspolitik zuzulassen, sowie durch eine Intensivierung der offiziellen NATO-treuen Öffentlichkeitsarbeit wird die »Glaubwürdigkeitslücke unserer Sicherheitspolitik« (Biedenkopf) nicht überwunden, sondern möglicherweise weiter verschärft. Akzeptanzkrise, Kostenexplosion bei der Rüstungsbeschaffung und die ab 1985/86 eintretenden Rekrutierungsprobleme der Bundeswehr bedingen sich gegenseitig. Wird das Akzeptanzproblem unserer Sicherheitspolitik generell und der Kernwaffen speziell nicht als Ergebnis eines offenen breiten Diskussionsprozesses gelöst, dann ist eine Rechtfertigungskrise unserer Sicherheitspolitik in den nächsten Jahren nicht auszuschließen.
Ende August 1983 wurde ein internes Papier des Bundespresseamtes bekannt, in dem vorgeschlagen wird, unter dem Oberbegriff »Friede braucht Sicherheit« noch vor der Aktionswoche der Friedensbewegung drei bis fünf Anzeigen breitgestreut in der Presse zu veröffentlichen. Anfang bis Mitte Oktober sollen 17 Millionen Sonderwerbeblätter »Politik« den Wo-

chenendausgaben der Tageszeitungen beigelegt werden. Außerdem ist vorgesehen, den Jahresabrüstungsbericht in einer Auflage von 250 000 Exemplaren zu verteilen. Im Rahmen dieser Kampagne gegen die Friedensbewegung sind entsprechende Chefredakteurspapiere geplant und werden Gespräche des Bundeskanzlers mit Rundfunkintendanten, Vertretern der Kirchen und Gewerkschaften sowie dem Jugendpresseclub vorgeschlagen. Ein Frühwarnsystem bei Funk und Fernsehen, »das rechtzeitig über die Programmplanung unterrichtet«, soll sicherstellen, daß »entsprechende Teilnehmer für Diskussionen angeboten werden können«. Hinzu kommt noch der Ankauf einer Fernsehdokumentation »Stationierungsjahr 1983«. »Rund sieben Millionen Mark veranschlagt das Presseamt für die Kampagne«, schreibt Carl-Christian Kaiser in der »Zeit« vom 2. September. Und all das soll im gleichen Jahr über die Bühne gehen, in dem die Deutsche Gesellschaft für Friedens- und Konfliktforschung aufgelöst wird.

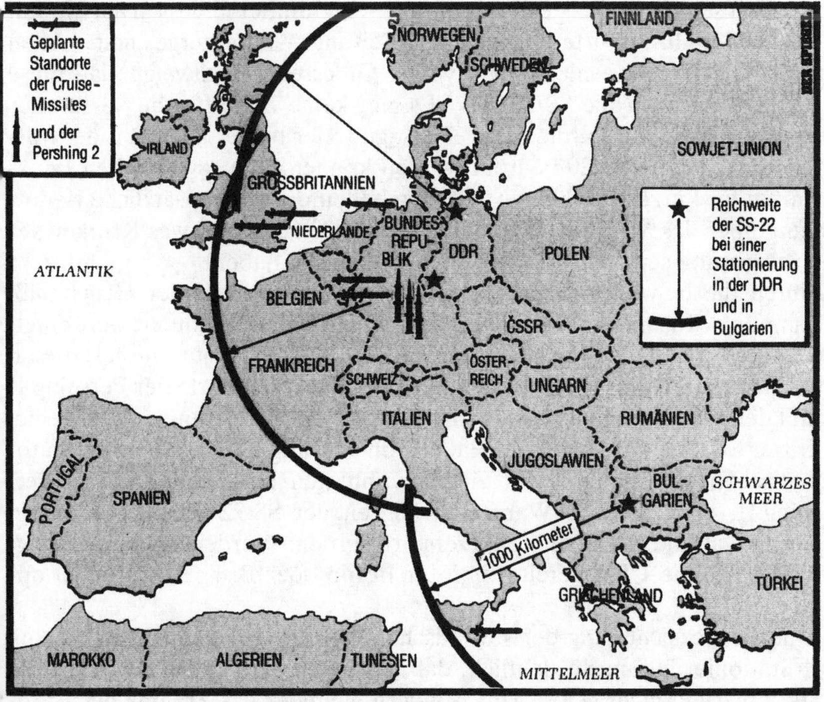

Sollte die Sowjetunion, als militärische Gegenmaßnahme zur Stationierung der Pershing II, SS-20-Raketen in der DDR und in Bulgarien stationieren, könnten diese bei einer Flugzeit von nur vier Minuten alle Standorte der neuen amerikanischen Mittelstreckenraketen in Europa erreichen und zerstören. Quelle: »DER SPIEGEL«, Nr. 30 vom 25. Juli 1983

Mögliche außen- und rüstungspolitische Konsequenzen eines Scheiterns der Mittelstreckenverhandlungen und der Raketenstationierung

Für den Fall einer Stationierung der Pershing II und der landgestützten Marschflugkörper im Winter 1983/84 hat die Sowjetunion militärische Gegenmaßnahmen angedroht. Der sowjetische Parteichef Andropow kündigte Anfang Juli gegenüber Bundeskanzler Helmut Kohl für diesen Fall an, einen »Raketenzaun« in Osteuropa zu errichten, wodurch die Gefahr für die Bundesrepublik um ein Vielfaches erhöht werde. Westliche Experten gehen davon aus, daß die Sowjetunion in größerer Zahl nukleare Kurzstreckensysteme wie die SS-21 (Reichweite ca. 120 km), die SS-22 (Reichweite ca. 1000 km) und die SS-23 (Reichweite ca. 350 km) in der DDR, der Tschechoslowakei und/oder in Bulgarien aufstellen könnte. Von der Bundesregierung und der konservativen Presse wird diese wahrscheinliche Gegenmaßnahme als bloße »Modernisierung von Waffen, die es schon seit den sechziger Jahren gibt« – so Günther Gillessen am 27. Juli 1983 in der »Frankfurter Allgemeinen Zeitung« – heruntergespielt. »Allen fehlt eine Endphasenlenkung«, wobei Gillessen verschweigt, daß diese Aussage auch für die SS-20 gilt. »Es gibt keine Ziele für die SS-12 oder SS-22 in Westeuropa, die nicht ebensogut oder besser auch von der Mittelstreckenwaffe SS-20 bedroht werden können. Die sowjetischen Lenkwaffen für kürzere und kurze Strecken bedeuten keine zusätzliche Bedrohung über das Maß hinaus, die von der SS-20 ausgeht«, was Kritiker der Nachrüstung seit 1979 von der SS-20 behauptet haben.
Durch die bewußte Verniedlichung möglicher sowjetischer Gegenmaßnahmen wird eine schwerwiegende strategische Konsequenz verdrängt: Mit diesen hoch beweglichen und mit höherer Präzision ausgestatteten sowjetischen Kurzstreckensystemen können die Standorte der Pershing II und der Marschflugkörper im Krisenfall von der Sowjetunion vom Gebiet dritter Staaten aus bei einem »launch on warning«, d. h. bei einem automatischen Gegenangriff auf einen vermuteten NATO-Angriff mit Pershing II, ohne jegliche Warnzeit (Flugzeit der SS-22 ist mit 4 Minuten geringer als die der Pershing II) zerstört werden. Würden bei diesem möglichen Fall die USA bereit sein, »für Berlin oder Brüssel Boston zu opfern«?
Eine Berücksichtigung der sowjetischen Konsequenzen auf die Pershing II-Stationierung macht deutlich, daß das Dilemma der NATO durch die Stationierung nicht gelöst wird, sondern vielmehr das Trauma der Europäer eines Nuklearkriegs der Supermächte auf dem Gebiet dritter Staaten, d. h. vor allem auf dem Gebiet der beiden deutschen Staaten, dadurch wahrscheinlicher werden dürfte. Es bedarf nur eines Zündfunkens – z. B.

eines militärischen Konflikts unter Einbeziehung sowjetischer und amerikanischer Streitkräfte am Persischen Golf oder eines Fehlalarms als Folge eines Computerfehlers oder von Stress in einer äußersten Krisensituation –, um einen Konflikt in einer rohstoffreichen und umkämpften Region in der Dritten Welt nach dem Muster eines Sarajewo-Effekts auf Mitteleuropa überschwappen zu lassen.
Das Festhalten der NATO am Ersteinsatz von Kernwaffen – eine Forderung der NATO-Strategie der flexiblen Erwiderung von 1967 –, die Einführung neuer destabilisierender Waffensysteme mit extrem kurzen Flugzeiten (Pershing II) für zeitkritische Ziele (Kommunikations- und Kommandozentralen) bzw. mit Terrainfolgenavigation, die von den Radars nicht rechtzeitig geortet werden können (luft-, see- und landgestützte Marschflugkörper), und die Einführung unterschiedlich bestückbarer Systeme im Rahmen des AirLand Battle-Konzepts der US-Streitkräfte senkt in einer akuten Krisensituation die nukleare Schwelle: Die Eskalation in einen Krieg (beispielsweise die horizontale Eskalation vom Persischen Golf nach Mitteleuropa) und die Eskalation eines konventionellen Krieges in einen Nuklearkrieg wird dadurch wahrscheinlicher.
Durch die geplante Produktion von bis zu 10 000 Marschflugkörpern für über 70 Milliarden DM in den USA bis Ende dieses Jahrzehnts oder nach Schätzungen der amerikanischen Rüstungskontrollgesellschaft von insgesamt ca. 30 000 Marschflugkörpern für 60 Milliarden US-Dollar bzw. 150 Milliarden DM wird ein neuer Rüstungswettlauf eingeleitet. Das Argument der Marschflugkörperlobby in den USA und in der Bundesrepublik, die Sowjetunion müsse für ein Abwehrsystem gegen Marschflugkörper ca. 50 Milliarden Dollar aufwenden, wird dann Ende dieses Jahrzehnts auch für die NATO gelten, wenn die Sowjetunion jene neuen Langstreckenmarschflugkörper, deren erfolgreichen Test die NATO erstmals im April 1983 meldete, zu Tausenden einführen sollte.
Die destabilisierenden Folgen der beiden Waffensysteme Pershing II und der Marschflugkörper sowie der neuen amerikanischen Nukleardoktrin und des AirLand Battle-Konzepts für die Abschreckung und die Erfolgsaussichten einer Politik der Entspannung und der Zusammenarbeit zwischen den Militärblöcken sind heute bereits erkennbar. Mit der Verschärfung der Konfrontation zwischen den Supermächten und den beiden Militärblöcken nimmt zugleich auch der außenpolitische Handlungsspielraum der Westeuropäer generell und der Bundesrepublik speziell rapide ab.
Bei der bevorstehenden Stationierung der Pershing II und der Marschflugkörper ab Winter 1983/84 als jüngster Schritt einer ungebändigten technologischen Imperativen folgenden Rüstungsdynamik steht auch die Zu-

kunft der Entspannungspolitik und einer unabhängigeren Politik der europäischen Staaten in West und Ost auf dem Spiel.
Die geplante Stationierung von 572 neuen amerikanischen Atomraketen in Westeuropa und die angedrohten sowjetischen Gegenmaßnahmen sind nur ein kleiner Ausschnitt eines sich verschärfenden nuklearen Rüstungswettlaufes zwischen den Supermächten. Nach den Berechnungen des SIPRI-Jahrbuches 1983 fügten die Vereinigten Staaten in den letzten 38 Jahren, von 1945 bis 1982, alle 30 Minuten die Sprengkraft einer Hiroshimabombe hinzu. 1982 besaßen nach Schätzungen von SIPRI die USA über 26 000 bis 30 420 und die Sowjetunion über 15 670 bis 25 000 atomare Sprengköpfe, d. h. beide verfügen über fast die millionenfache Sprengkraft der Hiroshimabombe. Nach Schätzungen des Washingtoner Militärexperten William Arkin umfaßt das gegenwärtige amerikanische Produktionsprogramm für sechs neue Nuklearsprengkopftypen insgesamt 9000 Sprengköpfe. Bis Mitte der neunziger Jahre werden die USA möglicherweise bis zu 37 000 neue Sprengköpfe herstellen, davon allein 23 000 bis 1990, die ältere Nuklearsprengköpfe ersetzen sollen. Bis 1990 wird die Gesamtzahl der amerikanischen Nuklearsprengköpfe von gegenwärtig 26 000 nach den von SIPRI zitierten Quellen auf 32 000 ansteigen. Ein Teil der neuen Nuklearsprengköpfe soll in Westeuropa veraltete Atomwaffen ablösen: 380 Neutronensprengköpfe für die Lance-Rakete, 800 Neutronensprengköpfe für die 203-mm-Haubitzen und ca. 1000 Neutronensprengköpfe für die 155-mm-Haubitzen. Die Mittel hierfür wurden Präsident Reagan im August 1983 vom Kongreß bewilligt. Sind davon möglicherweise bis zu 2000 Neutronensprengköpfe für die Bundesrepublik Deutschland vorgesehen? Die nächste »Nachrüstungskontroverse« nach dem für den Herbst erwarteten Abzug veralteter Kernsprengköpfe aus Westeuropa ist vorprogrammiert!
Fast unbemerkt – als die meisten Anhänger der Friedensbewegung und die Abgeordneten der Opposition in Urlaub waren – fiel eine weitere Vorentscheidung: In der Nacht vom 1. auf den 2. August folgte der amerikanische Kongreß einer Bitte von Präsident Reagan, er stimmte zu, daß die USA erneut mit der Produktion von binären Nervenkampfstoffen und von Giftgasgranaten beginnen. Nach einem Bericht des US-Repräsentantenhauses vom März 1983 »glauben amerikanische Regierungsbeamte, daß *die Stationierung zusätzlicher chemischer Waffen in Europa* für die Abschreckung eines sowjetischen C-Waffen Angriffs notwendig ist«. Daß auch die neue Bundesregierung inzwischen »die Lagerung neuartiger chemischer Kampfstoffe auf deutschem Territorium für unverzichtbar hält«, berichtete der »SPIEGEL« am 8. August 1983, der Staatssekretär im Verteidigungsministerium Lothar Rühl habe das indirekt am 29. Juli auf eine

Anfrage des FDP-Abgeordneten Olaf Feldmann bestätigt. Solange es kein Verbot chemischer Kampfstoffe gäbe und das Gebiet der Bundesrepublik von solchen Waffen des Warschauer Pakts bedroht würde, so beschied der FDP-Beamte seinen Parteikollegen, müßten die NATO-Partner, »eine begrenzte Fähigkeit zum Einsatz solcher Waffen als Repressalie erhalten«. Und im Gegensatz zu einer Antwort des ehemaligen Parlamentarischen Staatssekretärs Wilfried Penner vom 28. April 1982, wonach »aus militärischer-operativer Sicht der Wert einer Repressalie in der Bundesrepublik gering zu schätzen« sei, schwenkte die Hardthöhe nach der »Wende« in Bonn auch bei der Frage der chemischen Waffen auf Reagan-Kurs. »Eine Beschränkung auf die ›nichtchemischen Eskalationsoptionen der NATO‹ würde die Reaktionsmöglichkeiten des Bündnisses gefährlich einengen«, umschrieb Rühl die neue Position der Bundesregierung in der Giftgasfrage. Ab 1986 stehen die ersten binären Giftgasgranaten in der Bundesrepublik zur Einführung an. Ab 1986/87 wird schließlich die Einführung der ersten der 72 Pershing Ib-Raketen für die Bundeswehr erwartet. Auch nachdem die Raketen kamen, wird es für die Friedensbewegung in der Bundesrepublik an Themen und Mobilisierungsmöglichkeiten nicht mangeln. Aber damit dürften die »Glaubwürdigkeitslücke« unserer Sicherheitspolitik noch weiter steigen, die innergesellschaftlichen Auseinandersetzungen sich verschärfen und der transatlantische Konflikt sich vertiefen. Gibt es noch Auswege aus dieser Gefahr?

Herausforderungen und Krisentendenzen unserer Sicherheitspolitik

Folgende Krisentendenzen unserer Sicherheitspolitik erfordern eine Überprüfung der Militärstrategie, der Wehrstruktur und der Abrüstungskonzeption der Bundesrepublik im Rahmen der NATO:

- Der fortschreitende *Prozeß der Unterentwicklung und der Überrüstung* verschärft die sozialen Konflikte in der Dritten Welt und schafft damit neue Konfliktursachen. Die Übertragung des Ost-West-Konfliktes auf innerstaatliche und regionale Konflikte in der Dritten Welt führt zu Rüstungswettläufen in der Dritten Welt und zu kriegerischen Auseinandersetzungen, die auf Europa überschwappen können.
- Die ungebändigte *Aufrüstung verbraucht* im Frieden hochwertige und knappe *Rohstoffe.* Im Krieg führt der Einsatz von ABC-Waffen zu schwerwiegenden Gefährdungen der *Umwelt* und der *Lebensgrundlagen zukünftiger Generationen.*
- Die *Eigendynamik der Rüstungstechnologie* unterminiert die Stabilität der Abschreckung (z. B. durch die Einführung von Mehrfachspreng-

köpfen [MIRV], von Marschflugkörpern, durch die neue Weltraumrüstung und die Anstrengungen einer Anti-U-Boot-Kriegführung) und gefährdet die Erfolgsaussichten der Rüstungskontrolle.
- Die Bemühungen um *Rüstungskontrolle und Abrüstung* konnten eine Destabilisierung der Abschreckung durch neue Waffentechnologien nicht behindern und einer Verdopplung der Weltrüstungsausgaben in zwei Jahrzehnten nicht entgegenwirken.
- Die *NATO-Strategie der flexiblen Reaktion* hat durch einseitige Veränderungen der amerikanischen Nukleardoktrin von einer Strategie der wechselseitig gesicherten Zerstörung zu einer Doktrin der begrenzten nuklearen Einsatzmöglichkeiten (begrenzter nuklearer Schläge zur Enthauptung eines Gegners) die Rolle der Kernwaffen in der Abschreckungsstrategie des Westens grundlegend verändert.
- Die Reagan-Regierung hat sich von den langfristigen Zielen der NATO-Verteidigung und Entspannung – abgewandt. Die *ideologische Aufrüstung des Westens,* die Ansätze einer *ökonomischen Kriegführung* und die *beschleunigte militärische Aufrüstung der USA* (z. B. im Bereich des Weltraumes) verstoßen gegen die Ziele des Harmel-Berichts von 1967.

Diese zentralen Herausforderungen unserer Sicherheitspolitik erfordern eine Überprüfung der Strategie der flexiblen Reaktion, der Wehrstruktur und der Bewaffnung der Bundeswehr.

Anforderungen an eine neue Sicherheitspolitik der Bundesrepublik und der NATO

»Das höchste politische Ziel der Allianz ist es«, beschloß der NATO-Rat im Dezember 1967 einen vom belgischen Außenminister Pierre Harmel verfaßten Bericht über »die künftigen Aufgaben der Allianz«, »eine gerechte und dauerhafte Friedensordnung in Europa mit geeigneten Sicherheitsgarantien zu erreichen.« In diesem Bericht wurden als die beiden Hauptfunktionen der Allianz bezeichnet, »eine ausreichende militärische Stärke und politische Solidarität aufrecht zu erhalten, um gegenüber Aggressionen und anderen Formen der Druckanwendung abschreckend zu wirken« und »die weitere Suche nach Fortschritten in Richtung auf dauerhaftere Beziehungen, mit deren Hilfe grundlegendere politische Fragen gelöst werden können. Militärische Sicherheit und eine Politik der Entspannung stellen keinen Widerspruch, sondern eine gegenseitige Ergänzung dar.«

Ausgehend von dieser doppelten Aufgabe der NATO – Verteidigung +

Entspannung = Sicherheit – sollte sich eine neue Sicherheitspolitik für Europa an dem langfristigen Ziel einer *Europäischen Friedensordnung* orientieren, die sich auf drei Pfeiler stützen sollte:
- eine engere außen- und sicherheitspolitische Zusammenarbeit der Europäer innerhalb der NATO mit dem Ziel einer *Europäisierung;*
- eine Weiterentwicklung der Politik der Entspannung zu einer echten *Sicherheitspartnerschaft* auf der Grundlage des Vertrauens und der Zusammenarbeit;
- eine *Neutralisierung des Ost-West-Konflikts* in Europa und in der Dritten Welt durch eine engere politische und wirtschaftliche Zusammenarbeit Europas mit anderen Regionen der Dritten Welt *(interregionale Kooperation)*.

Anforderungen an eine neue Politik der Rüstungsbegrenzung

Die Politik der Aushandlung von Verträgen zur Rüstungsbegrenzung muß durch eine gradualistische Abrüstungsstrategie, d. h. durch kalkulierte Schritte der nationalen Selbstbeschränkung, wie z. B. Einfrierungen, Moratorien usw. ergänzt werden mit dem Ziel, die Erfolgsaussichten für Verhandlungen zu erhöhen, bei festgefahrenen Gesprächen einen Durchbruch zu erleichtern und ein Unterlaufen der Verhandlungen durch eine Verlagerung des Rüstungswettlaufes in neue Grauzonen zu vermeiden. Die Bemühungen um Rüstungsbegrenzung müssen sich stärker richten auf das Verbot destabilisierender Waffentechnologien und auf die Förderung des wechselseitigen Vertrauens u. a. durch einschneidende vertrauensbildende Maßnahmen.
In der Bundesrepublik fehlen bisher die Instrumente für eine Abrüstungsplanung in der Regierung und im Parlament. Die öffentliche Förderung der Forschung im Bereich der Rüstungsbegrenzung durch den Bund und die Länder sind unzureichend.

Anforderungen an eine Revision der NATO-Strategie

In einer Demokratie muß die eigene Militärstrategie einsehbar, plausibel und konsensfähig für die überwiegende Mehrheit der Bevölkerung sein. Die Militärstrategie muß zugleich für einen möglichen Gegner glaubwürdig sein und ihn von einer Aggression abhalten. Eine neue Strategie der NATO darf:
- die Führbarkeit eines Atomkrieges nicht erleichtern;

- die Eskalationswahrscheinlichkeit in einen Krieg (z. B. durch das Überschwappen eines regionalen Krieges auf Europa) und in einem Krieg (durch den schnellen Einsatz von A- und C-Waffen) nicht erhöhen;
- keine Ziele schaffen, die der anderen Seite nur die Möglichkeit lassen, einem Einsatz neuer Atomwaffen durch einen Präventivschlag zuvorzukommen (Präemptionszwänge);
- die Unterscheidbarkeit von konventionellen und chemischen sowie atomaren Waffen nicht erschweren;

Die neue Strategie der NATO muß vielmehr:
- für einen Gegner kalkulierbar sein;
- das Mißtrauen abbauen und die Erfolgsaussichten für Abrüstungsabkommen erhöhen;
- das Ziel einer gemeinsamen Sicherheit verfolgen.

Dringend geboten ist zunächst, neuen Irrwegen wie destabilisierenden Waffensystemen und Doktrinen entgegenzutreten. Statt fortzufahren, den nuklearen und chemischen Krieg in Europa führbar zu machen, sollte man »die historisch vielleicht einmalige Chance für eine beiderseitige, die Stabilität erhöhende Umrüstung auf eine ›strukturelle Nichtangriffsfähigkeit‹ nutzen«, wie dies in dem »Mainzer Appell« der Naturwissenschaftler im Juli 1983 gefordert wurde. »Um aber den zweiten Weg zu beschreiten, bedarf es einer politischen Grundsatzentscheidung. Unter dem Leitmotiv ›Durch Umrüstung zur Abrüstung‹ muß ein Neuanfang in der Rüstungskontrollpolitik gemacht werden.«
Mit derselben Zielrichtung hatte die ökumenische Arbeitsgruppe »Schritte zur Abrüstung« bereits im Mai 1981 gefordert: »Wir treten ein für die Umrüstung der Bundeswehr zu einer Streitmacht, die unser Territorium so wirksam wie möglich schützt, aber zu einem Angriff über unsere Grenzen hinaus strukturell unfähig ist.« In dem zweiten Bericht dieser Gruppe vom Mai 1983 wird die Forderung nach Abrüstung durch Umrüstung so begründet: »Glaubhafte Abrüstung geschieht nicht nur durch eine Verringerung der Waffenzahl und -stärke, sondern mehr noch durch eine Umrüstung der Streitkräfte. Und zwar so, daß sie auch im Urteil des Gegners zu effektiver Verteidigung fähig, aber zur Offensive unfähig ist.«
»Es gibt bereits durchdachte Pläne für eine solche Umrüstung der Bundeswehr«, erinnert die Gruppe »Schritte zur Abrüstung« an die Vorschläge von Horst Afheldt, Jochen Löser und der Studiengruppe für alternative Sicherheit. »Dazu würde u. a. gehören, Panzerverbände allmählich durch kleinere Einheiten mit Präzisionslenkwaffen zur Panzerbekämpfung zu ersetzen. Eine solche Umrüstung und die mit ihr verbundene Strategie ist gewiß nicht einfach identisch mit den gegenwärtigen Interes-

sen anderer NATO-Staaten; für die Bundesrepublik ist sie aber lebenswichtig und muß darum im Bündnis vereinbart werden.«
Die Forderung »Abrüstung durch Umrüstung« erfordert sowohl eine Revision der Wehrstruktur der Bundeswehr als auch ihrer Bewaffnung durch eine sorgfältige Überprüfung der laufenden längerfristigen Rüstungsprogramme. Ein erster Schritt hierzu ist die Vermeidung zweier falscher Alternativen: der Stationierung neuer nuklearer Mittelstreckensysteme und der Verwirklichung des Rogers-Planes bzw. des AirLand Battle-Konzepts der amerikanischen Streitkräfte, das bereits Eingang in eine gemeinsame Absichtserklärung der US Army und des Heeres über »AirLand Battle 2000« vom August 1982 Eingang fand.
Als Antwort auf die zunehmende Besorgnis der Öffentlichkeit über die Rolle der Kernwaffen in der NATO-Strategie wird von dem Oberkommandierenden der NATO, General Rogers, und von Verteidigungsminister Wörner ein neues konventionelles Verteidigungskonzept propagiert (Rogers-Plan, AirLand Battle und AirLand Battle 2000). Rogers und Wörner fordern die Einführung neuartiger konventioneller Waffen in die NATO-Arsenale, die in die Tiefe des »gegnerischen Raumes wirken können und sich durch besondere Kosteneffektivität zu empfehlen scheinen«. Mit diesen neuen Technologien sollen ortsfeste Flächenziele (Flugplätze), ortsfeste Punktziele (Radaranlagen, Kommunikationseinrichtungen usw.) sowie bewegliche Punktziele im Hinterland des Gegners getroffen werden.
Gegenüber dem Rogers-Plan und dem AirLand Battle-Konzept bestehen folgende rüstungskontroll- und entspannungspolitische Bedenken:

- Der Besitz von Waffen, die in die Tiefe des Raumes des Gegners wirken sollen, können im Krisenfall den Handlungsdruck erhöhen.
- Sollte der Gegner die Fähigkeit entwickeln, die intelligenten Waffen mit einfachen Mitteln zu blenden und zu täuschen, könnte der Zwang zum Einsatz von Atomwaffen und damit die Eskalationsgefahr erheblich steigen.
- Die neuen Trägersysteme, die im Rahmen der AirLand Battle-Konzeption von amerikanischen Militärs gefordert werden (Pershing II, landgestützte Marschflugkörper, das Nachfolgesystem der Lance: Corps Support Weapon System, der Mehrfachraketenwerfer u. a.), sollen nicht nur mit konventionellen, sondern auch mit binären chemischen und mit nuklearen Gefechtsköpfen ausgerüstet werden. Müßte der Gegner bei einer konventionell bewaffneten Rakete (bzw. Flugkörper) nicht von einer atomaren ausgehen und würde er darauf nicht sofort nuklear antworten? Eine Senkung der Nuklearschwelle und eine schnelle Eskalation in einen Nuklearkrieg wären die Folge!

- Die schnelle Austauschbarkeit konventioneller, chemischer und nuklearer Sprengköpfe für die neuen Trägersysteme untergräbt das Ziel der Überprüfbarkeit der Rüstungskontrollgespräche.

Der Rogers-Plan und das AirLand Battle-Konzept bilden keine Grundlage für eine neue Sicherheitspolitik, da sie die Präemptionszwänge erhöhen, das Mißtrauen fördern und die Erfolgsaussichten von Rüstungsbegrenzungsbemühungen und von Entspannung senken.

Eine alternative Verteidigungskonzeption muß mit den verfügbaren Kosten und dem abnehmenden Personal realisierbar sein und von der Bevölkerung mitgetragen werden.

Veränderungen in der Wehrstruktur und der Bewaffnung sollten zu Streitkräften führen, die aus drei Elementen bestehen:
- einer statischen Raumverteidigung;
- relativ kleinen mobilen, mechanisierten Eingreifkräften als aktivem Element und
- einem rückwärtigen Raum- und Objektschutz.

Die Verknüpfung statischer und mobiler Komponenten, die Vermeidung einer offenen Feldschlacht und der dafür erforderlichen Konzentration von Verbänden sowie eine Nadelstichtaktik würde den Gegner schnell abnutzen und irritieren.

Das statische Element (Infanterie) sollte aus einer Vielzahl kleiner betonierter Stellungen (jeweils 3 bis 5 für 2 bis 3 Soldaten) bestehen, die auf dem Gebiet des Verteidigers tief gestaffelt aufgebaut werden sollten. Die ortskundigen Infanteriekommandos sollten mit Panzerabwehrraketen ausgerüstet werden. Während die grenznahen Verbände weitgehend aus aktiven Soldaten bestehen sollten, könnten die weiter rückwärtigen Einheiten gekadert und im Ernstfall mit ortskundigen Reservisten aufgefüllt werden.

Das mobile Element sollte neben Panzern, mobiler Infanterie auf leicht gepanzerten Fahrzeugen, Hubschrauber zur Panzerbekämpfung und intelligente Waffen für indirektes Feuer einbeziehen.

Das neue Verteidigungskonzept muß mit den anderen alliierten Truppen abgestimmt werden. Es kann auf landgestützte Atomwaffen verzichten.

Auch nachdem die Raketen kamen, darf die friedens- und sicherheitspolitische Diskussion nicht erlahmen. Der NATO-Doppelbeschluß hat eine breite Suche nach Wegen aus der Gefahr in allen Schichten unserer Bevölkerung ausgelöst. Vielleicht wird die Durchsetzung dieses Beschlusses gegen den millionenfachen Protest besorgter Bürger zu einem Phyrrhussieg, wenn es der Friedensbewegung gelingt, eine längerfristige gemeinsame Perspektive einer Europäischen Friedensordnung und einer neuen

Sicherheitspolitik zu entwickeln und aus dem Bewußtsein einer »Sicherheitspartnerschaft gegen die Vernichtung« ein neues Europabewußtsein vorzuleben und ein Europa von unten, nicht das Europa der Bürokraten, sondern das Europa der Bürger, zu schaffen.

Anhang

Vortrag des Bundeskanzlers Helmut Schmidt vor dem International Institute for Strategic Studies in London am 28. Oktober 1977

(Auszug)

SALT, MBFR, Neutronenwaffe:
Strategische und politische Notwendigkeiten

Sie gehen wohl alle mit mir darin einig, daß das politisch-militärische Gleichgewicht Voraussetzung unserer Sicherheit ist, und ich warne vor der Illusion, daß es irgend etwas geben könnte, das uns erlauben würde, die Aufrechterhaltung dieses Gleichgewichts zu vernachlässigen. Es ist nicht nur Voraussetzung unserer Sicherheit, sondern auch Voraussetzung für einen fruchtbaren Fortgang der Entspannung.

Erstens sollten wir sehen, daß die Gefahren eines riskanten Wettrüstens beider Seiten und – so absurd es erscheinen mag – die Möglichkeiten einer kontrollierten Rüstungsbegrenzung näher als je zuvor beieinander liegen. Es ist nur ein schmaler Grat, der Friedenshoffnung und Kriegsgefahr trennt.

Zweitens stellen uns die veränderten strategischen Bedingungen vor neue Probleme. SALT schreibt das nuklearstrategische Gleichgewicht zwischen der Sowjetunion und den USA vertraglich fest. Man kann es auch anders ausdrücken: Durch SALT neutralisieren sich die strategischen Nuklearpotentiale der USA und der Sowjetunion. Damit wächst in Europa die Bedeutung der Disparitäten auf nukleartaktischem und konventionellem Gebiet zwischen Ost und West.

Drittens müssen wir die Wiener Verhandlungen über gegenseitige ausgewogene Truppenreduzierungen (MBFR) voranbringen, um so einen wichtigen Schritt in Richtung auf ein ausgewogenes Kräfteverhältnis in Europa zu tun.

Niemand kann bestreiten, daß das Prinzip der Parität vernünftig ist. Es muß jedoch Zielvorstellung aller Rüstungsbegrenzungs- und Rüstungskontrollverhandlungen sein und für alle Waffenarten gelten. Einseitige Einbußen an Sicherheit sind für keine Seite annehmbar.

Wir alle haben ein vitales Interesse daran, daß die Gespräche der beiden Großmächte über die Begrenzung und den Abbau nuklearstrategischer Waffen weitergehen und zu einem verläßlichen Abkommen führen. Die

Nuklearmächte tragen hier eine besondere, eine überragende Verantwortung.

Auf der anderen Seite jedoch müssen gerade wir Europäer ein besonderes Interesse daran haben, daß auf diesem Gebiet nicht isoliert von den Faktoren verhandelt wird, die die Abschreckungsstrategie der NATO zur Kriegsverhinderung ausmachen.

Wir alle stehen vor dem Dilemma, dem moralischen und politischen Anspruch auf Rüstungsbegrenzung genügen und gleichzeitig die Abschrekkung zur Verhinderung eines Krieges voll aufrechterhalten zu müssen.

Wir verkennen nicht, daß sowohl den USA als auch der Sowjetunion zu gleichen Teilen daran gelegen sein muß, die gegenseitige strategische Bedrohung aufzuheben. Aber: Eine auf die Weltmächte USA und Sowjetunion begrenzte strategische Rüstungsbeschränkung muß das Sicherheitsbedürfnis der westeuropäischen Bündnispartner gegenüber der in Europa militärisch überlegenen Sowjetunion beeinträchtigen, wenn es nicht gelingt, die in Europa bestehenden Disparitäten parallel zu den SALT-Verhandlungen abzubauen. Solange dies nicht geschen ist, müssen wir an der Ausgewogenheit aller Komponenten der Abschreckungsstrategie festhalten. Das bedeutet: Die Allianz muß bereit sein, für die gültige Strategie ausreichende und richtige Mittel bereitzustellen und allen Entwicklungen vorzubeugen, die unserer unverändert richtigen Strategie die Grundlage entziehen könnten.

Quelle: Bulletin, Presse- und Informationsamt der Bundesregierung, Nr. 112, 8. November 1977

Appell für ein nukleares Waffenmoratorium

(Amsterdamer Appell vom 11. November 1979)

Als Wissenschaftler aus verschiedenen westeuropäischen Ländern und aus den USA, die über Fragen der europäischen Sicherheit, der Verteidigung, der Rüstungskontrolle und der Abrüstung arbeiten, sind wir besorgt über die ernste Gefahr:

- daß eine neue Phase des nuklearen Rüstungswettlaufs in Europa eintreten kann;
- daß Europa zu einer Abschußbasis für neue und komplexere Atomwaffen wird;
- daß ein begrenzter nuklearer Krieg eher vorstellbar und dadurch wahrscheinlicher werden kann;
- daß dies die Entspannung und die Zusammenarbeit in Europa untergräbt und zu einem neuen Kalten Krieg führt und
- daß Bemühungen, die soziale Gerechtigkeit zu erweitern, und die Einhaltung der Menschenrechte in Europa dadurch geschwächt werden.

Wir erinnern die betroffenen Regierungen, daß das Russell-Einstein-Manifest vom Juli 1955, das die Gefahren eines Atomkrieges hervorhob, nichts an seiner Dringlichkeit eingebüßt hat. Wir erinnern die Regierungen an die Besorgnis, die Überzeugung und an die Entschlossenheit, die sie im Schlußdokument der zehnten Sonderkonferenz der Vereinten Nationen über Abrüstung zum Ausdruck brachten:
»beunruhigt über die Gefahr, die das Vorhandensein von Kernwaffen und das anhaltende Wettrüsten für den Fortbestand der Menschheit darstellen, und eingedenk der Verwüstung, die alle Kriege anrichten;
überzeugt, daß die Abrüstung und Rüstungsbegrenzung, insbesondere im nuklearen Bereich zur Abwendung der Gefahr eines Atomkrieges und zur Stärkung des Weltfriedens und der internationalen Sicherheit sowie für den wirtschaftlichen und sozialen Fortschritt aller Völker von entscheidender Bedeutung sind und damit die Verwirklichung der neuen Weltwirtschaftsordnung erleichtern;
entschlossen, die Grundlage für eine internationale Abrüstungsstrategie zu schaffen.«

Die betroffenen Regierungen fordern wir nachdrücklich auf:
- sofort die Produktion und Stationierung jener Raketen einzustellen, die als SS-20 bekannt wurden *(Produktions- und Stationierungsstopp)*;
- im Dezember 1979 oder später keine Entscheidung für die Produktion und Stationierung neuer Mittelstreckenraketen in Europa zu fällen, solange der Produktionsstopp eingehalten wird *(Produktions- und Stationierungsmoratorium)*;
- umgehend Verhandlungen mit dem Ziel aufzunehmen, die bestehenden nuklearen Potentiale nicht zu verbessern und fortschreitend die Gesamtzahl der Nuklearwaffen in Europa zu vermindern.

Während einige argumentieren, daß eine Entscheidung über Produktion und Stationierung der Aufnahme realistischer Rüstungskontrollverhandlungen vorangehen müsse, zeigt die Erfahrung mit der früheren Entwicklung von Waffen als Trumpfkarten, daß diese neuen Waffen, sobald sie einmal produziert sind, eine Eigendynamik entfalten, die es nahezu unmöglich macht, auf sie in Rüstungskontrollverhandlungen zu verzichten.

Die Warnung des früheren britischen Wissenschaftsberaters Lord Zuckerman besitzt noch immer Gültigkeit: »Die Entscheidungen, die wir heute auf dem Gebiet der Wissenschaft und Technologie treffen, beeinflußt die Taktik, dann die Strategie und schließlich die Politik von morgen.«

Wie lange werden die politischen Führer der Staaten der NATO und der Warschauer Vertragsorganisation die Gefangenen des ungezügelten Prozesses der Waffenerneuerung, der Beschaffung und Stationierung bleiben?

Wir bitten die politische Führung der betroffenen Länder, den Rüstungswettlauf in Europa einzuschränken. Wir fordern sie auf, das Primat der politischen Kontrolle und Führung über technologische Zwänge, militärische Erfordernisse und bürokratische Automatismen durchzusetzen. Wir fordern sie dringend auf, sich zugunsten eines sofortigen Stopps und eines Moratoriums für Mittelstreckenraketen zu entscheiden.

Amsterdam, den 11. November 1979

Kommuniqué der Sondersitzung der Außen- und Verteidigungsminister der NATO am 12. Dezember 1979 in Brüssel

1. Die Außen- und Verteidigungsminister trafen am 12. Dezember 1979 in Brüssel zu einer Sondersitzung zusammen.
2. Die Minister verwiesen auf das Gipfeltreffen vom Mai 1978, bei dem die Regierungen ihre politische Entschlossenheit zum Ausdruck brachten, der Herausforderung zu begegnen, die der fortdauernde intensive militärische Aufwuchs auf seiten des Warschauer Paktes für ihre Sicherheit darstellt.
3. Im Laufe der Jahre hat der Warschauer Pakt ein großes und ständig weiterwachsendes Potential von Nuklearsystemen entwickelt, das Westeuropa unmittelbar bedroht und eine strategische Bedeutung für das Bündnis in Europa hat. Diese Lage hat sich innerhalb der letzten Jahre in besonderem Maße durch die sowjetischen Entscheidungen verschärft, Programme zur substantiellen Modernisierung und Verstärkung ihrer weitreichenden Nuklearsysteme durchzuführen. Insbesondere hat die Sowjetunion die SS-20-Rakete disloziert, die durch größere Treffgenauigkeit, Beweglichkeit und Reichweite sowie durch die Ausrüstung mit Mehrfachsprengköpfen eine bedeutende Verbesserung gegenüber früheren Systemen darstellt, und sie hat den Backfire-Bomber eingeführt, der wesentlich leistungsfähiger ist als andere sowjetische Flugzeuge, die bisher für kontinentalstrategische Aufgaben vorgesehen waren. Während die Sowjetunion in diesem Zeitraum ihre Überlegenheit bei den nuklearen Mittelstreckensystemen (LRTNF) sowohl qualitativ als auch quantitativ ausgebaut hat, ist das entsprechende Potential des Westens auf demselben Stand geblieben. Darüber hinaus veralten diese westlichen Systeme, werden zunehmend verwundbarer und umfassen zudem keine landgestützten LRTNF-Raketensysteme.
4. Gleichzeitig hat die Sowjetunion auch ihre Nuklearsysteme kürzerer Reichweite modernisiert und vermehrt und die Qualität ihrer konventionellen Streitkräfte insgesamt bedeutend verbessert. Diese Entwicklung fanden vor dem Hintergrund des wachsenden Potentials der Sowjetunion

im interkontinental-strategischen Bereich und der Herstellung der Parität mit den Vereinigten Staaten auf diesem Gebiet statt.
5. Diese Entwicklungen haben im Bündnis ernste Besorgnis hervorgerufen, daß – falls sie fortdauern sollten – die sowjetische Überlegenheit bei den Mittelstreckenwaffen die bei den interkontinentalen strategischen Systemen erzielte Stabilität aushöhlen könnte. Durch diese Entwicklungen könnte auch die Glaubwürdigkeit der Abschreckungsstrategie des Bündnisses dadurch in Zweifel gezogen werden, daß die Lücke im Spektrum der dem Bündnis zur Verfügung stehenden nuklearen Reaktionen auf eine Aggression stärker akzentuiert würde.
6. Die Minister stellten fest, daß diese jüngsten Entwicklungen konkrete Maßnahmen des Bündnisses erfordern, wenn die NATO-Strategie der flexiblen Reaktion glaubwürdig bleiben soll. Nach intensiven Beratungen auch über alternative Ansätze und deren Wert und nach Kenntnisnahme der Haltung bestimmter Bündnispartner kamen die Minister überein, daß dem Gesamtinteresse der Allianz am besten dadurch entsprochen wird, daß die zwei parallelen und sich ergänzenden Ansätze: LRTNF-Modernisierung und -Rüstungskontrolle verfolgt werden.
7. Die Minister haben daher beschlossen, das LRTNF-Potential der NATO durch die Dislozierung von amerikanischen bodengestützten Systemen in Europa zu modernisieren. Diese Systeme umfassen 108 Abschußvorrichtungen für Pershing II, welche die derzeitigen amerikanischen »Pershing Ia« ersetzen werden, und 464 bodengestützte Marschflugkörper (GLCM). Sämtliche Systeme sind jeweils mit nur einem Gefechtskopf ausgestattet. Alle Staaten, die zur Zeit an der integrierten Verteidigungsstruktur beteiligt sind, werden an diesem Programm teilnehmen. Die Raketen werden in ausgewählten Ländern stationiert, und bestimmte Nebenkosten werden im Rahmen von bestehenden Finanzierungsvereinbarungen der NATO gemeinsam getragen werden. Das Programm wird die Bedeutung nuklearer Waffen für die NATO nicht erhöhen. In diesem Zusammenhang kamen die Minister überein, daß als integraler Bestandteil der TNF-Modernisierung so bald wie möglich tausend amerikanische nukleare Gefechtsköpfe aus Europa abgezogen werden. Weiterhin beschlossen die Minister, daß die 572 LRTNF-Gefechtsköpfe innerhalb dieses verminderten Bestands untergebracht werden sollen. Dies impliziert notwendigerweise eine Gewichtsverlagerung mit der Folge, daß die Zahl der Gefechtsköpfe von Trägersystemen anderer Typen und kürzerer Reichweite abnimmt. Zusätzlich haben die Minister mit Befriedigung zur Kenntnis genommen, daß die Nukleare Planungsgruppe (NPG) eine genaue Untersuchung vornimmt über Art, Umfang und Grundlage der sich aus der LRTNF-Dislozierung ergebenden Anpassungen und ihrer möglichen Aus-

wirkungen auf die Ausgewogenheit von Aufgaben und Systemen im gesamten nuklearen Arsenal der NATO. Diese Untersuchung wird Grundlage eines substantiellen Berichts an die Minister der NPG im Herbst 1980 sein.

8. Die Minister messen der Rüstungskontrolle als Beitrag zu einem stabileren militärischen Kräfteverhältnis zwischen Ost und West und zur Förderung des Entspannungsprozesses eine große Bedeutung bei. Dies spiegelt sich wider in einem breitangelegten Spektrum von Initiativen, die im Bündnis geprüft werden mit dem Ziel, die Weiterentwicklung von Rüstungskontrolle und Entspannung in den achtziger Jahren zu fördern. Die Minister betrachten die Rüstungskontrolle als integralen Bestandteil der Bemühungen des Bündnisses, die unverminderte Sicherheit seiner Mitgliedstaaten zu gewährleisten und die strategische Lage zwischen Ost und West auf einem beiderseits niedrigeren Rüstungsniveau stabiler, vorhersehbarer und beherrschbarer zu gestalten. In dieser Hinsicht begrüßen sie den Beitrag, den der SALT II-Vertrag zur Erreichung dieser Ziele leistet.

9. Die Minister sind der Auffassung, daß auf der Grundlage des mit SALT II erreichten und unter Berücksichtigung der die NATO beunruhigenden Vergrößerung des sowjetischen LRTNF-Potentials nun auch bestimmte amerikanische und sowjetische LRTNF in die Bemühungen einbezogen werden sollten, durch Rüstungskontrolle ein stabileres, umfassendes Gleichgewicht bei geringeren Beständen an Nuklearwaffen auf beiden Seiten zu erzielen. Dies würde frühere westliche Vorschläge und die erst kürzlich geäußerte Bereitschaft des sowjetischen Staatspräsidenten Breschnew aufnehmen, solche sowjetischen und amerikanischen Systeme in Rüstungskontrollverhandlungen einzubeziehen. Die Minister unterstützen voll die als Ergebnis von Beratungen im Bündnis getroffene Entscheidung der Vereinigten Staaten, über Begrenzungen der LRTNF zu verhandeln und der Sowjetunion vorzuschlagen, so bald wie möglich Verhandlungen auf der Grundlage der folgenden Leitlinien aufzunehmen, die das Ergebnis intensiver Konsultationen innerhalb des Bündnisses sind:

a) Jede künftige Begrenzung amerikanischer Systeme, die in erster Linie für den Einsatz als TNF bestimmt sind, soll von einer entsprechenden Begrenzung sowjetischer TNF begleitet sein.

b) Über Begrenzungen von amerikanischen und sowjetischen LRTNF soll Schritt für Schritt bilateral im Rahmen von SALT III verhandelt werden.

c) Das unmittelbare Ziel dieser Verhandlungen soll die Vereinbarung von Begrenzungen für amerikanische und sowjetische landgestützte LRTNF-Raketensysteme sein.

d) Jede vereinbarte Begrenzung dieser Systeme muß mit dem Grundsatz der Gleichheit zwischen beiden Seiten vereinbar sein. Die Begrenzungen sollen daher in einer Form vereinbart werden, die de jure Gleichheit sowohl für die Obergrenzen als auch für die daraus resultierenden Rechte festlegt.

e) Jede vereinbarte Begrenzung muß angemessen verifizierbar sein.

10. Angesichts der besonderen Bedeutung dieser Verhandlungen für die Sicherheit des Bündnisses insgesamt wird zur Unterstützung der amerikanischen Verhandlungsbemühungen ein besonderes, hochrangiges Konsultationsgremium innerhalb des Bündnisses gebildet. Dieses Gremium wird die Verhandlungen kontinuierlich begleiten und den Außen- und Verteidigungsministern berichten. Die Minister werden die Entwicklung dieser und anderer Rüstungskontrollverhandlungen bei ihren halbjährlichen Konferenzen bewerten.

11. Die Minister haben sich zu diesen beiden parallel laufenden und komplementären Vorgehensweisen entschlossen, um einen durch den sowjetischen TNF-Aufwuchs verursachten Rüstungswettlauf in Europa abzuwenden, dabei jedoch die Funktionsfähigkeit der Abschreckungs- und Verteidigungsstrategie der NATO weiterhin zu erhalten und damit die Sicherheit ihrer Mitgliedstaaten weiterhin zu gewährleisten.

a) Ein Modernisierungsbeschluß, einschließlich einer verbindlichen Festlegung auf Dislozierungen, ist erforderlich, um den Abschreckungs- und Verteidigungsbedürfnissen der NATO gerecht zu werden, um in glaubwürdiger Weise auf die einseitigen TNF-Dislozierungen der Sowjetunion zu reagieren und um das Fundament für ernsthafte Verhandlungen über TNF zu schaffen.

b) Erfolgreiche Rüstungskontrolle, die den sowjetischen Aufwuchs begrenzt, kann die Sicherheit des Bündnisses stärken, den Umfang des TNF-Bedarfs der NATO beeinflussen und im Einklang mit der grundlegenden NATO-Politik von Abschreckung, Verteidigung und Entspannung – wie sie im Harmel-Bericht niedergelegt wurde – Stabilität und Entspannung in Europa fördern. Der TNF-Bedarf der NATO wird im Licht konkreter Verhandlungsergebnisse geprüft werden.

Quelle: Bulletin, Presse- und Informationsamt der Bundesregierung, Nr. 154, 18. Dezember 1979

Aufruf des DGB zum Antikriegstag 1983

Nie wieder Krieg – Abrüstung ist das Gebot der Stunde

Am 1. September 1983 ruft der DGB alle Arbeitnehmer auf, aktiv und gewaltfrei für die Sicherung des Friedens in der Welt einzutreten. Die Friedenssehnsucht ist tief in der gewerkschaftlichen Tradition verankert. Seit ihrer Entstehung haben die deutschen Gewerkschaften stets für dauerhaften Frieden zwischen den Völkern und für internationale Zusammenarbeit gekämpft.

Wir fordern:

Die Entspannungspolitik muß konsequent fortgesetzt werden.

Das Wettrüsten muß beendet werden. Ziel ist eine umfassende Abrüstung und die Beseitigung der Massenvernichtungsmittel in Ost und West.

Die Genfer Verhandlungen über Mittelstreckenwaffen müssen erfolgreich abgeschlossen werden. Alle in Europa stationierten und auf Europa gerichteten Waffen dieser Art müssen abgebaut werden. Es darf keine Stationierung neuer Mittelstreckenwaffen in Europa geben.

Die Politik der Friedenssicherung durch Rüstungskontroll- und Abrüstungsverhandlungen muß verstärkt werden.

Die Rüstungsexporte aus der Bundesrepublik dürfen nicht ausgeweitet werden. Die Waffenexporte in die Dritte Welt sind einzuschränken. Zur Beschränkung des Waffenhandels sind internationale Regelungen zu schaffen.

Die Erarbeitung und Erprobung von Alternativen zur Rüstungsproduktion in den betroffenen Betrieben muß unter Beteiligung der Gewerkschaften erfolgen.

Die Friedensforschung und die Friedenserziehung an den Schulen müssen ausgebaut werden.

Der DGB tritt für eine weltweite Wahrung der Menschenrechte ein. Demokratie und Gewerkschaftsrechte, sichere Arbeitsplätze, soziale Gerechtigkeit und die Beseitigung von Elend, Gewalt, Rassismus und Unterdrückung sind Garanten gegen alle Feinde des Friedens und der Freiheit.

Kernwaffen der USA und der Sowjetunion, die für den Einsatz in einem Atomkrieg bereitstehen

Waffenklassen und Typen	Reichweite in km	Zahl der Trägersysteme für den Einsatz in Europa und in Deutschland	Zahl der Sprengköpfe/ Sprengkraft in kt	Anmerkungen
Kernwaffen der Sowjetunion				
SS-4 (1959)	1 800[a)]/2 000[b)]	232[a)]–275[b)]	1 × 1 000	Wird durch SS-20 abgelöst. (SS-4 und SS-5)
SS-5 (1961)	3 500[a)]/4 100[b)]	16[ab)]	1 × 1 000	
SS-20 (1977) Mod 1[b)]	5 000		1 × 1 500	
Mod 2	5 000	333[a)]–315[b)]	3 × 150	
Mod 3	7 400		1 × 50	
Scud (1957/1965)	150–300[b)] 150–450[c)]	450[b)]–460[a)] 143[d)]	niedrige kt	Wird durch SS-23 ersetzt.
FROG-7 (1965)	70[b)]–120[c)]	120[e)]–482 205[d)]	1 × 200[b)] 1 × (1–10)[c)]	Wird durch SS-22 ersetzt.
SS-12 Scaleboard (1969)	490–900[b)]	65[c)]–70[b)]	1 × 200[b)] niedrige kt	Wird durch SS-21 ersetzt.
SS-21 (1978)	120[b)]	etwa 10[b)]	1 × ?	Zweifach verwendbar.
SS-22 (1979)	1 000[b)]	(100)[b)]	1 × 500 kt	Bereits in der DDR?
SS-23 (1979/80)	350[b)]	etwa 10	1 × ?	Zweifach verwendbar.
Langstreckenbomber (Backfire, Badger, Blinder)	1 900–2 800[c)] 2 800–4 025[f)]	500[c)]–535[f)]	1–4 × niedrige und hohe kt	
Bomber mittl. Reichweite (Fencer, Flogger, Fitter, Fishbed)	600–720[c)] 400–1 600[f)]	1 000[c)] 2 153[f)]	1–2 × niedrige und hohe kt	
1800 mm-Artillerie S-23	30	168[b)]–300[g)]	1 × kt	Zweifach verwendbar.
Zwischensumme		2 679–4 744		

Waffenklassen und Typen	Reichweite in km	Zahl der Trägersysteme für den Einsatz in Europa und in Deutschland	Zahl der Sprengköpfe/ Sprengkraft in kt	Anmerkungen
Kernwaffen der USA				
Polaris A 3	4 600	64 (400 Sprengk.)	3 × 200	
Poseidon C 4	4 500		(10–14) × (40–50)	
Pershing I A	160–720[b)]	180	1 × (60–400)	108 werden durch PII und 72 durch PIB ersetzt.
Lance	110[b)]–135[c)]	ca. 100	1 × (1–100)	Wird möglicherweise durch das Corps Support Weapon System ersetzt.
Langstreckenbomber (F-111, Vulcan B-2)	1 900–2 800	213[c)]–214[f)]	2 × (1–1 100)	Vulcan werden durch landgestützte Marschflugkörper abgelöst.
Bomber mittl. Reichweite (Mirage, Buccaneer, F-104, F-4, F-16, Jaguar)	720–950	680[g)] 983[f)]	1–2 × (1–1 100)	
Artillerie	14–29[c)] 18–21[b)]	700[c)] 2 137[g)]	3 × (1–10)[c)] 1–2 kt	
Atomminen	0	300[c)]		
Zwischensumme		2 237–3 682		

Quellen: a) World Armaments and Disarmament, SIPRI-Yearbook 1983, London/New York 1983, S. 6.
b) International Institute for Strategic Studies, The Military Balance 1982–83, London 1982, S. 112 ff.
c) William Arkin, Frank von Hippel und Barbara G. Levi: »Die Folgen eines ›begrenzten‹ Atomkrieges in beiden deutschen Staaten«, in: Spektrum der Wissenschaft, März 1983, zitiert nach Ambio, Bd. 11, No. 2–3, S. 167.
d) Einschließlich dritter Staaten.
e) Arkin u. a., a. a. O., ohne Nachladegeschosse.
f) IISS, Military Balance 1982–83, S. 136–137.
g) Bundesministerium der Verteidigung, Kräftevergleich von NATO und Warschauer Pakt, 4. Mai 1982, S. 61.

Nuklearwaffen der USA in Europa einschließlich europäischer Systeme mit amerikanischen Nuklearsprengköpfen

Waffensysteme	Zahl der Systeme	Zahl der Sprengköpfe
F-111 der USA	152	304
F-4, F-16, F-104 der USA und der europäischen NATO-Partner	510	765
Artillerie (USA und Europäer) 155 und 203 mm	1000	2000
Pershing I A (USA und Bundesrepublik Deutschland)	180	270
Lance und Honest John	100	900
Luftverteidigung (Nike Hercules) und Atomminen		1750
Insgesamt		5999

Quelle: Lynn Davis, »A Political Strategy for Supplementing the 1979 NATO Decision on Theatre Nuclear Forces«, in: U.S.Congress, Senate, Committee on Foreign Relations, Second Interim Report on Nuclear Weapons in Europe, Prepared by the North Atlantic Assembly's Special Committee on Nuclear Weapons in Europe, Washington, Januar 1983, S. 59.

Nuklearwaffen der USA in der Bundesrepublik und der UdSSR in der DDR

Trägersystem	Spreng-kopftyp	Sprengkraft in kt	Benutzer (Land)	Statio-nierte Träger	Zahl der ge-schätz-ten S.k.
In der Deutschen Demokratischen Republik (DDR)					
152 mm Artillerie	?	niedrig	UdSSR	?	?
203 mm Artillerie	?	niedrig	UdSSR	?	?
FROG-7	?	10–200	UdSSR, DDR	104	600
SS-21	?	10–100	UdSSR	?	?
SCUD-B	?	1–10	UdSSR, DDR	54	150
Fencer	?	10–500	UdSSR	40	300
Fitter	?			125	
Flogger	?			76	
Insgesamt				399 +	1 050 +
In der Bundesrepublik Deutschland					
Mittlere ADM	W 45	1–15	USA, NL, UK, BRD	---	250
Spezielle ADM	W 54	01–1	USA	---	
Nike Hercules	W 31	1–20	USA, NL, B, BRD	180	500
155 mm Artillerie	W 48	Sub kt-Bereich	USA, NL, B, UK, BRD	1 000	1 500
203 mm Artillerie	W 33	1-12	USA, B, UK, BRD	360	
Lance	W 70	1–100	USA, B, UK, BRD	78	450
Pershing I A	W 50	40–400	USA, BRD	180	300
Buccaneer	?	mittlere	UK	16	32
Jaguar				60	60
F-4E/G	B 43	1 000	USA	144	750
	B 57	5–20			
F-16	B 61	~300	USA	72	
F-104 G	B 43/B 61	~300–1 000	BRD	144	
Insgesamt				2 334	3 750

Quelle: William M. Arkin, Institute for Policy Studies, Washington, »Factors Affecting the Withdrawal of Nuclear Wepaons From East and West Germany« Paper Prepared for the 2. European Nuclear Disarmament Convention, Berlin Mai 1983, S. 12.

Standorte für atomare und chemische Waffen und deren Trägersysteme in der Bundesrepublik Deutschland in den Bundesländern: 1983

Waldbröl Ⓐ
Geilenkirchen Ⓐ
Köln
Nörvenich Ⓐ
Bonn
Aachen
Düren-Drove Ⓐ
Burbach Ⓐ
Herbornseelbach Ⓐ
Altenbusek Ⓐ
Gießen Ⓐ
Montabaur Ⓐ
Rheinland-Pfalz
Koblenz
Mosel
Kilianstätten Ⓐ
Hanau Ⓐ + Ⓒ
Kemel Ⓐ
Frankfurt
Kastellaun-Hasselbach Ⓐ
Wiesbaden
Aschaffenburg
Main
Bamberg
Bayreuth
Büchel Ⓐ
Mainz
Hontheim Ⓐ
Hahn Ⓐ
Wackernheim Ⓐ
Bitburg Ⓐ
Spangdahlem Ⓐ
Rheinböllen-
Dichtelbach Ⓐ
Reinheim b. Darmstadt Ⓐ + Ⓒ
Erlangen
Trier
Niederolm Ⓐ
Dexheim Ⓐ
Miltenberg Ⓐ
Nürnberg
Kriegsfeld-Gerbach Ⓐ + Ⓒ
Hardheim Ⓐ
Mannheim/Viernheim Ⓒ
Zweibrücken Ⓐ
Rockenhausen Ⓐ
Dallau-Elztal Ⓐ
Grünstadt-Quirnheim Ⓐ
Heidelberg
Hemau Ⓐ
Miesau-Weilerbach Ⓐ + Ⓒ
Kaiserslautern-Siegelbach Ⓐ + Ⓒ
Siegelsbach Ⓐ + Ⓒ
Regensburg
Oberauerbach Ⓐ
Maßweiler Ⓐ + Ⓒ
Neckarsulm Ⓐ
Saarland
Saarbrücken
Ramstein Ⓐ
Philippsburg Ⓐ
Heilbronn Ⓐ
Pirmasens Ⓒ
Dahn Ⓐ
Kleingartach Ⓐ
Pirmasens-Sinthen Ⓐ
Fischbach
Ⓐ + Ⓒ
Karlsruhe
Sachsenheim Ⓐ
Mutlangen Ⓐ
Passau
Donau
Pforzheim-
Wurmberg Ⓐ
Schwäbisch-Gmünd Ⓐ
Stuttgart
Bayern
Baden-Württemberg
Augsburg
Großengstingen-
Friolzheim Ⓐ
Günzburg Ⓐ
Neu-Ulm Ⓐ
Klosterlechfeld Ⓐ
München
Inneringen Ⓐ
Oberroth-Kettershausen Ⓐ
Neckar
Landsberg Ⓐ
Böttingen Ⓐ
Memmingen Ⓐ
Pfullendorf Ⓐ
Leeder Ⓐ
Freiburg
Görisried-Bodelsberg Ⓐ
Bodensee

Standorte für atomare und chemische Waffen und deren Trägersysteme in der Bundesrepublik Deutschland
(Stand: August 1983)

Nur die *kursiv* hervorgehobenen Standorte, die durch mindestens drei Quellen belegt sind, wurden in der Karte »Standorte für atomare und chemische Waffen und deren Trägersysteme in der Bundesrepublik Deutschland« (siehe die Seiten 332/333) berücksichtigt. (vgl. Mediatus-Sondernummer zu Pershing II, Starnberg, Juli 1983)

Standorte	Brauch (1982)	Perdelwitz Bremer ('81)	Aktion Sühnez.	Luber (1982)	Rabe in: Konkret (3/1983)	Arkin Mai 1983	Anmerkungen (Sprengkopf; Träger)
Schleswig-Holstein							
Albersdorf					H2	H2-d	W33; M110
Boostedt					H1	H1-d	W48; M109
Flensburg (Meyn)		A	A, L	A, L	L	L-d, Cu-us	W70; Lance
Itzehoe		A		A	A	A(?)	
Kellinghusen		A	A	A	A	H2-d, Cu-us	W33; M110
Schleswig-Jagel					A		
Wentorf					H1	H1-d	
Hamburg							
-Fischbek					H1	H1-d	W48; M109
-Rahlstedt					H1	H1-d	W48; M109
Bremen							
Bremerhaven		A		A			
Niedersachsen							
Ahlhorn						H2-d	W33; M110
Barme-Dörverden		A	A	A	A	Cu-us, H-g	Bewachungseinheit
Barnstorf		N	N	N	N	N-d, Cu-us	W31; Nike-H.
Bergen					H1, H2	H1-n, H2-?	W48, W31; M109, M110
Braunschweig					H1	H1-d	W48; M109
Bremervörde		A		A	N-d		W31; Nike-H.
Dedelstorf					H1	H1-d	W48; M109
Delmenhorst-Schönemoor		A	A	A	N	N-?, Cu-us	W31; Nike-H.
Dornum					N	N-d	W31; Nike-H.
Dünsen (Bassum)		A	A	A		H-?, Cu-us	Bewachungseinheit
Edewecht-Westerscheps					N	N-?	W31; Nike-H.
Garlstedt				A	H1	H1-us	W48; M109
Garrel-Amerika					N		W31; Nike-H.
Göttingen					H1	H1-g	W48; M109
Hendstedt		N		N		N-?	W31; Nike-H.

Standorte	Brauch (1982)	Perdelwitz Bremer ('81)	Aktion Sühnez.	Luber (1982)	Rabe in: Konkret (3/1983)	Arkin Mai 1983	Anmerkungen (Sprengkopf; Träger)
Hohenkirchen/Wangerland		A		A	N	N-d, Cu-us	W31; Nike-H.
Lahn-Sögel		A	A	A	A	Cu-us, Hq	Hauptquartier
Liebenau		A		A	A	N-d(?)	W31; Nike-H.
Lohne-Vechta					N	N-d(?)	W31; Nike-H.
Hannover						H2-d	W33; M110
Lüneburg					H1, H2	H1-g(?), H2-d	W33, W48; M109, M110
Luttmersen b. Neustadt					H1	H1-d	W48; M109
Mooriem					N		W31; Nike-H.
Munster		A		A	H1	H1-g(?)	W48; M109
Neustadt-Luttmersen							Siehe Luttmersen
Nienburg (Langendamm)		A	A	A		A, H-d, Cu-us	?
Oldenburg					H2	H2-d	W33; M110
Rodenkirchen		A		N	N	N-d(?)	W31; Nike-H.
Schwanewede					H1	H1-d	W48; M109
Stadtoldendorf					H1	H1-(?)	W48; M109
Syke-Sörhausen					N	N-(?)	W31; Nike-H.
Thumberg						N-b	W31; Nike-H.
Verden						H2-d	W33; M110
Vörden b. Neuenkirchen		A	N	A		N-n, Cu-us	W31; Nike-H.
Wagenfeld-Förlingen		N			N	N-d	W31; Nike-H.
Walsrode-Beetenbrück					A		?
Wiesmoor-Hinrichsfehn		N		N	N	N-d	W31; Nike-H.
Wildeshausen					H1	H1-d	W48; M109
Nordrhein-Westfalen							
Altenrath b. Troisdorf					H1	H1-(?)	W48; M109
Arsbeck b. Wegberg		PIa		PIa	PIa-d	PIa-d,	QRA W50; PIa
Augustdorf					H1	H1-d	W48; M109
Bedburg-Pütz					N	N-b	W31; Nike-H.
Bergede		N		N			W31; Nike-H.
Bollenborn						N-us	W31; Nike-H.
Borgholzhausen		N	N	N	N	N-n	W31; Nike-H.
Bramsche		N		N		N-n(Hq)	W31; Nike-H.
Brüggen		A-g		A	F	F-g, A-g F: Jaguar (g)	Jaguar
Büren		A	A	A	A	Cu-us(Hq)	Hauptquartier
Burbach		N		N	N	N, Cu-us	W31; Nike-H.
Datteln-Ahsen		N		N	N	N-(?)	W31; Nike-H.
Dellbrück (Köln)		A	A	A	A	H-b, Cu-us	Artillerie-Granaten
Dortmund					H2	H2-g	W33; M110
Dülmen		N	A	A	A, H1, H2	H1-d, H2-d, Cu-us	W33; W48; M109, M110
Düren-Drove		A	A	A		N-b(Hq), Cu-us	Bewachungseinheit, Hauptquartier

Standorte	Brauch (1982)	Perdel-witz Bremer ('81)	Aktion Sühnez.	Luber (1982)	Rabe in: Kon-kret (3/1983)	Arkin Mai 1983	Anmerkungen (Sprengkopf; Träger)
Elspe							Siehe Ödingen-Elspe
Echtrop		N		N			W31; Nike-H.
Erle-Schermbeck					N	N-b	W31; Nike-H.
Euskirchen-Billig					N	N-b	W31; Nike-H.
Geilenkirchen-Teveren		A, P1	L	A, P1	A, P1-d	H2, P1-d, Cu-us	W33; M110
Grefrath-Hinsbeck		A, A	A	A	N	N-b, Cu-us(Hq)	W31; Nike-H.
Handorf (Münster-H)		A		A	H1	H1-d, Cu-us(Hq)	W48; M109 Hauptquartier
Hemer		A		A			Bewachungseinheit
Hamminkeln (Wesel-)		A, L	L	A, L	A, L	L-d, Cu-us	Siehe auch Wesel; W70; Lance
Hengsen		N		N			W31; Nike-H.
Holzen-Hemer					A	H-g, Cu-us	Bewachungseinheit
Holzwickede		N		N	N	N-(?)	W31; Nike-H.
Hopsten-Dreierwalde					A		
Kapellen-Erft					N	N-b	W31; Nike-H.
Kirchherten					N	N-d(?)	W31; Nike-H.
Kreuzau-Drove					N	N-d(?)	W31; Nike-H.
Laarbruch-Weeze		A	A	A	Fs	Fs-g	Buccaneer
Lippstadt					H1, H2	H1-d, H2-d	W33, W48; M109, M110
Lobberich					N	N-d(?)	W31; Nike-H.
Marienheide		N		N	N	N-d(?)	W31; Nike-H.
Menden		N		N			
Minden						N-d(?)	W45, W54
Mülheim						N-b	W31; Nike-H.
Münster-Handorf							Siehe Handorf
Neheim-Hüsten					N		W31; Nike-H.
Nörvenich		Fs-d	Fs	Fs	Fs	F-d, Fs-us	B43, B61; F-104G
Oedingen-Elspe		L		L	N	N-(?)	W31; Nike-H.
Paderborn		A		A			
Rheine-Elte			N	N	N	N-n	W31; Nike-H.
Schöppingen		A	N	A	N	N-n, Cu-us	W31; Nike-H.
Selters		N		A, N			
Sennelager		A	A	A		L-g, Cu-us	W70; Lance
Soest (Bucke)		A	A	A	A, H1	H1, Cu-us	W48; M109
Unna (Königsborn/Massen)						H-d	
Waldbröl		N		N	N	N-d(?)	W31; Nike-H.
Warendorf-Westkirchen					N	N-d	W31; Nike-H.
Wenze-Laarbruch							Siehe Laarbruch

Standorte	Brauch (1982)	Perdelwitz Bremer ('81)	Aktion Sühnez.	Luber (1982)	Rabe in: Konkret (3/1983)	Arkin Mai 1983	Anmerkungen (Sprengkopf; Träger)
Werl		A	A	A	A, L, H2	L-b, H2(?), Cu-us	W70; Lance – W33; M110
Wesel							Siehe Hamminkeln
Westerbeck		N		N		N-d(?)	W31; Nike-H.
Westkirchen		N		N			W31; Nike-H.
Wildenrath		A-g		A	A		
Xanten-Sensbach					N	N-b	W31; Nike-H.
Hessen							
Altenbusek		A		A	A		
Arolsen					H1	H1	W48; M109
Babenhausen					H2	H2	W33; M110
Bad Hersfeld						H1-us	W48; M109
Butzbach					H1	H1-us	W48; M109
Eschborn						M	W45, W54
Friedberg					H1	H1-us	W48; M109
Fulda						H1-us, M-us	W48; M109
Gießen		A	A	A	L, H2	L-us, H2	W70; W33; Lance, M110
Hanau	C				L, H2	H1-us, H2-us	W48; M109
Herborn		L		N			
Herbornseelbach		N, A	A	A	A	Cu-us(Hq)	Hauptquartier
Homberg					H1	H1-d	W48; M109
Kemel		N		A	N	N-d	W31; Nike-H.
Kiliansstätten		A, N	A	N	N	N-d, Cu-us	W31; Nike-H.
Köppern					A		
Langendiebach					H1, H2	H1, H2(?)	W48, W33; M109, M110
Münster-Dieburg					A	A	Zentrale Lagerstätte
Naumburg						H1-d	W48; M109
Reinheim b. Darmstadt	C						
Schwalmstadt-Treysa		A	A	A	A, H2	H1-d, H2-d, Cu-us	W48; M109
Stadtallendorf					H1	H1-d	W48; M109
Steinbach					N	N-d	W31; Nike-H.
Wetzlar					H1	H1-d	W48; M109
Wiesbaden					H1, L	H1-us, L-us	W70, W48; Lance, M109
Rheinland-Pfalz							
Bad Kreuznach		N		A			
Baumholder					H1, H2, N	H1-us, H2-us, N-us	W48; M109
Bitburg		Fs, N		N	A		
Blankenheim-Mülheim					N		W31; Nike-H.
Bollendorf				A			
Böllenborn						N-us	W31; Nike-H.
Büchel		Fs, A	Fs	Fs, A	Fs, A	Fs, A	B43, B61; F-104G
Dahn		A		A	A	A	Zentrale Lagerstätte

Standorte	Brauch (1982)	Perdelwitz Bremer ('81)	Aktion Sühnez.	Luber (1982)	Rabe in: Konkret (3/1983)	Arkin Mai 1983	Anmerkungen (Sprengkopf; Träger)
Dellfeld					A		
Dexheim				N	N	N-us	W31; Nike-H.
Fischbach	C	A		A	A	A	Zentrale Lagerstätte
Fürfeld					A		
Grünstadt-Quirnheim		N		N	N	N-us	W31; Nike-H.
Hahn		Fs, A		Fs-us	Fa, A	Fs-us, A	B-61; F-16
Haßloch-Geinsheim					N	N-us	W31; Nike-H.
Hontheim		N		N	N	N-us	W31; Nike-H.
Idar-Oberstein					H1, H2, L	H1-us, H2-d, L-us	W33, W48; M109, M110; W70; Lance
Kaiserslautern-Siegelbach	C	Fs, A		Fs, A	A		
Kastellaun-Hasselbach		N		N	N	N-us	W31; Nike-H.
Kriegsfeld-Gerbach	C	A		A	A	A	Zentrale Lagerstätte
Kusel						H	Artillerie?
Lahnstein					H1	H1-d	
Landau		N		N	N	N-us	
Lemberg					N		
Leimen					A		
Mainz-Finthen						M	(Darmstadt-Finthen) W45, W54
Maßweiler	C				A		Kommunikationseinheit, SAC
Miesau-Weilerbach	C	A		A	A	A	Zentrale Lagerstätte
Montabaur		A, L	A, L	A, L	L	L-d, Cu-us	W70; Lance
Morbach		A		A			
Niederolm		N		N		N-(?)	W31; Nike-H.
Oberauerbach		N		N	N	N-us	W31; Nike-H.
Obersayn					N		
Pirmasens-Sinthen		A		A		A–Hq	Zentrale Lagerstätte (Hq)
Pirmasens							Hauptquartier für chem. Kriegführung
Ramstein		A		A	Fs, A	Fs, A-us	B43, B57; F-4
Rheinböllen-Dichtelbach		N			N	N-us	W31; Nike-H.
Rockenhausen		N		N	N	N-us	W31; Nike-H.
Ruppertsweiler					A		
Salzwoog-Lemberg		N		N		N-us	W31; Nike-H.
Spangdahlem		Fs, A		Fs, A	Fs, A	Fs, A	B-43, B-57; F-4
Wackernheim		A		A	N	A	Zentrale Lagerstätte der USA

Standorte	Brauch (1982)	Perdelwitz Bremer ('81)	Aktion Sühnez.	Luber (1982)	Rabe in: Konkret (3/1983)	Arkin Mai 1983	Anmerkungen (Sprengkopf; Träger)
Wörth-Büchelberg					A		
Wüschheim							voraussichtlicher Standort der 112 Marschflugkörper ab 1985
Zweibrücken		N		N	A		
Baden-Württemberg							
Bad Mergentheim		A		A			
Böblingen					A		
Böttingen		N		N		N-us	W31; Nike-H.
Bremgarten					A		
Crailsheim					A, L	L	W70, Lance
Dallau-Elztal		N		N	N	N-us	W31; Nike-H.
Friolzheim			A				
Großengstingen		A, L	L	A	A, L	L-d, Cu-us	W70, Lance
Hardheim		A		N	N	N-us	W31; Nike-H.
Heidenheim					A		
Heilbronn		A, P1-us		A, P1-us	P1-us	P1-us, M, A	Zentrale Lagerstätte, P2 ab 1984; W50, W45, W54
Immendingen					H1	H1-d	W48; M109
Inneringen (aufgelöst?)					P1-us	P1-us, QRA	Ständige Alarmbereitschaft W50
Kleingartach		N				P1-us, QRA	Ständige Alarmbereitschaft W50
Kornwestheim						M-us	W45, W54
Lahr					A		Zweifelhaft!
Mannheim/Viernheim	C						
Münsingen					H1	H1-d	W48; M109
Mutlangen					P1-us	P1-us, QRA	Ständige Alarmbereitschaft W50
Neckarsulm		P1-us	P1	P1, A	P1	P1-us	9 Raketen; ab 1984 Standort für P-II; W50
Neudorf-Hochstetten					A		
Pforzheim-Wurmberg		N		N	N	N-us	W31; Nike-H.
Pfullendorf		A		A	A, H2	H1-d, H2-d, Cu-us	W48, W33; M109, M110
Philippsburg		A	A	A	H2	H2-d, Cu-us	W33; M110
Riedheim						A	Lagerstätte
Sachsenheim		N		N	N	N-us	W31; Nike-H.
Schwabach						H1-us	W48; M109
Schwäbisch Gmünd		A, P1-us	P1	A, P1-us	A, P1-us	A, P1-us	W50, PIA, PII

Standorte	Brauch (1982)	Perdel-witz Bremer ('81)	Aktion Sühnez.	Luber (1982)	Rabe in: Kon-kret (3/1983)	Arkin Mai 1983	Anmerkungen (Sprengkopf; Träger)
Schwäbisch-Hall					A		
Seelbach		A		A			
Siegelsbach	C	A		A	A	A	Zentrale Lagerstätte
Stollhofen-Söllingen					A		
Tauberbischofsheim					H2	H2-(?)	W33; M110
Unterbettringen					A		
Walldürn					H1	H1-d	W48; M109
Wertheim						H2-us	W33; M110
Bayern							
Amberg						H1-us	W48; M109
					A, H1	H1-us, H2-us	W48; M109
Ansbach							
Aschaffenburg					A, L	L-us	W70; Lance
Augsburg					H1, H2	H1-us, H2-us	W33, W48; M109, M110
Bad Aibling		A		A			
Bad Kissingen					H1	H1-us	W48; M109
Bad Reichenhall					H1	H1-d	W48; M109
Bamberg					H1, H2	H1-us, H2-us	W33, W48; M109, M110
Bayreuth					H1	H1-d	W48; M109
Bindlach						H1-us	W48; M109
Bocksberg		A		A			
Bodelsberg							Siehe Görisried-B. W50; PIA
Bonstetten		A		A			
Donauwörth					H1	H1-d	W48; M109
Fürth					H2	H2-us	W33; M110
Füssen					H1	H1-us	W48; M109
Görisried-Bodelsberg		P1-d		P1-d	P1-d	P1-d, QRA	Ständige Alarmbereitschaft W50
Günzburg		A	A	A	A	A, Cu-us(Hq)	
Hemau		A		A	H2	H2-d, Cu-us	W33; M110
Herzogenaurach					H2, L	H2-us, L-us	W33; M110
Hopferstadt		N		N			
Illesheim					A		
Kempten					H1	H1-d	W48; M109
Kitzingen					A, H2	A, H2-us	W33; M110
Klosterlechfeld		Fs, A	Fs	Fs	A, Fs	?	B43, B61; F104G
Landsberg		A, P1-d		P1-d, A	A, P1-d	P1-d, H2-d, Cu-us	W50; PIA –W33; M110
Landshut					H1	H1-d	W48; M109
Leeder b. Fuchstal		A		A		P1	Lager für PIA Sprengköpfe W50/PIA
Linderhof		A		A			

Standorte	Brauch (1982)	Perdel-witz Bremer ('81)	Aktion Sühnez.	Luber (1982)	Rabe in: Kon-kret (3/1983)	Arkin Mai 1983	Anmerkungen (Sprengkopf; Träger)
Memmingen		A,Fs	Fs	A,Fs	A,Fs	Fs,A	B43, B61; F-104G
Miltenberg		N		N		N-us	W31; Nike-H.
München					H1	H1-d	W48; M109
Neuenburg vorm Wald					H1	H1-d	W48; M109
Neu-Ulm		A, P1-us	P1	A, P1	H1, P1	H1-us, P1-us	W50; PIA – W48; M109
Nürnberg					H1, H2	H1-us, H2-us	W33, W48; M109, M110
Oberroth-Kettershausen					P1	P1-QRA	Ständige Alarmbereit-schaft W50; PIA
Regensburg					H2	H2-d	W33; M110
Schweinfurt					H1	H-us	W48; M109
Weiden					H1	H1-d	W48; M109
Wildflecken					H1	H1-us, d, M-us	W45, W54, W48; M109
Würzburg					A		
Zennwald					A	A	
Zinndorf					H1	H1-us, H2-us	W48; M109

Abkürzungen und Erläuterungen:

A Atomwaffenlager.
C Vermutete Lagerstätte für die beiden Nervenkampfstoffe VX und GB (Sarin).
Cu Custodial detachment, amerikanische Einheit, die über die nuklearen Sprengköpfe verfügt.
Fs Flugplatz mit einem Lager für Kernsprengköpfe.
H Artillerie und Haubitzen generell.
H1 155 mm-Haubitze.
H2 203 mm-Haubitze.
L Lance-Rakete.
M Munitionslager.
N Nike-Hercules.
P1 Pershing IA.
P2 Pershing II.
b Streitkräfte Belgiens auf dem Gebiet der Bundesrepublik Deutschland.
d Bundeswehreinheiten.
g Streitkräfte Großbritanniens (Rheinarmee) in der Bundesrepublik Deutschland.
n Streitkräfte der Niederlande auf dem Gebiet der Bundesrepublik Deutschland.
us Streitkräfte der Vereinigten Staaten auf dem Gebiet der Bundesrepublik Deutschland.

Quellen:

- Wolf Perdelwitz/Heiner Bremer, Geisel Europa, Berlin 1981, S. 182–1983.
- Aktion Sühnezeichen, Frieden schaffen ohne Waffen, Rundbrief 2, August 1981, S. 2.
- Burkhard Luber, Bedrohungsatlas Bundesrepublik Deutschland, Wuppertal 1981, S. 36.
- Konkret, Heft 3, 1983.
- William Arkin, Factors Affecting the Withdrawal of Nuclear Weapons From East and West Germany, Paper prepared for the 2nd European Nuclear Disarmament Convention May '83.
- Hans Günter Brauch, Der chemische Alptraum oder gibt es einen C-Waffenkrieg in Europa, Berlin–Bonn 1982; Hans Günter Brauch und Alfred Schrempf, Giftgas in der Bundesrepublik Deutschland, chemische und biologische Waffen, Frankfurt 1982.
- Mediatus-Sondernummer, Starnberg, Juli 1983.

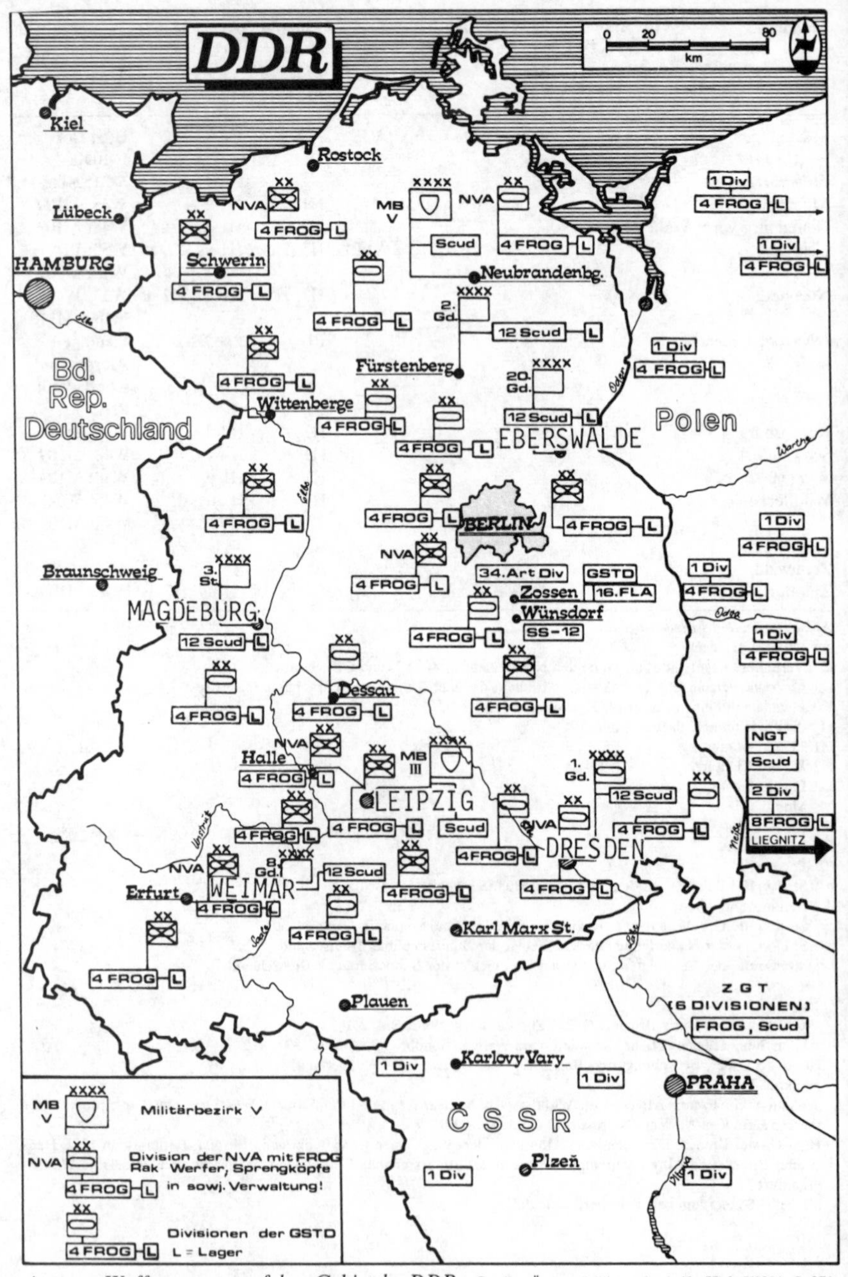

Atomare Waffensysteme auf dem Gebiet der DDR. Quelle: Österr. Militärzeitschrift, Heft 5/1981, S. 371.

Standorte der atomaren und chemischen Waffen und der nuklearverwendungsfähigen Trägersysteme in der DDR

Name des Standortes	Quellen				Anmerkungen	UdSSR DDR (NVA)
	H. G. Brauch (C-Waff.)	W. Arkin	B. Luber	Österr. Militärzeitschrift		
Altenburg			x		Militärflugplatz	
Altes Lager		x	x	x	siehe Jüterborg	
Alt-Lönnewitz			x		Militärflugplatz	
Bernau		x	x	x	4 FROG-7	UdSSR
Brand-Briesen		x			SU-24 Fencer Atomwaffenlager	UdSSR
Brück		x			SCUD-B (?)	DDR
Dallgow-Döberitz		x	x	x	4 FROG-7	UdSSR
Dessau-Rosslau		x	x	x	4 FROG-7	UdSSR
Dresden	x	x	x	x	4 FROG-7	DDR
					12 SCUD-B	UdSSR
Dresden-Klotzsche		x	x	x	4 FROG-7	UdSSR
Eberswalde	x	x	x	x	12 SCUD-B	UdSSR
Eggesin		x	x	x	4 FROG-7	DDR
Erfurt		x	x	x	4 FROG-7	DDR
Finow		x	x		Luftwaffenbasis mit nuklearfähigen Flugzeugen	(?)
Finsterwalde		x			MIG-27 Flogger D/J Atomwaffenlager	UdSSR
Frankfurt a. d. Oder		x	x	x	4 FROG	UdSSR
Fürstenberg		x	x	x	12 SCUD-B	UdSSR
Grimma		x	x	x	4 FROG-7	UdSSR
Groß-Dölln		x	x		SU-17 Fitter H Atomwaffenlager	UdSSR
Großenhain		x	x		SU-17 Fitter D Atomwaffenlager	UdSSR
Halle		x	x	x	4 FROG-7	UdSSR
					4 FROG-7	DDR
Hillersleben-Altmark		x	x	x	4 FROG-7	UdSSR
Jena		x	x	x	4 FROG-7	UdSSR

Name des Standortes	Quellen H. G. Brauch (C-Waff.)	W. Arkin	B. Luber	Österr. Militärzeitschrift	Anmerkungen	UdSSR DDR (NVA)
Jüterborg		x	x	x	4 FROG-7, Luftwaffenbasis mit nuklearf. Flugzeugen	UdSSR
Krampnitz		x	x	x	4 FROG-7	UdSSR
Leipzig	x			x	SCUD-7	UdSSR
Magdeburg	x	x	x	x	12 SCUD-B	UdSSR
Naumburg-Saale		x	x	x	4 FROG-7	UdSSR
Neubrandenburg		x	x	x	SCUD-B	DDR
Neuruppin		x	x	x	4 FROG-7 SU-17 Fitter C Atomwaffenlager	UdSSR
Neustrelitz		x	x	x	4 FROG-7	UdSSR
Nohra		x	x	x	siehe Weimar	
Ohrdruf		x	x	x	FROG-7	UdSSR
Parchim		x	x		Luftwaffenbasis mit nuklearf. Flugzeugen	
Perleberg-Prignitz		x	x	x	4 FROG-7	UdSSR
Potsdam		x			möglicherweise Nuklearartillerie	
Putlitz			x		Militärflugplatz	
Rechlin-Lärz		x	x		MIG-27 Flogger D/J Atomwaffenlager	UdSSR
Riesa-Sachsen-Zeithain		x	x		4 FROG-7	UdSSR
Roßlau					siehe Dessau	
Schwerin		x	x	x	4 FROG-7	UdSSR
					4 FROG-7	DDR
Stallberg			x		Kurzstreckenrakete Atomwaffenlager A-Kommandozentralen	
Stendal-Altmark		x	x	x	4 FROG-7	
Vogelsang		x	x		4 FROG-7	UdSSR
Weimar	x	x	x	x	12 SCUD-B	UdSSR
Wittenberg (Lutherstadt)		x	x	x	4 FROG-7 (möglicherweise abgezogen)	UdSSR
Wittenberge			x	x	4 FROG-7	
Wünsdorf			x	x	SS-12	UdSSR
Zerbst			x		Militärflugplatz	
Zossen			x		Kurzstreckenrakete Atomwaffenlager A-Kommandozentrale	

Quellen: William M. Arkin, »Factors Affecting the Withdrawal of Nuclear Weapons from East and West Germany«, Paper prepared for the 2nd European Nuclear Disarmament Convention, May 1983; Burkhard Luber, Bedrohungsatlas Bundesrepublik Deutschland, Wuppertal 1982, S. 37; nach einer Karte aus: Österreichische Militärzeitschrift, Heft 5/1981, S. 371; Mediatus-Sonderheft, Starnberg, Juli 1982, S. 8; H. G. Brauch, A. Schrempf, Giftgas in der Bundesrepublik. Frankfurt 1982, S. 66. Anmerkung: In dieser Liste fehlen die unbekannten Artillerieeinheiten und die zentralen Atomwaffenlager.

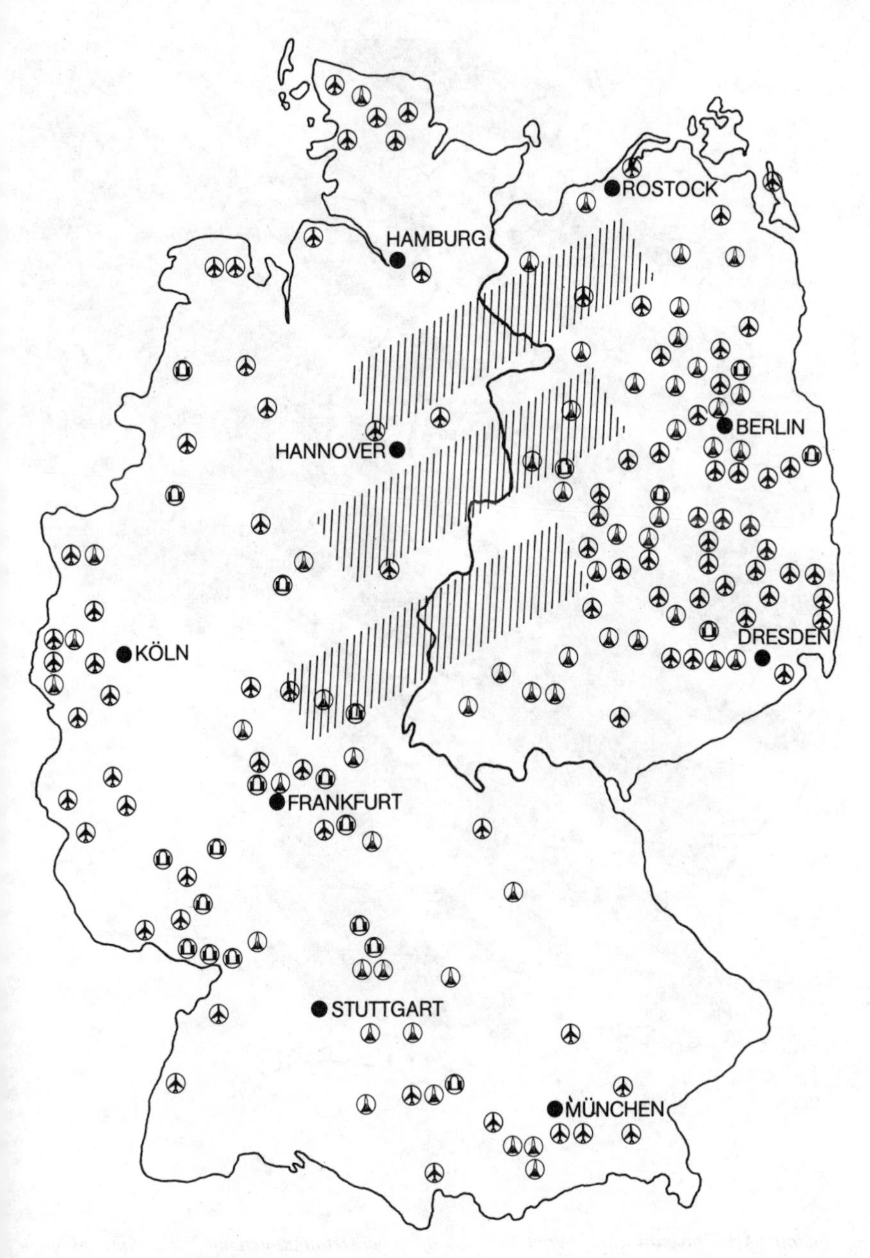

Ziele für Präventivschläge in beiden deutschen Staaten.

Quelle: Spektrum der Wissenschaft, Heft 3/1983, S. 21.

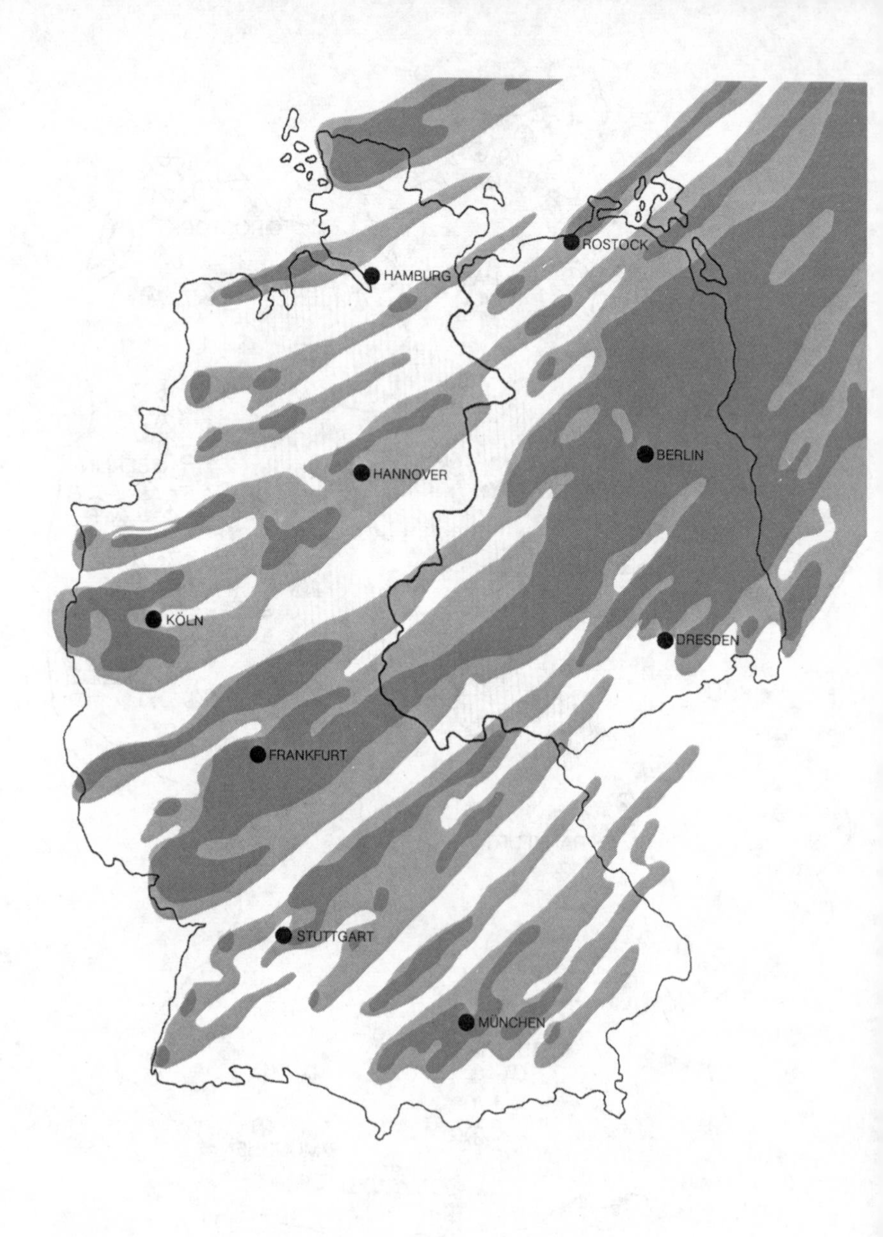

Fallout nach Präventivschlägen mit Nuklearwaffen bei Detonationen mit 200 Kt-Sprengköpfen über 171 militärischen Zielen in beiden deutschen Staaten.

Quelle: Spektrum der Wissenschaft, Heft 3/1983, S. 19.

Chronologie zum NATO-Doppelbeschluß

1971 Oktober
Das Pershing Project Office legt einen Plan für Alternativen zu Pershing I vor, der von der Armee gebilligt wird und im Dezember 1971 und im Februar 1972 im Verteidigungshaushalt erscheint.
1972 26. Mai
Unterzeichnung des SALT-I-Abkommens in Moskau.
1973
General Goodpaster kündigt wiederholt Entwicklungsarbeiten zur Verbesserung der Zielgenauigkeit der in Europa stationierten Pershing-Raketen an.
1974
US-Verteidigungsminister Schlesinger verkündet die Strategie der »selektiven und flexiblen Option« und beginnt damit die »Strategie der begrenzten Nuklearkriegführung« (counterforce-Doktrin).
Die Pershing II erscheint erstmals als gesonderter Posten im Haushalt der US-Armee.
1975
Erste Hinweise auf die Existenz einer sowjetischen mobilen Mittelstrekkenrakete (SS-20) tauchen auf.
1976 Juni
Zustimmung der NATO-Außenminister zur Modernisierung ihrer Mittelstreckensysteme und zur Weiterentwicklung der Pershing I.
1976/1977
Die UdSSR beginnt mit der Stationierung der SS-20-Raketen und mit dem Abbau der älteren Mittelstreckenraketen.
1977 10. bis 11. Mai
Die NATO-Ratstagung beschließt die Einleitung eines Langzeitprogramms, u. a. für die Modernisierung der amerikanischen Kernwaffen in und für Europa.
28. Oktober
Bundeskanzler Helmut Schmidt weist in einer Rede vor dem Internatio-

nalen Institut für Strategische Studien darauf hin, daß die in Europa stationierten Kernwaffen auch in Rüstungskontrollgespräche einbezogen werden müssen. Nach dem Gleichgewicht bei den interkontinentalen Systemen müsse auch bei den Mittelstreckensystemen ein Gleichgewicht hergestellt werden.
1978 7. April
Präsident Carter gibt bekannt, daß er die Produktion der Neutronenwaffe für unbestimmte Zeit aufgeschoben habe.
August
Verteidigungsminister Brown stimmt einer Steigerung der Reichweite der Pershing II von 740 auf 1800 Kilometer zu.
1979 Februar
Martin-Marietta erhält einen Pentagon-Auftrag in Höhe von 360 Mill. US-Dollar für die umfassende Entwicklung der Pershing II mit einer Laufzeit von 56 Monaten.
11. April
Die NATO richtet eine Special Group ein, um Rüstungskontrollvorschläge für die Kernwaffen in und für Europa vorzubereiten.
18. Juni
Breschnew und Carter unterzeichen in Wien den SALT II-Vertrag.
1. September
Henry A. Kissinger erklärt in Brüssel, daß sich Europa angesichts der Parität bei den zentralstrategischen Systemen nicht in jedem Fall auf deren Einsatz verlassen könne. Die NATO müsse sich darauf vorbereiten, begrenzte Konflikte auf dem europäischen Kriegsschauplatz ggf. mit in Europa stationierten Kernwaffen zu beantworten.
12. September
General Haig bezeichnete die Zahl von 572 neuen Mittelstreckensystemen der NATO als völlig unzureichend.
28. September
Die beiden NATO-Beratungsgremien (High Level Group und Special Group) legen ihre Empfehlungen vor.
3. Oktober
Verteidigungsminister Hans Apel weist in Washington darauf hin, daß bei einem Scheitern der SALT II-Ratifizierung die NATO-Beschlüsse über TNF-Modernisierung gefährdet seien.
6. Oktober
Breschnew kündigt in Ost-Berlin den einseitigen Abzug von 20 000 Soldaten und 1000 Panzern aus der DDR an. Gleichzeitig bietet er Verhandlungen über die nuklearen Mittelstreckensysteme an, falls der Westen auf die Einführung neuer Raketen verzichte.

1979 5. November
NATO-Oberbefehlshaber US-General Rogers lehnt jede Verbindung zwischen einer Ratifizierung von SALT II und dem NATO-Raketenbeschluß ab.
23. November
Der sowjetische Außenminister Gromyko erklärte während eines Staatsbesuchs in Bonn, daß bei einem Nachrüstungsbeschluß der NATO die Sowjetunion Verhandlungen über die euronuklearen Waffen ablehnen würde.
3. bis 7. Dezember
Die SPD beschließt auf ihrem Berliner Parteitag den Vorrang von Rüstungskontrollmaßnahmen vor einer Nachrüstung mit Mittelstreckensystemen.
9. Dezember
In Brüssel demonstrieren zwischen 50 000 und 70 000 Menschen gegen die beabsichtigte Stationierung neuer Atomwaffen in Europa.
12. Dezember
Auf einer Sondersitzung der Außen- und Verteidigungsminister der NATO wurde beschlossen, 572 Mittelstreckensysteme (108 Pershing II und 464 landgestützte Marschflugkörper) nach 1983 zu stationieren. Gleichzeitig wird ein Angebot für die Aufnahme von Rüstungskontrollverhandlungen an die UdSSR unterbreitet.
20. Dezember
Der Streitkräfteausschuß des US-Senats empfiehlt, den SALT II-Vertrag nicht ohne weitreichende Änderungen zu akzeptieren. Präsident Carter stellt seine Bemühungen um eine Ratifizierung im amerikanischen Senat ein.
27. Dezember
Die UdSSR interveniert militärisch in Afghanistan.
1980 17. Januar
Genaralmajor Gert Bastian wird von Verteidigungsminister Hans Apel wegen Kritik am Nachrüstungsbeschluß seines Truppenkommandos enthoben.
11. April
Bundeskanzler Schmidt schlägt auf der Hamburger SPD-Landesdelegiertenkonferenz vor, daß Ost und West »für eine bestimmte Anzahl von Jahren auf die Aufstellung von neuen oder zusätzlichen Mittelstreckenwaffen verzichten und diese Zeit für Verhandlungen nutzen« sollen.
2. Mai
Ein Artikel in der sowjetischen Zeitschrift Nowosti weist darauf hin, daß bei einer Durchführung des NATO-Doppelbeschlusses die Bundesrepu-

blik zur Hauptzielscheibe eines atomaren sowjetischen Gegenschlages werde.

1980 30. Juni bis 1. Juli

Anläßlich des Moskaubesuchs von Helmut Schmidt erklärt Breschnew die sowjetische Bereitschaft, nunmehr bereits vor der Ratifizierung von SALT II und ohne vorherige Aufhebung des NATO-Doppelbeschlusses über die Begrenzung der nuklearen Mittelstreckensysteme in Europa zu verhandeln.

16. Juli

Die Sowjetunion fordert die Einbeziehung der amerikanischen FBS in Rüstungskontrollgespräche.

6. August

In Presseberichten wird die neue amerikanische Nuklearstrategie bekannt (Direktive 59). Durch den Ausbau ihrer nuklearen Angriffskapazitäten mit höherer Zielgenauigkeit will die NATO ihre Fähigkeit zur Führung selektiver und regional begrenzter Atomkriege verbessern und damit die Abschreckung erhöhen.

Oktober/November

In Genf finden Vorgespräche zur Vorbereitung von Rüstungskontrollverhandlungen über eurostrategische Systeme statt.

1981 Januar

Nach westlichen Geheimdienstberichten hat die UdSSR die Aufstellung der SS-20 von jährlich 50 auf 80 erhöht, während der Abbau der SS-4 und SS-5 verlangsamt worden sei.

7. Januar

Verteidigungsminister Hans Apel spricht im Bundeskabinett die Befürchtung aus, daß die pazifistische Stimmung zunehme.

23. Februar

Auf dem XXVI. Parteitag der KPdSU schlägt Breschnew u. a. ein Moratorium für die Aufstellung neuer Mittelstreckensysteme durch die Sowjetunion und die USA während der Rüstungskontrollgespräche vor.

17. Mai

Bundeskanzler Schmidt droht in Wolfratshausen mit seinem Rücktritt, falls seine Politik in der Nachrüstungsfrage von der SPD nicht mehr unterstützt werde.

22. Mai

Breschnew erklärt in Tiflis, die UdSSR antworte auf die Stationierung neuer amerikanischer Systeme mit weiteren militärischen Maßnahmen.

23. Mai

Auf dem Bremer Marktplatz erklären sich etwa 100 Lehrer zu Kriegsdienstverweigerern und geben ihre Wehrpässe zurück.

1981 29. bis 31. Mai
Beim FDP-Bundesparteitag droht Außenminister Genscher mit seinem Rücktritt, falls der Parteitag sich für seegestützte Systeme ausspricht. Ein entsprechender Antrag erhält fast 40 Prozent der Stimmen.
26. Mai
Bei den Parlamentswahlen in den Niederlanden verliert die rechtsliberale Koalitionsregierung ihre absolute Mehrheit, u. a. wegen ihrer Befürwortung des NATO-Doppelbeschlusses.
21. Juni
Große Demonstration während des Evangelischen Kirchentages gegen die Stationierung neuer Mittelstreckensysteme.
22. Juni
Der neue Direktor der US-Abrüstungsbehörde Eugene Rostow erklärt vor dem Auswärtigen Ausschuß des Senats, daß die amerikanische Regierung frühestens im Frühjahr 1982 mit neuen SALT-Verhandlungen beginnen könne.
1. Juli
Während des Moskaubesuchs von Willy Brandt wiederholt Breschnew sein Angebot, bei Rüstungskontrollverhandlungen keine neuen Mittelstreckensysteme zu stationieren, wenn die USA zu einem vergleichbaren Schritt bereit wären.
23. Juli
Präsident Reagan betont in einem Schreiben an Bundeskanzler Schmidt die Verhandlungsbereitschaft der USA über Mittelstreckensysteme.
6. August
Präsident Reagan ordnet den Bau der Neutronenwaffe an.
September
Nach amerikanischen Veröffentlichungen plant die amerikanische Marine bis 1987 den Erwerb von insgesamt 3994 Marschflugkörpern vom Typ »Tomahawk«.
Die amerikanische Luftwaffe plant, bis 1990 auf ihren B-52-G-Bombern insgesamt 3020 Marschflugkörper einzuführen.
10. Oktober
300 000 demonstrieren in Bonn gegen die Nachrüstung und für Frieden und Abrüstung in Ost und West.
25. Oktober
Hunderttausende demonstrieren in Rom, London und Brüssel und Zehntausende in Paris und Stockholm gegen die Nuklearrüstung.
18. Nobember
Präsident Reagan schlägt in Washington die Nullösung als amerikanisches Verhandlungsziel bei den Mittelstreckengesprächen in Genf vor.

1981 23. November
Der sowjetische Generalsekretär der KPdSU schlägt bei seinem Bonn-Besuch erneut ein Moratorium vor und bietet an, einen Teil der nuklearen Waffen mittlerer Reichweite aus dem europäischen Teil der Sowjetunion einseitig zu vermindern.
30. November
Beginn der Genfer Mittelstreckenverhandlungen.
1982 3. Februar
Breschnew unterbreitet einen neuen Abrüstungsvorschlag, die Mittelstreckensysteme in Europa stufenweise bis 1990 auf 300 zu reduzieren.
16. März
Breschnew kündigt auf dem 17. Kongreß der sowjetischen Gewerkschaften ein Moratorium bei den Mittelstreckensystemen in Europa an, das Präsident Reagan noch am selben Tag zurückweist.
12. Mai
Präsident Reagan stellt in Eureka (Illinois) seinen START-Vorschlag vor.
22. April
Auf dem Münchner SPD-Parteitag wird ein Moratorium abgelehnt und die Entscheidung über die Stationierung auf einen Sonderparteitag im Herbst 1983 vertagt.
10. Juni
Größte Demonstration in der Geschichte der Bundesrepublik anläßlich des Bonner NATO-Gipfels.
29. Juni
Beginn der START-Verhandlungen in Genf zwischen den USA und der Sowjetunion.
22. Juli
Erster Flugtest der Pershing II scheitert nach 17 Sekunden.
3. August
Das amerikanische Repräsentantenhaus bewilligt in einem Nachtragshaushalt für 1982 Mittel für 1000 Neutronensprengköpfe für 155-mm-Haubitzen.
28. September
Außenminister Shultz lehnt in einem Gespräch mit seinem sowjetischen Kollegen Gromyko den Nitze-Kwitsinski-Kompromiß ab.
1. Oktober
Bundeskanzler Helmut Schmidt wird durch ein konstruktives Mißtrauensvotum gestürzt.
14. Oktober
William Arkin enthüllt im »Stern« die Absicht des amerikanischen Verteidigungsministeriums, 385 Pershing-II-Raketen zu produzieren.

1982 31. Oktober
Der »SPIEGEL« veröffentlicht die Stationierungsorte für die Pershing II.
2. November
Unfall mit einem Pershing-I-Transporter in Walprechtsweier bei Karlsruhe tötet einen Familienvater von drei Kindern. Zwei weitere Unfälle in Schwäbisch Gmünd.
9. bis 10. November
Wörner löst mit Bemerkungen in Washington eine scharfe Replik durch E. Bahr aus. Wörner lehnt eine Stationierung von mehr als 108 Pershing II in der Bundesrepublik ab.
19. November
Erster teilweise erfolgreicher Flugtest der Pershing II über eine Entfernung von 65 Meilen.
10. November
Breschnew stirbt und wird von dem KGB-Chef Andropow als Parteichef abgelöst.
7. Dezember
Das dänische Parlament beschließt, die Mittel für das Infrastrukturprogramm der NATO für die Verwirklichung des NATO-Doppelbeschlusses einzufrieren.
Das SPD-Präsidium unterstützt den Warnke-Plan zur Mittelstreckenabrüstung.
21. Dezember
Der sowjetische Parteichef Andropow schlägt die Verminderung des eigenen Mittelstreckenpotentials in Europa auf 162 Raketen vor als Gegengewicht zu den britischen und französischen land- (16) und seegestützten (144) Raketen.
Die NATO weist diesen Vorschlag als unannehmbar zurück.
1983 3. bis 5. Januar
Der SPD-Kanzlerkandidat Hans-Jochen Vogel bekräftigt in Washington seine Unterstützung für den NATO-Doppelbeschluß.
11. Januar
Parteichef Andropow erklärt dem SPD-Kanzlerkandidaten in Moskau, die Bereitschaft der Sowjetunion, einige SS-20-Raketen zu verschrotten.
16. bis 18. Januar
Der sowjetische Außenminister Gromyko erklärt in Bonn die Bereitschaft, über nukleare Kurzstreckensysteme zu sprechen.
18. Januar
Franz Josef Strauß fordert die Bundesregierung auf, die Nulloption als illusionär aufzugeben.

1983 21. Januar
Der erste wirklich erfolgreiche Test der Pershing II auf Cape Canaveral.
30. Januar bis 11. Februar
US-Vizepräsident Bush besucht Westeuropa und spricht mit den Staats- und Regierungschefs vor allem über die Mittelstreckenverhandlungen in Genf.
3. Februar
Kwitsinski bringt den Andropow-Vorschlag vom 21. Dezember 1982 in Genf formell ein.
9. Februar
Die Pershing II benötigte bei einem Testflug für 930 Meilen elf Minuten.
15. Februar
Eine amerikanische Kommission über strategische Waffen (Scowcroft-Kommission) fordert in einer Studie, die Reichweite der Pershing II von 1800 auf 8000 km zu verlängern.
17. Februar
Die Sowjetunion stellte ihre 12. SS-20-Basis in Sibirien in Dienst.
6. März
Ende des Raketenwahlkampfes. Die CDU gewinnt eine deutliche Mehrheit bei den Bundestagswahlen.
9. März
Nach Angaben von US-Verteidigungsminister Weinberger hat die UdSSR 351 SS-20-Raketen aufgestellt.
16. März
Das norwegische Parlament entscheidet mit einer Stimme Mehrheit, die Mittel für das NATO-Infrastrukturprogramm bereitzustellen.
18. März
In einer Sitzung mit dem Nationalen Sicherheitsrat erörtert Präsident Reagan vier Optionen für die Genfer INF-Verhandlungen.
21. März
Die sozialdemokratischen Parteien der Scandilux-Gruppe fordern eine Vertagung des Stationierungsbeginns.
22. bis 23. März
Die Nukleare Planungsgruppe der NATO fordert eine Zwischenlösung.
30. März
Präsident Reagan schlägt eine Zwischenlösung vor, die sich jedoch an dem Endziel einer doppelten Null-Lösung orientieren soll.
2. April
Der sowjetische Außenminister Gromyko weist diese Lösung zurück, da sie die luft- und seegestützten Mittelstreckensysteme und die britischen und französischen Nuklearwaffen nicht berücksichtige.

1983 1. bis 3. April
Ostermarsch in der Bundesrepublik, Abrüstungsdemonstrationen in anderen westeuropäischen Staaten.
3. Mai
Die amerikanische Luftwaffe beginnt, erste Ausrüstungsgüter für die Marschflugkörper nach Greenham Common zu transportieren.
3. Mai
Andropow erklärt bei einem Festessen zu Ehren Honeckers die Bereitschaft der Sowjetunion, ein Gleichgewicht bei den nuklearen Mittelstreckengesprächen zu erreichen.
4. Mai
Ein Unterausschuß des Repräsentantenhauses beschließt mit 7:5 in einem Nachtragshaushalt für 1983, 478,6 Millionen US-Dollar für die Herstellung von Pershing II-Raketen bereitzustellen.
5. Mai
Die ersten 50 amerikanischen Soldaten kommen in Comiso an, um die Stationierung der ersten der 160 geplanten Marschflugkörper vorzubereiten.
25. Mai
Helmut Schmidt kritisiert die mangelnde Verhandlungsbereitschaft der USA.
29. Mai
Zum Abschluß des Wirtschaftsgipfels in Williamsburg erklären die Staats- und Regierungschefs der USA, Kanadas, Japans, Großbritanniens, Frankreichs, Italiens und der Bundesrepublik ihre Unterstützung für die Stationierung neuer Raketen, falls die Genfer INF-Gespräche bis Dezember 1983 nicht erfolgreich sind.
2. und 3. Juli
Kongreß »Verantwortung für den Frieden – Naturwissenschaftler warnen vor neuer Atomrüstung« in Mainz.
Ab 6. August
Internationale Kampagne »Fasten für das Leben«.
27. August
Großdemonstration in den Vereinigten Staaten für die Abrüstung in Washington.
1. September
Antikriegstag des Deutschen Gewerkschaftsbundes.
1. bis 3. September
Prominentenblockade in Mutlangen/Schwäbisch Gmünd.
6. September
Beginn der letzten INF-Runde vor der Stationierung in Genf.

1983 10. und 11. September
2. bundesweiter Pädagogenkongreß in Köln.
15. September
Aktionstag der »Krefelder Initiative« in Bonn.
19. September
Auftaktveranstaltung der CDU-Aktion »Gemeinsam für Frieden und Freiheit«.
19.–25. September
Friedenwoche in den Niederlanden.
20. September
Weltfriedenstag der UNO.
Frauendemonstration in Genf.
22. September
Camp mit direkten gewaltfreien Aktionen gegen die Waffenmesse ENS und 8. Internationaler gewaltloser Marsch für Entmilitarisierung in Brüssel.
25. September
Bürgerschaftswahl in Bremen und Landtagswahlen in Hessen.
1. Oktober
Europäischer Aktionstag der Internationalen Ärzte zur Verhütung eines Atomkrieges (IPPNW) in allen west- und osteuropäischen Hauptstädten und zentrale Demonstration aller Gesundheitsberufe in Bonn.
5. Oktober, 11.55 bis 12.00 Uhr
Der DGB forderte alle Arbeitnehmer auf, für fünf Minuten die Arbeit niederzulegen, um damit für Frieden und Abrüstung zu demonstrieren.
8. und 9. Oktober
Demonstrationen der amerikanischen Freeze-Kampagne gegen Marschflugkörper und Pershing II in vielen Städten der USA.
13. bis 15. Oktober
Großblockade von NATO-Einrichtungen wie das »US Military Sealift Command« in Bremerhaven/Nordenham.
15. bis 22. Oktober
Zentrale Aktionswoche der Friedensbewegung in der Bundesrepublik.
15. Oktober
Dezentrale Auftaktaktionen in vielen Städten und Gemeinden.
16. Oktober
Tag der Christen und Religionsgemeinschaften.
17. Oktober
Tag der Frauen.
18. Oktober
Tag des Antimilitarismus und der internationalen Solidarität.

1983 19. Oktober
Tag der Arbeiter, Betriebe, Landwirte und sozialen Einrichtungen.
20. Oktober
Tag der Schulen, Volkshochschulen und Hochschulen.
21. Oktober
Tag der Parlamente, Stadträte, Verwaltungen und Parteigruppen.
22. Oktober
Volksversammlungen gegen die Aufstellung neuer Mittelstreckenraketen in Bonn, Hamburg, Stuttgart und Neu-Ulm und Bildung einer Menschenkette von Stuttgart nach Neu-Ulm.
22. und 23. Oktober
Großdemonstrationen der nationalen Friedensbewegungen in Belgien, Italien, Großbritannien, Österreich und Dänemark.
29. Oktober
Großdemonstration der niederländischen Friedensbewegung in Den Haag.
6. bis 16. November Friedensdekade der Evangelischen Kirche.
18. und 19. November
Sonderparteitag der SPD über die Europa-Wahlen und zum NATO-Doppelbeschluß in Bonn.
11. Dezember
Internationales Sport- und Spielfest der Sportlerinitiative in Dortmund.
12. Dezember
4. Jahrestag des Nachrüstungsbeschlusses
Um den 15. Dezember
Möglicherweise Einflug von 9–18 Pershing II (zerlegt in je fünf Bestandteile und in 90 Kisten verpackt) mit zwei Transportflugzeugen über Ramstein und Miesau nach Mutlangen, sowie Cruise Missiles nach Comiso und Greenham.
16. bis 18. Dezember
Schriftsteller-Kongreß der Berliner Begegnung in Heilbronn (geplant).

Literatur zum Weiterlesen

Friedensbewegung – Friedensforschung – Friedenspolitik

Aktion Sühnezeichen/Friedensdienste: Aktionshandbuch – Frieden schaffen ohne Waffen, Berlin, mehrere Auflagen seit 1980.

Albrecht, Ulrich, u. a.: Deutsche Fragen – Europäische Antworten, Berlin 1983.

Apel, Hans, u. a.: Sicherheitspolitik contra Frieden? Ein Forum zur Friedensbewegung, Bonn 1981.

Arbeitskreis atomwaffenfreies Europa (Hrsg.): Alternativen Europäischer Friedenspolitik, Berlin 1981.

Bahr, Egon: Was wird aus den Deutschen? Fragen und Antworten, Reinbek 1982.

Bastian, Gert: Frieden schaffen! Gedanken zur Sicherheitspolitik, München 1983.

Brauch, Hans Günter: Entwicklungen und Ergebnisse der Friedensforschung (1969-1978), Frankfurt 1979.

Büscher, Wolfgang, Peter Wensierski und Klaus Wolschke: Friedensbewegung in der DDR, Texte 1978–1982, Hattingen 1982.

Ehring, Klaus und Martin Dallwitz: Schwerter zu Pflugscharen: Friedensbewegung in der DDR, Reinbek 1982.

Engelmann, Bernt u. a. (Hrsg.): Es geht, es geht . . . Berliner Begegnung, Haager Treffen, Interlit '82 in Köln, München 1982.

Eppler, Erhard: Die tödliche Illusion der Sicherheit, Reinbek 1983.

Hessische Stiftung Friedens- und Konfliktforschung (Hrsg.): Europäische Sicherheit und der Rüstungswettlauf, Frankfurt/New York 1979.

Der Palme-Bericht, Bericht der Unabhängigen Kommission für Abrüstung und Sicherheit, ›Common Security‹, Berlin 1982.

Krippendorff, Ekkehart und Reimar Stuckenbrock: Zur Kritik des Palme-Berichts – Atomwaffenfreie Zonen in Europa, Berlin 1983.

Pestalozzi, Hans A. u. a. (Hrsg): Frieden in Deutschland. Die Friedensbewegung: wie sie wurde, was sie ist, was sie werden kann, München 1982.

Prosinger, Wolfgang: Laßt uns in Frieden – Portrait einer Bewegung, Reinbek 1982.

Richter, Horst E.: Alle redeten vom Frieden – Versuch einer paradoxen Intervention, Reinbek 1981.

Seidelmann, Reimund (Hrsg.): Der demokratische Sozialismus als Friedensbewegung, Essen 1982.

Senghaas, Dieter: Rüstung und Militarismus, Frankfurt 1972.

Steinweg, Rainer (Red.): Die neue Friedensbewegung, Analysen aus der Friedensforschung, Frankfurt 1982.

Studiengruppe Militärpolitik (Hrsg.): Aufrüsten, um abzurüsten? Informationen zur Lage, Reinbek 1980.

Atomare und chemische Waffen und die Nachrüstungsdiskussion

Albrecht, Ulrich: Kündigt den Nachrüstungsbeschluß! Frankfurt 1982.
Bayrische Ärztinnen und Ärzte gegen den Atomkrieg, Die Überlebenden werden die Toten beneiden, Köln 1982.
Bittorf, Wilhelm (Hrsg.): Nachrüstung – Der Atomkrieg rückt näher, Reinbek 1981.
Brauch, Hans Günter: Der chemische Alptraum oder gibt es einen C-Waffen-Krieg in Europa, Berlin/Bonn 1982.
Brauch, Hans Günter und Alfred Schrempf: Giftgas in der Bundesrepublik. Chemische und biologische Waffen, Frankfurt 1982.
Brauch, Hans Günter und Rolf-Dieter Müller (Hrsg.): Chemische Kriegführung – chemischer Krieg, Dokumente – Kommentare, Militärpolitik und Rüstungsbegrenzung, Bd. 1, Berlin 1984.
Brauch, Hans Günter (Hrsg.): Kernwaffen und Rüstungskontrolle, mit einem Vorwort von Egon Bahr, Opladen 1983.
Brauch, Hans Günter: »Der NATO-Doppelbeschluß und die Strategie der Allianz: Ein Plädoyer für die Seestützung« in: Friedensworte, Berlin, Oktober 1983.
Brauch, Hans Günter: »Technologische Eigendynamik und destabilierende Waffensysteme«, in: H. P. Dürr u. a. (Hrsg.), Verantwortung für den Frieden. Naturwissenschaftler gegen Atomrüstung, Reinbek 1983.
Däubler, Wolfgang: Stationierung und Grundgesetz, Reinbek 1982.
Guha, Anton-Andreas: Der Tod in der Grauzone. Ist Europa noch zu verteidigen? Frankfurt 1980.
Guha, Anton-Andreas: Die Nachrüstung – Der Holocaust Europas – Thesen und Argumente, Freiburg 1981.
Informationsbüro für Friedenspolitik: Lagerung und Transport von Atomwaffen, München 1982.
Mechtersheimer, Alfred (Hrsg.): Nachrüsten? Dokumente und Positionen zum NATO-Doppelbeschluß, Reinbek 1981.
Mechtersheimer, Alfred: Rüstung und Frieden. Der Widersinn der Sicherheitspolitik, München 1982.
Mechtersheimer, Alfred und Peter Barth (Hrsg.): Den Atomkrieg führbar und gewinnbar machen? Dokumente zur Nachrüstung. Band 2, Reinbek 1983.
Krell, Gert und Hans-Joachim Schmidt: Der Rüstungswettlauf in Europa, Mittelstreckensysteme, konventionelle Waffen und Rüstungskontrolle, Frankfurt/New York 1982.
Luber, Burkhard: Bedrohungsatlas Bundesrepublik Deutschland, Wuppertal 1982.
Lumsden, Malvern: Perversion der Waffentechnik. Der SIPRI-Report über besonders grausame nichtnukleare Waffen, Reinbek 1983.
Scheer, Robert: Und brennend stürzen Vögel vom Himmel – Reagan und der ›begrenzte‹ Atomkrieg, München 1983.
Schrempf, Alfred: Chemische Kampfstoffe – chemischer Krieg, München 1981.
Seidel, Peter: Die Diskussion um den Doppelbeschluß. Eine Zwischenbilanz, München 1982.
SIPRI (Hrsg.): Rüstung und Abrüstung im Atomzeitalter, Reinbek 1977.
Sonntag, Philipp: Verhinderung und Linderung atomarer Katastrophen, Bonn 1981.
Stratmann, K.-Peter: NATO-Strategie in der Krise, Militärische Optionen von NATO und Warschauer Pakt in Mitteleuropa, Baden-Baden 1981.
Die UNO-Studie Kernwaffen, München 1982.

Rüstung – Abrüstung und alternative Sicherheit

Afheldt, Horst: Verteidigung und Frieden – Politik mit militärischen Mitteln, München/Wien 1976.

Albrecht, Ulrich, Peter Lock und Herbert Wulf: Mit Rüstung gegen Arbeitslosigkeit? Reinbek 1982.

Brauch, Hans Günter: Abrüstungsamt oder Ministerium? Ausländische Modelle der Abrüstungsplanung, mit einem Vorwort von William Borm, Frankfurt 1981.

Brauch, Hans Günter und Duncan L. Clarke (Hrsg.): Decisionmaking for Arms Limitation, Assessments and Prospects, Cambridge, Mass. 1983.

Ebert, Theodor: Soziale Verteidigung, 2 Bände, Waldkirch 1981.

European Security Study: Wege zur Stärkung der konventionellen Abschreckung in Europa: Vorschläge für die 80er Jahre, Baden-Baden 1983.

Fahl, Gundolf: Rüstungsbeschränkung durch internationale Verträge, Berlin 1980.

Fahl, Gundolf: SALT II vor START, Die strategische Grenznachbarschaft von USA und UdSSR, Berlin 1983.

Löser, Jochen: Weder rot noch tot. Überleben ohne Atomkrieg – Eine sicherheitspolitische Alternative, München 1981.

Komitee für Grundrechte und Demokratie (Hrsg.): Frieden mit anderen Waffen, Reinbek 1981.

Sonntag, Philipp (Hrsg.): Rüstung und Ökonomie, Frankfurt 1982.

Uhle-Wettler, Franz: Gefechtsfeld Mitteleuropa. Gefahr der Übertechnisierung von Streitkräften, München 1980.

Voigt, Karsten: Wege zur Abrüstung, Frankfurt 1981.

Die ethische und philosophische Dimension der Sicherheitspolitik

Anders, Günther: Hiroshima ist überall, München 1982.

Anders, Günther: Die atomare Drohung, München 1981.

Aktion Sühnezeichen/Friedensdienste (Hrsg.): Christen im Streit um den Frieden. Beiträge zu einer neuen Friedensethik, Freiburg 1982.

Battke, Achim: Atomrüstung – christlich verantwortbar? Düsseldorf 1982.

Alt, Franz: Frieden ist möglich. Die Politik der Bergpredigt, München 1983.

Bensberger Kreis (Hrsg.): Frieden für Katholiken eine Provokation – Ein Memorandum, Reinbek 1982.

Evangelische Kirche in Deutschland: Frieden wahren, fördern und erneuern. Eine Denkschrift, Gütersloh 1981.

Die Deutschen Bischöfe: Gerechtigkeit schafft Frieden. Wort der Deutschen Bischofskonferenz zum Frieden, Bonn 1983.

Gustav-Heinemann-Initiative: Frieden – Aufgabe der Deutschen, Stuttgart 1982.

Jaspers, Karl: Die Atombombe und die Zukunft des Menschen, München 1961.

Schubert, Klaus von: Heidelberger Friedensmemorandum, Reinbek 1983.

Politik und Zeitgeschichte

Gerhard Beier
Schulter an Schulter, Schritt für Schritt
Lebensläufe deutscher Gewerkschafter
Mit 66 Abbildungen

Gerhard Beier
Die illegale Reichsleitung der Gewerkschaften 1933–1945

Heinrich Böll, Lew Kopelew, Heinrich Vormweg
Antikommunismus in Ost und West

Iring Fetscher
Vom Wohlfahrtsstaat zur neuen Lebensqualität
Die Herausforderungen des demokratischen Sozialismus

Helga Grebing (Hrsg.)
Fritz Sternberg
Für die Zukunft des Sozialismus
Werkproben, Aufsätze, unveröffentliche Texte, Bibliographie und biographische Daten
Mit Kommentaren zu Leben und Werk

Jiři Gruša (Hrsg.)
Verfemte Dichter
Eine Anthologie aus der ČSSR
Mit einem einleitenden Vorwort von Hans-Peter Riese

Werner Lansburgh, Frank-Wolf Matthies
Exil – Ein Briefwechsel
Mit Essays, Gedichten und Dokumenten

Jiři Lederer
Mein Polen lebt
Zwei Jahrhunderte Kampf gegen Fremdherrschaft

Theodor Leipart
Carl Legien
Vorwort: Heinz Oskar Vetter

Detlev Peukert
Die Edelweißpiraten
Protestbewegungen jugendlicher Arbeiter im Dritten Reich
Eine Dokumentation

Günter Schubert
Stolz, die Rüstung der Schwachen
Polnische Lebensläufe zwischen Weiß und Rot
Mit 20 Abbildungen

Solidarność
Die polnische Gewerkschaft „Solidarität" in Dokumenten, Diskussionen und Beiträgen
Herausgegeben von B. Büscher, R. U. Henning, G. Koenen, D. Leszczyńska, Chr. Semler, R. Vetter

Johano Strasser
Grenzen des Sozialstaats?
Soziale Sicherung in der Wachstumskrise
Zweite, völlig überarbeitete und erheblich erweiterte Auflage

Pavel Tigrid
Arbeiter gegen den Arbeiterstaat
Widerstand in Osteuropa

Gerhard Zwerenz
Antwort an einen Friedensfreund
oder
Längere Epistel für Stephan Hermlin und meinen Hund
Ein Diarium

Bund-Verlag

Hans Günter Brauch, geboren 1947. Dr. phil. Er arbeitet seit 1977 in der internationalen Pugwash-Bewegung mit. Er ist Vollmitglied des Internationalen Instituts für Strategische Studien in London. Er hat sich intensiv wissenschaftlich mit Fragen der nuklearen Rüstung beschäftigt und hierzu zahlreiche Beiträge für Zeitschriften und Sammelbände im In- und Ausland verfaßt. Brauch ist Mitglied der Studiengruppe „Europäische Sicherheit" der Vereinigung Deutscher Wissenschaftler (VDW). In der jüngsten Zeit wurde der Autor vor allem durch seine Publikation zu C-Waffen bekannt: Der chemische Alptraum.

Der Friedensforscher Hans Günter Brauch enthüllt die politischen Hintergründe, die zum NATO-Doppelbeschluß führten. Er zählt zu dessen frühen Kritikern und ist Mitverfasser des Appells vom 11. November 1979, der mit der Forderung nach einem euronuklearen Waffenmoratorium eine zentrale Forderung der europäischen Friedens- und amerikanischen Freeze-Bewegung vorwegnahm. Der Band schildert die innen- und außenpolitischen Entwicklungen zum NATO-Doppelbeschluß, die strategischen und technologischen Hintergründe, den sich in beiden deutschen Staaten formierenden Widerstand, die Auswirkungen auf die sozialliberale Koalition, das Abrüstungspoker der Supermächte, den Raketenwahlkampf, das Scheitern der Genfer Rüstungskontrollgespräche und die letzten Stationierungsvorbereitungen. Ein ebenso packendes wie informatives Buch, das für ein breites Publikum geschrieben wurde.

ISBN 3-7663-0829-7